HOMÉLIES
SUR LES PSAUMES
36 À 38

SOURCES CHRÉTIENNES

N° 411

ORIGÈNE

HOMÉLIES SUR LES PSAUMES 36 À 38

TEXTE CRITIQUE ÉTABLI
par **Emanuela PRINZIVALLI**

INTRODUCTION, TRADUCTION, ET NOTES
par **Henri CROUZEL**, *s.j. et* **Luc BRÉSARD**, *o.c.s.o.*

Ouvrage publié avec le concours
du Centre National du Livre
et de l'Œuvre d'Orient

LES ÉDITIONS DU CERF, 29, Bd de Latour-Maubourg, PARIS 7ᵉ
1995

*La publication de cet ouvrage a été préparée avec le concours
de l'Institut des «Sources Chrétiennes»
(U.R.A. 993 du Centre National de la Recherche Scientifique)*

© Les Éditions du Cerf, 1995
ISBN : 2-204-053 38-4
ISSN : 0-750-1978

AVANT-PROPOS

Ce volume est le fruit d'une collaboration internationale. Emanuela PRINZIVALLI a fait l'édition critique du texte pour la collection *Biblioteca Patristica*, publiée par l'éditeur Nardini de Florence. Nous reproduisons le texte, sans l'apparat critique, avec l'aimable autorisation de cet éditeur.

L'introduction est de Henri CROUZEL pour les parties I à III, Luc BRÉSARD pour la partie IV, et E. PRINZIVALLI pour la partie V (traduite par H. Crouzel). La traduction est de L. BRÉSARD, revue par H. Crouzel, et les notes sont de L. BRÉSARD et H. CROUZEL en collaboration.

INTRODUCTION

I. LES TRAVAUX D'ORIGÈNE SUR LES PSAUMES[1]

Origène a beaucoup écrit et prêché sur les Psaumes. Eusèbe, dans son *Histoire Ecclésiastique* (HE) mentionne pour la première partie de sa vie, à Alexandrie, un commentaire sur les vingt-cinq premiers psaumes[2]. Dans la liste des œuvres d'Origène qui se trouve dans sa *Lettre 33 à Paula* (liste très détaillée, mais non absolument complète), Jérôme cite des scolies sur les psaumes du premier au quinzième (numérotation des LXX; peut-être faut-il lire : vingt-cinquième, et y voir le commentaire signalé par Eusèbe). Puis Jérôme cite ce qui suit :

Un livre sur chacun des psaumes 1, 2, 3, 4, 5, 6, 7, 8, 9, 10, 11, 12, 13, 14, 15, 16, 20, 24, 29, 38, 40. Sur le psaume 43, 2 livres; sur le psaume 44, 3 livres; sur le psaume 45, 1 livre; sur le psaume 46, 1 livre; sur le psaume 50, 2 livres; sur le psaume 51, 1 livre; sur le psaume 52, 1 livre; sur le psaume 53, 1 livre; sur le psaume 57, 1 livre; sur le psaume 58, 1 livre; sur le psaume 59, 1 livre; sur le psaume 62, 1 livre; sur le psaume 63, 1 livre; sur le psaume 64, 1 livre; sur le psaume 65, 1 livre; sur le psaume 68, 1 livre; sur le psaume 70, 1 livre; sur le psaume 71, 1 livre; sur le début du psaume 72, 1 livre; sur le Psaume 103, 2 livres.

1. Cette partie est de H. CROUZEL.
2. HE VI, 24, 2.

Des homélies sur les psaumes sont pareillement énumérées :

Une homélie sur les psaumes 3, 4, 8, 12, 13 ; 3 sur le psaume 15 ; 1 sur les psaumes 16, 18, 22, 23, 24, 25, 26, 27 ; 5 sur le psaume 36 ; 2 sur les psaumes 37, 38, 39 ; 1 sur les psaumes 49, 51 ; 2 sur le psaume 52 ; 1 sur le psaume 54 ; 7 sur le psaume 67 ; 2 sur le psaume 71 ; 3 sur les psaumes 72 et 73 ; 1 sur les psaumes 74 et 75 ; 3 sur le psaume 76 ; 9 sur le psaume 77 ; 4 sur le psaume 79 ; 2 sur le psaume 80, 1 sur le psaume 81 ; 3 sur le psaume 82 ; 1 sur le psaume 83 ; 2 sur le psaume 84 ; 1 sur les psaumes 85, 87, 108, 110 ; 3 sur le psaume 118 ; 1 sur le psaume 120 ; 2 sur les psaumes 121, 122, 123, 124 ; 1 sur les psaumes 125, 127, 128, 129, 131 ; 2 sur les psaumes 132, 133, 134 ; 4 sur le psaume 135 ; 2 sur le psaume 137 ; 4 sur le psaume 138 ; 2 sur le psaume 139 ; 3 sur le psaume 144 ; 1 sur les psaumes 145, 146, 147, 149. Des scolies sur tout le Psautier[1].

Si on pense qu'Origène a écrit et prêché sur la plupart des livres des deux Testaments on peut se faire une idée de l'immensité de son œuvre exégétique. Mais que reste-t-il de ses travaux sur les Psaumes ? Relativement à ce que nous venons de citer, peu de chose : en dehors d'innombrables fragments dont l'authenticité pose bien des problèmes, ne subsistent dans leur entier que quelques homélies.

Les homélies sur les Psaumes 36, 37 et 38 Les neuf homélies sur les psaumes 36, 37, 38 – selon l'hébreu 37, 38 et 39 – sont conservées par une traduction latine de Rufin de Concordia, dit d'Aquilée. Un court prologue la dédie à Apronianus, mari d'Avita, nièce de Mélanie l'Ancienne,

---

1. Voir H. CROUZEL, *Origène,* Paris 1985, p. 64-66, d'après P. NAUTIN, *Lettres et écrivains chrétiens des IIe et IIIe siècles,* p. 233-240. Le texte latin se trouve avec la lettre 33 de Jérôme dans l'édition de Jérôme LABOURT, *Saint Jérôme : Lettres,* Tome II, Paris 1951, p. 40-43.

cette grande dame romaine qui, devenue veuve, avait précédé Rufin en Terre Sainte et fondé un couvent de religieuses sur le Mont des Oliviers près du monastère d'hommes dirigé par Rufin. Quand ce dernier est revenu en Occident, elle lui a recommandé la formation religieuse du mari de sa nièce. Sont également dédiées à ce dernier les traductions rufiniennes des sermons de Basile, de ceux de Grégoire de Nazianze et des Sentences de Sexte. Rufin s'acquitte ainsi de la mission que lui a confiée Mélanie, car il a fait ces traductions dans cette intention, pensant que ces homélies sont surtout d'ordre moral. Avita a dû trouver difficiles à lire les textes traduits auparavant par Rufin pour son mari : de là ce que Rufin dit concernant les femmes.

Les traductions de Rufin ont toujours été dans les temps contemporains l'objet de bien des soupçons d'infidélité, bien qu'il déclare dans la Postface à sa traduction du *Commentaire sur l'Épître aux Romains* d'Origène, avoir traduit ces homélies «tout simplement, comme nous les avons trouvées, et sans beaucoup de travail» à la différence du *Commentaire sur l'Épître aux Romains* qui lui a donné un travail considérable[1]. On peut en juger en partie en s'appuyant, quant aux idées du moins, sur d'assez nombreux fragments conservés par la *Patrologie* de Migne, tomes 12 et 17, et par J. B. Pitra, *Analecta Sacra,* tome III. La confrontation de la traduction rufinienne avec le texte grec est de grande importance, spécialement pour les psaumes 37 et 38, car nous avons pour eux à notre disposition de longs morceaux de la Chaîne Palestinienne[2] : elle atteste la fidélité substantielle

---

1. Rufin s'explique sur la difficulté de ces traductions dans la postface à sa traduction du *Commentaire sur l'Épître aux Romains, PG* 14, 1293-1294.

2. R. DEVREESSE, *Les anciens commentateurs grecs des Psaumes* (*Studi e Testi,* 264), Cité du Vatican 1970, p. 14-17.

de Rufin au texte d'Origène. La plupart des recherches sur les traductions de Rufin ont été faites à partir d'un des écrits origéniens les plus difficiles, le *Traité des Principes* (*Peri Archon*). On peut lire à ce sujet l'étude minutieuse et toute récente de Nicolà Pace[1], comparant à la traduction rufinienne de ce livre les deux longs fragments grecs conservés par la *Philocalie d'Origène* et correspondant aux chapitres III, 1 et IV, 1-3 de ce livre d'après Rufin. Mais la traduction de ces neuf homélies ne présentait pas à Rufin les mêmes difficultés dogmatiques que le *Traité des Principes*. On peut voir aussi sur les traductions de Rufin les différentes interventions faites dans deux colloques qui se sont tenus dans la patrie de Rufin, Concordia Sagittaria, et dans la ville voisine, Portogruaro, en 1986 et 1990[2].

Les *Tractatus in Psalmos*, œuvre d'Origène ou de Jérôme. En 1903 Dom Germain Morin publiait sous le nom de Jérôme des *Tractatus sive Homiliae in Psalmos* suivis d'autres sermons : ils furent réédités en 1958 par le *Corpus Christianorum*[3] parmi les œuvres du même Jérôme. Mais en 1980 Vittorio Peri, *scrittore* à la Bibliothèque Vaticane, contestait l'attribution à Jérôme dans

---

1. N. PACE, *Ricerche sulla traduzione di Rufino del «De Principiis» di Origene*, Firenze 1990.

2. *Rufino di Concordia e il suo tempo*, Vol. I et *Storia e esegesi in Rufino di Concordia* (Antichità Altoadriatiche XXXI et XXXIX, Udine 1987 et 1992). L'article publié par N. Pace dans ce dernier volume («Un passo discusso della traduzione rufiniana del 'Peri Archon' di Origene», p. 199-220) est loin d'avoir l'intérêt de son livre cité plus haut, car le point de comparaison, qui dans le livre était constitué par les passages conservés par la *Philocalie d'Origène* dont l'authenticité est à peu près sûre, l'est ici par les fragments de Jérôme et de Justinien aussi peu sûrs, sinon moins, que la traduction de Rufin.

3. Series Latina LXXVIII/2.

un livre intitulé *Omelie origeniane sui salmi*[1]. Il s'agissait selon lui d'homélies origéniennes sur les Psaumes, traduites et dans une certaine mesure adaptées par Jérôme : mais Jérôme n'y avait pas mis une préface les revendiquant comme siennes et ne les mentionnait pas dans la lettre 112 à Augustin[2] où il énumère les commentateurs des psaumes. Nous avons manifesté notre accord avec la thèse de Peri dans une longue recension[3], comme l'a fait aussi Marie-Josèphe Rondeau qui travaille sur les commentaires patristiques des Psaumes[4]. Mais les spécialistes de Jérôme n'ont pas accepté la thèse, et dans un colloque consacré à Jérôme, Pierre Jay a discuté le livre de Peri et une partie des motifs qui l'avaient inspiré[5]. Il y a cependant des arguments auxquels P. Jay n'a pas répondu, mais sa réponse n'en est pas moins impressionnante. Aussi faut-il conclure que la question n'est pas encore mûre. Certes, et P. Jay ne le nie pas, les *Tractatus in Psalmos* sont fortement inspirés d'Origène comme bien des œuvres exégétiques de Jérôme. Mais il pense qu'ils ne le sont pas différemment des autres et il cite pour finir un mot de P. Nautin : «S'inspirer d'un auteur, fût-ce de très près, et le traduire sont deux genres très différents quant à la fidélité observée par rapport à l'original. Jérôme savait les distinguer : ne les confondons pas[6]».

---

1. V. Peri, *Omelie origeniane sui Salmi. Contributo all'identificazione del testo latino*, (*Studi e Testi*, 289), Cité du Vatican 1980.

2. Édition J. Labourt § 20 : Tome VI, p. 39-40.

3. *Bulletin de Littérature Ecclésiastique*, 82 (1981), p. 133-136.

4. M.-J. Rondeau, *Les commentaires patristiques du Psautier (IIIe-IVe siècles)*, t. I, Rome 1982, p. 54-55, 157-161; tome II, Rome 1985, p. 137-167.

5. «Jérôme à Bethléem : les Tractatus in Psalmos» dans *Jérôme entre l'Occident et l'Orient*, Actes du colloque de Chantilly édités par Y.-M. Duval, Paris 1988, p. 367-380.

6. Recension du volume I de M.-J. Rondeau (voir note 4 ci-dessus) dans *REG*, 97 (1984), p. 585.

Certes, Jérôme a publié des traductions d'Origène au sens strict du terme, les Homélies sur Isaïe, Jérémie, Ézéchiel et Luc, à une époque où il était un ardent disciple du maître alexandrin, et il s'est constamment inspiré de lui dans ses œuvres propres, aussi bien dans cette période que dans la suivante. Nous nous demandons cependant si ce texte de P. Nautin n'est pas trop absolu et si, considérant certains des arguments auxquels P. Jay n'a pas répondu – on peut les voir dans notre recension du livre de Peri – et le chapitre consacré aux *Tractatus in Psalmos* dans son second volume par M.-J. Rondeau[1], nous ne serions pas en présence d'un genre intermédiaire entre une traduction proprement dite et une œuvre inspirée par une autre : il s'agirait d'une version assez large entreprise par Jérôme pendant la querelle origéniste où il a voulu en quelque sorte effacer les traces de l'auteur, sans se priver cependant de profiter de ce qui était acceptable et de mettre les *Tractatus* au goût du jour en répondant aux erreurs de son temps. Un tel procédé peut à juste raison paraître choquant à nos contemporains, mais il n'était pas question alors de propriété littéraire, pas plus moralement que juridiquement : les exemples ne manquent pas dans l'Antiquité et aussi parmi les Pères.

Les fragments sur les Psaumes Innombrables sont les fragments sur les Psaumes attribués à Origène. Mais la question de leur authenticité se pose fortement, ainsi que, le cas échéant, celle de leur attribution. Les nombreux *Selecta in Psalmos* publiés par Delarue et repris par Migne[2] et par Lommatsch, et les fragments édités par Pitra[3], ont été l'objet d'un article

---

1. Voir note 4 de la page précédente.
2. *PG* 12, 1049-1686.
3. *Analecta Sacra* II et III, 1884, 1883.

de Hans Urs von Balthasar[1] qui concluait, grâce à l'étude de la pensée et du style, qu'il y avait dans cet ensemble de nombreux passages d'Évagre le Pontique, sans parler d'Eusèbe de Césarée et de Didyme l'Aveugle. Vingt ans plus tard, Marie-Josèphe Rondeau[2] confirmait les intuitions de Balthasar, en s'appuyant sur le *Vaticanus Graecus 754*, et donnait d'après ce manuscrit une longue liste de fragments, contenus dans Delarue et Pitra, qui devaient être restitués à Évagre. En 1970 Mgr Robert Devreesse[3] publiait avec incipit et explicit une liste des fragments authentiques d'Origène contenus dans *PG* 12 et 17 et dans Pitra, puis reproduisait en toutes lettres des fragments origéniens sur le Psaume 118[4] et les Psaumes 119-150[5]. Enfin, en 1972, Marguerite Harl éditait *La Chaîne Palestinienne sur le Psaume 118*[6], composée de fragments d'Origène et de plusieurs autres Pères. Un résumé de l'état de la question a été fait en 1982 par M.-J. Rondeau[7]. L'identification des fragments d'Origène sur les Psaumes n'est pas encore achevée : les fragments subsistants ne viennent pas seulement de commentaires, mais aussi d'homélies, par exemple les neuf que nous publions, ou encore de scolies, c'est-à-dire de notes indépendantes de toute œuvre suivie.

1. «Die Hiera des Evagrios», *Zeitschrift für katholische Theologie*, 63 (1939), p. 86-106, 181-206.

2. «Le Commentaire sur les Psaumes d'Évagre le Pontique», *Orientalia Christiana Periodica*, 26 (1960), 307-348.

3. R. DEVREESSE, *Les anciens commentateurs grecs des Psaumes* (*Studi e Testi*, 264), Cité du Vatican 1970.

4. P. 19-85.

5. P. 85-88.

6. *La chaîne palestinienne sur le Psaume 118*, par M. HARL avec la collaboration de G. DORIVAL, Paris 1972, 2 vol. (*SC* 189-190).

7. *Op. cit.* (*supra*, p. 13, n. 4), t. I, p. 55-63.

II. Authenticité des homélies : les doutes d'Érasme[1]

Dans les *censurae* où il discute les œuvres d'Origène qu'il édite, Érasme émet des doutes sur l'authenticité origénienne des homélies sur les Psaumes. Voici ce qu'il écrit, traduit sur l'édition princeps de Bâle 1536[2] :

« Au sujet de cette œuvre mon avis reste hésitant : elle rappelle à peine le génie et le style d'Origène et est plus proche du style de Chrysostome. Je soupçonne que celui qui l'écrivit était un latin, ou, si c'est Rufin qui l'a traduite, il a, à sa manière, fait sien ce qui était d'un autre en le remaniant, c'est-à-dire en le mélangeant. Dans sa préface il ne déclare pas que c'est d'Origène qu'il a traduit ces homélies. Dans la postface qu'il a ajoutée aux commentaires sur l'Épître aux Romains[3] il témoigne qu'il a traduit ces homélies simplement, telles qu'elles se trouvaient chez les Grecs, mais il ne dit pas davantage le nom de l'auteur. »

En fait Érasme ne discute que le début de l'homélie I sur le Psaume 36 et s'acharne avec une particulière âpreté sur le prologue dédié à Apronianus. Il relève encore que Rufin ne cite pas le nom d'Origène comme auteur, le soupçonne d'avoir lui-même divisé la matière en neuf homélies qu'il aurait traduites librement à partir d'un commentaire continu, et d'avoir tu le nom de l'auteur pour que l'on ne s'en aperçût pas. Il reproche à Rufin sa langue, la construction de *praestare* avec *quod* et non avec *ut*, sans se rendre compte que Rufin n'écrit plus dans le latin classique de Cicéron et de César, mais dans le latin tardif de son temps. Avec l'expression *operi nostro*, « notre

---

1. Cette partie est de H. Crouzel.
2. Édition princeps Bâle (Froben) 1536, feuille β 3 recto et verso.
3. Voir *supra*, p. 11, note 1.

œuvre», le traducteur, toujours selon Érasme, semble faire
sien ce qui appartient à un autre. Enfin la comparaison
des nerfs et des os, de la chair et de la graisse, traitée
ironiquement de *perbellam*, l'est ensuite de parole balbutiante et de pensée inepte. Il n'est d'ailleurs pas certain
pour Érasme que l'auteur de la traduction soit Rufin.

Ces soupçons contre l'authenticité origénienne et rufinienne ne sont pas justifiés, pas plus que l'attribution à
Rufin du découpage en 9 homélies de ce qui aurait été
un commentaire continu[1]. On peut faire valoir à ce sujet
un argument qu'Érasme ignorait. En effet la liste des
œuvres d'Origène tirée de la lettre 33 de Jérôme à Paula,
qui se réfère aux œuvres grecques telles qu'elles étaient
conservées dans la bibliothèque de Césarée, spécifie bien,
comme nous l'avons vu, cinq homélies sur le Psaume
36, deux sur le Psaume 37, et deux sur le Psaume 38.
Or Érasme ne pouvait pas lire cette liste, car les manuscrits des lettres de Jérôme n'en donnaient que les premiers mots, et ce sera le cas de toutes les éditions jusqu'au milieu du XIXe siècle. Mais peu avant 1847 un
érudit anglais, Sir Thomas Phillipps, découvrait cette liste
complète dans un manuscrit d'Arras contenant les homélies

---

1. On pourrait comprendre cela de la phrase de Rufin dans la préface :
*in novem oratiunculis, quas Graeci ὁμιλίας vocant, velut in uno corpore
digestam in Latinum transtuli.* Rufin veut dire qu'il a réuni dans un
seul corps les neuf homélies, mais on pourrait comprendre qu'il a
réparti en neuf homélies ce qui formait un seul corps. C'est ce qu'a
cru comprendre, semble-t-il, Érasme, et ce qu'après lui a compris Génébrard dans son édition, dans les *Collectanea* qui suivent la lettre-préface
(feuille ++ ij verso, première col.) : « *Origenis Tractatus in Psalmos tres,
videlicet 36, 37 et 38, quos Rufinus, non indicato auctoris ipsorum
nomine, asserit se de Graeco in Latinum transtulisse et ad maiorem
legentium commoditatem in novem Homilias disseculisse*». (La préface,
lettre au roi Charles IX, est datée du 1er janvier 1574 qui est la date
de l'édition princeps ; mais la page de garde de notre exemplaire manque
et la date de l'édition n'est pas repérable. Celle de la seconde partie,
reliée avec la première, est 1604).

d'Origène sur la Genèse. Imprimée par son inventeur dans un petit fascicule, elle sera éditée et commentée par Fr. W. Ritschl[1], et depuis reprise dans diverses publications. La lettre 33 à Paula date d'une époque où Jérôme est un ardent *supporter* d'Origène, donc d'avant 393, et toutes les traductions d'Origène par Rufin sont postérieures à cette date : celle des *Homélies sur les Psaumes* serait de 398. Ce n'est donc pas de Rufin que Jérôme a appris la répartition des homélies sur les Psaumes qu'il reproduit dans la Lettre 33, mais de la bibliothèque de Césarée. On ne peut donc plus entretenir de soupçon raisonnable, quelle que soit l'autorité d'Érasme, sur l'authenticité de ces textes et leur répartition en neuf homélies. Quant aux reproches faits par Érasme à Rufin il faut se souvenir que si Érasme est un admirateur d'Origène, il ne l'est pas moins de Jérôme et qu'il pouvait être influencé dans son jugement sur Rufin par les attaques de Jérôme. Par ailleurs le caractère essentiellement moral et ascétique de ces homélies et le caractère des écrits de Rufin n'étaient guère faits pour plaire à Érasme : de là ses soupçons d'inauthenticité.

III. L'ENSEIGNEMENT DES HOMÉLIES SUR LES PSAUMES 36, 37, 38[2]

Des homélies sur la vie morale Rufin dans son Prologue présente le contenu de ces homélies comme étant tout entier d'ordre moral. Voici quelques-uns des principaux enseignements, avec parfois quelques explications.

---

1. Fr. W. RITSCHL, *Die Schriftstellerei des M. Terentius Varro und die des Origenes : Nach dem ungedruckten Katalog des Origenes,* Bonn 1847.
2. Cette partie est de H. CROUZEL.

– *1re homélie sur le Ps. 36* : Il ne faut pas donner d'exemple mauvais ni suivre ceux des autres. La gloire humaine n'a guère de valeur et la chair doit être méprisée : la chair n'est pas pour Origène le corps, mais la partie inférieure de l'âme qui la tire vers le corps, appelée aussi d'une expression paulinienne «la pensée (φρόνημα) de la chair[1]». Un passage parle de l'exomologèse, c'est-à-dire de la confession des péchés.

– *2e homélie sur le Ps. 36* : La soumission à Dieu et au Christ est présentée dans le contexte de *I Cor.* 15, 28 : le Christ ne sera dit soumis à Dieu que lorsque son Corps tout entier lui sera soumis, ce Corps qui contient non seulement l'Église, non seulement tout le genre humain, mais encore «la totalité de la création[2]», affirmation hardie qu'on ne trouve que là dans toute l'œuvre subsistante d'Origène, car il ne s'intéresse guère habituellement à ce qui est inférieur à l'homme. Il faut donc être soumis à Dieu et ne pas manquer d'examiner sa conscience à ce sujet. La vie est un combat dont l'enjeu est la soumission à Dieu : si on cesse de pécher et si on se repent, on sera soumis à Dieu[3]. Origène fait allusion une première fois au scandale soulevé par le bonheur des impies : il ne faut pas leur porter envie, car ce ne sera pas ainsi dans l'au-delà. Il faut se garder du vice de la colère, le plus difficile à éviter, et distinguer le *peccator* (le pécheur) du *malignus* (le méchant) car le second pèche volontairement, le premier par ignorance et faiblesse.

---

1. *Rm* 8, 6-7.
2. 36 II, 1, l. 57.
3. Ce texte est étudié par H. CROUZEL, «Quand le Fils transmet le Royaume à Dieu son Père : l'interprétation d'Origène», *Studia Missionalia* (Rome), 33 (1984), p. 359-384, ici 373.

– *3ᵉ homélie sur le Ps. 36* : Les justes veulent garder à tout prix la justice : ce concept de justice tient à la fois, comme c'est habituel chez les Pères, du sens hébraïque du mot – les justes sont ceux qui évitent le péché et s'ouvrent à la volonté divine – et de la vertu cardinale des Grecs qui consiste à donner à chacun ce qui lui revient. Mieux vaut le juste pauvre en culture que l'injuste qui en est riche. Mais la richesse venant de l'étude de l'Écriture est supérieure à tout. Ne pas mal parler des saints, c'est-à-dire des chrétiens : maîtriser sa langue.

– *4ᵉ homélie sur le Ps. 36* : La chute du juste est différente de celle de l'injuste, car le juste se relève, l'injuste reste à terre. Il ne faut pas regarder en arrière comme la femme de Lot. L'image de la lutte physique exprime le combat spirituel. David affirme n'avoir jamais vu de juste dans le besoin, mais Paul (en fait l'*Épître aux Hébreux*) dit le contraire : le juste dans ses épreuves est toujours protégé par Dieu et par ses anges.

– *5ᵉ homélie sur le Ps. 36* : La sagesse est participation au Christ-Sagesse : elle se manifeste par des actes, par l'honnêteté de la vie, par la prière. Mais elle est aussi science : au ciel se trouve la science parfaite, mais il faut progresser ici-bas pour l'atteindre. Le jugement est à comprendre en deux sens : parler avec jugement, c'est-à-dire raisonnablement ; et vivre dans la pensée du jugement à venir. De nouveau est faite une allusion au scandale du méchant heureux : mais il passe, alors que les justes ont leur salut près du Seigneur. Le prince de ce monde cherche dans chaque âme qui sort d'ici-bas si elle a quelque chose qui lui appartient, à lui le diable[1].

---

1. Cette idée est développée aussi dans l'homélie XXIII sur Luc, §§ 5-6 (*SC* 87, p. 318-321), à propos des publicains, et n'est pas sans ressemblance avec une doctrine valentinienne : le pneumatique quittant ce bas monde qui est hylique doit traverser pour parvenir au Plérôme

– *1re homélie sur le Ps. 37*: La médecine spirituelle appartient au Christ, Médecin-chef. Dans quelles conditions doit être faite la correction ou la réprimande? Le pécheur souffre de la conscience de son péché : mortification et pénitence.

– *2e homélie sur le Ps. 37*: La pénitence fait souffrir mais elle donnera la joie au dernier jour : il vaut mieux subir ici-bas les châtiments de Dieu que dans l'au-delà. Il ne faut pas se cacher son péché, mais au contraire l'avouer à un médecin spirituel bien choisi. Ce passage comme plusieurs autres d'Origène remet en question l'idée, aujourd'hui généralement admise, qu'il n'existait à l'époque que la pénitence publique[1]. La pureté est nécessaire pour s'approcher de l'eucharistie.

– *1re homélie sur le Ps. 38*: Ne pas pécher par la langue, par ce qui est dit non seulement de mal, mais d'inutile. Savoir nous taire devant celui qui dit de nous du mal : le meilleur est de bénir celui qui nous maudit; le summum est de ne pas en être attristé. Vanité de la vie présente où l'on ne voit que les figures et les ombres des vraies réalités et qui n'est pas délivrée de la corruption : seule la vie éternelle sera heureuse et véritable.

deux frontières et douanes, entre le kénôme, lieu du prince de ce monde, et l'Intermédiaire, domaine du Démiurge, et entre l'Intermédiaire et le Plérôme où se trouvent les Éons que le pneumatique est appelé à rejoindre. Ces deux passages sont rendus difficiles par le contrôle soit des anges du Prince de ce monde, soit de ceux du Démiurge qui dépouillent le pneumatique des enveloppes hylique et psychique qu'il a revêtues pour vivre en ce bas monde. Pour faciliter ces passages on met sur le défunt des formules qui lui permettent d'appeler Achamoth, la mère des pneumatiques, qui viendra le délivrer et lui faire passer les frontières (cf. A. ORBE, *Los primeros herejes ante la persecucion. Estudios Valentinianos* V, Rome 1956, p. 116-125). Chez Origène subsiste seulement le rôle du diable dans le jugement dernier.

1. Voir H. CROUZEL, *Origène*, Paris 1985, p. 301-302.

– *2ᵉ homélie sur le Ps. 38* : L'homme est dans ce monde
en image, image du céleste ou image du terrestre : nos
vertus ne sont que des images de vertus. Les biens matériels passent et les spirituels demeurent : pénitence et
conversion. Nos actes, bons et mauvais, sont inscrits sur
nous. Il faut garder le silence devant les diffamations. Le
péché épaissit, rend charnel, la vertu affine. Le chrétien
est dans le monde un *paroikos,* c'est-à-dire un homme
qui vit en étranger dans un autre pays que le sien, à la
fois citoyen et étranger, à mi-chemin entre les deux. Sur
l'importance de cette notion dans l'Église primitive, voir
les notes du texte.

L'exégèse allégorique   Il y a dans ces homélies de
l'exégèse allégorique, mais elle n'est
pas habituellement directement
christologique, comme c'est le cas la plupart du temps
chez Origène à l'exemple du Nouveau Testament. Elle
repose sur la distinction d'un monde matériel et d'un
monde spirituel et s'appuie plutôt sur Philon, et par-delà
Philon sur Platon, que sur le Nouveau Testament. C'est
ainsi qu'est allégorisée dans l'*Homélie 1 sur le Ps. 36* l'histoire d'Achab et de Naboth : l'Achab spirituel est le diable,
la vigne de Naboth est l'âme de Naboth. Il y a une
sagesse spirituelle et une sagesse charnelle, un homme
extérieur et un homme intérieur, des sens corporels et
des sens spirituels, des nourritures charnelles et des nourritures spirituelles, des délices corporels et des délices
spirituels, comme il y a des armes de Dieu et des armes
du diable, des Hébreux charnels et des Hébreux spirituels qui sont les chrétiens. Dans ces homélies, aux flèches
du diable s'opposent les flèches de Dieu, mais il est à
remarquer que ces dernières ne font pas allusion, à l'inverse d'autres livres d'Origène, au thème du trait et de
la blessure d'amour : ce sont des flèches de pénitence

qui par l'action intérieure de la grâce et la voix du prédicateur s'efforcent de susciter chez le pécheur le sentiment du repentir et l'acte de pénitence.

Les thèmes origéniens A plusieurs reprises il est question des *epinoiai* ou dénominations du Christ, des différents noms qu'il prend pour nous dans l'œuvre de notre salut. Le plus important est la Sagesse et il en est question plusieurs fois, outre les noms de vertus : Vérité, Justice, Sanctification, Sainteté, Paix, etc.

La doctrine de l'image, d'origine à la fois biblique et platonicienne, apparaît surtout dans la dernière homélie. Elle se présente sous plusieurs formes. D'abord la création de l'homme suivant l'Image de Dieu qui est le Verbe, le «selon l'image» comme dit Origène, appelé à grandir par la grâce divine et le progrès spirituel jusqu'à la ressemblance finale avec Dieu. Ensuite l'idée, inspirée par le platonisme, que tous les êtres de ce monde sont les images des idées, ou plutôt pour Origène des mystères divins. Puis une doctrine à trois degrés, venant de l'exégèse de *Hébr.* 10, 1, concernant les trois époques de l'histoire chrétienne. Les biens de l'Ancien Testament ne nous présentent que l'«ombre» (σκιά) des biens célestes, c'est-à-dire le désir ou le pressentiment, mais non une participation réelle. Ceux de la nouvelle alliance nous donnent beaucoup plus, l'image (εἰκών), dans l'É-vangile temporel, c'est-à-dire tel qu'il est vécu ici-bas : l'image connote ici une participation réelle, quoiqu'elle reste «à travers un miroir, en énigme» (*I Cor.* 13, 12), et imparfaite. Cette affirmation contient en germe la doctrine du sacramentalisme chrétien livrant le divin à travers des choses ou des gestes sensibles. Mais dans la béatitude céleste, dans l'Évangile éternel ou spirituel, nous jouirons pleinement des réalités (πράγματα).

Nous avons ainsi attiré l'attention du lecteur sur un certain nombre de thèmes majeurs de ces homélies. Mais il y en a d'autres, ne serait-ce que par allusions.

IV. LA PERSONNE D'ORIGÈNE DANS LES HOMÉLIES SUR LES PSAUMES[1]

Ces homélies nous livrent d'abord quelques notes permettant d'entrer dans le contexte où vécut Origène. Du point de vue politique, nous n'en sommes plus aux grandes dynasties du début du siècle. Depuis trente ans, des empereurs se succèdent et se renversent les uns les autres, et «toute leur gloire, leur honneur non seulement se fane comme une fleur, mais desséché comme une poussière, dispersé par le vent, ne laisse pas même sa trace[2]».

Parmi ces empereurs, certains sont favorables au christianisme ou indifférents à son égard, d'autres lui sont hostiles; aussi l'Église vit-elle alternativement des périodes de persécutions et des temps de paix[3]. Le souvenir des récentes persécutions est encore bien présent : on se souvient du rôle tenu par les Juifs qui «portent une haine insatiable aux chrétiens»[4]. On a vu aussi des ambitieux dénoncer des chrétiens pour s'enrichir de leur fortune[5].

C'est une époque où les hérésies sont là, et actives. Et ceci nous permet d'entrer en contact avec la personne même d'Origène. Sa sensibilité très vive, que l'on devine blessée par son expulsion d'Égypte[6], jointe à son amour

---

1. Cette partie est de Luc Brésard.
2. 36 I, 2, l. 15-18.
3. 36 V, 4, l. 11-15.
4. 36 I, 1, l. 81-82.
5. Cf. 36 I, 1, l. 147-150.
6. 36 I, 2, l. 54-60.

pour le Christ et l'Église, le pousse à réagir fortement contre les hérétiques, spécialement les Marcionites qui «haïssent Dieu et sa parole[1]». Ils se font un autre Dieu Créateur, dissocient les deux Testaments[2]. Et Origène de comparer l'enseignement des hérétiques à de la fausse monnaie, une monnaie humaine et de mauvais aloi qui ne porte pas sur elle l'effigie du Seigneur; on l'a frappée hors de l'hôtel de la monnaie, c'est-à-dire hors de l'Église[3]. Aussi devons-nous fuir cet enseignement : c'est un argent inique et porteur de peste[4].

Tout ceci, joint à son humilité : «Priez pour que je devienne un juste[5]!», va bien à l'encontre de l'idée d'un Origène hérétique qui s'est transmise durant des siècles.

Ces homélies nous montrent aussi l'Alexandrin sous trois autres aspects : homme de l'Écriture, homme d'Église et pasteur, et enfin homme de prière, contemplatif et mystique.

Origène, homme de l'Écriture

Homme de l'Écriture, d'abord. Au début de son enseignement, Origène avait converti Ambroise, un chrétien qui, faute de trouver dans le christianisme la nourriture spirituelle dont il avait besoin, s'était tourné vers la secte des Valentiniens. Le pasteur avait alors vu qu'il lui fallait répondre aux exigences intellectuelles de ces chrétiens qui, ne comprenant pas l'Écriture de façon spirituelle, allaient chercher la fausse lumière des élucubrations gnostiques. Tel fut le but de son œuvre exégétique. Or l'on retrouve ce souci nettement formulé dans nos homélies : «Les hérétiques s'opposent au Dieu créateur pour avoir compris la loi selon la lettre et ignoré qu'elle

---

1. 37 II, 8, l. 9.
2. 36 II, 6, l. 1-4.
3. 36 III, 11, l. 35-41.
4. 36 IV, 4, l. 26-27.
5. 36 IV, 4, l. 15-16 et aussi 3, l. 142.

était spirituelle». Aussi faut-il leur «expliquer de façon spirituelle tous les endroits où ils errent[1]». Du reste, l'Écriture est vraiment une nourriture et il importe que l'Église de Dieu n'ait pas à souffrir de la famine[2].

Le sens profond de l'Écriture fait la joie d'Origène. C'est dans le «pressoir des Écritures» que l'on presse les grappes de la vigne cultivée en notre âme, sans doute notre intelligence éveillée aux choses divines, pour en faire sortir le sens spirituel. Nous pouvons alors dire au Seigneur : «Ta coupe qui enivre, comme elle est belle[3]!» Oui, pour Origène, l'Écriture qui donne «la connaissance de la science», est semblable au jardin de délices planté par Dieu au commencement, où nous pouvons jouir de délices spirituelles, où l'on est abreuvé au «torrent des délices[4]».

Ailleurs, l'Alexandrin s'étend longuement sur les richesses des Écritures : même si l'on n'a qu'un peu de foi, mieux vaut ce peu de foi que toutes les richesses intellectuelles des gens qui n'ont pas la foi. À bien plus forte raison est-on dans l'opulence si l'on s'enrichit de toutes les richesses de l'Écriture. Mais à condition que l'on «conforme sa vie à la parole de vérité que contiennent les Écritures[5]».

Origène pasteur Car Origène est un pasteur dans l'âme. Il souligne très souvent dans ses œuvres cette nécessité de faire passer sa foi dans sa vie. Pasteur, il encourage, exhorte, menace.

Il encourage les pécheurs à ne pas désespérer, mais à revenir à l'Église. Il est permis de tomber, car l'homme est faible, mais après une chute, il ne faut pas rester à

---

1. 36 V, 5, l. 92-93.
2. 36 III, 10, l. 63-64.
3. 36 I, 2, l. 88-95.
4. 36 I, 4, l. 42-48; III, 10, l. 69-72.
5. 36 III, 6, l. 61-103.

terre, il faut se relever[1]. Il encourage aussi ceux qui se croient délaissés de Dieu : le juste n'est jamais seul[2]. Il laisse entrevoir l'espérance de la récompense : «Vois comme est grande la récompense du Seigneur[3].» Pour l'obtenir il faut marcher, ne pas regarder en arrière[4], mais aller toujours de l'avant, par des dépassements continuels progresser de vision en vision[5]. C'est ainsi que l'on obtiendra la «grande récompense», en demeurant dans le Verbe de Dieu, adhérant à sa Sagesse[6].

Il encourage aussi les chrétiens qui buttent contre le problème du mal. On sait que le souci de rendre compte du problème du mal et de l'inégalité des conditions humaines, est, avec celui de répondre à la dichotomie opérée par les Marcionites entre un Dieu bon et un Dieu mauvais, le motif de l'hypothèse origénienne de la pré-existence des âmes[7]. Or le scandale devant le mal est bien présent dans ces homélies. Dans son amour pour Dieu, Origène y déplore longuement que Dieu soit si mal servi : le démon a plus de serviteurs que Dieu[8], car le pécheur est toujours à l'œuvre[9]. Il y a pire! Le pécheur réussit dans sa vie, il est heureux! Et voilà qui est bien propre à nous provoquer au murmure[10]. «Nous voilà scandalisés, et nous disons en nos cœurs : où est la justice de Dieu[11]?» En ces deux passages, pour couper court au murmure, Origène exhorte son fidèle à porter

1. 36 IV 2, l. 7 et 70-92.
2. 36 IV, 3, l. 77-98.
3. 36 IV, 8, l. 16-17.
4. 36 IV, 2, l. 35-46.
5. 36 IV, 1, l. 26-48.
6. 36 IV, 8, l. 20-22.
7. Cf. H. Crouzel, *Origène*, p. 271-272.
8. 36 III, 3, l. 47-73.
9. 36 III, 2, l. 6-10.
10. 36 II, 2, l. 5-7.
11. 36 V, 5, l. 17-18.

sa pensée sur l'autre vie : le pécheur n'y aura point part et l'on verra se réaliser la finale de la parabole du riche et du pauvre, Lazare.

Il exhorte aussi. Une loi de la pédagogie est de présenter à celui qui grandit un modèle à imiter. Le chrétien à qui Origène s'adresse est un progressant, et lui, Origène, est un pasteur et un amoureux du Christ; aussi rien d'étonnant à le voir revenir en plusieurs endroits de ces homélies sur le thème de l'imitation du Christ. La doctrine de ces passages est à replacer dans l'ensemble de celle de l'Alexandrin. L'homme, créé selon l'image et la ressemblance de Dieu, doit se conformer à son modèle. Il lui faut donc imiter le Père céleste qui est miséricordieux, en étant bon lui aussi[1], et imiter également son impassibilité devant le mal, en étant patient[2].

Il lui faut surtout imiter l'Image de Dieu selon laquelle il a été créé : le Verbe de Dieu qui s'est incarné dans le Christ. Si nous imitons le Christ, le démon n'aura pas prise sur nous[3], car nous ne chercherons pas à imiter le pécheur[4], ayant les réalités célestes sous les yeux[5]. Ainsi, en purifiant notre âme de ses vices, « nous arriverons à la douceur née de l'imitation du Christ »; et Origène poursuit : « Et ainsi, nous nous repaissons enfin des richesses des vertus[6]. » Pour Origène, le Christ est, en effet, l'archétype des vertus. Il est toutes les vertus[7] : en imitant le Christ nous participons à l'être du Christ et devenons vertueux. L'imitation devient participation : elle

---

1. 38 II, 1, l. 32-34.
2. 38 I, 5, l. 16-23.
3. 36 V, 7, l. 50-56.
4. 36 I, 1, l. 137-143.
5. 36 V, 5, l. 71-72.
6. 36 I, 3, l. 36-37.
7. 36 II, 1, l. 11-17; 36 V, 6, l. 10-12; voir aussi *Commentaire sur le Cantique des Cantiques*, I, 6, 13 (*SC* 375, p. 256).

crée une présence[1]. De même, mais à l'inverse, dit ailleurs Origène, imiter le pécheur me rend semblable à lui, mais non semblable à Dieu[2]. Au lieu de porter l'image du céleste, « tu imites les œuvres du diable, ... tu portes l'image du terrestre[3] ».

Cette imitation du Christ peut se faire aussi par l'intermédiaire de ceux qui ont imité le Christ : les Apôtres[4], et Paul en particulier[5], ou même par un enseignement de l'Écriture[6]. Celui qui aura ainsi imité le Christ est en sécurité. Il n'a pas besoin que l'on emploie la menace à son égard[7].

Car le pasteur qu'est Origène sait aussi manier la menace. Aux durs de cœur, avec un certain humour, il donne à choisir entre le bâton et la marmite : le bâton de la correction qui permettra d'éviter la marmite, c'est-à-dire le feu du purgatoire ou de l'enfer[8].

Lui-même, avec son humilité et son sens de la grandeur de Dieu, n'est pas sans craindre dans sa charge de pasteur : les paroles qu'il adresse à ses chrétiens, c'est de l'argent que le Seigneur lui a prêté et dont il devra rendre compte[9]. Ailleurs, il compare ses paroles à des flèches. Aussi souhaite-t-il que tous ceux qui l'entendent, « transpercés et aiguillonnés par ce qu'il dit et tournés vers la pénitence, disent au Maître : Tes flèches se sont fichées en moi[10] ! »

---

1. 36 II, 4, l. 41-43.
2. 37 II, 3, l. 22.
3. 38 II, 1, l. 41-44.
4. 38 I, 4, l. 53-54.
5. 38 I, 5, l. 24-27.
6. 38 I, 7, l. 1-2.
7. 36 V, 7, l. 63-65 ; sur ce thème de l'imitation, voir : H. Crouzel, *Image*, p. 222-236.
8. 38 II, 8, l. 39-42.
9. 36 III, 11, l. 49-56 ; 36 IV, 3, l. 144-146.
10. 37 I, 2, l. 41-44.

Mais Origène a conscience aussi que les paroles de Dieu transmises par ses lèvres sont des paroles d'amour, des paroles de feu; il souhaite que tous ceux qui les entendent prennent feu à leur contact : «Ah, si seulement je pouvais embraser toute entière l'âme de ceux qui m'écoutent[1]!»

Origène contemplatif

C'est ainsi qu'à travers ces homélies que Rufin dit «tout entières morales», l'on voit poindre parfois l'âme ardente et pleine d'amour de l'Alexandrin. Il ne peut pas en rester toujours au plan moral; il lui faut de temps à autre s'échapper vers «un sens plus profond[2]». C'est d'une âme qui a fait l'expérience de Dieu qu'il exhorte ses chrétiens : il leur demande d'habiter leur cœur[3] pour prendre ainsi leurs délices dans le Seigneur[4]. C'est lui seul en effet qui donne la joie de l'Esprit[5].

Il veut aussi leur ouvrir toute grande la vision des secrets de Dieu : «Grande vision, quand d'un cœur pur, on voit Dieu! Grande vision quand d'un cœur pur, on reconnaît la Parole de Dieu et la Sagesse de Dieu qui est son Christ! Grande vision de reconnaître et de croire en l'Esprit-Saint! Grande est cette vision : la science de la Trinité[6]!» Dans tout ce passage se lit déjà le thème de l'épectase que mettra en valeur Grégoire de Nysse. Cette vision d'un cœur pur, c'est ici-bas celle du Christ,

---

1. 38 I, 7, l. 48-49.
2. *sensus profundior*, 36 III, 10, l. 73; *aliud sacramentum*, 38 II, 2, l. 1; *secretus*, 36 III, 6, l. 31.
3. 36 I, 3, l. 28-29.
4. 36 I, 4, l. 66-73.
5. 36 I, 3, l. 54.
6. 36 IV, 1, l. 43-48.

la Route[1]. Assurément Origène avait cette vision au fond du cœur pour qu'une prière fervente en jaillisse spontanément au cours de l'explication d'un psaume, appelée par la mention du Seigneur Sauveur : « Que celui-ci me soit un lieu, qu'il me soit une maison, qu'il me soit une demeure, qu'il me soit un repos, qu'il me soit un foyer[2] ! »

À la lecture de ces homélies, on ne peut que faire sien le jugement de H. Urs von Balthasar : « Cette âme a expérimenté son Dieu, le Feu dévorant, et la Lumière qui ne connaît pas de ténèbres[3]. » De fait, le Christ est souvent présenté ici comme Lumière : Lumière de vérité qui exclut le mensonge[4], Lumière qui se répand dans nos actes[5], mais aussi Lumière qui fait connaître à nos cœurs « la douceur de la vraie Lumière[6] ». Et Origène de conclure : « Transportons-nous déjà au ciel pour que soit notre trésor là où est déjà notre cœur[7] ! » Son cœur est déjà là où est Jésus, dans une adhésion aimante. C'est la toute dernière idée qui clôt ce recueil des neuf homélies : « Disons, nous aussi : Mon âme a adhéré à Toi, dans le Christ Jésus, notre Seigneur[8] ! »

1. 36 IV 1, l. 109-110 ; V, 1, l. 70-71.
2. 36 V, 7, l. 13-14.
3. H. U. von Balthasar, *Esprit et feu*, Paris 1959, p. 34.
4. 36 IV, 3, l. 175-176 ; 8, l. 10-11.
5. 36 III, 9, l. 24-34 ; 37 I, 6, l. 79-80.
6. 38 I, 11, l. 40.
7. 38 I, 11, l. 46-47.
8. 38 II, 12, l. 18-19.

V. Manuscrits et éditions[1]

Manuscrits :

T. Troyes, *Bibliothèque Municipale 541*, ff. 1-40, XIIe s.

A. Avranches, *Bibliothèque Municipale 55*, ff. 1-46, XIIIe s.

V. Vatican, *Reginensis 254*, ff. 66-98, milieu XIIe s.

P. Paris, *Bibliothèque Mazarine 556*, ff. 101[v] – 136[v], fin XIIe s.

M. Madrid, *Biblioteca Nacional 201*, ff. 107-130[v], XIIIe s.

On peut disposer en outre de Rouen, *Bibliothèque Municipale 422*, ff. 85[v]-87, originaire de l'abbaye bénédictine du Bec, puis de S. Ouen de Rouen, du XIIe siècle, dont il ne reste que le premier feuillet contenant la préface de Rufin et le début de la première homélie; et des témoins plus récents, Florence, *Biblioteca Laurenziana, Fiesole 54*; Vatican, *Urbinas latinus 31*, étroitement apparentés : ils viennent de l'officine de Vespasiano, éditeur connu du temps de Cosme de Médicis, qui commanda le premier quand fut formée l'abbaye de Fiesole, alors que le second fut commandé par Frédéric de Montefeltro[2]. S'y ajoute un autre manuscrit plus récent, Avignon, *Bibliothèque Municipale 73*, XVe siècle. Disons dès maintenant, et je le montrerai sous peu, que cette tradition manuscrite est bipartite. La branche α regroupe A et T, ainsi que le manuscrit inconnu utilisé par l'édition *princeps* suivie par les éditeurs successifs; la branche β regroupe les manuscrits V, P et M. À cette dernière il

---

1. Cette partie est de E. Prinzivalli et traduite de l'italien par H. Crouzel. E. Prinzivalli en a publié une version un peu plus détaillée : « La tradizione manoscritta e le edizioni delle *Omelie sui Salmi* di Origene tradotte da Rufino », *Vetera Christianorum* 31 (1994), p. 155-169.

2. Le manuscrit commandé par Cosme est l'œuvre du même scribe que *Fiesole 48* et *53*, eux aussi manuscrits origéniens. Voir A. Gazzelli (ed.), *Miniatura fiorentina del Rinascimento (1440-1525). Un primo censimento* I, Florence 1985, p. 442-444 et 553.

faut rattacher le ms. de Rouen et les trois plus récents,
mais le ms. de Rouen a un texte trop court pour mériter
une collocation précise dans le *stemma*; et les plus récents,
qui reproduisent seulement les deux premières homélies,
présentent un texte très corrompu et n'ont aucune importance pour l'édition parce qu'ils appartiennent à un sous-
groupe de β dont il reste de meilleurs représentants. Le
noyau le plus ancien de la tradition manuscrite remonte
donc aux XIIᵉ et XIIIᵉ siècles, et reste circonscrit dans le
milieu cistercien. L'actuel T est un produit du *scriptorium*
de Clairvaux[1], comme probablement A qui est plus tardif
et lui aussi d'origine cistercienne; mais le nom de l'abbaye
a été effacé du dernier folio[2]. D'origine cistercienne aussi,
de Cîteaux selon Wilmart[3], est le ms. V. Le ms. M a été
copié sur un manuscrit cistercien, d'après ce qu'atteste le
dernier folio[4], et on peut penser de même pour P[5] qui
paraît étroitement apparenté à M (voir *infra*). La tradition
manuscrite des *Homélies sur les Psaumes* fournit donc un
témoignage de plus sur le succès d'Origène au XIIᵉ siècle,
dont on a des preuves multiples et qui coïncide avec le

1. Cf. le fragment de la bibliothèque de Clairvaux remontant au XIIᵉ
siècle où apparaît l'indication de notre manuscrit. Edité par Dom Wilmart
ce fragment fut publié à nouveau par R. VERNEY, *La bibliothèque de
l'abbaye de Clairvaux du XIIᵉ au XVIIIᵉ siècle*, I, Paris 1979, p. 14 et
349.

2. *Catalogue des manuscrits des bibliothèques publiques de France*, X,
Paris 1889, p. 26; G. NORTIER, *Les bibliothèques médiévales des abbayes
bénédictines de Normandie*, Caen 1966, p. 74-75.

3. A. WILMART, *Codices Reginenses latini* II, Cité du Vatican 1945,
p. 12-14. L'attribution à Cîteaux est due surtout à la présence au folio
98 d'une lettre d'Eugène III à l'abbé de Cîteaux Goswin.

4. *Inventario General de Manuscritos de la Biblioteca Nacional* I,
Madrid 1953, p. 158-161.

5. *Catalogue général des manuscrits des Bibliothèques publiques de
France, Paris: Bibliothèque Mazarine* I, Paris 1885, p. 222. Notre
manuscrit provient du Collège de Navarre, à qui il fut donné par Pierre
d'Ailly, Grand Maître de 1384 à 1420. A. FRANKLIN, *Les anciennes bibliothèques de Paris. Eglises, monastères, collèges, etc.*, I, Paris 1867, p. 394.

renouveau monastique dû aux cisterciens. Comme il était arrivé au IXᵉ siècle avec Benoît d'Aniane, la ferveur religieuse cherche des sources spirituelles où s'abreuver et les trouve facilement dans la lecture des œuvres d'Origène. Ce furent surtout les *scriptoria* des bénédictins et des cisterciens qui copièrent les manuscrits latins d'Origène[1].

La division de la tradition manuscrite en deux branches s'impose à cause d'une grande lacune dans le modèle de β provoquée par la chute d'au moins deux folios (cf. 37 I, 1, l. 31-151) et d'une série de sauts du même au même dans les deux branches. Voici quelques exemples :

Dans la branche α, chute de l'importante incise : *et in hoc loco saltim, si in alio non concedunt, similes illis effecti sunt* (36 I, 1, l. 83-84).

Encore en α, chute de la phrase : *Tertium vero est quod et ultimum est ac lapsui proximum cum moti fuerint pedes nostri* (37 II, 4, 31-32).

Dans la branche β, chute de la phrase : *soli iusti non confundentur in tempore malo* (36 III, 10, l. 1-2).

Encore en β, chute de l'incise : *ut haereticorum verba sunt et doctrina contra legem Dei congregata* (36 IV, 4, l. 25-26).

Il faut remarquer dans le modèle de la branche β la tendance littéraire à mettre le verbe avant et l'adjectif ou l'adverbe après dans les clausules finales.

Quelques exemples :

	branche α	branche β
36 I, 1, l. 31	*agere inique*	*inique agere*
36 I, 1, l. 104	*videamus quid indicet*	*quid indicet videamus*
36 II, 2, l. 21-22	*cuius nobis repromissa sunt bona*	*cuius bona nobis repromissa sunt*
37 I, 6, l. 58	*operibus suis bonis*	*suis bonis operibus*

---

1. J. Leclercq, «Origène au XIIᵉ siècle», *Irenikon* 24 (1951), p. 425-439. Id., *Initiation aux auteurs monastiques du Moyen Age : L'amour des lettres et le désir de Dieu*, Paris, 2ᵉ éd. 1963, p. 93 ss.; C. Moreschini, «I Padri», *Lo spazio letterario del Medioevo latino*, dir. G. Cavallo, C. Leonardi, E. Menestò, Rome 1992, I, p. 563-564.

Qu'il s'agisse précisément d'une tendance stylistique de β est prouvé, outre l'évidente intention de normaliser, même dans les cas dans lesquels il est possible de comparer avec l'usage de Rufin. Ainsi l'*Aproniane fili carissime* de Præf. 1, l. 5 revient identique dans *Apol. contra Hier.* I, 1 (*CCL* 20, 37, 1), dans la préface aux homélies basiliennes (*CCL* 20, 237, 2) et dans la préface aux discours du Nazianzène (*CCL* 20, 255, 1-2), alors que β porte : *fili Aproniane carissime*[1]. Décisif est l'examen des inversions effectuées par β dans les citations des versets de *Jer.* 2, 21 (*ego plantavi te vineam totam veracem : veracem totam* β) en 36 I, 2, l. 72-73, et de *Matth.* 13, 8 (*semen aliud cecidit super terram bonam : bonam terram* β) en 36 I, 3, l. 26-27. Les leçons *totam veracem* et *terram bonam* de α sont assurées par leur confrontation avec *De Bened. patr.* II, 4 (*CCL* 20, 211, 16) et *ibid.* II, 13 (*CCL* 20, 206, 12) qui attestent que l'*usus scribendi* de Rufin est en parfait accord avec les *antiquae* de la Bible[2].

Dans la branche β il est possible de distinguer un sous-groupe auquel appartiennent PM et les manuscrits plus récents mentionnés plus haut :

	αV	PM et plus récents
36 I, 4, l. 44	*sed et alibi*	*scilicet alibi*
36 I, 4, l. 45-46	*sanctis scilicet*	*scilicet sanctis*

---

1. Inversement dans la *Præfatio in Sexti sententias*, il est écrit *carissime fili Aproniane*. Rufin, dans le vocatif employé dans les dédicaces, ne sépare jamais l'adjectif du terme auquel il se rapporte; ainsi encore est confirmée l'exactitude de α. Cf. *Epilogus in explanationem Origenis super epistulam Pauli ad Romanos : Eracli frater amantissime* (*CCL* 20, 276, 3). *In libros historiarum Eusebii : Venerande Pater Chromati* (*CCL* 20, 267, 4-5). *Praefatio in libros Origenis ΠΕΡΙ ΑΡΧΩΝ : fidelissime frater Machari* (*CCL* 20, 245, 25).

2. *Itala. Das Neue Testament in altlateinischer Überlieferung nach den Handschriften herausgegeben von A. Jülicher.* I. *Matthäus – Evangelium,* Berlin 1938, p. 82; P. SABATIER, *Bibliorum Sacrorum latinae versiones antiquae seu Vetus Italica,* Reims MDCCXLIII, t. II, p. 646.

36 I, 4, l. 61	*sed si quis*	*quod si quis*
36 I, 4, l. 70	*in divitiis veritatis*	*in deliciis veritatis*
36 II, 1, l. 47	*omnia membra nostra*	*alia membra nostra*
36 II, 3, l. 35	*nequitiae ceteros*	*ceteros nequitiae*

L'accord entre P et M continue dans les homélies suivantes, contenues aussi dans les manuscrits les plus récents. Voici quelques-unes des nombreuses erreurs qui unissent P et M.

	αV	PM
36 III, 1, l. 11	*dicentur*	*dicuntur*
36 III, 1, l. 68	*monuimus*	*movimus*
36 III, 5, l. 8	*convertentur*	*conterentur*
36 IV, 2, l. 110	*gesserunt*	*egerunt*
36 V, 5, l. 28	*transisse*	*transire*
38 I, 9, l. 11	*requirere*	*recurrere*

Si on en vient aux problèmes qui regardent la composition du texte, on n'arrive pas à prouver une nette supériorité d'une branche de la tradition sur l'autre. En exceptant le cas des inversions où l'on doit préférer α[1], l'éditeur doit peser cas par cas. Voici quelques exemples d'une certaine importance.

Præf. l. 12-14 : *ex quo profectus pervenire non solum ad viros, verum etiam ad religiosas feminas possit et excolere simplices mentes.* Au lieu de *profectus*, la branche α porte *prophetia*. La leçon *profectus*, outre qu'elle est *difficilior*, est en accord avec l'usage rufinien de répéter à brève distance des concepts et des termes[2] (cf. Præf. l. 4 : *profectuum* ; Præf. l. 9 : *profectionem*) et évite une contradiction avec le début de la première homélie[3].

---

1. Comme je l'ai montré plus haut dans le texte. Pour les citations scripturaires au contraire, la branche β apparaît plus digne de foi, car α tend à modifier la citation pour l'accorder avec la Vulgate. Elle modifie ainsi *Matth.* 5, 45 (38 II, 1, l. 35-37) et *I Cor.* 13, 11 (36 IV, 3, l. 36-38) en accordant toujours ces versets avec la Vulgate.

2. Cf. M. SIMONETTI, « Sulla tradizione manoscritta delle opere originali di Rufino », *Sacris erudiri* 9 (1957), p. 16.

3. Dans cette homélie, toujours suivant la traduction de Rufin, Origène

36 II, 1, l. 60-61 : *si alicuius peccati macula inuritur et non subiectus Deo*. La branche β lit : *est subiectus* au lieu de *subiectus*. Pareillement, en 36 III, 11, l. 64-65, le texte de α est le suivant : *ad impudica rursus devolveris scorta et effectus peccator*, alors que β a : *effectus es*. Dans les deux cas je préfère penser à un ajout de β qui le fait pour normaliser.

36 I, 3, l. 27-28 : *In qua nunc terra cor auditoris et anima significari videtur*. La branche α omet : *et anima*. La lecture de β qui pourrait être considérée comme un ajout banal, manifeste son exactitude si on la confronte avec *De bened. patr.* II, 14, l. 35 (*CCL* 20, 213) qui porte cette figure de style : *campos animae suae cordisque*, que l'on trouve aussi dans la préface au livre III du *De Principiis* (*CCL* 20, 248, 15).

Sur la base de l'*usus scribendi* de Rufin il est possible de corriger, au moins dans un cas, l'archétype perdu (ω) de notre tradition. En 36 III, 3, l. 48-49, on lit dans les manuscrits : *populi orbis, militaris manus maxima ex parte sagittae sunt maligni*, phrase qui n'a évidemment pas de sens. Mais dans *Exp. symboli* 3 (*CCL* 20, 137, 39-40) Rufin écrit : *et imperii insignia unus suscipit, dum credit sibi urbes et populos, armatum etiam exercitum pariturum*. Si on se rappelle le lien mis par Rufin entre les concepts de peuple, de cité et d'armée, il est alors possible de proposer la conjecture suivante : *populi urbes militaris manus maxima ex parte sagittae sunt maligni*.

D'autres corrections de ω peuvent se faire en les confrontant aux fragments grecs des chaînes déjà publiés dans *PG* 17 et *Analecta Sacra* III qui conservent des morceaux de l'original grec. Naturellement l'éditeur doit agir avec la plus grande prudence et être conscient des pro-

---

dit clairement que dans le psaume examiné il n'y a pas un enseignement prophétique, mais moral : *invenimus quod totus psalmus iste moralis est et velut cura quaedam ac medicina humanae animae datus, cum peccata nostra arguit et edocet nos secundum legem vivere* (36 I, 1, l. 11-13).

blèmes spécifiques posés par le matériel des chaînes, sans oublier la liberté avec laquelle le traducteur Rufin rend le texte. Je propose un exemple de correction faite par lui et un autre où la correction doit être considérée comme inopportune.

En 37 I, 2, l. 112-115, tous les manuscrits lisent : *si vero non infirmatur quidem caro sed redit ad sanitatem suam, id est ut sapiat quae sunt carnis ac desideret malum, tunc sanitas est in carne, quod utique spiritui non est bonum.* Dans le fragment édité dans *AS* III, p. 17, 9-28 il est écrit : Εἰ μέντοιγε νοσεῖ μὲν ἡ σάρξ καὶ ἐπανέρχεται ἐπὶ τὴν ὑγίειαν ἢ τὴν κακίαν, γίνεται τὸ ὅτι ἔστιν ἴασις ἐν τῇ σαρκί μου, ὅπερ οὐκ ἔστιν ἀγαθόν. Cela permet d'effacer le premier *non*, qui, à regarder de près, met une certaine contradiction dans le raisonnement fait par Origène avec des éléments typiques de son imaginaire exégétique (l'intention charnelle, la chair, qui doit devenir malade et si possible mourir pour que l'esprit vive) : effectivement seul celui qui est devenu d'abord malade peut revenir (le *redit* de Rufin) en bonne santé.

En 37 I, 4, l. 3-5, la branche α de la tradition manuscrite lit : *qui enim nec dolent nec gravantur pro peccatis suis sed securi sunt atque in deliciis fluitant, haec dicere non possunt...* La branche β présente l'inversion *nec gravantur nec dolent* qui s'accorde à première vue avec le texte grec conservé en *AS* III, p. 18 : οἱ γὰρ μὴ βαρυνόμενοι ἐπὶ ταῖς ἰδίαις ἁμαρτίαις μηδ᾽ ἀλγοῦντες οὐ λέγουσι τὰ προκείμενα. Dans ce cas, en effet, l'inversion de β pourrait paraître la leçon exacte. Mais en observant plus attentivement on remarque que cette inversion coupe la liaison mise par α entre *gravantur* et *pro peccatis* qui trouve dans le grec une correspondance exacte. Il semble en conséquence plus logique de penser que Rufin, pour des raisons stylistiques, a interverti dans sa traduction les deux verbes du texte grec, comme il l'a fait en effet en 36 III, 1, l. 30-31 en rendant, selon tous les manuscrits, l'expression *acies eius obtunditur et aerugine consumitur* inversée par rapport au texte grec : οὐ μόνον ἰοῦται οὐδὲ ἀμβλύνεται (*PG* 17, 128 C 15 – D 8). Ainsi est confirmée la valeur de α par rapport à β sur le problème spécifique des inversions.

Éditions

L'édition *princeps* est l'œuvre de **J. Merlin** (Paris 1512, rééd. Venise 1516, Paris 1519, 1522, 1530 et Lyon 1536). Suivent les éditions d'**Érasme** (Bâle et Lyon 1536, Bâle 1545, 1557, 1571) et de **Génébrard** (Paris 1574, 1604, 1619, Bâle 1620)[1]. Merlin, à son habitude[2], se fonde sur un unique manuscrit, inconnu de nous, qui semble être une copie de T. En fait l'édition de Merlin contient toutes les erreurs de la branche α et en ajoute d'autres qui lui sont propres ; et surtout, devant une tradition de α qui est en grande partie concordante, puisque entre T et A les divergences sont tout à fait sporadiques, Merlin est en accord avec T contre A et les autres manuscrits dans les cas suivants qui sont significatifs :

	Aβ	T, Merlin et autres éditions
36 II, 5, l. 8	*ignis ille*	*ille ignis*
36 III, 2, l. 10	*iaculantur*	*iactantur*
36 I, 1, l. 139	*dives ex paupere*	*dives factus ex paupere*[3]
36 II, 2, l. 20	*bona in vita sua*	*bona sua in vita sua*

Merlin transcrit son modèle, qui déjà au départ, comme on vient de le dire, présente un texte plus mauvais que les autres représentants de α, se limitant à corriger quelques passages corrompus dans quelques cas évidents et à normaliser ce qui concerne la langue et le style. Ce travail continue avec Érasme et Génébrard. Chacun de ces éditeurs dépend exclusivement du texte du prédécesseur qu'il se limite à amender selon son tempérament, en ajoutant par ailleurs des fautes de types divers ; cela

---

1. H. CROUZEL, *Bibliographie critique d'Origène*, Steenbrugis 1971, p. 83, 88-89, 96-97.
2. M. SCHÄR, *Das Nachleben des Origenes im Zeitalter des Humanismus*, Basel-Stuttgart 1979, p. 192 ss.
3. Dans T une seconde main a supprimé le *factus* par des points marqués sous ce mot.

vaut aussi pour l'édition de **Ch. Delarue** (Paris 1733)[1] qui, republiée par Migne[2], constitue le *textus receptus* des homélies : le seul donc à avoir lu un manuscrit de notre œuvre est Merlin, le premier éditeur! Il m'a paru intéressant, s'agissant de la première édition critique de ces homélies, si importantes mais passées sous silence par les éditeurs modernes[3] d'Origène, de suivre dans l'appareil critique l'éloignement progressif de la *princeps* par les éditeurs anciens, c'est-à-dire de l'unique témoignage de la tradition manuscrite dont ils pouvaient disposer.

Pour donner une idée des normalisations morphologiques et syntaxiques opérées par les éditeurs, je donnerai quelques exemples, tous tirés d'un même chapitre de la première homélie.

36 I, 1, l. 48, 102 et 105 : tous les mss citent *I Cor.* 10, 22 de cette façon : *aut aemulamur Dominum?* Merlin corrige *aut* en *an*.

36 I, 1, l. 114-115 : *si ergo vescimur idolis immolata et adversum nos zelum Domini concitemus (concitamus* β). Merlin a fait deux corrections : l'accusatif *immolata* en dépendance du verbe *vescor*, habituel dans le latin postclassique, rendu ici nécessaire par la confusion possible avec *idolis*, le mot qui le précède immédiatement, devient *immolatis* et le *concitemus*, qui constitue une variante assez fréquente chez Rufin, est corrigé en *concitamus*. Cette seconde modification était déjà présente dans le modèle

---

1. Ὠριγένους τὰ εὑρισκόμενα πάντα. *Opera omnia quae graece vel latine tantum extant et eius nomine circumferuntur. Tomus Secundus.* Parisiis 1733. In folio XXVIII + 935 p. Cf. H. CROUZEL, *Bibliographie critique...*, p. 139-142.

2. *PG* 12, 1319-1410. Cf. H. CROUZEL, *Bibliographie critique...*, p. 203.

3. A. SIEGMUND (*Die Überlieferung der griechischen christlichen Literatur in der lateinischen Kirche bis zum zwölften Jahrhundert,* Munich 1949, p. 111) déclare n'avoir pas trouvé de manuscrits antérieurs au XIIe siècle, et il ne cite même pas ceux qu'il connaît à l'évidence. Le premier qui ait fourni une liste de quatre manuscrits est M. Simonetti (*CCL* 20, 250) dans l'édition des œuvres propres de Rufin, y compris les prologues des traductions.

de β. On peut trouver significatif cet accord des éditeurs (voir les exemples présentés plus haut de Merlin) dans la tendance normalisatrice, avec la branche β de la tradition, absolument ignorée par eux. Quelques lignes plus haut, en 36 I, 1, l. 46, c'est Delarue, en accord avec ce qu'avait fait β, qui corrige la concessive *quamvis... significantius in Latino exprimi videtur* (l'indicatif est normal en latin post-classique) en écrivant *videatur*.

Bien que l'on puisse raisonnablement attribuer à l'intervention de Merlin les normalisations présentes de l'édition *princeps* et des éditeurs qui ont suivi, nous devons penser surtout à des erreurs de son manuscrit en ce qui concerne les mauvaises lectures nombreuses qui se constatent dans son texte et qui se sont transmises aux autres éditeurs. Je choisis quelques exemples venant de trois chapitres contigus de la première homélie.

36 I, 1, l. 147-148 : *ad immerita bonorum culmina*. Chez Merlin et les éditeurs suivants : *ad immerita bonorum culmina*.

36 I, 2, l. 77-78 : *Israelitico oculo ad intellectum spiritalem*. Chez Merlin et les autres éditeurs : *Israelitico oculo ad oculum spiritalem*.

36 I, 3, l. 10-11 : *ex illis fructibus*. Chez Merlin et les autres éditeurs : *ex illis fontibus*.

36 I, 3, l. 40-41 : *hoc est agro animae tuae semper assiste*. Chez Merlin et les autres éditeurs : *hoc est ergo animae tuae semper assiste*.

En conclusion je propose maintenant le *stemma* des *codices* en y comprenant le manuscrit utilisé par Merlin, appelé *Mer* par convention, selon les observations développées jusqu'ici :

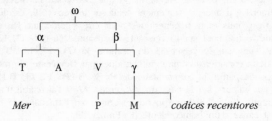

Note sur la présente édition

Le texte publié ici est repris, sans l'apparat critique, de l'édition faite dans la *Biblioteca Patristica* par E. Prinzi-valli, *Origene, Omelie sui Salmi. Homiliae in Psalmos XXXVI-XXXVII-XXXVIII*, Nardini Editore, Florence 1991, avec l'aimable autorisation de l'éditeur.

En tête de chaque homélie est donnée une traduction littérale du morceau du psaume commenté, tel qu'Origène (ou Rufin) le lisait[1].

On trouvera en appendice le texte grec et la traduction française des fragments des homélies transmis par les chaînes et déjà édités dans *PG* 17 et *Analecta Sacra* III, en suivant avec quelques restrictions les indications d'authenticité de R. Devreesse[2]. La subdivision des fragments est parfois différente de celle de Devreesse pour faciliter la lecture en parallèle de ce texte avec le latin.

---

1. Sur le psautier de Rufin, on peut consulter F. Merlo – J. Gri-bomont, *Il salterio di Rufino* (*Collectanea Biblica Latina*, XIV), Rome 1972.

2. R. Devreesse, *Les anciens commentateurs grecs des Psaumes* (*Studi e Testi*, 264), Cité du Vatican 1970, p. 14-17. Des quelques fragments tirés de *AS* III, p. 10-12 sur le *Ps* 36 que Devreesse considère comme origéniens, j'ai accepté seulement celui sur le verset 19, car les autres sont trop brefs et trop génériques pour être significatifs. J'ai en outre éliminé le fragment sur le verset 15 du psaume 36 (*PG* 17, 129 C 12-15) et celui sur le verset 23 du psaume 36 (*PG* 17, 133 B 11-C 3), tous deux considérés comme authentiques par Devreesse, de même que la seconde partie du commentaire de *Ps*. 36, 3 (*PG* 17, 133 B 11 – C 3). Mais par ailleurs, sur la base du *Vat. graec. 1789*, j'ai rétabli une phrase (cf. fragm. 30, l. 2-3 de l'Appendice) omise par Pitra dans *AS* III, p. 17, l. 10 à cause d'un homéotéleute [E. Prinzivalli].

SIGLES ET ABRÉVIATIONS

Œuvres d'Origène (dans la collection *Sources chrétiennes*, sauf indication contraire) :

CCels.	Contre Celse
ComCant.	Commentaire sur le Cantique des cantiques
ComJn	Commentaire sur S. Jean
EntrHeracl.	Entretien avec Héraclide
Fragm. in Ephes.	Fragments sur l'Épître aux Éphésiens, *JThS* III
Fragm. in Jn	Fragments sur S. Jean, *GCS* IV
Fragm. in I Cor.	Fragments sur la 1ère Épître aux Corinthiens, *JThS* IX-X
HomEx.	Homélies sur l'Exode
HomEz.	Homélies sur Ézéchiel
HomGen.	Homélies sur la Genèse
HomJér.	Homélies sur Jérémie
HomJos.	Homélies sur Josué
HomJug.	Homélies sur les Juges
HomLc	Homélies sur S. Luc
HomLév.	Homélies sur le Lévitique
HomNomb.	Homélies sur les Nombres
HomSam	Homélies sur Samuel
In Matth.	Commentaire sur S. Matthieu
PArch	Traité des Principes (Peri Archôn)
PEuch	Traité sur la prière (Peri Euchès), *GCS* II
SerMatth.	Chaîne sur Matthieu, fragments (éd. Delarue), *PG* 13

Autres auteurs :

Ambroise, *EnPs.*	Explanatio Psalmorum XII, *PL* 14 ou *CSEL* 64
Basile, *HomPs.*	Homélies sur les psaumes, *PG* 29
Ignace d'Antioche, *Philad.*	Lettre aux Philadelphiens, *SC* 10 bis
Irénée, *AdvHaer.*	Contre les hérésies (*SC*)
Jérôme, *In Is.*	Commentaire sur Isaïe, *PL* 24

Justin, *Dial.*	*Dialogue avec Tryphon* (éd. G. Archambault, Paris 1909)
Philon, *Leg*	*Legum allegoriae* (éd. Arnaldez-Mondésert-Pouilloux, *Œuvres*, II)
Opif.	*De opificio mundi* (*Œuvres*, I)
Sobr.	*De sobrietate* (*Œuvres*, XII)
Somn.	*De somniis* (*Œuvres*, XIX)
Tertullien, *Pat.*	*De patientia* (*SC*)

Autres abréviations

AS	J.B. Pitra, *Analecta Sacra Spicilegio Solesmensi parata*, t. III, Venise 1883.
D.S.	*Dictionnaire de Spiritualité*

H. Crouzel,
Origène et la connaissance mystique : Bruges 1961 (*Museum lessianum* 56).

H. Crouzel, *Origène*	Paris-Namur 1985.
JThS	*Journal of Theological Studies*, Oxford.
REG	*Revue des Études Grecques*, Paris.

TEXTE ET TRADUCTION

RUFINI PRAEFATIO

(*CCL* XX, p. 251)

Quoniam tricesimi sexti et tricesimi septimi et tricesimi octavi psalmi expositio tota moralis est, instituta quaedam vitae emendatioris ostendens, et nunc conversionis ac paenitentiae, nunc purgationis et profectuum semitam docet,
5 idcirco tibi eam, Aproniane fili carissime, in novem oratiunculis, quas Graeci ὁμιλίας vocant velut in uno corpore digestam in Latinum transtuli, ut intra unum codicem collectam haberes dictionem, quae ad emendationem vel profectionem morum tota respiceret. Hoc sane beneficii
10 praestabit haec lectio, quod absque labore lectoris intellegentia eius in propatulo habeatur, quo scilicet vitae simplicitas sensu lucido et simplici sermone doceatur, ex quo profectus pervenire non solum ad viros, verum etiam ad religiosas feminas possit et excolere simplices mentes.

15 Ne forte religiosa filia mea, soror in Christo tua, ingrata sit operi nostro, si id semper laboriosum intellectui suo pro asperitate sentiat quaestionum; quia nec corpus humanum ex solis potuisset nervis ossibusque constare, nisi eis divina providentia vel mollitiem carnis intexuisset
20 vel blandimenta pinguedinis.

---

1. Cf. *infra*, 36 I, 1, p. 50, note 1.

2. Apronianus était un ami de Rufin. Celui-ci traduisit également pour lui les homélies de Basile et les *Orationes* de Grégoire de Nazianze. On le trouve encore mentionné dans l'Apologie de Rufin, pour avoir transmis à Rufin la lettre de Jérôme à Pamachius. (RUFIN, *Apologie* 11, *CCSL* 20, p. 37).

3. Apronianus semble être le sénateur qui épousa Avita, nièce de

PROLOGUE DE RUFIN

Puisque l'exposé des psaumes trente-six, trente-sept, trente-huit est tout entier moral[1], offrant certaines règles de conduite pour améliorer sa vie et qu'il enseigne tantôt le sentier de la conversion et de la pénitence, tantôt celui de la purification et du progrès, aussi te l'ai-je traduit en latin, Apronianius[2], fils très cher, réparti en neuf petits discours que les Grecs appellent «homélies», comme en un ensemble, pour que tu aies, rassemblé en un seul livre, un écrit qui regarde tout ce qui concerne l'amendement et le progrès des mœurs. Cette lecture offrira du moins l'avantage que sans fatigue du lecteur, elle se laisse comprendre de manière évidente pour enseigner la droiture de vie, par une pensée claire et un langage simple. De là, un progrès pourrait advenir non seulement pour les hommes, mais encore pour les femmes pieuses, et polir les intelligences simples.

Que ma pieuse fille, ta sœur dans le Christ[3], ne soit pas mécontente de notre travail, si elle le trouve toujours pénible pour son intelligence en raison de la difficulté des problèmes : un corps humain ne pourrait être fait des seuls nerfs et os, si la divine Providence n'y avait entremêlé, soit la souplesse de la chair, soit les douceurs de la graisse.

Mélanie l'Ancienne, la noble veuve qui fonda avec Rufin le monastère du Mont des Oliviers; ce serait donc d'Avita qu'il s'agit dans cette préface. (Voir *Dictionnaire d'histoire et de géographie ecclésiastique* 3, 1074). Pallade fait mention d'Apronianus et d'Avita au chapitre 54 de son *Histoire Lausiaque*.

PREMIÈRE HOMÉLIE
SUR LE PSAUME 36

PSAUME 36, versets 1 à 6.

1. Ne provoque pas la jalousie parmi les méchants,
   et ne sois pas jaloux de ceux qui commettent l'iniquité,
2. car, comme du foin, vite ils se dessécheront,
   et comme des plantes potagères, vite ils tomberont.
3. Espère dans le Seigneur et produis la bonté ;
   habite la terre et tu te repaîtras de ses richesses.
4. Délecte-toi dans le Seigneur,
   et il t'accordera les demandes de ton cœur.
5. Dévoile au Seigneur ton chemin,
   espère en lui, et lui-même fera.
6. Il fera paraître comme une lumière ta justice,
   et ton jugement comme le midi.

ORIGENIS HOMILIA PRIMA
IN PSALMUM XXXVI

1. *Multifarie multisque modis Deus locutus est patribus in prophetis*[a]. Aliquando quidem ineffabilia sacramenta nos edocet in his quae loquitur, aliquando autem de Salvatore et de eius adventu nos instruit, interdum vero
5 mores nostros corrigit et emendat. Propter quod nos temptabimus per loca singula Scripturae divinae huiuscemodi differentias assignare et discernere ubi prophetiae sint et de futuris dicatur, ubi autem mystica aliqua indicantur, ubi vero moralis est locus.

10 Incipientes igitur explanationem tricesimi sexti psalmi, invenimus quod totus psalmus iste moralis est et velut cura quaedam ac medicina humanae animae datus, cum peccata nostra arguit et edocet nos secundum legem vivere.

Sed videamus iam quale nobis principium dat primus
15 versiculus. **Noli** – inquit – **aemulari inter malignantes neque aemulatus fueris facientes iniquitatem : quoniam sicut fenum cito arescent et sicut holera**

---

1. a. Hébr. 1, 1.

---

1. Origène nous parle ici des sens de l'Écriture. Dans le *Peri Archôn* IV, 2, 4 il exposait la théorie du triple sens «plus théorique que réelle» (cf note 34 *SC* 269, p. 182), prélude de la doctrine du quadruple sens (cf. H. DE LUBAC, *Exégèse médiévale* I, p. 119-157).

De fait, on devine ici ce quadruple sens : le sens littéral fait l'objet de l'exposé. «On parle aussi du futur», c'est le sens anagogique, application à l'eschatologie du sens mystique qui lui-même sera développé quelquefois : «On indique quelque sens mystique». Enfin le «sens moral» qui prévaudra dans ce commentaire, comme Rufin nous en avait averti, applique à l'âme dans l'Église la leçon dégagée du sens littéral.

PREMIÈRE HOMÉLIE
SUR LE PSAUME 36

Introduction **1.** «A maintes reprises et de bien des manières, Dieu a parlé aux Pères par les prophètes[a].» Tantôt il nous enseigne par ses paroles d'ineffables mystères, tantôt aussi il nous instruit du Sauveur et de sa venue, mais parfois il redresse nos mœurs et les corrige. Aussi essaierons-nous, pour chaque passage de l'Écriture divine, de relever les différences de cette nature et de discerner où il y a des prophéties et où l'on parle du futur, où d'autre part on indique quelque sens mystique et aussi là où le passage est moral[1].

Commençant donc l'explication du psaume trente-six, nous constatons que tout ce psaume est moral et qu'il est comme une sorte de traitement et de médicament[2] donné à l'âme humaine, puisqu'il blâme nos péchés et nous apprend à vivre selon la loi.

Sens littéral Mais voyons maintenant quel prélude nous offre le premier verset : «Ne provoque pas la jalousie parmi les méchants, dit-il, et ne sois pas jaloux de ceux qui commettent l'iniquité ; car, comme du foin, vite ils se dessècheront et

---

2. Cette idée du psaume considéré comme un médicament pour l'âme se retrouvera plus loin, au début de 37 I, 1. On la rencontre plus tard chez BASILE : *HomPs.* 1 (*PG* 29, 212 A), et à propos de l'Écriture en général, dans sa lettre 2 à Grégoire de Nazianze (*PG* 32, 228 C). L'idée est reprise par AMBROISE, *EnPs.* 36, Introd. (*PL* 14, 967 C).

herbarum cito decident[b]. Duo sunt quaedam quae nos
docet in his verbis facere non debere. Primo quidem ne
20 aemulemur inter malignantes, secundo ne aemulemur eos
qui faciunt iniquitatem, quoniam sequitur eum qui inter
malignantes aemulatur ut arescat sicut fenum et hoc eum
non tarde sed cito esse passurum; eum vero qui aemulatur facientes iniquitatem, sequitur ut sicut holera herbarum
25 cito decidat.

1320 (margin left of line 23)

Et secundum simplicem quidem litterae intellectum, non
aemulari inter malignantes hoc videtur indicari ne inter
malos et pessimos homines aemulator quis malitiae, id est
dux et auctor, exsistat et velut formam flagitii ceteris
30 praebens. Aemulari vero eos qui faciunt iniquitatem, illud
est, si imitetur quis et discat agere inique. Et hoc est in
utroque quod dicitur, ut neque exemplum malitiae ceteris
praebeas neque ipse aliorum malorum sequaris exempla.

Verum ut plenius quid etiam intrinsecus sermo iste
35 contineat agnoscamus, conveniens puto adhibere de Scripturis divinis sicubi hunc sermonem invenimus scriptum et
spiritalibus spiritalia comparare[c] ut quid per haec indi-
cetur evidentius pateat.

Scriptum est in Deuteronomio : *Ipsi in zelum concita-*
40 *verunt me in non Deo, ad iram me concitaverunt in idolis*
suis et ego in zelum adducam eos in non gentem[d]. Hoc
ubi Latine dicitur : *In zelum adduxerunt me et ego in zelum*
adducam, in Graeco idem ipse sermo est qui et in psalmi
initio est dictus, id est, aemulati sunt me et ego aemulabor

---

b. Ps. 36, 1-2.   c. Cf. I Cor. 2, 13.   d. Deut. 32, 21.

---

1. Origène sort de son contexte cette citation paulinienne, selon une
méthode d'exégèse qui lui est chère : expliquer l'Écriture par l'Écriture ;
voir une série de passages parallèles dans H. DE LUBAC, *Histoire et*
Esprit, Paris 1950, p. 309, note 91. De même une règle des grammairiens grecs était d'expliquer Homère par Homère (Cf. B. NEUSCHAEFER,
Origenes als Philologe, 2 vol., Bâle 1987, p. 276-285).

comme des plantes potagères, vite ils tomberont[b].» Il y a deux choses qu'il nous apprend en ces mots à ne pas faire. D'abord ne pas provoquer la jalousie parmi les méchants, ensuite ne pas jalouser ceux qui commettent l'iniquité ; car il arrive à celui qui provoque la jalousie parmi les méchants qu'il se dessèche comme le foin, et cela, il le subira non pas tard, mais vite. Quant à l'homme jaloux de ceux qui commettent l'iniquité, il arrive que vite il tombe comme les plantes potagères.

Selon le simple sens de la lettre «ne pas provoquer la jalousie parmi les méchants» semble indiquer que parmi les hommes mauvais et détestables, on ne doit pas rivaliser en méchanceté, c'est-à-dire être guide et instigateur, présentant aux autres comme le modèle du débordement. Mais «être jaloux de ceux qui commettent l'iniquité», c'est autre chose : les imiter et apprendre à se conduire de façon inique. Et l'on dit cela dans une double interdiction, pour que tu n'offres pas aux autres un exemple de méchanceté, et pour que toi-même, tu ne suives pas les exemples des autres, les mauvais.

Recours à l'Écriture Mais pour reconnaître de façon plus complète ce que contient encore en elle cette parole, je pense convenable d'avoir recours aux Écritures divines, si en quelque endroit nous trouvons écrite cette parole, et de comparer les choses spirituelles aux choses spirituelles[c] pour que ce qu'elles signifient ait un sens plus évident[1].

Il est écrit dans le Deutéronome : «Eux-mêmes m'ont excité à la jalousie par ce qui n'est pas Dieu, ils m'ont excité à la colère par leurs idoles ; et bien, moi, je les amènerai à la jalousie par ce qui n'est pas une nation[d].» Là où il est dit en latin : «Ils m'ont amené à la jalousie, et moi, je les amènerai à la jalousie», en grec c'est ce même mot qui est employé aussi au début du psaume,

45 eos. Quamvis sermo ipse Graecus, id est παρεζήλωσαν,
significantius in Latino exprimi videtur si dicamus : irrita-

1321 verunt me, idem tamen ipse est sermo. Sed et in apostolo
ita scriptum est : *Aut aemulamur Dominum? Numquid fortiores illo sumus*[e]? Et ibi pro aemulamur Dominum, in qui-
50 busdam exemplaribus *irritamus Dominum* scriptum est.

Ex quibus omnibus testimoniis indicatur quod aemulari
in aliquem, irritare eum est et provocare, ut, verbi causa,
si tali utamur exemplo : sunt quaedam mulieres impu-
dicae et nequam quae, si forte viros in amoris furtivi ille-
55 cebram ceperint, processu temporis, occultis non contentae
flagitiis, volunt etiam pudicis coniugibus innotescere quod
ab earum viris amentur ut ex hoc zelum incitent et irritent
ac perturbent alienas domos. Si intellexisti exempli virtutem, quomodo pelex zelum concitet uxori, et hoc debes
60 advertere quid sit aemulari inter aliquos, id est, cum eis
malitiae alicuius incitamenta praebentur.

Denique quia sermo ille Deuteronomii in quo ait : *Ipsi
in zelum adduxerunt me in non Deo*, id est παρεζήλωσαν,
hoc significet, ex hoc manifestius claret quod alibi scriptum

e. I Cor. 10, 22.

---

1. La difficulté majeure que présente la traduction de ce premier
verset est que les verbes ζηλόω et παραζηλόω, en latin *aemulari*, ont
des sens différents en *Ps.* 36, 1 et en *Deut.* 22, 21. En *Ps.* 36, 1, il
ne s'agit pas de jalousie proprement dite, au sens français, c'est-à-dire
un sentiment de haine et d'envie pour le bonheur d'autrui, et le verset
devrait se traduire : «Ne rivalise pas avec les méchants et ne cherche
pas à imiter ceux qui font le mal», parce que leurs succès sont éphé-
mères. Au contraire, en *Deut.* 22, 21, c'est bien de jalousie et de colère
qu'il s'agit. La présence du même mot dans l'un et l'autre texte amène
Origène à expliquer l'un par l'autre. D'où la nécessité où nous sommes
de maintenir en *Ps.* 36, 1, le mot : «jalousie». Et le développement
qui suit montre que *aemulari* en *Ps.* 36, 1, a aussi deux sens : provoquer à la jalousie, éprouver de la jalousie.

c'est-à-dire : «Ils m'ont provoqué à la jalousie, et moi, je les provoquerai à la jalousie[1].» Bien que le mot grec lui-même παρεζήλωσαν semble exprimé en latin de façon plus expressive si nous disons : «Ils m'ont irrité», c'est pourtant bien le même mot. De plus, chez l'Apôtre il est écrit de même : «Provoquerons-nous le Seigneur à la jalousie? Sommes-nous plus forts que lui[e]?» Et là, au lieu de «provoquons-nous à la jalousie le Seigneur», sur quelques copies il est écrit : «Irriterons-nous le Seigneur?»

Un exemple De tous ces témoignages il ressort que pousser quelqu'un à la jalousie, c'est l'irriter et le provoquer. Ainsi par exemple, pour user d'une telle comparaison, il y a des femmes sans pudeur et perverses qui, si elles ont pris d'aventure des hommes dans le charme d'un amour usurpé, le temps passant, non contentes de leurs débordements cachés, veulent encore faire savoir aux épouses fidèles qu'elles sont aimées de leurs maris, pour les exciter de ce fait à la jalousie, les irriter et perturber d'autres foyers[2]. Si tu as compris la force de cet exemple, comment la concubine excite l'épouse à la jalousie, tu dois voir aussi ce que c'est que provoquer la jalousie chez certains, c'est-à-dire leur offrir des motifs qui les poussent à quelque méchanceté.

Dieu jaloux Ainsi, puisque cette parole du Deutéronome : «Ils m'ont rendu jaloux (παρεζήλωσαν) de ce qui n'est pas Dieu», a ce sens, par là brille de manière plus évidente ce qui est écrit ailleurs,

---

2. L'exemple choisi révèle une pointe de misogynie que l'on rencontre parfois chez Origène comme chez les auteurs anciens. Mais pas toujours : voir *HomJug.* note complémentaire 8 : «Femmes» (*SC* 389, p. 233). Le passage est repris presque textuellement par AMBROISE : *EnPs.* 36, 5 (*PL* 14, 968 BC).

65 est quia Deus noster Deus zelans dicitur[f]. Zelans autem
maritus dici solet de coniuge sua, cum ei pudicitiam sol-
licitius et cautius curat nec pollui patitur coniugis casti-
tatem. Unde consequenter qui peccat Deum, qui zelans
dicitur, in zelum incitat et irritat. Verum haec omnia
70 abusive audienda sunt de Deo, sicut et ea quae de furore
Dei dicuntur vel de somno vel de tristitia, per quae illud
intellegitur quid unusquisque nostrum pro actibus suis de
Deo mereatur. Denique sic dixit in Deuteronomio quia :
Ipsi in zelum adduxerunt me in non Deo et exacerba-
75 *verunt me in idolis suis*[g], id est, colentes idola in zelum
concitaverunt me. Sed quid sequitur? *Et ego in zelum –*
inquit – *adducam eos in non gentem, in gente insipiente*
irritabo eos[g].

Unde etiam nunc Iudaei non moventur adversum gen-
80 tiles, adversum eos qui idola colunt et Deum blasphemant;
illos non oderunt, nec indignantur adversum eos, adversum
Christianos vero insatiabili odio feruntur, qui utique relictis
idolis ad Deum conversi sunt[h], et in hoc loco saltim, si
in alio non concedunt, similes illis effecti sunt.
85 Cum ergo videris Iudaeos odio habentes Christianum
et insidiantes, intellege quia completur prophetia illa quae
dicit : *Et ego concitabo eos in non gentem*[i]. Nos enim

---

f. Cf. Ex. 20, 5.   g. Deut. 32, 21.   h. Cf. I Thess. 1, 9.   i. Deut.
32, 21.

---

1. Pointe contre les anthropomorphites qui entendaient littéralement
les membres humains et les passions que l'Écriture attribue à Dieu.
«Les expressions sur la colère de Dieu sont à prendre au sens figuré»,
CCels. IV, 72 (*SC* 136, p. 364). Et un peu avant : «Parler de la colère
de Dieu et de sa fureur est un procédé pédagogique» (*ibid.*, p. 362).
Voir aussi *PArch.* I, 1, 1 (*SC* 252, p. 90) où dès le début du traité,
Origène s'en prend aux anthropomorphites.
2. Ce passage est le reflet d'une époque : la vie d'Origène s'est passée
dans des alternances de persécutions et de calme, et souvent ces per-

que notre Dieu est appelé un Dieu jaloux[f]. On dit d'ordinaire un mari jaloux de son épouse quand il prend
soin de sa pureté d'une manière très attentive et très
vigilante, et qu'il ne souffre pas que soit souillée la
chasteté de son épouse. D'où logiquement, celui qui
pèche contre Dieu que l'on dit «jaloux», l'incite à la
jalousie et l'irrite. Mais tout cela est à entendre de Dieu
en un sens figuré, comme aussi ce que l'on dit de la
fureur de Dieu, ou de son sommeil, ou de sa tristesse[1] :
par là on comprend ce que chacun mérite de Dieu pour
ses actes. Ainsi a-t-il dit dans le Deutéronome : «Eux-
mêmes m'ont amené à la jalousie par ce qui n'est pas
Dieu, et m'ont exaspéré par leurs idoles[g]», c'est-à-dire :
en rendant un culte aux idoles, ils m'ont excité à la
jalousie. Mais que s'en suit-il? «Moi aussi, dit-il, je les
amènerai à la jalousie contre ce qui n'est pas une nation,
par une nation insensée, je les irriterai[g].»

Juifs et chrétiens De là vient qu'aujourd'hui encore,
les Juifs ne s'agitent pas contre les
païens, contre ceux qui rendent un culte aux idoles et
blasphèment Dieu; ceux-là, ils ne les haïssent pas et ne
s'indignent pas contre eux; mais ils portent une haine
insatiable aux Chrétiens qui ont quitté les idoles pour se
tourner vers Dieu[h], et au moins sur ce point s'ils ne le
font pas sur un autre, ils se rendent semblables aux
païens[2].

Quand donc tu verras les Juifs avoir en haine le
Chrétien et lui tendre des pièges, comprends que s'accomplit cette prophétie : «Et moi, je les exciterai contre
ce qui n'est pas une nation[i].» Car nous ne sommes pas

sécutions des premiers siècles étaient attisées par les Juifs, comme le
montrent le livre des Actes des Apôtres et le récit du martyre de Polycarpe. Cf. M. SIMON, *Verus Israël*, Paris 1948, p. 144 s.

sumus non gens, qui pauci ex ista civitate credidimus et
alii ex alia et nusquam gens integra ab initio credulitatis
90 videtur assumpta. Non enim sicut Iudaeorum gens erat
vel Aegyptiorum gens, ita etiam Christianorum genus gens
est una vel integra, sed sparsim ex singulis gentibus
congregantur. Dicit ergo quia : *Ego in zelum eos inducam
in non gentem, in gente insipiente irritabo eos.* Et ideo
95 irritantur in nos et odio nos habent velut gentem insipientem dicentes se esse sapientes, quoniam quidem
primis ipsis commissa sunt eloquia Dei et meditantes a
puero usque ad senectutem legem Dei, in legem Dei non
1322 pervenerunt[j]; sed ideo *quae stulta sunt elegit Deus huius
100 mundi ut confundat sapientes*[k] et sic impletur quod
scriptum est : *In gente insipiente irritabo eos*[l].

Sed et quod dicit apostolus : *Aut aemulamur Dominum?
Numquid fortiores sumus illo*[m]*?* Videamus quid indicet.
In eo loco haec dixit ubi de sacrificiis et his quae idolis
105 immolantur disputat. *Aut aemulamur* – ait – *Dominum,*
hoc est zelum Domino concitamus, edentes ea quae idolis
immolata sunt, sicut Iudaei zelum eius commoverant in
idolis suis? Numquid etiam nos simili modo facere
volumus? Ideo ergo ait : *Aut aemulamur Dominum?*
110 *Numquid fortiores illo sumus?* Hoc est quod dicit : si
quidem concitemus zelum alicui qui inferior est viribus
nostris, possumus facile contemnere, si vero fortem concitemus in zelum, numquid non in propriam molimur ista
perniciem? Si ergo vescimur idolis immolata et adversum

---

j. Cf. Rom. 9, 31.   k. I Cor. 1, 27.   l. Deut. 32, 21.   m. I Cor.
10, 22.

---

1. Cf. AMBROISE, *EnPs.* 36, 7 (*PL* 14, 969 C).
2. La «Loi de Dieu», c'est le Christ. L'identité du Νόμος et du Λόγος
affirmée déjà par Philon, se continue chez les premiers écrivains chrétiens. Cf. J. DANIÉLOU, *Théologie du Judéo-Christianisme*, Tournai 1991,
p. 252-255.

une nation, nous qui sommes peu nombreux de cette cité à avoir cru, et chacun d'une cité différente ; et nulle part depuis le début de notre foi, on n'a vu une nation entière y avoir été amenée. En effet, le peuple des Chrétiens n'est pas, comme l'était la nation des Juifs ou celle des Égyptiens, une nation une et entière, mais ils sont rassemblés, de çà et de là, pris dans chaque nation[1]. Dieu dit donc : «Moi, je les rendrai jaloux contre ce qui n'est pas une nation, par une nation insensée je les irriterai.» Et c'est pourquoi ils sont irrités à notre égard, ils nous ont en haine comme une nation insensée, eux qui se disent sages, puisqu'assurément à eux les premiers les paroles de Dieu ont été confiées et que méditant de l'enfance à la vieillesse la loi de Dieu, ils ne sont pas arrivés à la Loi de Dieu[j][2]. Mais «Dieu a choisi ce qu'il y a de fou dans le monde pour confondre les sages[k]», et s'accomplit ainsi ce qui est écrit : «Par une nation insensée, je les irriterai[l].»

Le texte de Paul   De plus, voyons ce que signifie ce que dit l'Apôtre : «Provoquerons-nous la jalousie du Seigneur? Sommes-nous plus forts que lui[m]?» Il a dit ceci là où il traite des sacrifices et de ce qui a été immolé aux idoles : «Provoquerons-nous la jalousie du Seigneur?», dit-il, c'est-à-dire pousserons-nous à la jalousie le Seigneur en mangeant ce qui a été immolé aux idoles, comme les Juifs avaient excité sa jalousie par leurs idoles? Est-ce que nous aussi, nous voulons faire de même? Voilà donc pourquoi il dit : «Provoquerons-nous le Seigneur à la jalousie? Sommes-nous plus forts que lui?» Voilà ce qu'il dit : Si nous excitons la jalousie de quelqu'un qui nous est inférieur par la force, nous pouvons facilement le mépriser; mais si nous excitons à la jalousie un homme fort, ne travaillons-nous pas à notre propre perte? Si donc nous mangeons ce qui a été immolé

115 nos zelum Domini concitemus, fortioris iram contra nos, id est ad proprium interitum, provocamus. Si quando ergo videris hominem nequam, observa et cave ne zelum eius concites adversum te, ne quid incaute facias unde nequitia concitetur.

120   Verbi causa, ut per exemplum planius fiat quod dicitur, beatus David Saul malignantem concitavit in zelum, quando processit ante exercitum et occidit Goliam et processerunt chori puellarum et mulierum dicentes : *Percussit Saul in milibus et David in decem milibus*[n]. Quod utique 125 si studio suo egisset David, aemulatus fuisset in malignante Saul. Sed nunc non suo studio factum est ut exirent chori puellarum et huiuscemodi hymnum dicerent quia : *David percussit in decem milibus et Saul in milibus.*

Hoc est ergo quod nos edocet psalmus ut quoniam 130 genus hominum proclive est ad zelotypiam et perfacile ad vitium istud inclinatur, observa ne id agas quod malos homines in aemulationem tui irritet et ad insidiandum tibi concitet vel ad odium tui excitet. Et hoc est totum quod significatur in his omnibus, ut neque ipse provoces mali 135 aemulationem adversum te neque tu malitiam aemuleris alienam.

Quomodo ergo homo nequitiam aemulatur alterius? Sine dubio cum eadem agit. Quod autem dico tale est : si quis sit per iniquitatem dives ex paupere, si sit vicinus 140 eius egens et videat illum qui de terra surrexit et ad divitiarum culmen ascendit et incipiat aemulari ut similiter etiam ipse ex iniquitate ditescat, hoc est aemulari **facientes**

n. I Sam. 18, 7.

aux idoles et excitons contre nous la jalousie du Seigneur, nous provoquons la colère d'un plus fort contre nous et travaillons ainsi à notre propre ruine. Quand donc tu verras un homme pervers, veille et prends garde à ne pas exciter sa jalousie contre toi, à ne pas faire imprudemment ce qui exciterait sa perversité.

C'est ainsi, pour rendre plus clair par un exemple ce que l'on dit, que le bienheureux David excita à la jalousie Saül le méchant quand il s'avança devant l'armée et tua Goliath, et que s'avancèrent des chœurs de jeunes filles et de femmes disant : «Saül a frappé des milliers, et David des myriades[n]!» Certes, si David avait agi de son propre chef, il aurait provoqué à la jalousie Saül, le méchant. Mais alors, ce ne fut pas de son propre chef que sortirent les chœurs de jeunes filles et qu'elles entonnèrent cet hymne : «David a frappé des myriades et Saül des milliers.»

Une double leçon Voilà donc ce que nous apprend le psaume : puisqu'une catégorie d'hommes est portée à la jalousie et qu'elle est très facilement encline à ce vice, fais attention à ne pas faire ce qui exciterait les hommes méchants à la jalousie contre toi, et les pousserait à te tendre des pièges ou les porterait à te haïr. Et voilà tout ce qu'on laisse entendre dans tout cela : tu n'as pas à provoquer la jalousie du méchant contre toi, ni à être jaloux de la méchanceté d'autrui.

Comment donc un homme serait-il jaloux de la scélératesse d'un autre? Sans aucun doute quand il agit de même! Je m'explique. Soit quelqu'un qui devient riche par iniquité alors qu'il était pauvre; si son voisin est dans le besoin et qu'il voit celui qui s'est élevé de terre et qui est monté au faîte des richesses et qu'il commence à le jalouser et à l'imiter pour s'enrichir de même lui

iniquitatem[o]. Sed et si quis eum qui vel furtivis stupris vel illicitis conatibus ultra locum et mensuram suam
145 invadit nuptias, domos, divitias aemulari velit, aemulatus est facientes iniquitatem. Iam vero eos qui per diversa flagitia vel indignas atque illicitas ambitiones ad immerita honorum culmina pervenerunt et iniquis factionibus vel etiam cruentis manibus honores non sibi debitos occu-
1323 150 parunt, hos si quis videns ad similem inflammetur insaniam aemulatus est facientes iniquitatem[p].

2. Propterea ergo mandato Domini illuminamur[a] ut, cum aemulationis illicitae cor nostrum flamma mentemque pulsaverit, nos verbis edocti dicamus : si aemulari voluero inter malignantes aut aemulatus fuero facientes iniqui-
5 tatem, vide quid consequatur : **Sicut fenum – inquit – cito arescent et sicut holera herbarum cito decident**[b].

Vis etiam alterius prophetae de talibus monitis aucto-ritate muniri? Audi quid etiam Isaias de omni gloria carnali pronuntiet : *Omnis – inquit – caro fenum et omnis gloria*
10 *eius ut flos feni*[c]. Vis etiam per singula videre quomodo flos feni sit carnis gloria? Vide quis imperavit ante hos triginta annos, quomodo imperium eius effloruit : continuo autem sicut flos feni emarcuit, tunc deinde alius post ipsum, deinde alius atque alius, qui deinde duces qui
15 principes et omnis eorum gloria, honor non solum tamquam

o. Ps. 36, 1.   p. Cf. Ps. 36, 1.
2. a. Cf. Ps. 18, 9.   b. Ps. 36, 2.   c. Is. 40, 6.

aussi par iniquité, c'est : «être jaloux de ceux qui commettent l'iniquité[o].» De plus, si quelqu'un veut jalouser celui qui, soit par des stupres secrets, soit par des tentatives illicites dépassant sa situation et son importance, s'empare d'épouses, de maisons, de richesses, cet homme est «jaloux de ceux qui commettent l'iniquité». Maintenant il en est qui, par diverses infamies ou par des manœuvres indignes et illicites, sont parvenus à des sommets immérités d'honneurs, et qui par des agissements iniques, ou même par des mains souillées de sang, s'emparent d'honneurs indus[1]; si quelqu'un, voyant ces gens, est enflammé du désir d'une semblable démence, il est jaloux de ceux qui commettent l'iniquité[p]!

Comme du foin   **2.** Voilà donc pourquoi le commandement du Seigneur nous éclaire[a] : quand la flamme d'une jalousie illicite aura touché notre cœur et notre intelligence, instruits par ces paroles, disons : Si je voulais provoquer la jalousie parmi les méchants, ou si j'étais jaloux de ceux qui commettent l'iniquité, vois ce qui s'ensuit : «Comme du foin, vite ils se dessécheront, et comme des plantes potagères, vite ils périront[b].»

Veux-tu encore être fortifié par l'autorité d'un autre prophète, touchant de tels avertissements? Écoute ce que déclare aussi Isaïe de toute gloire charnelle : «Toute chair est comme du foin, et toute sa gloire comme la fleur du foin[c].» Veux-tu aussi voir en détail comment la gloire de la chair, c'est de la fleur de foin? Vois celui qui fut empereur avant ces trente ans, comment son empire fut florissant; mais aussitôt, comme la fleur du foin, il se fana. Alors en vint un autre après lui, puis un autre et un autre, et ensuite des chefs d'armée et des princes, et toute leur gloire, leur honneur, non seulement se fana comme une fleur, mais

---

1. Ici encore, reflet d'une époque de persécutions.

flos emarcuit, verum etiam tamquam pulvis aridus et a vento dispersus ne vestigium quidem sui reliquit.

Alii etiam divitiis elati et honoribus tumidi student se
20 vel laudabiles haberi per simulatam bonitatem vel exse- crabiles per indomitam crudelitatem, quorum si quis vana studia aestimat aemulanda, eat nunc ad cadaverum eorum reliquias, si tamen vel ipsae inveniri queant, aliquantis enim ne hoc quidem concessum est, et tunc inveniet
25 quomodo *omnis caro fenum est et omnis gloria eius ut flos feni. Exaruit fenum et flos eius decidit*[d]. Qui autem non diligit flosculos carnis neque carnaliter vivit sed diligit verbum Dei et in eo proficit, audi quid speret : *Verbum* – inquit – *Domini manet in aeternum*[e].

30 Sed et hoc ipsum quod ait quia : **Sicut fenum cito arescent**[f], malignantes scilicet, non arbitror otiosum cur feno eos comparaverit, cum utique et alia possit esse materia cui comparentur hi qui malitiose egerunt. Fenum mutorum et irrationabilium animalium cibus est. For-
35 tassis ergo pro eo quod omnes stulti et imperiti et qui contra rationem ac sapientiam Dei vivunt sequuntur eos qui in malitia principes sunt et ex illorum vita vel actibus vesci dicuntur, quibus et obaudiunt, idcirco eos feno comparavit. Nemo enim prudens ab illis sumit
40 exemplum. Nam, sicut vir prudens *qui audit verba Domini et facit ea*[g], iste est qui manducat *panem illum*

---

d. Is. 40, 6-7.　　e. Is. 40, 8.　　f. Ps. 36, 2.　　g. Matth. 7, 24.

---

1. Sans doute allusion aux trente ans qui suivirent le règne florissant de Septime Sévère. Les empereurs se succèdent alors rapidement : Cara- calla, Macrin, Élagabal, Alexandre Sévère, Maximin le Thrace et son fils, puis divers compétiteurs, puis Gordien III, Philippe l'Arabe. Ce texte nous permet de placer ces homélies à la fin de la vie d'Origène.

2. On voit par cette phrase que les sots et les gens sans culture sont ceux qui ignorent Dieu, puisqu'ils vivent contrairement à la Raison et à la Sagesse de Dieu, qui est son Fils. Il ne s'agit donc pas de sots et de gens sans culture aux yeux du monde.

encore desséché comme une poussière et dispersé par le vent, ne laissa pas même sa trace[1].

D'autres encore, enflés par les richesses et boursouflés par les honneurs, s'efforcent soit de s'attirer les louanges par une bonté feinte, soit de se rendre odieux par une cruauté indomptée. Si quelqu'un estime devoir être jaloux de leurs vains efforts, qu'il aille maintenant vers les restes de leurs cadavres, si toutefois on peut les retrouver, car pour un assez grand nombre ce n'est même plus possible. Alors il constatera que «toute chair est du foin et toute sa gloire comme la fleur du foin. Le foin s'est desséché et sa fleur est tombée[d].» Mais celui qui ne chérit pas les fleurettes de la chair, et ne vit pas de façon charnelle, mais chérit la Parole de Dieu et progresse en elle, écoute ce qu'il espère : «La Parole du Seigneur, est-il dit, demeure éternellement[e].»

Le foin, nourriture des animaux De plus, cette parole elle-même : «Comme du foin, vite ils se dessécheront[f]» – il s'agit des méchants –, il ne me semble pas superflu de voir pourquoi elle les a comparés à du foin, alors assurément qu'il pourrait être aussi d'autres matières à qui comparer ceux qui agissent méchamment. Le foin est la nourriture des animaux muets et sans raison. Peut-être donc est-ce parce que tous les sots, les gens sans culture et ceux qui vivent de manière contraire à la Raison et à la Sagesse de Dieu, suivent ceux qui sont des princes en méchanceté et sont dits nourris de la vie ou des actes de ceux à qui ils obéissent, qu'il a comparé ceux-ci à du foin[2]. Aucun sage, en effet, ne prend modèle sur eux. Car de même qu'un homme sage qui «écoute les paroles du Seigneur et les met en pratique[g]», est celui qui mange ce «Pain descendu du

qui de caelo descendit[h] et Iesus est cibus ei, pro eo
quod ex verbis eius pascitur et in mandatis eius vivit :
similiter et hi qui in malitia eminentes sunt, fenum effi-
45 ciuntur his qui sibi obtemperant vel aemulationem sui ad
nequitiam gerunt.

Similia autem etiam de holeribus herbarum intellegenda
sunt quibus comparantur hi qui faciunt iniquitatem pro
eo quod velociter transeant. Invenimus tamen in Scrip-
1324 50 turis divinis interdum et laudabilia holera, quae per praeceptum apostoli manducare iubentur infirmi[i]. Alia autem
sunt illa et his contraria, de quibus dicitur quod flumina
Aegypti aqua sit deorsum descendens et rigans sicut
hortum holerum[j], quo videlicet Aegyptius non arbor
55 dicatur, sed ne vitis quidem nominetur sed holera quae
cito deficiunt. Et vis videre quam cito Aegyptius decidat ?
Vide quid dicatur de eis in Exodo. *Aegyptii autem festi-*
naverunt – inquit – *decolligaverunt axes suos et cito*
fugerunt sub aqua[k]. **Sicut holera** – ergo – **herbarum**
60 **cito decident**[l].

---

h. Jn 6, 33.   i. Cf. Rom 14, 2.   j. Cf. Deut. 11, 10.   k. Cf.
Ex. 14, 25 s.   l. Ps. 36, 2.

---

1. Le «pain descendu du ciel» est Jésus en tant que Parole de Dieu.
L'expression, comme souvent chez Origène, n'est qu'indirectement eucharistique. Il en est d'ailleurs ainsi dans la première partie du discours
sur le Pain de Vie, en *Jn* 6, 26-40. Cf. H. CROUZEL, *Origène et la*
«connaissance mystique», Paris-Bruges 1961, p. 182 s.

2. C'est une allusion rapide au thème origénien des nourritures spirituelles. Le Christ est éternellement nourri par son Père qui lui communique à chaque instant et de toute éternité sa divinité. Cette nourriture divine qu'il reçoit du Père, le Fils la communique aux créatures
raisonnables : anges et hommes. Mais comme toutes ne sont pas au
même niveau spirituel, il se fait pour elles toutes sortes de nourritures :
herbe pour l'âme encore animale (*Ps.* 22 (23)), lait pour l'âme enfantine
(*I Cor.* 3, 2 ; *Hébr.* 5, 12-13 ; *I Pierre* 2, 2) ; pour l'âme forte il est la
nourriture solide : chairs de l'Agneau (*Ex.* 12, 1), pain descendu du ciel

ciel[h 1]», et que Jésus lui est une nourriture, puisqu'il se
repaît de ses paroles et vit dans ses commandements, de
même aussi ceux qui excellent en méchanceté sont
devenus foin pour ceux qui leur obéissent et se montrent leurs émules en perversité.

Les plantes potagères   Or de telles explications sont aussi
à comprendre des plantes potagères
à qui sont comparés ceux qui com-
mettent l'iniquité du fait qu'ils passent rapidement.
Pourtant nous trouvons parfois dans les divines Écritures
des plantes potagères dont on fait l'éloge, celles que,
selon le précepte de l'Apôtre, on ordonne aux faibles de
manger[i 2]. Mais il y en a d'autres, et bien opposées à
celles-là, à propos desquelles on dit que les fleuves
d'Égypte, c'est une eau descendant d'en-haut et arrosant
comme un jardin de légumes[j]. Là, il est clair que
l'Égyptien n'est pas appelé «arbre», ni même nommé
«vigne», mais «légumes» qui «vite périssent[3].» Et
veux-tu voir comment, vite, l'Égyptien tombe? Regarde ce
qu'il est dit d'eux dans l'Exode : Or les Égyptiens se
hâtèrent, ils détachèrent leurs essieux et vite s'enfoncèrent
sous l'eau[k]. Donc, «comme des plantes potagères, vite
ils tomberont[l]!»

___

(*Jn* 6, 26, s.), mais pour l'âme faible et malade, il se fait légumes (affirmation appuyée sur *Rom.* 14, 1-2). Les références à donner sont multiples : par ex. *ComJn* XIII, 33-34 (*SC* 222, p. 144-148); *ComCant.* I, 4,
13 (*SC* 375, p. 228); III, 5, 6 et note 3 (*SC* 376, p. 526).

Mais Origène n'interprète pas ce passage, à l'inverse des autres, dans
le sens que lui donne l'Écriture. Paul avait en vue les «faibles dans
la foi» qui restent fidèles par superstition aux observances juives
concernant la nourriture.

3. L'Égypte, sa patrie, est toujours pour Origène l'objet d'explications
péjoratives. Dans la dépendance de l'Exode, certes, mais le souvenir
de sa «sortie d'Égypte» après la querelle avec Démétrios et Héraclas,
a sans doute joué aussi son rôle!

Denique et Achab ille iniquus quoniam talia holera parabat plantare in vinea Naboth Iezraelitae[m], propter quod Nabutheus mori magis elegit quam permittere ut excisa vinea Israelitica holera plantarentur. Fecit ergo hoc tamquam
65 iustus ut non permitteret excidi vineam iustitiae cuius fructus laetificaret cor hominis[n], cum in sapientiae cratere misceretur[o], et plantari holera iniquitatis, velociter viridantia sed cito arescentia.

Puto ergo quod etiam in nostris cordibus qui credimus
70 Salvatori sit aliqua vinea plantata, sicut dicit : *Vinea facta est dilecto in cornu, in loco uberi*[p]. Sed et ad illos dictum est quibus sermo factus est primum quia : *Ego plantavi te vineam totam veracem*[q]. Est ergo in nobis vinea quaedam ex qua fructum scientiae, qui laetificat cor hominis[r], per
75 donum sapientiae premimus in torcularibus Scripturarum cum perfectius et laetius divinae legis mysteria contuemur. Sed proficientibus nobis in his studiis et Israelitico oculo ad intellectum spiritalem tendentibus, venit Achab iniquus et impius, Achab inimicus vineae nostrae et adversum studia
80 haec sapientiae invidiam concitat, tumultum commovet, dolos et factiones per Iezabel[s], hoc est per carnalem sapientiam[t], instruit et vult excidi vineam istam spiritalis intellegentiae et plantari holera, id est, ut quae legimus carnaliter intellegamus. Sicut holera enim omnis gloria carnis
85 est, ut impleatur in nobis illud quod culpat apostolus dicens

---

m. Cf. III Rois 21, 1 s.   n. Cf. Ps. 103, 15.   o. Cf. Prov. 9, 5. p. Is. 5, 1.   q. Jér. 2, 21.   r. Cf. Ps. 103, 15.   s. Cf. III Rois 21, 1 s.   t. Cf. II Cor. 1, 2.

---

1. Le «pressoir des Écritures» est un thème origénien se référant parfois à ces psaumes dont le titre est : «Pour les pressoirs». Ainsi les psaumes 8, 80, 83. Voir *ComCant*. III, 6, 4 (*SC* 376, p. 543).

2. C'est l'exégèse spirituelle qui est ainsi décrite, passant d'une com-

L'histoire d'Achab

Ainsi en fut-il aussi d'Achab, cet inique, parce qu'il s'apprêtait à planter de tels légumes dans la vigne de Naboth le Yizréélite[m]; c'est pourquoi Naboth préféra mourir plutôt que de tolérer qu'une fois sa vigne israélite arrachée, on y plantât des légumes. Il fit donc ceci en tant que juste, pour ne pas permettre que soit arrachée une vigne de justice dont le fruit réjouirait le cœur de l'homme[n] quand il serait mêlé dans le cratère de la Sagesse[o], et que soient plantés les légumes de l'iniquité qui tôt se parent de verdure, mais vite se dessèchent.

Je pense donc que dans nos cœurs aussi, nous qui croyons au Sauveur, a été plantée quelque vigne, comme il est dit : « Une vigne a été plantée pour le Bien-Aimé sur un coteau, dans un lieu fertile[p]. » De plus, il a été dit à ceux à qui la parole de Dieu fut d'abord adressée : « Moi, je t'ai plantée, vigne toute sincère[q]. » Il y a donc en nous une certaine vigne dont, par le don de Sagesse, nous pressons le fruit de science « qui réjouit le cœur de l'homme[r] » dans les pressoirs des Écritures[1], quand nous regardons d'une façon plus parfaite et avec plus de joie les mystères de la Loi divine. Mais lorsque nous progressons dans ces études et d'un œil israélite tendons vers l'intelligence spirituelle, vient Achab, l'inique et l'impie, Achab, l'ennemi de notre vigne; et contre ces études de la Sagesse il excite l'envie, suscite le trouble, dresse tromperies et intrigues par Jézabel[s], c'est-à-dire par la sagesse charnelle[t]; il veut arracher cette vigne d'intelligence spirituelle et planter des légumes, c'est-à-dire nous faire comprendre de façon charnelle ce que nous lisons[2]. Comme des légumes en effet est toute la gloire de la chair, pour que s'accomplisse en nous ce que reproche

préhension littérale, celle qu'Origène reproche souvent aux Juifs, à la compréhension spirituelle.

ad Galatas : *Sic insensati estis ut cum spiritu coeperitis, nunc carne perficiamini*[u]?

90 Quod autem in anima sancta sint vineae et agri a Domino benedicti audi etiam Isaac ad filium suum Iacob dicentem : *Ecce odor filii mei sicut odor agri pleni quem benedixit Dominus*[v]. Melius ergo est vineam nos colere in anima nostra et torcular fodere Scripturarum et vindemiare botros et premere vinum de vinea Sorech[w], ut et nos dicamus ad Dominum quia : *Poculum tuum*
95 *inebrians quam praeclarum est*[x]*!*

3. Posteaquam dixit sicut holera herbarum cito decidere facientes iniquitatem et prohibuit aemulari inter malignantes et imitari facientes iniquitatem[a], tunc dicit quid facere debeamus. **Spera** – inquit – **in Domino et fac**
5 **bonitatem**[b]. Contemptis scilicet illis omnibus quae
1325 superius culpata sunt honoribus, divitiis et omni gloria carnali atque omnibus saeculi bonis, **in Domino** – inquit – **spera**. Sperans autem in Domino non sis otiosus sed bonitatem faciens spera in eo.

10 Quae est autem ista bonitas videamus. Unus est ex illis fructibus quos sancti Spiritus fructus esse enumerat apostolus. *Fructus autem spiritus est caritas, gaudium, pax, patientia, bonitas et iustitia*[c]. **Fac** – ergo – **bonitatem**[d] velut si diceret ad agrum loquens : fac illum fructum vel
15 illum. Ita nunc tibi auditori divinarum Scripturarum

---

u. Gal. 3, 3.   v. Gen. 27, 27.   w. Cf. Is. 5, 2.   x. Ps. 22, 5.
3. a. Cf. Ps. 36, 1-2.   b. Ps. 36, 3.   c. Gal. 5, 22.   d. Ps. 36, 3.

1. Voir *supra*, p. 68, note 1.
2. Tel est le thème origénien de la «sobre ivresse», hérité de Philon, qui exprime les effets affectifs de la compréhension des mystères. Mais au contraire de Philon qui sacrifie parfois à la «folie divine», c'est-à-dire à une extase qui obnubilerait l'intelligence, la «sobre ivresse» d'Origène, si elle fait «sortir de l'humain», ne fait pas «sortir de l'intelligence» (*HomJér. latine* 1, 8) : elle reste une connaissance, elle n'est pas «dérai-

l'Apôtre aux Galates : «Êtes-vous si fous : avoir commencé par l'Esprit et maintenant finir par la chair[u]?»

Or qu'il y ait dans l'âme sainte des vignes et des champs bénis par le Seigneur, écoute encore Isaac le dire à son fils Jacob : «Voici que l'odeur de mon fils est comme l'odeur d'un champ fécond qu'a béni le Seigneur[v].» Il est donc mieux pour nous de cultiver une vigne en notre âme et de creuser le pressoir des Écritures[1], et de vendanger les grappes, et de presser le vin du vignoble de Sorec[w], pour que, nous aussi, disions au Seigneur : «Ta coupe qui enivre, comme elle est belle[x2]!»

Espère dans le Seigneur

3. Après avoir dit que ceux qui font l'iniquité tomberont vite comme des plantes potagères et avoir interdit de provoquer la jalousie parmi les méchants et d'imiter ceux qui commettent l'iniquité[a], il dit alors ce que nous devons faire : «Espère dans le Seigneur et produis la bonté[b].» Ayant, bien entendu, méprisé tout ce qui fut reproché plus haut : honneurs, richesses et toute gloire charnelle, comme tous les biens du siècle, «espère dans le Seigneur», dit-il. Toutefois en espérant dans le Seigneur, ne reste pas oisif, mais espère en lui en produisant la bonté.

Produis la bonté

Voyons ce qu'est cette bonté. Elle est un de ces fruits que l'Apôtre met au nombre des fruits de l'Esprit-Saint : «Or le fruit de l'Esprit c'est la charité, la joie, la paix, la patience, la bonté et la justice[c].» «Produis donc la bonté[d]»; c'est comme si l'on disait, parlant à un champ : «Produis ce fruit ou cet autre.» Ainsi, à présent, à toi qui écoutes les divines Écritures, la Parole divine te parle comme si

sonnable, mais divine» (*ComJn* I, 30 (33) 206). Sur l'ivresse spirituelle, voir *HomLév.* VII, 1 (*SC* 286, p. 307 s.). Réminiscence de ce passage chez AMBROISE : *EnPs.* 36, 19 (*PL* 14, 976 C).

tamquam agro loquitur sermo divinus. **Fac bonitatem et
inhabita terram et pasceris in divitiis eius**. Noli esse
sicut fenum arescens, noli fieri sicut holera herbarum quae
cito deficiunt[e], sed **spera in Domino et fac bonitatem**
20 **et inhabita terram**[f].

Quam terram habitare nos iubet si bonitatem fecerimus?
Utique si de ista loqueretur terra quam habitamus et qui
faciunt bonitatem et qui non faciunt habitant hanc terram.
Superfluum ergo videtur esse mandatum si intellegatur
25 haec terra. Sed videamus ne forte illam dicat terram de
qua scriptum est quia : *Semen aliud cecidit super terram
bonam*[g] quae attulit fructum, in qua nunc terra cor auditoris et anima significari videtur. Hanc ergo terram iubemur
inhabitare, hoc est non longius evagari, non ultra citraque
30 discurrere, sed habitare et consistere intra animae nostrae
terminos et considerare eam diligentius atque effici eius
agricola sicut fuit Noe[h] et plantare in ea vineam et excolere
terram quae intra nos est, *nostrae animae innovare novalia
et non seminare super spinas*[i], videlicet cum animam
35 nostram purgamus a vitiis et incultos atque asperos mores
ad mansuetudinem Christi imitationis excolimus, et ita
demum ex virtutum divitiis pascimur. Neque enim
putandum est praecipi nobis terrenas divitias quaerere,
quas contemnere iubemur et spernere.

40 Ait ergo : **Inhabita terram**[j]. Hoc est agro animae tuae
semper assiste, ibi semper permane et excole terram

---

e. Cf. Ps. 36, 2.   f. Ps. 36, 3.   g. Lc 8, 8.   h. Cf. Gen. 9, 20.
i. Jér. 4, 3.   j. Ps. 36, 3.

1. Voir le commentaire de ce verset dans *HomJér*. V, 13 (*SC* 232,
p. 310 s.).
2. Ainsi Origène formait-il ses élèves. Cf. GRÉGOIRE LE THAUMATURGE,
Remerciement à Origène, VII s. (*SC* 148, p. 134 s.). Apparaissent ici plusieurs thèmes qui seront chers aux Pères du Désert et repris par la

tu étais un champ. «Produis la bonté, habite la terre et tu te nourriras de ses richesses.» Ne sois pas comme le foin qui se dessèche, ne deviens pas comme les plantes potagères qui vite, tombent[e], mais «espère dans le Seigneur, produis la bonté et habite la terre[f].»

**Habiter
notre cœur**

Quelle terre nous ordonne-t-on d'habiter si nous avons produit la bonté? Certes, si l'on parlait de cette terre que nous habitons, habitent cette terre des gens qui produisent la bonté et d'autres qui ne la produisent pas. L'ordre semble donc superflu s'il est à entendre de cette terre-là. Mais voyons si peut-être, le prophète ne parle pas de cette terre dont il est écrit : «Une autre semence tomba sur une bonne terre[g]» qui porta du fruit, terre en qui semble signifié cette fois le cœur de celui qui écoute et son âme. On nous ordonne donc d'habiter cette terre, c'est-à-dire de ne pas aller errer plus loin, de ne pas courir çà et là, mais d'habiter et de rester dans les limites de notre âme, de la considérer avec le plus grand soin, de la cultiver comme le fit Noé[h], d'y planter une vigne, de travailler la terre qui est en nous, de «renouveler les jachères de notre âme et de ne pas semer sur les épines[i1]», sans doute quand nous purifions notre âme de ses vices et cultivons nos mœurs grossières et rudes, pour arriver à la douceur de l'imitation du Christ[2]; et ainsi nous nous repaissons enfin des richesses des vertus. Car ne pensons pas qu'on nous ordonne de chercher les richesses terrestres qu'on nous enjoint de dédaigner et de mépriser.

**Se repaître
de ses richesses**

Le prophète dit donc : «Habite la terre[j]», c'est-à-dire : Tiens-toi toujours dans le champ de ton âme,

---

postérité : la connaissance de soi, la garde du cœur et l'imitation du Christ. Sur la connaissance de soi, cf. *ComCant.* II, 5 (*SC* 375, p. 356 s.).

tuam ut, cum abundare coeperis iustitiae fructibus[k],
tunc **pascaris in divitiis eius**. Quid est autem pasci in
divitiis eius? Quia *quodcumque seminaverit homo haec*
45 *et metet*[l]. Et *qui seminat in carne de carne metet cor-*
ruptionem. Qui autem seminat in spiritu de spiritu metet
vitam aeternam[m]. Si ergo habites terram tuam et ipsam
in spiritu et non in carne seminaveris, **pasceris in divitiis**
eius[n], sicut oves illae quae in loco viridi pasci dicuntur
50 de quibus dicit sermo divinus : *In loco viridi ibi me col-*
locavit[o]. Unde constat quod unusquisque nostrum ipse
sibi praeparat intra se locum viridem in quo pascitur a
Domino, cum agros animae suae excolit et in spiritu
seminans semper ad laetitiam spiritalis culturae adducit.

4. Delectare in Domino et dabit tibi petitiones
1326 **cordis tui**[a]. Moris est Scripturae divinae duos homines
introducere; ὁμώνυμα alterius ex altero nominare, hoc est
ea quae exterioris sunt hominis compellere etiam in in-
5 teriorem[b]. Quod autem dico tale est : exterior homo corporalis vescitur cibis corruptibilibus et sibi aptis. Est autem
et cibus quidam interioris hominis, de quo dicitur quia
in omni verbo Dei vivit homo[c]. Est poculum exterioris
hominis, est aliud interioris. Bibimus enim de spiritali
10 sequenti petra[d] et bibimus aquam dicente Iesu : *Qui bibit*

---

k. Cf. Phil. 1, 11.   l. Gal. 6, 7.   m. Gal. 6, 8.   n. Ps. 36, 3.
o. Ps. 22, 2.

4. a. Ps. 36, 4.   b. Cf. II Cor. 4, 16.   c. Deut. 8, 3.   d. Cf.
I Cor. 10, 4.

---

1. Le thème des «deux hommes» est à la base de l'anthropologie
d'Origène. Celui-ci remarque, à la suite de Philon, (*Leg.* I, 31 ; I, 88 ;
Opif. 134), que dans les récits bibliques de la création de l'homme, il
est question d'un homme façonné (*fictum*) par Dieu à partir d'une
motte de terre (*Gen.* 2, 7) et d'un homme fait (*factum*) à l'image de
Dieu (*Gen.* 1, 26). L'homme façonné de la terre, c'est l'homme extérieur, tandis que l'homme fait à l'image de Dieu, c'est l'homme intérieur. Voir *EntrHéracl.* 11-12 ; 16-22 (*SC* 80 ; p. 88-100) ; *ComCant.* Prol.

reste toujours là et travaille ta terre; de la sorte quand
tu commenceras à déborder des fruits de justice[k], tu te
repaîtras alors de tes richesses. Mais que signifie : se
repaître de ses richesses? C'est : «Ce qu'un homme aura
semé, il le moissonnera aussi»[l], et : «Qui sème dans la
chair moissonnera de la chair la corruption, mais qui
sème dans l'Esprit moissonnera de l'Esprit la vie éternelle[m].» Si donc tu habites ta terre et si tu l'as semée
dans l'Esprit et non dans la chair, «tu te repaîtras de ses
richesses[n]» comme ces brebis que l'on dit paître dans
un pré verdoyant, à propos desquelles la Parole divine
déclare : «Dans un pré verdoyant il m'a établi[o].» D'où
il ressort que chacun de nous se prépare à lui-même,
au dedans de lui, un endroit verdoyant où il est mené
paître par le Seigneur quand il cultive les champs de son
âme et quand, semant sans cesse dans l'Esprit, il la
conduit vers la joie d'une culture spirituelle.

**Deux hommes
en nous**

4. «Délecte-toi dans le Seigneur, et
il t'accordera les demandes de ton
cœur[a].» C'est l'habitude de l'Écri-
ture divine de présenter deux hommes; employer pour
l'un des noms homonymes qui viennent de l'autre, c'est
appliquer aussi à l'homme intérieur ce qui appartient à
l'homme extérieur[b1]. Voilà ce que je veux dire : l'homme
extérieur, corporel, se nourrit de nourritures corruptibles
et qui lui conviennent. Or il y a une certaine nourriture
de l'homme intérieur dont il est dit : «L'homme vit de
toute parole de Dieu[c].» Il y a une boisson pour l'homme
extérieur, il en est une autre pour l'homme intérieur. Car
nous buvons à un Rocher spirituel qui nous suit[d], et
nous buvons l'eau dont, au dire de Jésus, «celui qui en

2, 4-5 (*SC* 275, p. 92-94); *HomGen.* I, 13 (*SC* 7bis, p. 56); *HomJér.* I,
10 (*SC* 232, p. 216).

non sitiet in aeternum^e. Est indumentum exterioris hominis, est et interioris indumentum. Et si quidem peccator sit, *induit se maledictum sicut vestimentum*^f. Si autem iustus sit audit : *Induite vos Dominum Iesum*
15 *Christum*^g. Et : *Induite viscera misericordiae, benignitatem, humilitatem, mansuetudinem, patientiam*^h.

Et quid necesse est enarrare per singula quomodo interior homo exterioris hominis homonymis appellationibus nominatur? Arma et exterior homo et interior habetⁱ.
20 Qui secundum interiorem hominem militat, induitur armis Dei ut possit stare adversus versutias diaboli.

Sed post multa exempla, veniamus ad hoc quod propositum est. Videamus quid est quod significatur ex eo quod dictum est : **Delectare in Domino et dabit tibi**
25 **petitionem cordis tui**^j. Sciendum primo est quia hoc quod dixit in Latino **delectare in Domino**, in Graeco **deliciare in Domino** dicitur. Hoc enim Graecus sermo indicat : quod est κατατρύφησον. Sicut ergo secundum exteriorem hominem possibile est non solum cibis uti,
30 verum etiam deliciis perfrui et maxime qui divites sunt deliciis utuntur, ita etiam interior homo potest non solum cibis uti, verum et deliciis perfrui.

Quod fieri hoc modo arbitror. Si quis audiat verba ea

---

e. Jn 4, 14.   f. Ps. 109, 18.   g. Rom. 13, 14.   h. Col. 3, 12.
i. Cf. Éphés. 6, 13.   j. Ps. 36, 4.

---

1. Rufin passe du pluriel au singulier dans sa citation de ce verset (petitiones / petitionem).

2. « Se dit en grec ». C'est évidemment une remarque du traducteur Rufin, soucieux d'expliquer la petite différence entre le texte grec d'Origène, et la traduction latine utilisée par ses lecteurs. A l'époque de Rufin, toutes les traductions latines habituellement en usage étaient faites sur la version grecque de la Septante que les Apôtres avaient donnée à l'Église. Mais Jérôme, son contemporain, – ami d'abord, puis

boit n'aura plus jamais soif[e].» Il y a un vêtement de
l'homme extérieur, il y a aussi un vêtement de l'homme
intérieur. Et s'il s'agit d'un pécheur, «il se revêt de la
malédiction comme d'un vêtement[f].» Mais si c'est un
juste, il entend : «Revêtez-vous du Seigneur Jésus-Christ[g].»
Et : «Revêtez-vous de sentiments de compassion, de bonté,
d'humilité, de douceur, de patience[h].»

Est-il nécessaire d'expliquer en détail comment l'homme
intérieur est nommé par les appellations homonymes de
l'homme extérieur? L'homme extérieur a des armes,
l'homme intérieur en a aussi[i]. Qui combat selon l'homme
intérieur est revêtu des armes de Dieu, de façon à pouvoir
tenir ferme en face des ruses du diable.

Tes délices dans le Seigneur Mais après de nombreux exemples,
venons-en à ce qui est proposé.
Voyons ce qui est signifié par ces
mots : «Délecte-toi dans le Seigneur, et il t'accordera la
demande[1] de ton cœur»[j]. Il faut d'abord savoir que ce
qu'on a dit en latin : «Délecte-toi dans le Seigneur», se
dit en grec[2] : «Prends tes délices dans le Seigneur.» C'est
en effet ce que signifie le terme grec qui est : κατα–
τρύφησον[3]. De même donc que, selon l'homme extérieur,
il est possible non seulement d'user de nourritures, mais
d'en jouir encore avec délices – ce sont surtout les riches
qui en usent pour leurs délices –, ainsi aussi l'homme
intérieur peut également, non seulement user de nourritures, mais en jouir avec délices.

Ceci arrive, je pense, de cette manière : si quelqu'un

---

ennemi, à cause d'Origène – traduisit le premier en latin la Bible à
partir de l'hébreu. Toutefois cette version, dite Vulgate, mit un certain
temps à s'imposer. C'est maintenant la version latine officielle dans les
églises latines.

3. La préposition grecque κατά, jointe au verbe, lui ajoute une nuance
de plénitude. Mais Rufin n'en rend pas compte dans sa traduction.

solummodo, quae se invitent ad timorem Dei, iste cibum
35 tantummodo capit ex huiuscemodi verbo. Qui vero dederit
operam ad intellegendam legem, ad perscrutandos prophetas, ad exsolutiones parabolarum Evangelii, ad explanationem verborum apostolicorum et qui in omnibus intellectui et scientiae operam dederit, iste deliciis fruitur. Non
40 enim ad hoc solum quod ei ad vitam sufficit, cibo utitur
mandatorum, sed in omni agnitione scientiae delectatur.

Hoc est quod arbitror et in eo indicari, quod dicitur
Deus ab initio plantasse paradisum^k deliciarum, sine dubio
in quo spiritalibus deliciis frueremur. Sed et alibi : *Tor-*
45 *rentem* – ait – *deliciarum potum dabis eis*[1], sanctis scilicet. Sed et hic scio quod in Latinis exemplaribus haberi
solet *torrentem voluptatis tuae*, sed in Graeco habetur
τρυφῆς, quod est deliciarum.

Sed et sanctis quibusque corporalium ciborum
50 contemptus indicitur, spes deliciarum spiritalium repro-
mittitur. Vis etiam de hoc auctoritatem accipere Scripturae
1327   divinae? Dives quidam erat et Lazarus pauper^m; in deliciis
corporalibus erat dives, Lazarus conficiebatur inedia.
Excessit uterque de saeculo et Lazarus quidem ab angelis
55 sublatus est in sinu Abrahae ut ibi in deliciis requies-
ceret; ille autem qui in deliciis fuerat corporalibus, abiit
in gehennam ignis, sicut in Evangelio scriptum est et
audivit ab Abraham quia : *Tu consecutus es bona in vita*

k. Cf. Gen. 2, 8.   l. Ps. 35, 9.   m. Cf. Lc 16, 19 s.

1. L'interprétation du texte biblique : «Jardin en Eden» par «jardin
de délices», vient de PHILON : «Eden veut dire délices, parce que, je
suppose, la sagesse fait les délices de Dieu et celles de la Sagesse,
puisqu'on chante aussi dans les Cantiques : Mets tes délices en Dieu»
(*Somn.* II, 242). La référence donnée par Philon est précisément le
verset du psaume 36 qu'Origène commente ici. Sur les délices de l'É-
criture, voir introduction p. 26 et 36 III, 10, p. 164, note 1.
2. Voir *supra*, p. 76, note 2.

écoute seulement ces paroles qui l'invitent à la crainte
de Dieu, il prend tout juste sa nourriture d'une parole
de ce genre. Mais celui qui s'est adonné à comprendre
la loi, à scruter les prophètes, à interpréter les paraboles
de l'Evangile, à expliquer les paroles des apôtres et qui,
en tout cela, s'est adonné à l'intelligence et à la science,
celui-là jouit de délices. Car il ne se sert pas de la nourriture des commandements seulement pour ce qui suffit
à sa vie, mais il se délecte dans toute la connaissance
de la science.

Jouir de délices spirituelles   C'est aussi, je pense, ce qui est
signifié quand il est dit qu'au com-
mencement, Dieu planta un jardin[k]
de délices[1], où sans aucun doute, nous aurions joui de
délices spirituelles. De plus, ailleurs on dit : «Au torrent
des délices tu les abreuveras»[1], à savoir les saints. Mais
ici encore, je sais que sur les copies latines, on a d'ordinaire : «Au torrent de ta volupté», tandis que dans le
grec[2] on a τρυφῆς qui veut dire «délices».

De plus, aux saints[3] à qui l'on prescrit le mépris des
nourritures corporelles, est promis l'espoir des délices spirituelles. Veux-tu aussi recevoir à ce sujet le témoignage
de l'Écriture divine? Un homme était riche et Lazare
pauvre[m]. Le riche vivait dans les délices de la chair,
Lazare était miné par la faim. L'un et l'autre sortirent du
monde et Lazare fut porté par les anges dans le sein
d'Abraham pour y reposer dans les délices. Mais celui
qui avait été dans les délices de la chair alla dans la
géhenne de feu, comme il est écrit dans l'Évangile, et
s'entendit dire par Abraham : «Tu as obtenu les biens

---

3. «Saints», comme en bien des endroits chez Origène, a ici le sens
de «chrétiens».

tua, hoc est deliciis abusus es, *et Lazarus mala : nunc*
60 *autem hic requiescit, tu vero cruciaris*[n]. Nemo potest et
in carne et in spiritu habere delicias. Sed si quis in carne
deliciatur, sicut ille dives, carebit gremio Abraham et
deliciis. Qui vero in praesenti saeculo panem afflictionis[o]
vescitur, sicut et ille pauper, cum hinc abscesserit, in
65 deliciis erit.

Deliciare – ergo – **in Domino et dabit tibi peti-**
tionem cordis tui[p]. Quod si adhuc plenius intueri vis
quomodo quis delicietur in Domino, perspice quod
Dominus veritas[q] est et sapientia[r] est et iustitia est et
70 sanctificatio[s] est. Si ergo abundaveris in divitiis veritatis[t],
si abundaveris in intellectu sapientiae, si copiosus fueris
in actibus iustitiae, tunc plene et integre deliciaris in
Domino. Quae utique cum expleveris, tunc etiam id quod
consequitur adipisceris. **Dabit** – enim – **tibi Dominus**
75 **petitiones cordis tui**[u].

Necessario tamen addidit **petitiones cordis tui,** cum
potuisset utique dicere petitiones tuas. Ita autem facilius
intellegi potest quod dicitur, si singulorum membrorum
propria quaedam persona fingatur. Verbi causa, si oculus
80 haberet vocem, numquid non diceret : peto lucem, ut
videam ea quae me videre delectant? Refugio enim videre
horrorem aliquem et omne quod conturbat et contristat
aspectum. Similiter et si auditus acciperet vocem, numquid

---

n. Lc 16, 25.   o. Cf. Deut. 16, 3.   p. Ps. 36, 4.   q. Cf. Jn
14, 6.   r. Cf. I Cor. 1, 24.30.   s. Cf. I Cor. 1, 30.   t. Cf. II Cor.
8, 2 ; Éphés. 2, 7.   u. Ps. 36, 4.

---

1. Ces titres que donne au Christ l'Écriture (aussi bien le Nouveau
Testament que l'Ancien, lus selon l'exégèse spirituelle), manifestent les
différents aspects que le Christ prend par rapport à nous. C'est la doctrine des *epinoiai,* point majeur de la christologie origénienne.

2. Sur les «délices du Seigneur», voir *ComCant.* I, 4, 14-15 (*SC* 375,
p. 228-230).

durant ta vie», c'est-à-dire tu as abusé des délices, «et
Lazare a eu des maux : mais maintenant il se repose ici
tandis que toi, tu es dans les tourments[n].» Personne ne
peut avoir ses délices, et dans la chair, et dans l'esprit.
Mais si quelqu'un prend facilement ses délices dans la
chair, comme ce riche, il sera privé du giron d'Abraham
et de ses délices. Au contraire, celui qui dans le siècle
présent est nourri du «pain de l'affliction»[o], comme ce
pauvre aussi, quand il partira d'ici, il sera dans les délices.

Les délices du Seigneur «Prends donc tes délices dans le
Seigneur, et il t'accordera la
demande de ton cœur[p].» Si tu veux
maintenant comprendre d'une manière plus complète
comment quelqu'un prendra ses délices dans le Seigneur,
songe que le Seigneur est «Vérité»[q] et «Sagesse»[r] et
«Justice» et «Sanctification»[s][1]. Quand donc tu déborderas des richesses[t] de la Vérité, quand tu déborderas
de l'intelligence de la Sagesse, quand tu seras riche en
actes de justice, alors de manière abondante et parfaite,
tu prendras tes délices dans le Seigneur[2]. A coup sûr
lorsque tu en seras rempli, alors tu obtiendras aussi ce
qui suit : Car «le Seigneur t'accordera les demandes de
ton cœur[u].»

Les demandes de ton cœur Bien qu'il ait pu dire «tes
demandes», il était pourtant néces-
saire que le prophète ajoute : «les
demandes de ton cœur». Mais ceci peut se comprendre
plus facilement si l'on représente comme une personne
propre chacun des membres. Par exemple si l'œil pouvait
parler, ne dirait-il pas : «Je cherche la lumière pour voir
ce qui me délecte. Car je répugne à voir quelque chose
d'horrible, et tout ce qui trouble et contriste le regard.»
De même encore, si l'ouïe recevait la parole, ne dirait-

non diceret : peto sonum modulata arte compositum,
85 sonum delectabilem, asperum vero et terribile audire
aliquid refugio? Ita et si gustui vox daretur et tactui et
omnes sensus nostri sine dubio haec peterent, quae suo
sensui convenirent.

Ab his ergo transeamus ad cor in quo est mens et
90 principalis intellectus et videamus quid desideret et quid
petat cor, sicut de oculo vel auribus ceterisque sensibus
in superioribus demonstravimus. Secundum sui naturam
cor sine dubio intellegentiam poscit. Sicut oculus visum,
ita cor intellectum requirit. Sicut auris suavem sonum
95 cupit, ita cor sapientibus sensibus delectatur. Sicut gustus
dulci sapore, ita cor prudentibus cogitationibus gaudet.
Sicut odoratus suavitate fragrantiae, ita cor rationabilibus
studiis laetatur. Sicut tactus levibus ac mollibus, ita cor
utilibus et optimis consiliis delectatur. Si ergo delicieris
100 in Domino et sapientiae ac veritatis et iustitiae copiis
atque deliciis perfruaris, **dabit tibi** – Dominus – **petitiones cordis tui**[v] aptas deliciis supradictis.

5. Post haec dicit : **Revela ad Dominum viam tuam
1328   et spera in eum et ipse faciet**[a]. *Omnis qui male agit,
odit lucem et non venit ad lucem uti ne arguantur opera
eius. Qui autem facit veritatem, venit ad lucem*[b]. Quoniam
5 ergo qui male agit, odit lucem et, quantum in ipso,

---

v. Ps. 36, 4.
5. a. Ps. 36, 5.   b. Jn 3, 20-21.

---

1. Chez Origène, le cœur désigne la réalité spirituelle de l'homme.
« A plusieurs reprises, il est assimilé explicitement à deux autres notions
qui jouent un rôle considérable dans l'anthropologie spirituelle
d'Origène : le νοῦς ou *mens*, c'est-à-dire l'intelligence ou intellect, et
l'ἡγεμονικόν, *principale cordis*, ou *animae*, ou *mentis*, faculté hégé-
monique de l'âme, la faculté qui détient le commandement. Le premier
de ces concepts est platonicien, le second stoïcien, tandis que cœur
est biblique. » (H. Crouzel, « Le cœur selon Origène », *Bulletin de littérature ecclésiastique* LXXXV (1984), p. 5-16, 99-110). Ce passage montre

elle pas : «Je cherche un son composé d'une manière harmonieuse, un son délectable, mais entendre quelque chose
de criard et d'épouvantable me répugne»? De même encore,
si l'on donnait la parole au goût, au toucher, tous nos
sens pour sûr demanderaient ce qui convient à leur sens.

De là, passons donc au cœur où résident l'intelligence
et la faculté maîtresse de la compréhension[1] et voyons
ce que désirerait et demanderait le cœur, comme nous
l'avons montré plus haut à propos de l'œil et de l'ouïe
et des autres sens. En raison de sa nature, le cœur
demande sans aucun doute l'intelligence. Comme l'œil
recherche la vue, ainsi le cœur recherche l'intelligence.
Comme l'oreille désire un son agréable, de même le cœur
se délecte dans des pensées sages. Comme le goût se
réjouit d'une douce saveur, ainsi le cœur se réjouit de
pensées avisées. Comme l'odorat met sa joie dans le
parfum d'une odeur, ainsi le cœur la met dans des études
qui concernent le Verbe. Comme le toucher se délecte
de choses tendres et molles, de même le cœur de des-
seins utiles et excellents. Si donc tu prends tes délices
dans le Seigneur et jouis de ses richesses de Sagesse, de
Vérité, de Justice, et de leurs délices, le Seigneur «t'accordera les demandes de ton cœur»[v], adaptées aux délices
mentionnés plus haut.

**Voiler
son chemin**

5. Le prophète dit ensuite : «Dévoile
au Seigneur ton chemin, espère en
lui, et lui-même fera[a].» «Tout
homme qui agit mal hait la lumière et ne vient pas à la
lumière, de peur que ses œuvres ne soient blâmées. Mais
celui qui fait la vérité vient à la lumière[b].» Lors donc
que celui qui agit mal hait la lumière, cachant autant

---

bien que ces diverses dénominations ne sont pas pour Origène «trois
notions différentes, mais les noms divers d'une même réalité» (*ibid.*).

occultans mala quae agit et timens ne arguatur, velat et
contegit viam suam et tamquam velamento quodam operit
actus suos. Verbi gratia, si quis vestrum, licet non optem
esse in hoc conventu aliquem talem, tamen si quis inter
10 vos sive cathecumenus sive etiam unus aliquis ex pluribus fidelium conscius sibi est quod fornicatus sit et celat
delictum, numquid non tibi videtur iste occultare et operire
viam suam quam incedit?

Qui autem caste agit et confidit de puritate vitae suae,
15 non vult cooperire viam suam, sed vult eam manifestam
esse, manifestam dico non hominibus, ne forte percipiat
mercedem suam ab hominibus[c], sed Deo manifestat. Propterea ergo dicitur : **Revela ad Dominum viam tuam**[d].
Sed et si malorum tibi conscius aliquorum fueris, noli
20 occultare, sed per exomologesin, revela ea Domino, **et
spera in eum et ipse faciet**[d]. Hoc est, cum confessus
fueris et revelaveris ei delicta tua, spera in eum quod
possis ab eo veniam promereri **et ipse faciet**. Quid faciet?
Sine dubio sanum te faciet. Dicet tibi : *Ecce iam sanus
25 factus es ultra noli peccare, ne quid tibi deterius accidat*[e].
Haec faciet, si aliqua ei delicta revelaveris. Si vero pura
est via tua et munda conscientia et haec ei revelas, **spera
in eum**.

---

c. Cf. Matth. 6, 2 s.   d. Ps. 36, 5.   e. Jn 5, 14.

---

1. Ἐξομολόγησις en grec, *confessio* en latin, désignent ici l'aveu des
fautes fait à Dieu. Mais chez Tertullien, le mot *exomologesis* latinisé
s'applique à toute la procédure de la pénitence publique, comme actuellement on emploie fréquemment le mot «confession» ou «confesse»
pour l'ensemble du sacrement de pénitence, alors que, strictement
parlant, il n'en signifie qu'une partie. Par ailleurs, à l'époque ancienne,

qu'il est en son pouvoir le mal qu'il fait et craignant d'être blâmé, il voile et recouvre son chemin et comme par un voile, dissimule ses actions. Par exemple, si l'un de vous – bien que je ne souhaite pas qu'il y ait quelqu'un de tel dans cette assemblée –, toutefois, si quelqu'un parmi vous, soit catéchumène, soit même l'un des nombreux fidèles, a conscience d'avoir commis le péché de la chair et s'il tient sa faute secrète, celui-là ne te semble-t-il pas cacher et dissimuler le chemin qu'il suit?

Ou le découvrir à Dieu   Mais celui qui agit chastement et compte sur la pureté de sa vie, ne veut pas dissimuler son chemin, mais il veut qu'il soit connu; connu, dis-je, non pas des hommes, pour ne pas recevoir sa récompense des hommes[c], mais il le fait connaître à Dieu. Voilà donc pourquoi l'on dit : «Dévoile au Seigneur ton chemin[d].» De plus, quand tu auras conscience d'avoir commis quelques méfaits, ne les cache pas, mais par l'exomologèse[1] dévoile-les au Seigneur, «espère en lui, et lui-même fera[d].» C'est-à-dire : lorsque tu lui auras avoué et révélé tes fautes, «espère en lui», espère que tu peux mériter de lui le pardon, «et lui-même fera». Que fera-t-il? Sans nul doute il te fera en bonne santé. Il te dira : «Te voici en bonne santé, ne pèche plus, de peur qu'il ne t'arrive quelque chose de pire[e].» Il fera cela quand tu lui dévoileras quelques fautes. Mais si pure est ta vie et propre ta conscience, et si tu lui dévoiles cela, «espère en lui».

---

confessio, comme le verbe *confiteri* (dont le sens propre est reconnaissance et reconnaître), désignent aussi souvent la louange de Dieu, sans rapport avec le péché, ou encore le martyre en tant qu'il est reconnaissance («témoignage») de l'appartenance à Dieu, et que c'est ce témoignage qui provoque supplices et mort.

6. Quid faciat ex consequentibus disce : **Producet sicut
lumen iustitiam tuam et iudicium tuum sicut
meridiem**[a]. Tuam iustitiam, quam tu egisti in occulto[b]
et revelasti eam soli Deo, hanc producit sicut lumen Deus
5 et ostendit te iustum illuminatum sole iustitiae[c], caelo et
terrae, et omnibus qui in caelo sunt ostendit lumen iustitiae tuae et, si ita dici oportet, iactabit se de te tamquam
de filio, tamquam qui acceperis spiritum adoptionis[d]. **Producit** ergo **iustitiam tuam sicut lumen**[e], quia qui
10 secundum mandatum Domini iustus est, iustitiam suam
ita facit, sicut ipse mandavit dicens : *Vos autem, cum
facitis iustitiam vestram, nesciat sinistra quid faciat
dextera*[f]. Haec ergo iustitia quae ita fit, ut non hominibus appareat nec ut humanam gloriam captet, sed fit
15 in occulto, ut *Pater qui videt in occulto*[g], reddat palam
in tempore suo, producitur a Deo sicut lux **et iudicium
tuum sicut meridies**[h].

Omnia enim iusti iudicia quaecumque iudicavit, non
solum sicut lux erunt, sed sicut meridianum lumen, quod
20 utique clarissimum et splendidissimum est. Plenitudo
etenim lucis in meridiano tempore designatur. Si ergo
fueris iustus et bonus, **producet** – Deus – **sicut lumen
iustitiam tuam et iudicium tuum sicut meridiem**. Vel
certe in iudicio cum causa tua discutitur, iustitiam causae
25 tuae tamquam lucem Deus faciet manifestam et iudicium
quod et diiudicat, velut in meridie faciet manifestum.

---

6. a. Ps. 36, 6.   b. Cf. Matth. 6, 4.   c. Cf. Mal. 3, 20.
d. Cf. Rom. 8, 15.   e. Ps. 36, 6.   f. Matth. 6, 3.   g. Matth.
6, 4.   h. Ps. 36, 6.

---

1. La citation de Matthieu porte : « Mais lorsque vous faites l'au-
mône... », et non pas « votre justice ».

Ta justice comme une lumière   **6.** Ce qu'il fera, apprends-le par la suite : «Il fera paraître comme une lumière ta justice, et ton jugement comme le midi[a].» Ta justice que tu as faite dans le secret[b] et révélée à Dieu seul, Dieu la fait paraître comme une lumière et te montre juste, illuminé par le «Soleil de justice»[c], au ciel et à la terre; et à tous ceux qui sont dans le ciel, il montre la lumière de ta justice, et si l'on peut parler ainsi, il se glorifiera de toi comme d'un fils, comme si tu avais reçu «l'Esprit d'adoption[d].» «Il fait donc paraître ta justice comme une lumière[e]», car celui qui est juste selon le commandement du Seigneur fait sa justice, comme lui-même l'a ordonné en disant : «Mais vous, lorsque vous faites votre justice[1], que la main gauche ignore ce que fait la main droite[f].» C'est donc cette justice, qu'il fait ainsi, non pour apparaître aux hommes et s'emparer de la gloire humaine, mais qu'il fait «dans le secret», pour que «le Père qui voit dans le secret»[g] la rende au grand jour, en son temps; c'est elle que Dieu «fera paraître comme une lumière, et ton jugement comme le midi[h].»

En effet, tous les jugements que le juste aura rendus, ne seront pas seulement comme la lumière, mais comme la lumière de midi qui, assurément, est très brillante et splendide. Car la plénitude de la lumière est soulignée dans le temps de midi[2]. Si donc, tu as été juste et bon, Dieu «fera paraître comme une lumière ta justice, et ton jugement comme le midi.» Et certes, au jugement, quand on examinera ta cause, Dieu rendra claire comme la lumière la justice de ta cause, et le jugement qu'il prononcera, il le fera clair comme à midi.

---

2. «C'est le moment où la lumière se répand à flots sur le monde, où le jour est pur et la lumière plus limpide et plus radieuse», *ComCant.* II, 4, 15 (*SC* 375, p. 338).

Quae scientes ita futura, deprecemur misericordiam Dei ut concedat nobis tales fieri qui digni habeamur, quorum Deus ipse lucem iustitiae producat in medium et iudicium nostrum sicut meridiem clarum et lucidum, habens lucem veram[i] in se, ipsum Dominum nostrum, *cui est gloria et imperium in saecula saeculorum. Amen*[j].

i. Cf. Jn 1, 9.   j. I Pierre 4, 11.

Sachant qu'il en sera ainsi, prions la miséricorde de Dieu pour qu'elle nous accorde de devenir tels que Dieu lui-même juge digne de faire paraître au grand jour la lumière de notre justice, et qu'il rende notre jugement comme un midi brillant et éclatant, ayant en lui la vraie lumière[i], notre Seigneur lui-même, « à qui est la gloire et l'empire, dans les siècles des siècles. Amen![j] »

DEUXIÈME HOMÉLIE
SUR LE PSAUME 36

PSAUME 36, versets 7 à 14a.

7. Sois soumis au Seigneur et prie-le.
   Ne sois pas jaloux de celui qui réussit dans sa route,
   de l'homme qui commet l'iniquité.

8. Mets fin à la colère et laisse tomber l'indignation.
   Ne suscite pas la jalousie, pour ne pas agir avec perversité.

9. Car ceux qui agissent avec perversité seront exterminés,
   mais ceux qui attendent le Seigneur, ceux-là
   posséderont la terre en héritage.

10. Encore un peu de temps, et le pécheur ne sera plus ;
    tu chercheras sa place et tu ne la trouveras pas.

11. Mais les doux posséderont la terre,
    et ils se délecteront dans une abondance de paix.

12. Le pécheur épiera le juste
    et grincera des dents contre lui.

13. Le Seigneur se rira de lui,
    car il voit venir son jour.

14. Les pécheurs ont tiré le glaive, ils ont bandé leur arc
    pour abattre le faible et le pauvre.

ORIGENIS HOMILIA SECUNDA
IN PSALMUM XXXVI

1. Praecipiente mandato et dicente : **Subditus esto Domino**[a], necessarium videtur perscrutari quid sit sub-ditum esse Domino et quid sit non esse subiectum. Sicut enim *non omnis qui dicit, Domine, Domine, introibit in*
5 *regnum caelorum, sed qui facit voluntatem Patris mei qui in caelis est*[b] : ita non omnis qui dicit se subiectum esse Domino, subiectus est ei, sed is qui reipsa et opere subiectus est; quia vere subiectum esse Domino non sermo professionis sed opus subiectionis ostendit.

10 Plenius autem intellegitur quod dicimus hoc modo : Dominus noster Iesus Christus iustitia[c] est. Nemo ergo iniuste agens subiectus est Christo qui est iustitia. Christus veritas[d] est. Nemo mendax Christo subiectus est qui est veritas, sive cum in rebus sive cum in doctrina men-
15 dacium loquitur. Dominus Iesus Christus sanctificatio[e] est. Nemo est subiectus sanctificationi, cum pollutus sit et impurus. Dominus Iesus Christus pax[f] est. Nemo litigiosus et turbulentus Christo subiectus est qui est pax, sed ille subiectus est ei qui dicit : *Cum his qui oderunt pacem*
20 *eram pacificus*[g]. Unde et in alio psalmo ad animam suam

---

1. a. Ps. 36, 7.   b. Matth. 7, 21.   c. Cf. I Cor. 1, 30.   d. Cf. Jn 14, 6.   e. Cf. I Cor. 1, 30.   f. Cf. Éphés. 2, 14.   g. Ps. 119, 6.

DEUXIÈME HOMÉLIE
SUR LE PSAUME 36

**Être soumis
au Seigneur**

1. Puisque le commandement nous ordonne : «Sois soumis au Seigneur[a]», il semble nécessaire d'examiner à fond ce qu'est «être soumis au Seigneur», et ce qu'est ne pas lui être soumis. Car, comme «ce n'est pas celui qui dit : Seigneur, Seigneur qui entrera dans le Royaume des Cieux, mais celui qui fait la volonté de mon Père qui est dans les Cieux[b]», ainsi ce n'est pas celui qui se dit soumis au Seigneur qui lui est soumis, mais celui qui, en fait et en acte, est soumis. Car ce n'est pas une déclaration, mais un acte de soumission qui montre que l'on est vraiment soumis au Seigneur.

Mais on comprend mieux ainsi ce que nous disons : notre Seigneur Jésus-Christ est Justice[c]. Personne donc en agissant injustement n'est soumis au Christ qui est Justice. Le Christ est Vérité[d]. Aucun menteur n'est soumis au Christ qui est Vérité, quand il ment, soit dans des actes, soit dans un enseignement. Le Seigneur Jésus-Christ est Sanctification[e]. Personne n'est soumis à la Sanctification s'il est souillé ou impur. Le Seigneur Jésus-Christ est Paix[f][1]. Aucun chicaneur, aucun contestataire n'est soumis au Christ qui est Paix, mais lui est soumis celui qui dit : «Avec ceux qui haïssent la paix j'étais pacifique[g].» C'est pourquoi, dans un autre psaume aussi, le prophète dit

---

1. Les *epinoiai* du Christ : voir *supra* p. 80, note 1.

dicit propheta : *Verumtamen Deo subiecta esto, anima
mea, quia ab ipso est patientia mea* [h].

Sed et apostolus magna quidem et mystica de subiectione significat dicens : *Cum autem subiecta ei fuerint*
25 *omnia, tunc et ipse Filius subiectus erit ei qui sibi sub-
didit omnia* [i]. Audi ergo quid dicit quia omnia necesse
est Christo esse subiecta et tunc ipsum esse subiectum,
subiectione videlicet illa quam de spiritu intellegi dignum
est. Interim necesse est omnia Christo esse subiecta ut
30 tunc demum etiam ipse impletis omnibus et perfectis per
subiectionem, tamquam victoriae suae hanc referens
palmam, Patri dicatur futurus esse subiectus. Quod nisi
mystice intellegatur, impium aliquid sine dubio non adver-
tentibus indicare creditur. Non enim putandum est quod
35 Filius Dei nunc quidem Patri nequaquam subiectus sit, in
novissimis vero temporibus cum sibi fuerint cuncta
subiecta, tunc erit etiam ipse subiectus : sed quia omnia
nostra in se recipit et se esse dicit qui in nobis esuriat,
seque qui in nobis sitiat et nudus sit atque aeger, quique
40 hospes et qui retrusus in carcerem, et quicquid uni ex
discipulis suis factum fuerit, sibi factum esse testatur [j];
consequenter et merito cum unusquisque nostrum plene
et perfecte subditur Deo, ita ut in nullo prorsus inoboediens pareat, se esse subditum protestatur.

---

h. Ps. 61, 6.   i. I Cor. 15, 28.   j. Cf. Matth. 25, 35-40.

1. Sur ce passage de *I Cor.* 15, 28, et sur l'accusation injustifiée portée
par Théophile d'Alexandrie contre Origène d'avoir professé la fin du
règne du Christ quand il se serait soumis et aurait tout soumis à son
Père, voir H. CROUZEL, «Quand le Fils transmet le Royaume à son Père :
L'interprétation d'Origène», *Studia Missionalia* 33 (1984), p. 359-384, et
«Origène a-t-il tenu que le règne du Christ prendrait fin?», *Augusti-
nianum* 26 (1986), p. 51-61. Les deux articles ont été réédités dans *Les*

à son âme : «Sois donc soumise à Dieu, ô mon âme, car de lui vient ma patience[h].»

Le témoignage de Paul De plus, l'Apôtre signale de grandes et mystérieuses choses sur la soumission quand il dit : «Et quand toutes choses lui auront été soumises, alors le Fils lui-même sera soumis à Celui qui lui a soumis toutes choses[i].» Écoute donc ce qu'il dit : il est nécessaire que tout soit soumis au Christ, et qu'alors lui-même soit soumis, de cette soumission, bien entendu, qu'il sied de comprendre de l'Esprit. Pour le moment, il est nécessaire que toutes choses soient soumises au Christ, pour qu'alors enfin, tous les êtres étant accomplis et rendus parfaits par leur soumission, on dise que lui-même aussi sera soumis au Père, en lui rapportant cette palme de sa victoire. Si l'on ne comprend pas ceci de manière mystique, on dirait, à n'en pas douter, qu'est indiqué là quelque chose d'impie pour des gens non avertis. Car il n'y a pas à supposer qu'actuellement le Fils de Dieu ne soit pas soumis en quelque manière au Père, mais que dans les derniers temps, quand toutes choses lui seront soumises, alors il serait aussi soumis lui-même[1]. Mais tout ce qui est nôtre, il le reçoit en lui, il dit que c'est lui qui en nous a faim, lui qui en nous a soif, qui est nu et malade, qui est étranger et jeté en prison, et il affirme que tout ce qui a été fait à l'un de ses disciples, c'est à lui qu'on l'a fait[j]. En conséquence, c'est aussi à bon droit que lorsque chacun de nous est soumis à Dieu de manière totale et parfaite, de sorte qu'en absolument personne le Christ ne paraisse désobéissant, celui-ci s'affirme soumis à Dieu.

fins dernières selon Origène, Aldershot (Variorum reprints) 1990. Sur la soumission à Dieu, cf. *PArch.* I, 6, 1 (*SC* 252, p. 196).

1330 45   Sed et alio modo planius intellegitur quod dicimus. Si
aliquod membrum corporis doleamus, quamvis anima
nostra incolumis sit et reliqua omnia membra nostra sana
sint, tamen quia dolore unius membri totus homo affligitur, non dicimus quia sani sumus sed quia male
50 habemus. Verbi causa, dicimus : ille non est sanus. Quare?
Quia pedes dolet aut renes aut stomachum. Et nemo dicit
quia sanus est sed stomachum dolet, sed non est sanus
quia stomachum dolet.

Si intellexistis exemplum, redeamus nunc ad id quod
55 propositum est. Apostolus dicit quia corpus Christi sumus
et membra ex parte[k]. Christus ergo cuius omne hominum
genus, immo fortassis totius creaturae universitas corpus
est et unusquisque nostrum membra ex parte est, si aliqui
ex nobis qui membra eius dicimur aegrotat et aliquo
60 peccati morbo laborat, id est, si alicuius peccati macula
inuritur et non subiectus Deo, recte ille nondum dicitur
esse subiectus[l] cuius sint membra illi qui non sunt subiecti
Deo. Cum autem omnes eos qui corpus suum dicuntur
ac membra sanos habuerit ut in nullo inoboedientiae labo-
65 raverint morbo, sanis omnibus membris Deoque subiectis,
merito se dicit esse subiectum ille cuius nos membra Deo
in omnibus oboedimus.

---

k. Cf. I Cor. 12, 27.   l. Cf. I Cor. 15, 28.

---

1. Cette extension du «Corps du Christ» non seulement à l'Église –
interprétation habituelle – ou à l'ensemble de l'humanité – *Fragm. in
Jn* XLV : *GCS* IV, p. 519 –, mais à l'ensemble de la création, est rare
chez Origène qui ne s'occupe guère des créatures inférieures à l'homme.
Faut-il en conclure que, puisque la création est le Corps du Christ, le
Christ est son âme? Ce serait une allusion à l'âme du Monde de Platon,
qui sera la troisième hypostase de Plotin.

L'exemple de notre corps   De plus, ce que nous disons se comprend mieux d'une autre manière. Si nous souffrons en quelque membre du corps, bien que notre âme soit en bon état, et que tous nos autres membres soient sains, pourtant, puisque la douleur d'un seul membre afflige l'homme tout entier, nous ne disons pas que nous allons bien, mais que nous avons mal. Par exemple, nous disons : Celui-là n'est pas en bonne santé. Pourquoi? Parce qu'il souffre des pieds, ou des reins, ou de l'estomac. Et personne ne dit qu'il est en bonne santé, mais qu'il souffre de l'estomac : il n'est pas en bonne santé puisqu'il souffre de l'estomac.

Si vous avez compris cet exemple, revenons maintenant à notre propos. L'Apôtre dit que nous sommes le corps du Christ et ses membres pour une part[k]. Le Christ est donc celui dont tout le genre humain, ou mieux peut-être, l'ensemble de toute la création est le corps[1], et chacun de nous ses membres pour une part. Si quelqu'un de nous – que l'on dit ses membres[k] – est malade et s'il souffre de quelque maladie du péché, c'est-à-dire s'il est marqué de la tache de quelque péché et n'est pas soumis à Dieu, l'on dit à bon droit qu'il n'est pas encore soumis à Dieu[l], celui à qui sont ces membres non soumis à Dieu. Mais quand tous ceux qui sont dits son corps et ses membres seront en bonne santé et ne souffriront plus d'aucune maladie de désobéissance, tous ses membres étant sains et soumis à Dieu, à juste titre il se dit soumis à Dieu, lui dont nous, ses membres, obéissons en tout à Dieu[2].

2. Cette interprétation de *I Cor.* 15, 28 par la doctrine paulinienne du Corps mystique est certainement conforme aux intentions de l'Apôtre.

Quod si teipsum perscrutari vis et videre si iam subiectus es Deo, an adhuc inoboediens permanes, hoc modo
70 teipsum discute : si nihil est contrarium Deo in te, subiectus es ei. Contrarium autem dicimus hoc modo : *Deus caritas est*^m : si odium in te non est, non habes quod contrarium Deo est. Deus veritas estⁿ; vide ne sit in te mendacium, quod est contrarium veritati. Si enim
75 est in te mendacium, non Deo subiectus es, sed ei qui est mendacii pater°. Et si iniustitia in te est, patri iniustitiae subiectus es magis quam Deo, qui iustitia est^p. Si et reliqua in te deprehenderis vitia, scito te tamdiu non Deo, sed diabolo esse subiectum. Certum est namque
80 quia fornicationis tempore spiritui fornicationis sumus subiecti et adversantes spiritui castitatis. Et tempore iracundiae vel furoris, spiritui irae obaudimus, spiritui mansuetudinis resistentes. Propterea ergo videntes quia omnis vita nostra agonem quendam obaudientiae gerit, sive
85 Christi, sive huius qui contrarius est Christi, conemur per orationis, per eruditionis religiosam institutionem hoc agere, ne umquam diabolo vel malitiae eius oboedire inveniamur, sed omnis actus noster et omnis sermo atque omnis cogitatio inveniatur in subiectione Christi.

90 Quod si forte dicis : quid prodest si nunc subiectus sim, cum iam ante peccaverim et praeventus sim in delictis? Sine dubio cum deliquimus, subiecti non fuimus Deo, sed cum desivimus a delictis, tunc et initium subiectionis accepimus. Cum ergo timori Dei subiecti peccare

---

m. I Jn 4, 16.   n. Cf. Jn 14, 6.   o. Cf. Jn 8, 44.   p. Cf. Ps. 16, 1.

---

1. Cette liste d'*epinoiai* (cf. p. 80, note 1) n'est pas rapportée au Christ, mais au Père, ce qui est assez rare.

Examine ton cœur   Si tu veux te sonder toi-même et voir si maintenant tu es soumis à Dieu ou si tu demeures encore désobéissant, examine-toi de cette façon : si rien en toi n'est contraire à Dieu, tu lui es soumis. Or voici ce que nous appelons «contraire». «Dieu est Charité[m]»; si la haine n'est pas en toi, tu n'as pas ce qui est contraire à Dieu. Dieu est Vérité[n]; vois s'il n'y a pas en toi le mensonge qui est le contraire de la Vérité. Car si le mensonge est en toi, tu n'es pas soumis à Dieu, mais à celui qui est «le père du mensonge[o]». Et si l'injustice est en toi, tu es soumis au père de l'injustice, plus qu'à Dieu qui est Justice[p][1]. Si tu as surpris aussi en toi les autres vices, reconnais-toi soumis durant ce temps, non à Dieu, mais au diable. Car il est sûr qu'aux jours de fornication, nous sommes soumis à l'esprit de fornication et opposés à l'esprit de chasteté. Et aux jours d'emportement et de fureur, nous obéissons à l'esprit de colère, résistant à l'esprit de douceur. Voilà donc pourquoi, voyant que toute notre vie se passe dans une sorte de combat pour obéir, soit au Christ, soit à celui qui est opposé au Christ, efforçons-nous par la pieuse disposition de la prière et du savoir, de faire en sorte que jamais l'on ne nous trouve obéir au diable ou à sa méchanceté, mais que tout notre agir, toutes nos paroles et toute notre pensée soient trouvés dans la soumission du Christ.

Conversion et pardon   Si tu me dis : A quoi bon être actuellement soumis puisqu'avant j'ai déjà péché et pris les devants par des fautes?» Sans aucun doute, quand nous avons fauté, nous n'avons pas été soumis à Dieu; mais quand nous avons mis un terme à nos fautes, nous avons alors reçu un début de soumission. Lors donc que, soumis à la crainte de Dieu, nous cessons de pécher, nous recevons aussi

95 cessamus, tunc etiam fiduciam accipimus poscendi pro
delictis prioribus veniam. Donec autem permanemus in
1331 delictis, frustra veniam poscimus delictorum. Unde et
memini me frequenter dixisse ad vos, quia veniam delictorum tunc digne poscimus, cum longe positi a peccato,
100 illam vocem possumus dicere : *Ne memineris iniquitates
nostras antiquas*[q]. Non dixit eas quas facimus, sed eas
quas aliquando fecimus. **Subditus** – ergo – **esto Domino**[r]
et subiectus noli peccare **et** – tunc – **obsecra eum** pro
delictis praeteritis et antiquis.

**2. Ne aemulatus fueris eum qui prosperatur in via
sua, in homine faciente iniquitatem**[a]. Describit ea quae
accidunt hominibus. Frequenter enim si videamus iniquum
in prosperis successibus et in ea quam dicunt felicitate
5 vitae positum, scandalizamur et periculum fidei incurrimus
atque in corde nostro adversum divinam providentiam
conquerimur dicentes : quid prodest bene agere? Ecce
iusti tribulantur, hic iniustus feliciter agit. Iniustus est et
ad summas divitias pervenit, honorum ac potestatum
10 excelsum culmen ascendit, fortassis melius est iniustum
esse quam iustum. Haec infirmae et fragiles animae,
etiamsi non ore proferunt, in corde suo tamen loquuntur
cum viderint iniquos prosperis successibus agere in via
sua. Et ideo nobis mandati huius medela succurrit, ne,
15 cum haec viderimus, aemulemur, id est ne irritemus
Dominum adversum nos loquendo talia in cordibus
nostris : sed recogitare debemus quia praesens saeculum
eorum est qui futurae beatitudinis non habent spem.

q. Ps. 78, 8.   r. Ps. 36, 7.
2. a. Ps. 36, 7.

1. «Si nos péchés sont d'hier (c'est-à-dire tout récents), nous ne
méritons pas d'être crus quand nous confessons nos péchés, et il n'y
a pas lieu que ces péchés-là soient effacés», *HomJér.* V, 1 (*SC* 232,
p. 304).

la confiance pour implorer le pardon de nos fautes passées. Mais tant que nous persistons à pécher, nous demandons en vain le pardon de nos fautes. Aussi je me souviens de vous avoir souvent dit[1] que nous demandons dûment le pardon de nos fautes quand, éloignés du péché, nous pouvons dire cette parole : « Ne te souviens plus de nos fautes anciennes[q]. » Il n'a pas dit : celles que nous faisons, mais celles que nous avons faites jadis. « Sois donc soumis au Seigneur[r] », et, soumis, ne pèche pas ; alors « prie-le » pour les fautes passées et anciennes.

Une réaction fréquente **2.** « Ne sois pas jaloux de celui qui réussit dans sa route, de l'homme qui commet l'iniquité[a]. » Il décrit ce qui arrive aux hommes. Souvent en effet si nous voyons un homme inique dans d'heureux succès, installé dans ce qu'on appelle la vie heureuse, nous sommes scandalisés et encourons un danger pour la foi ; et dans notre cœur nous murmurons contre la divine Providence disant : « A quoi sert de bien agir ? Voilà des justes dans l'épreuve, cet homme injuste mène une vie heureuse. Il n'est pas juste et il est parvenu aux plus grandes richesses, monté au faîte élevé des honneurs et des pouvoirs ; peut-être vaut-il mieux être injuste que juste ! » Les âmes faibles et fragiles, même si elles ne profèrent pas cela de leur bouche, le disent cependant dans leur cœur quand elles voient des hommes iniques aller leur chemin par d'heureux succès. Et c'est pourquoi le remède de ce commandement vient à notre secours, pour que nous ne soyons pas jaloux quand nous verrons cela, c'est-à-dire pour que nous n'irritions pas le Seigneur contre nous, disant de telles paroles dans nos cœurs ; au contraire nous devons avoir à l'esprit que le siècle présent appartient à ceux qui n'ont pas l'espoir de la béatitude future.

Et ideo patienter feramus illos hic successibus prosperis
20 agere, percipere bona in vita sua[b], donec veniat et nostrum
saeculum ad quod invitati sumus et cuius nobis repro-
missa sunt bona, ad quod respicimus, in quo speramus,
cuius bona non sicut in hoc saeculo tamquam umbra
praetereunt[c], sed permanent in aeternum. Impossibile
25 autem est et in praesenti saeculo bona consequi et in
futuro. Necesse est enim dici unicuique : quia consecutus
es tu bona tua in vita tua, et alii : quia consecutus es
mala[d], ut alter pro malis bona et alter pro bonis mala
recipiat, sicut exemplo sunt ille dives et Lazarus. Ideo
30 ergo : **Noli aemulari in eo qui prosperatur in via sua,
in homine faciente iniquitatem**[e].

3. Post haec commonet vitium quo omnes pene tur-
bamur et nescio sicubi rarus quis ita perfectus inveniatur
qui careat hoc morbo. **Desine** – inquit – **ab ira et derelinque indignationem**[a]. Multa sunt vitia quae a multis
5 facile vitantur. Verbi causa impudicitiae malum, si quis
operam enixius continentiae dederit, abiecit. Aliquanti et
etiam avaritiam subiugarunt, ita ut cum in ceteris non
sint perfecti, videantur tamen vitare hoc malum, sed et
alia nonnulla. Iracundiae autem durum et acutum vitium,
10 inflammat et exagitat etiam eos qui videntur esse sapientes.
Unde et Salomon in Proverbiis dicit : *Ira perdit etiam pru-*
1332   *dentes*[b]. Id est, noli, inquit, mirari si insipientem, si malum,

---

b. Cf. Lc 16, 25.   c. Cf. Sag. 5, 9.   d. Cf. Lc 16, 25.   e. Ps.
36, 7.
3. a. Ps. 36, 8.   b. Prov. 29, 8.

---

1. « Notre siècle », par opposition au siècle présent qui appartient à
« ceux qui n'ont pas l'espoir d'un bonheur futur ». Ce que confirme le
fragment de chaîne : « Ce siècle est à ceux qui n'ont pas d'autre espérance... Mais nous, nous tendons notre esprit vers un autre siècle de
vie, et notre espérance se prolonge après ce siècle-ci » (*PG* 17, 124 C).
2. Cf. 36 I, 4, l. 51-65.

**Un regard
vers le ciel** Aussi supportons avec patience que ces gens vivent dans ces heureux succès, qu'ils reçoivent leurs biens en leur vie[b], jusqu'à ce que vienne aussi notre siècle[1], celui où nous sommes conviés et dont les biens nous sont promis, celui vers qui nous tournons les yeux, en qui nous espérons, dont les biens ne passent pas telle une ombre[c] comme en ce siècle-ci, mais durent pour toujours. Or il est impossible de poursuivre des biens à la fois dans le siècle présent et dans le siècle à venir. Il est nécessaire, en effet, que l'on dise à l'un : «Toi, tu as reçu tes biens durant ta vie», et à l'autre : «Tu as reçu les maux[d]», et que l'un reçoive des biens au lieu des maux, et l'autre des maux au lieu des biens, comme il en est par exemple de ce riche et de Lazare[2]. Pour cela donc, «Ne sois pas jaloux de celui qui réussit dans sa route, de l'homme qui commet l'iniquité[e].»

Un vice tenace **3.** Après cela, le prophète rappelle le vice qui nous trouble presque tous, et je ne sais si en quelque endroit, on rencontrerait l'homme exceptionnel, assez parfait pour être exempt de cette maladie. «Mets fin à la colère, dit-il, et laisse tomber l'indignation[a].» Nombreux sont les vices que beaucoup évitent facilement. Par exemple le mal de l'impudicité : si quelqu'un s'est adonné de tout son pouvoir à pratiquer la continence, il a l'a rejeté. Un assez grand nombre aussi ont dompté l'avarice si bien que, loin d'être parfaits sur les autres points, ils semblent pourtant éviter ce mal, et de plus quelques autres. Mais le vice tenace et violent de l'emportement enflamme et harcèle ceux-là même qui semblent sages. Aussi Salomon dit-il dans les Proverbes : «La colère perd même les sages[b3].» C'est-à-

---

3. Citation de mémoire; en *Prov.* 29, 8, la Septante porte : «Les sages détournent la colère.»

si infidelem iracundia inflammat, sed frequenter etiam bonos
et prudentes viros exagitat.

15   Est ergo hoc peccatum etiam unum ex illis quod ad
aedificium deferet ligna, fenum, stipulam et necesse est
huiusmodi materias, sicut scriptum est[c], per ignem probari,
ita ut permaneamus tamdiu in igne, donec de nobis ligna
iracundiae consumantur et fenum indignationis et stipula
20   verborum, eorum videlicet quae huiuscemodi vitiis exagitati
protulimus. Idcirco ergo **desine ab ira et derelinque indignationem**[d]; id est non satisfacias animis tuis, cum commotus fueris ad iracundiam, sed desine derelinque
contemne.

25   Nos vero cum haec mandata suscipiamus et econtrario
cum commoti fuerimus, non ab iracundia, sed a mansuetudine desinimus, non indignationem relinquimus, sed
lenitatem. Verum ex hoc saltem incipiamus emendare nosmetipsos et paulatim per continentiam et assiduam medi-
30   tationem lenientes iracundiam, veniamus etiam in hoc ut
ultra non irascamur; atque indignationis quae per furorem
concitatur, impetum retundentes assidue, perveniamus
usque in illud ne ultra indignationis commotione turbemur.
Noli aemulari ut nequiter facias[e]. Noli, inquit, in aemu-
35   lationem nequitiae ceteros provocando, etiam ipse nequam

---

c. Cf. I Cor. 3, 13.   d. Ps. 36, 8.   e. Ps. 36, 8.

1. Sur ce feu, voir *infra*, 36 III, 1, l. 38-69 et p. 130, note 1. Rappelons
que d'après d'autres textes, ce feu n'est autre que Dieu. Par exemple :
« Notre Dieu aussi est déclaré Feu consumant et également Lumière
dans laquelle il n'est pas de ténèbres. Lumière sans nul doute pour
les justes, il devient aussi Feu pour les pécheurs, afin de consumer en
eux tout ce qu'il aura trouvé dans leur âme de corruption et de faiblesse », *ComCant.* II, 2, 21 (*SC* 375, p. 312). C'est surtout en commentant *I Cor.* 3, 12-15, qu'Origène exprime sa doctrine de la purification eschatologique, du Purgatoire. Voir H. CROUZEL : « L'exégèse
origénienne de *I Cor.* 3, 12-15 et la purification eschatologique », dans

dire : «Ne t'étonne pas si l'emportement enflamme le sot,
le mauvais, l'incroyant, souvent il harcèle même les
hommes bons et sages!»

Ce péché est donc aussi un de ceux qui apporteraient
bois, foin, paille, à l'édifice, et il est nécessaire que des
matériaux de cette sorte soient éprouvés par le feu, comme
il est écrit[c]; ainsi nous demeurons dans le feu[1] jusqu'à
ce que soient consumés en nous le bois de l'emport-
tement, le foin de l'indignation et la paille des mots, ceux
bien entendu que nous avons proférés, harcelés par des
vices de cette sorte. C'est pourquoi «Mets fin à la colère
et laisse tomber l'indignation[d]», c'est-à-dire ne donne pas
libre cours à tes humeurs quand tu seras poussé à l'emportement, mais fais-les cesser, abandonne-les, ignore-les!

**Abandonnons
l'indignation**
Mais nous, lorsque nous recevons
ces directives et qu'au contraire
nous sommes en proie aux émo-
tions, ce n'est pas l'emportement que nous faisons cesser,
mais la bienveillance, ce n'est pas l'indignation que nous
abandonnons, mais la douceur. Commençons donc du
moins à nous corriger nous-mêmes, et peu à peu, adou-
cissant l'emportement par la retenue et une méditation
assidue, venons-en même à ne plus être irrités à l'avenir.
Réprimant avec constance l'élan d'une indignation excitée
par la fureur, arrivons au point de ne plus être troublés
par un mouvement d'indignation. «Ne suscite pas la
jalousie en agissant avec perversité[e2].» Ne deviens pas
toi aussi pervers en provoquant les autres à rivaliser avec

Epektasis, Mélanges patristiques offerts au cardinal Jean Daniélou (éd.
J. Fontaine, Ch. Kannengiesser), Paris 1972, p. 273-283.
    2. En grec παραζηλόω, ne rends pas jaloux; *aemulari* dans le latin
tardif de Rufin, ne doit pas être un déponent, mais un passif : provoquer la jalousie.

fieri; quia aemulatio mali vincere semper in malitia alium
studet.

**4. Quia qui nequiter agunt, exterminabuntur; qui
autem exspectant Dominum, ipsi hereditate possidebunt terram**[a]. Apparet quia nequitia alia quidem
species mali est, praeter cetera peccata. Unde et hic sermo
5 divinus alium describit peccatorem, et alium nequam, sicut
et ibi simili utitur distinctione cum dicit : *Contere brachium peccatoris et maligni*[b], hoc est nequam. Sed et
Dominus in Evangelio diabolum non dixit peccatorem tantummodo, sed malignum vel malum[c] et cum docet in
10 oratione vel dicit : *Sed libera nos a malo*[d] et alibi : *Malus
homo fecit*[e], sive malignus. Definiunt quidam πονηρίαν,
id est nequitiam, spontaneam vel voluntariam esse
malitiam. Aliud est enim per ignorantiam mala agere et
velut vinci a malo : aliud est voluntate et studio mala
15 facere et hoc est nequitia. Unde et merito diabolus hoc
nomine πονηρός, id est malignus vel nequam, appellatur.
Sed et nobis exprobrans Salvator dicebat : *Si ergo et vos
cum sitis mali, scitis bona data dare filiis vestris*[f].

Et nunc ergo ait : **Quoniam qui nequiter agunt, exter-**
20 **minabunturi qui autem exspectant Dominum ipsi
hereditate possidebunt terram** [g]. Est et alia quaedam

---

4. a. Ps. 36, 9.   b. Ps. 10, 15.   c. Cf. Matth. 13, 19.   d. Matth.
6, 13.   e. Matth. 13, 28.   f. Matth. 7, 11.   g. Ps. 36, 9.

---

1. Le « pécheur », c'est celui qui se met en colère (verset 8); le
« pervers » est mis en scène à la fin de ce verset 8 et ici-même.

2. « Mais délivre-nous du Mauvais ». Tel est le sens que dans *PEuch.*
XXIX, 1 s. (*GCS* II, p. 381 s.), Origène développe, et non : « Délivre-nous
du mal. » En effet, le grec a le mot : πονηρός qui désigne le méchant,
et non : κακός qui désignerait le mal. Le méchant est le diable.

3. Citation de mémoire. Dans la parabole de l'ivraie, il est question
de « l'homme ennemi », et non pas du « Mauvais ». Ce mot qualifiant

toi en méchanceté. Car l'émulation dans le mal vise à dépasser toujours un autre en malice.

La perversité   **4.** «Car ceux qui agissent avec perversité seront exterminés. Mais ceux qui attendent le Seigneur, ceux-là posséderont la terre en héritage[a].» Il est clair que la perversité est une autre forme du mal, en plus des autres péchés. Aussi la Parole divine décrit ici l'un comme pécheur et l'autre comme pervers[1], comme là aussi, elle use d'une distinction semblable quand elle dit : «Brise le bras du pécheur et du méchant[b]», c'est-à-dire du pervers. De plus, le Seigneur, dans l'Évangile, n'a pas appelé le diable seulement pécheur, mais méchant ou mauvais[c]; et lorsqu'il nous instruit dans sa prière, il dit encore : «Mais délivre-nous du mauvais[d2]», et ailleurs : «C'est l'homme mauvais – ou méchant – qui a l'a fait[e3].» Certains donnent pour définition de πονηρίαν, c'est-à-dire perversité : une méchanceté spontanée et volontaire. Autre chose est en effet d'agir mal par ignorance et comme vaincu par le mal, autre chose est de faire le mal par volonté et application; et cela, c'est la perversité. Aussi appelle-t-on à bon droit le diable de ce nom de πονηρός, c'est-à-dire méchant ou pervers. De plus, à nous, le Sauveur disait en manière de reproche : «Si donc vous, tout mauvais que vous êtes, savez donner de bonnes choses à vos enfants[f].»

La vraie terre   Et maintenant donc il dit : «Car ceux qui agissent avec perversité seront exterminés. Mais ceux qui attendent le Seigneur, ceux-là posséderont la terre en héritage[g].» Il y a encore une

---

le démon se trouve explicitement dans l'explication de la parabole : «L'ivraie, ce sont les fils du Mauvais» (*Matth.* 13, 38).

terra, illa de qua Scriptura dicit, fluens lac et mel[h], quam
et Salvator in Evangeliis repromittit mansuetis dicens :
Beati mansueti, quoniam ipsi possidebunt terram[i]. Haec
1333 25 nostra quam habitamus proprio vocabulo arida[j] appellatur, sicut et caelum istud quod intuemur, proprie firmamentum[k] dicitur. Ex appellatione vero alterius caeli
etiam istud firmamentum caeli nomen accepit, sicut edocet
Scriptura Geneseos. Quid ergo est? In praesenti quidem
30 vita utimur caelo et terra visibilibus istis, in quibus veri
caeli et verae terrae praeter nomina nihil aliud invenimus :
sed idcirco hic ita arbitror appellata, ut, cum haec ita
nominantur, illa quae vera et magna sunt, ad desiderium
et memoriam cognominantium veniant.

35   Qui sunt autem qui hereditate possidebunt terram? **Qui
exspectant** – inquit – **Dominum**[l]. Exspectamus
Dominum, quia ipse est exspectatio nostra et patientia,
sicut scriptum est : *Et nunc quae est exspectatio mea?
Nonne Dominus*[m]? Sicut ergo Salvator sapientia[n] est et
40 pax[o] et iustitia[p], ita est et exspectatio vel patientia. Et
sicut participatione iustitiae eius iusti efficimur et participatione sapientiae eius sapientes efficimur, ita et participatione patientiae eius efficimur patientes. Est ergo velut
fons quidam perennis, de quo haurire possumus[q] et

---

h. Cf. Ex. 3, 8.   i. Matth. 5, 5.   j. Cf. Gen. 1, 10.   k. Cf. Gen.
1, 8.   l. Ps. 36, 9.   m. Ps. 38, 8.   n. Cf. I Cor. 1, 24.30.   o. Cf.
Éphés. 2, 14.   p. Cf. I Cor. 1, 30.   q. Cf. Jn 4,14.

---

1. Dans la Bible et les auteurs profanes, l'élément sec, *aridum* ou
arida, τὴν ξηράν, est synonyme de «terre» (cf. G.W.H. Lampe, *A Patristic
Greek Lexicon*, p. 933). Sur la distinction des deux terres, la «vraie» et
l'«aride», voir *PArch.* II, 11, 6 (*SC* 252, p. 408) et note 43 (*SC* 253,
p. 250).

2. Origène fait sans doute allusion au fait qu'au verset 1, la Genèse
dit : «Dieu créa le ciel et la terre», alors que la création du firmament
intervient au verset 8. Voir *infra,* p. 238, n. 1.

terre, celle dont parle l'Écriture, d'où coulent lait et miel[h],
que le Sauveur aussi, dans les Évangiles, promet aux
doux, disant : «Bienheureux les doux, car ils posséderont
la terre[i].» Cette terre, la nôtre, que nous habitons, est
appelée «aride[j][1]», du nom qui lui est propre, comme
aussi ce ciel que nous regardons est dit à proprement
parler «firmament»[k]. Mais du nom d'un autre ciel, ce firmament a reçu encore le nom de «ciel», comme l'enseigne l'Écriture de la Genèse[2]. Pourquoi donc? Dans la
vie présente, nous avons certes à notre disposition le ciel
et la terre, visibles ceux-là, dans lesquels, hormis leurs
noms, nous ne trouvons rien d'autre du vrai ciel et de
la vraie terre. Mais je les pense appelés ainsi ici-bas, pour
que lorsqu'on les désigne de ce nom, ceux-là qui sont
les véritables et les grands ciel et terre, se présentent au
désir et à la mémoire de ceux qui leur donnent ces
noms[3].

**Possédée
en héritage**
Mais qui sont ceux qui posséderont
la terre en héritage? «Ceux qui
attendent le Seigneur[l].» Nous
attendons le Seigneur, car lui-même est notre attente et
notre patience comme il est écrit : «Et maintenant, quelle
est mon attente? N'est-ce pas le Seigneur[m]?» Donc, comme
le Seigneur est Sagesse[n], et Paix[o], et Justice[p], il est aussi
Attente et Patience[4]. Et de même qu'en participant à sa
justice nous devenons justes, et sages en participant à sa
Sagesse, de même aussi, en participant à sa Patience,
nous devenons patients. Il est donc comme une source
intarissable où nous pouvons puiser[q], et la patience, et

3. Tout cela est développé dans *PArch.* II, 3, 6-7, (*SC* 252, p. 264-274,
commentaire *SC* 253, p. 149-158).
4. Encore les *epinoiai* du Christ. Cf. *supra,* p. 80, note 1. Ici le
contexte souligne bien la relation entre les *epinoiai* du Christ et notre
sanctification.

45 patientiam et iustitiam et sapientiam et omnia quaecumque
sunt virtutum bona, si tamen digna et pura vascula nostra
deferamus ad fontem. Ait ergo : **Qui autem exspectant
Dominum, ipsi hereditate possidebunt terram**[r].

5. Post haec autem sermonem quendam addidit mysticum, qui super auditum meum sit et supra linguam
meam, qui excedat sensum meum. Ait enim, sive de
omnibus peccatoribus sive de uno aliquo peccatore, sin-
5 gulariter enim dicit : **Pusillum adhuc et non erit peccator**[a]. Pusillum adhuc profecto a praesenti tempore
usque ad consummationem saeculi esse dicit aut fortassis
etiam ultra consummationem saeculi et donec ignis ille
vindex consumat adversarios. Si autem fiat hoc aliquo
10 modo ut non sit peccator, et qua ratione fieri possit ut
peccator iam non sit, discutiat et requirat qui potest.

Verumtamen **pusillum adhuc et non erit peccator
et quaeres locum eius et non invenies**[a]. Non solum
autem peccator non erit sed nec locus peccatoris erit.
15 Quis est autem locus peccatoris nisi ista quae praetereunt?
Caelum – inquit – *et terra praeteribunt*[b]. Sine dubio ergo
cum ipso peccato quod praeteriit, etiam locus praeteriet
peccatoris. *Caelum* – inquit – *et terra praeteribunt, verba
autem mea non praeteribunt*[b]. Studeamus ergo nos facere
20 verba Dei, quae non praetereunt, ne forte et nos cum
istis quae praetereunt intereamus. Si enim peccatum
facimus, quod praeterit, sine dubio et nos cum his quae

---

r. Ps. 36, 9.
5. a. Ps. 36, 10.   b. Matth. 24, 35.

---

1. Il s'agit des problèmes de la fin du monde et de l'« apocatastase »,
sur lesquels Origène, dans une homélie destinée au grand public, s'exprime avec précaution. Dans d'autres écrits il est un peu plus hardi,
sans en arriver cependant à affirmer sans réserve les doctrines qui lui
sont habituellement prêtées.

la justice, et la sagesse, et tous les biens des vertus quels qu'il soient, si du moins nous portons à la source nos modestes récipients, convenables et propres. Il dit donc : «Mais ceux qui attendent le Seigneur, ceux-là posséderont la terre en héritage[r].»

Plus de pécheur **5.** Or après cela, le prophète ajouta une certaine parole mystique, au-dessus de mon entendement, au-delà de ma langue, qui dépasse mon intelligence. Il dit en effet, soit à propos de tous les pécheurs, soit de quelque pécheur, car il parle au singulier : «Encore un peu de temps, et le pécheur ne sera plus[a].» Il dit assurément qu'il y a «encore un peu de temps», depuis le temps présent jusqu'à la fin du monde, ou peut-être même au-delà de la fin du monde et jusqu'à ce que ce feu vengeur[1] consume ses adversaires. Or il arrive en quelque manière que le pécheur ne soit plus, et pour quelle raison il peut arriver que le pécheur ne soit plus, qu'il l'examine et le recherche celui qui le peut !

Sa place Donc, «Encore un peu de temps,
ne sera plus ! et le pécheur ne sera plus ; tu chercheras sa place et tu ne la trouveras pas[a].» Non seulement le pécheur, mais la place du pécheur ne sera plus. Or qu'est la place du pécheur, sinon ces biens qui passent : «Le ciel et la terre passeront[b]», est-il dit. Pour sûr donc, avec le péché lui-même qui a passé, passera aussi la place du pécheur. «Le ciel et la terre passeront, est-il dit, mais mes paroles ne passeront pas[b].» Efforçons-nous donc de mettre en pratique les paroles de Dieu qui ne passent pas, de peur que nous aussi, nous périssions avec ces choses qui passent. Car si nous commettons le péché qui passe, sans aucun doute nous serons comptés nous aussi parmi ces

praetereunt deputabimur. Si autem facimus iustitiam quae
non praeterit, neque ipsi praeteribimus, sed permanebimus
25 cum permanente iustitia, secundum illud quod scriptum
est : *Numquid non valet manus mea salvos facere? Aut
gravavi aurem meam ne exaudiam? Sed peccata vestra
separant inter vos et Deum*[c].

1334   Sed et ab initio creaturae non sine aliqua mystica ratione
30 firmamentum factum esse dicitur quod separaret inter
aquas et aquas[d] et divideret habitaculum mortalium a
sedibus et habitaculis angelorum. Ex eo ergo locus nobis
peccatoribus arida haec, quam etiam terram cognominavit
Dominus[e], deputata est. Sed et alia quaedam loca nomi-
35 nantur aquae, quibus superferri Spiritus Domini dicitur[f].
Et alia quaedam loca abyssus nominantur, quibus tenebrae
superpositae referuntur. Et de aquis quidem dicitur in alia
Scriptura quia : *Viderunt te aquae, Deus, viderunt te aquae
et timuerunt*[g]. De abysso autem dicit quia : *Conturbata
40 est abyssus*; sine dubio quia non habet pacem sed habet
tenebras superpositas. Sed et daemones in Evangelio
rogare dicuntur ne iubeantur abire in abyssum[h] velut in
locum quendam poenae et se et suis actibus dignum.

---

c. Is. 59, 1-2.   d. Cf. Gen. 1, 6-8.   e. Cf. Gen 1, 10.   f. Cf.
Gen. 1, 2.   g. Ps. 76, 17.   h. Cf. Lc 8, 31.

---

1. Les « eaux d'en-haut » et les « eaux d'en-bas », d'après *Gen.* 1, 6.
2. Cette phrase suggère que la vie dans ce monde sensible est la
suite d'un péché commis dans une préexistence céleste. Voir *PArch.*
II, 8-9 *passim* (*SC* 252, p. 342-372 et note correspondante en *SC* 253).
3. Sur la « terre aride », voir *supra*, 36 II, 4, l. 24-25, et n. 1, p. 108.
4. Une explication est donnée dans *HomNomb.* XIII, 7 : « Dieu ne
veut pas condamner la race des démons avant le temps, car leur
concours est nécessaire à la purification des croyants » (*SC* 29, p. 275).
C'est l'un des aspects de la solution origénienne du problème du mal :
Dieu laisse agir les démons pour éprouver les hommes.
5. Passage difficile : Origène prend dans le récit de la création, aux
premières lignes de la Genèse, des termes qui vont lui servir à désigner

choses qui passent. Mais si nous accomplissons la justice qui ne passe pas, nous-mêmes nous ne passerons pas non plus, mais demeurerons avec la Justice qui demeure, selon ce qui est écrit : « Ma main n'est-elle pas capable de sauver ? Ou bien ai-je endurci mon oreille pour ne pas exaucer ? Mais vos péchés mettent une barrière entre vous et Dieu[c] ! »

Différents lieux   De plus, au début de la création, non sans quelque raison mystique, on dit que fut fait un firmament qui départagerait les eaux des eaux[d1], et séparerait la demeure des mortels, des trônes et des demeures des anges. De là vient donc, qu'à nous pécheurs[2], fut assigné cet endroit aride que le Seigneur a dénommé « terre[e3] ». De plus, certains lieux sont nommés « eaux », sur lesquelles, dit-on, a plané l'Esprit du Seigneur[f]. Et d'autres lieux sont nommés « abîmes », au dessus desquels on rapporte que des ténèbres furent placées[f]. A propos des eaux, on dit dans un autre Écrit : « Les eaux te virent, ô Dieu, les eaux te virent et furent dans la crainte[g]. » Mais de l'abîme il dit : « L'abîme fut bouleversé », sans aucun doute parce qu'il n'a pas la paix, mais qu'il a au-dessus de lui des ténèbres. De plus, on dit dans l'Évangile que les démons supplient pour qu'on ne leur ordonne pas d'aller dans l'abîme[h4], en tant qu'il est un lieu de châtiment qui convient, et pour eux, et pour leurs agissements[5]. Non seulement le

l'habitat de trois degrés d'êtres : le firmament sépare les eaux d'en-haut et les eaux d'en-bas. Ces eaux d'en-haut, c'est le lieu où demeurent les anges, le ciel : « Les eaux te virent, ô Dieu ! » Par contre, les eaux d'en-bas, lieu des hommes pécheurs, c'est la terre, qualifiée d'« aride ». Plus bas encore, les « abîmes », lieu de ténèbres, c'est le lieu des démons. Seules resteront donc les « eaux d'en-haut », le ciel, séjour des anges et des justes. Dans *HomSam.* V, 7, Origène distingue « l'Hadès », séjour des morts, de « l'abîme », séjour des démons ; cf. *SC* 328, p. 198, note 1. Ce texte est repris par AMBROISE : *EnPs.* 36, 21 (*PL* 14, 977-978).

Non solum ergo peccator non erit sed etiam locus eius,
45 quisquis ille est, quaeretur et non erit[i].

6. Mansueti autem possidebunt terram[a]. Adversum
Valentinianos et ceteros haereticos, qui putant Salvatorem
meum dicere in Evangelio quae in antiquis Litteris non
sunt, proferendus est iste versiculus, sicut et nos didi-
5 cimus a quodam presbytero proferre haec ad convin-
cendos eos. Quod enim dictum est in Evangelio : *Beati
mansueti quoniam ipsi possidebunt terram*, vide quomodo
ante iam dictum est a Spiritu sancto per David, immo
ipse Christus qui nunc in Evangeliis dicit : *Beati man-*
10 *sueti, quoniam ipsi hereditate possidebunt terram*[b].

Addit sane propheta etiam amplius aliquid quam in
Evangelio legimus dicens : **Et delectabuntur im multi-**
tudine pacis[c]. Etiam hic sermone ipso utitur Graecus,
de quo et superius diximus, κατατρυφήσουσιν, id est deli-
15 ciabuntur magis quam delectabuntur. Igitur deliciabuntur,
sive **delectabuntur** mansueti **in multitudine pacis**. Si
qui sunt carnales homines, delectantur in cibis qui destruentur cum ventre suo, sicut et apostolus dicit : *Esca*

---

i. Cf. Ps. 36, 10.
6. a. Ps. 36, 11.   b. Matth. 5, 5.   c. Ps. 36, 11.

---

1. Origène polémique souvent contre les élucubrations gnostiques des
Valentiniens et les théories de Marcion et de ses disciples.
2. L'expression : «Mon Sauveur», ou d'autres similaires, est fréquente
chez Origène, et témoigne d'une relation intime avec son Dieu. Voir
F. BERTRAND, *Mystique de Jésus chez Origène*, Paris 1951, p. 147-148, où
la liste des exemples est loin d'être exhaustive.
3. L'Ancien Testament. Cf : IGNACE D'ANTIOCHE : ἐν τοῖς ἀρχείοις
(*Philad.* 8, 2).
4. Dans les premiers temps du christianisme, le mot «presbytre» ou
«ancien», n'a pas encore le sens précis de «prêtre». Souvent, chez
Origène comme Clément et IRÉNÉE (cf. *AdvHaer.* IV, 27, 1 et *SC* 100*,
p. 263, note 1 pour la p. 729), il désigne la génération post-aposto-
lique, les successeurs immédiats des apôtres qui transmettent leur doc-

pécheur ne sera plus, mais sa place même, quelle qu'elle soit, on la cherchera, elle ne sera pas[i].

6. «Mais les doux posséderont la terre[a].» Contre les Valentiniens et les autres hérétiques[1] qui pensent que mon Sauveur[2] dit dans l'Évangile des choses qui ne sont pas dans les Lettres anciennes[3], ce petit verset est à mettre au jour, comme nous aussi avons appris d'un certain presbytre[4] à leur présenter cela pour les convaincre. En effet, ce qui est dit dans l'Évangile : «Heureux les doux parce qu'ils posséderont la terre», vois comment déjà auparavant l'Esprit-Saint l'a dit par David – bien mieux, c'est le Christ lui-même qui dit à présent dans les Évangiles : «Heureux les doux, car ils posséderont la terre en héritage[b].»

L'accord des deux Testaments

Et bien le Prophète ajoute encore quelque chose de plus que ce que nous lisons dans l'Évangile : «Et ils se délecteront dans une abondance de paix[c].» Ici aussi le grec use de ce même mot dont nous avons parlé plus haut[5] : κατατρυφήσουσιν, c'est-à-dire «prendront leurs délices», plutôt que «se délecteront». Par conséquent, «Les doux prendront leurs délices – ou se délecteront – dans une abondance de paix[c].» S'il en est qui sont hommes charnels, ils se délectent dans des nourritures qui seront détruites avec leur ventre, comme le dit aussi

Une abondance de paix

---

trine; ou comme ici, un ancien, témoin de la tradition, sans référence précise à la hiérarchie. Le vocabulaire d'Origène est encore assez flou; plus loin le sens hiérarchique est plus net : 36 IV, 3, l. 29-30. Sur ce sujet, voir : J. Daniélou, *Théologie du Judéo-Christianisme,* Tournai 1991, p. 76 s., et W. Rordorf – A. Tuilier, *La Doctrine des Douze Apôtres (Didachè),* Paris 1978 (*SC* 248), p. 74-78.

5. Cf. *supra,* 36 I, 4, l. 26-28.

ventri et venter escis, Deus autem hunc et illas destruet[d],
20 sancti autem istas delicias contemnunt et respuunt : habent
autem delicias in multitudine pacis. Multitudo autem pacis
esse dicitur in diebus Christi. Ita enim scriptum est : *Et
multitudo pacis erit in diebus eius, usquequo auferatur
luna*[e].

25   Quicumque ergo *desinit ab ira et derelinquit indignationem*[f] et neque animus in iram irritatur neque sermone
utitur iracundo, et non solum forinsecus verum et intrinsecus totus in pace est, et neque provocanti se ad iracundiam cedit neque ipse alterum ad iracundiam pro-
30 vocat, sed in semetipso pacem et in aliis, si qui forte
dissident, servat, diligere mansuetudinem, quae pacis
custos est, monet, fidelissimaque cuncta moderatur, iste
deliciatur vel delectatur **in multitudine pacis**[g].

1335   **7. Observabit peccator iustum et fremet super eum
dentibus suis**[a]. Sicut naturaliter contrarium est lux et
tenebrae, ita contrarium sibi peccator et iustus. Et si videris
aliquando odio haberi iustum, non dubites dicere de eo
5 qui odit iustum, quia peccator est. Si videris persecutionem
pati eum qui bene vivit, non dubites dicere de eo qui
persequitur quia non solum peccator est sed nequam.
Observabit – ergo – **peccator iustum et** – observans
eum – **fremet super eum dentibus suis**. Quod dicit :
10 **Fremet dentibus**, nescio si de carnalibus dentibus accipiendum sit, licet possibile sit etiam hoc fieri a peccatore
adversus iustum. Cum comminatur ei, cum furit adversus

---

d. I Cor. 6, 13.   e. Ps. 71, 7.   f. Ps. 36, 8.   g. Ps. 36, 11.
7. a. Ps. 36, 12.

---

1. Sur la nuance entre le «pervers» et le «pécheur», voir *supra*,
36 II, 4, l. 1-15.
2. «Dents du corps, dents de l'âme » : voir en *PG* 12, 1096D – 1097A,

l'Apôtre : «Les aliments sont pour le ventre et le ventre pour les aliments; mais Dieu détruira ceux-ci comme celui-là[d]»; les saints au contraire méprisent ces délices et les rejettent : ils ont «leurs délices dans une abondance de paix». Or il y aura «abondance de paix», est-il dit, aux jours du Christ. Ainsi est-il écrit : «Il y aura abondance de paix en ses jours jusqu'à ce que la lune soit enlevée[e].»

Celui donc qui «met fin à la colère et abandonne l'indignation[f]», dont l'âme n'est pas prise de colère, qui n'use pas de paroles emportées et qui, non seulement à l'extérieur, mais aussi à l'intérieur est tout entier en paix, celui qui ne cède pas à qui le provoque à l'emportement, et n'y provoque pas non plus lui-même autrui, mais conserve la paix en lui-même et chez les autres – s'il en est qui d'aventure sont en désaccord –, celui qui les exhorte à chérir la douceur, gardienne de la paix, et qui arrange toute chose pour qu'elle soit bien solide, cet homme «prend ses délices, ou se délecte, dans une abondance de paix[g]».

Pécheur et juste   **7.** «Le pécheur épiera le juste et grincera des dents contre lui[a].» Comme, par nature, la lumière et les ténèbres sont opposées, ainsi s'opposent le pécheur et le juste. Et si tu voyais un jour un juste être haï, n'hésite pas à dire de celui qui hait le juste : c'est un pécheur! Si tu voyais un homme de bonne vie souffrir persécution, n'hésite pas à dire de celui qui le persécute : c'est non seulement un pécheur, mais un pervers[1]. «Le pécheur épiera donc le juste» et l'épiant, «il grincera des dents contre lui». Cette expression : «Il grincera des dents», je ne sais si elle est à comprendre des dents du corps, encore qu'il soit aussi possible que le pécheur le fasse contre le juste[2]. Lors-

---

un passage du fragment du 2e commentaire sur le *Ps* 1 (verset 5), cité par Méthode et Épiphane.

eum, cum silet voce clamat furore, cum iusto molitur
insidias et omne malum excogitat adversum eum, tunc
15 etiam corporaliter adimpletur quod dicitur : **Fremet super
eum dentibus suis**. Sed cum haec facit peccator adversus
iustum, **Dominus** – inquit – **irridebit eum quoniam
prospicit quod veniet dies eius**[b]. Quem diem prospicit
Dominus peccatoris? Illum sine dubio, cum quaeritur pec-
20 cator et non erit[c].

**8. Gladium evaginaverunt peccatores, tetenderunt
arcum suum ut deiciant inopem et pauperem**[a]. Non
quo omni genere peccatores gladium habeant corporalem,
sed videamus ne forte sicut sunt quaedam arma Dei in
5 quibus esse dicitur lorica iustitiae et gladius spiritus et
scutum fidei[b], ita etiam sint quaedam arma diaboli quibus
indutus est homo peccator. A contrariis igitur intellegamus
contraria et statuamus duos milites armatos, unum militem
Dei et alium militem diaboli. Et si quidem miles Dei
10 habet loricam iustitiae[c], sine dubio miles diaboli contrariam
huic gerit iniustitiae loricam. Et si miles Dei in galea
salutis[c] coruscat, econtra peccator qui est miles diaboli,
galea perditionis indutus est. Et si parati sunt pedes militis
Christi ad Evangelii cursum et praedicationem[d], econtra
15 peccatoris pedes velociter currunt ad effundendum sanguinem[e] et calciamenta eius, hoc est praeparatio, concin-
natur ad peccatum. Habet ergo miles Dei scutum quoddam
fidei[f], habet et miles diaboli infidelitatis scutum.

b. Ps. 36, 13.   c. Cf. Ps. 36, 10.
8. a. Ps. 36, 14.   b. Cf. Éphés. 6, 13-17.   c. Cf. Is. 59, 17 ; Éphés.
6, 14-16.   d. Cf. Éphés. 6, 14-16.   e. Cf. Is. 59, 7 ; Rom. 3, 15.
f. Cf. Éphés. 6, 16.

qu'il le menace, qu'il est furieux contre lui, qu'il se tait en paroles, mais crie par sa fureur, qu'il dresse des pièges contre le juste et mûrit toute sorte de mal contre lui, alors s'accomplit, même matériellement, ce qu'on dit : « Il grincera des dents contre lui. » Mais quand le pécheur agit ainsi contre le juste, « le Seigneur, est-il dit, se rira de lui, car il voit venir son jour[b]. » Quel jour du pécheur prévoit le Seigneur? Celui sans aucun doute, où l'on cherche le pécheur et où il ne sera pas[c]!

Armes de Dieu, armes du diable

8. « Les pécheurs ont tiré le glaive, ils ont bandé leur arc pour abattre le faible et le pauvre[a]. » Ce n'est pas que les pécheurs de toutes espèces aient un glaive matériel, mais voyons si, peut-être, comme il y a des armes de Dieu parmi lesquelles sont, dit-on, la cuirasse de justice, le glaive de l'Esprit, le bouclier de la foi[b], il n'y aurait pas aussi certaines armes du diable dont est revêtu l'homme pécheur. Comprenons donc les contraires à partir des contraires, et présentons deux soldats en armes : l'un soldat de Dieu, l'autre soldat du diable. Si le soldat de Dieu possède assurément une cuirasse de justice[c], sans aucun doute le soldat du diable porte celle qui lui est contraire, la cuirasse d'injustice. Et si le soldat de Dieu étincelle sous le casque du salut[c], à l'opposé, le pécheur qui est le soldat du diable, est coiffé du casque de la perdition. Et si les pieds du soldat du Christ sont prêts à courir pour prêcher l'Évangile[d], à l'inverse, les pieds du pécheur courent rapidement pour verser le sang[e], et ses chaussures, c'est-à-dire ce à quoi il se prépare, sont lacées pour le péché. Le soldat de Dieu a donc un bouclier de la foi[f], le soldat du diable a aussi le bouclier de l'incroyance.

Ita ergo est gladius quidam Spiritus sancti[g] in his qui
20 militant Deo[h]; est autem et gladius maligni in his qui
militant peccato, quem gladium evaginare nunc dicuntur
peccatores[i]. Quomodo autem putandi sunt peccatores evaginare gladium? Cum iam impudenter et absque ullo vere-
cundiae velamento iniquitates suas perpetrant nec eru-
25 bescunt ac reverentur, neque tamquam in vagina nequitiam
suam recondunt et contegunt, sed superbo et elato spiritu
velut gladium quendam denudant. Similiter etiam illud
quod sequitur peragunt, id est **intenderunt arcum suum**[j].
Sed et iusti habent arcum, habent et sagittas. Denique et
30 una sagitta ipsorum est Dominus Iesus, ipse enim ait : *Et
posuit me sicut sagittam electam*[k]. Habent ergo et iusti
sagittas, habent et peccatores.

Sermo sagitta est : et iusti quidem sermo, cum arguit et
corrigit peccatorem, velut sagitta compungit et transforat
35 cor eius ut convertatur ad paenitentiam et salvetur. Sermo
autem peccatoris est habens venenum et sagittans ac vul-
nerans eum, qui non est armis Dei munitus. Tunc enim
verba iniquorum praevalent adversum nos, cum minus caute
scuto fidei[l] communimur. **Tetenderunt** – ergo – **arcum**
40 **suum ut deiciant inopem et pauperem**[m]. Sciunt peccatores quia non possunt deicere divitem, propterea neque
insidias ei tendunt, sed omnes eorum insidiae adversum

1336

---

g. Cf. Éphés. 6, 17.   h. Cf. II Tim. 2, 4.   i. Cf. Ps. 36, 14.
j. Ps. 36, 14.   k. Is. 49, 2.   l. Cf. Éphés. 6, 16.   m. Ps. 36, 14.

---

1. Ici encore, contexte de persécutions.
2. Le Christ, flèche qui blesse d'amour, en relation avec *Is.* 49, 2 et
Cant. 2, 5 est un thème cher à Origène qui en est l'inventeur. La
plupart du temps, l'archer est le Père – ou le Verbe – et c'est l'âme
individuelle qui reçoit la flèche. Ici, l'on perçoit bien des divergences :
c'est le juste qui est l'archer; la flèche est Jésus, en tant qu'il est le
Verbe de Dieu; son action n'est pas tant d'enamourer que de corriger.
La citation de *Hébr.* 4, 12 qui décrit la Parole de Dieu «plus incisive
qu'un glaive à deux tranchants», est sous-jacente. Ce thème aura par

Armes du juste, armes du pécheur De même donc, il y a un certain glaive de l'Esprit-Saint[g] chez ceux qui combattent pour Dieu[h], mais il y a aussi un glaive du Malin chez ceux qui combattent pour le péché, glaive que, dit-on ici, tirent les pécheurs[i]. Mais comment se figurer des pécheurs qui tirent le glaive? Quand aujourd'hui sans pudeur et sans aucun voile de retenue, ils consomment leurs iniquités : ils ne rougissent pas et ne craignent pas, ils ne remettent pas comme dans un fourreau leur perversité[1] pour l'y cacher, mais d'un esprit superbe et hautain, ils la dénudent au contraire comme un glaive! De même aussi, ils accomplissent ce qui suit : «Ils ont bandé leur arc[j].» Mais les justes aussi ont un arc et des flèches. De fait, leur seule flèche, c'est le Seigneur Jésus, car lui-même dit : «Il a fait de moi comme une flèche de choix[k2].» Les justes ont donc aussi des flèches, en ont aussi les pécheurs.

La parole est une flèche : et certes, la parole du juste, quand elle blâme et corrige le pécheur, pique et transperce son cœur comme une flèche pour qu'il se tourne vers la pénitence et soit sauvé. Mais la parole du pécheur est porteuse de venin, et, lancée, elle blesse celui qui n'est pas muni des armes de Dieu. Alors, en effet, les paroles des gens iniques ont prise sur nous, quand nous n'avons pas pris assez de précautions pour nous abriter sous le bouclier de la foi[l]. «Ils ont donc bandé leur arc pour abattre le faible et le pauvre[m].» Ils savent, les pécheurs, qu'ils ne peuvent abattre le riche, et c'est pourquoi ils ne lui tendent pas d'embûches, mais toutes

la suite un large écho chez les Pères, et même au-delà : Tauler, Thérèse d'Avila, Jean de la Croix, etc. Voir : «Blessure d'amour», dans *D.S.* I, col. 1728-1729, et H. CROUZEL, «Origines patristiques d'un thème mystique : le trait et la blessure d'amour chez Origène», dans *Kyriakon, Festschrift Johannes Quasten*, Münster 1970, I, p. 309-319.

pauperem diriguntur, sicut et alibi dicitur quia : *Insidiatur sicut leo in cubili suo, insidiatur ut rapiat pauperem*[n].

45 Et quia *redemptio viri* – divitis – *divitiae eius sunt, pauper autem sufferre non valet minas*[o], ideo divites efficiamur in spiritalibus bonis[p], id est *in omni verbo et in omni scientia*[q], in operibus bonis[r], abicientes divitias peccati, prospicientes *non ea quae videntur, sed ea quae*
50 *non videntur. Quae enim videntur divitiae temporales sunt, quae autem non videntur aeternae sunt*[s]. Et si in talibus divitiis ditescimus, vulnerari sagittis non possumus peccatorum. Restinguentur enim scuto fidei[t], per Christum Dominum et Salvatorem nostrum, *cui est gloria et*
55 *imperium in saecula saeculorum. Amen*[u].

n. Ps. 9, 30.   o. Prov. 13, 8.   p. Cf. I Tim. 6, 18.   q. I Cor. 1, 5.   r. Cf. II Cor. 9, 8.   s. II Cor. 4, 18.   t. Cf. Éphés. 6, 16.   u. I Pierre 4, 11 ; 5, 11.

leurs embûches sont dirigées contre le pauvre, comme il est dit aussi ailleurs : « Il dresse des embûches comme un lion dans son fourré, il dresse des embûches pour ravir le pauvre[n]. »

Et puisque « la rançon d'un homme » – du riche – « ce sont ses richesses, mais que le pauvre ne peut soutenir ses menaces[o] », devenons donc riches de biens spirituels[p], c'est-à-dire « en toute parole, en toute science[q] », « en œuvres bonnes[r] », rejetant les richesses du péché, « regardant non ce qu'on voit, mais ce qu'on ne voit pas. Car les richesses qu'on voit n'ont qu'un temps, mais celles qu'on ne voit pas sont éternelles[s]. » Et si nous nous enrichissons de telles richesses, nous ne pouvons pas être blessés par les flèches des pécheurs. Elles seront éteintes, en effet, par le « bouclier de la foi[t][1] », grâce au Christ, notre Seigneur et Sauveur, « à qui est la gloire et l'empire dans les siècles des siècles. Amen[u] ».

---

1. Les flèches du péché qui allument en nous le feu de la concupiscence, demandent à être éteintes, conformément à *Éphés.* 6, 16. Ce thème se rencontrera plus bas : 36 III, 3, l. 18-23, et ailleurs encore ; par exemple : « Il y a aussi les traits enflammés du Malin par lesquels l'âme qui n'est pas protégée par le bouclier de la foi est blessée à mort » : *ComCant.* III, 8, 16 (*SC* 376, p. 576).

TROISIÈME HOMÉLIE
SUR LE PSAUME 36

PSAUME 36, versets 14 à 22.

14. Les pécheurs ont tiré le glaive, ils ont bandé leur arc
pour abattre le faible et le pauvre,
pour égorger les gens au cœur droit.

15. Que leur framée entre dans leur cœur,
et que leur arc soit brisé.

16. Mieux vaut peu de choses pour le juste,
que les nombreuses richesses des pécheurs.

17. Car les bras des pécheurs seront brisés,
mais le Seigneur soutient les justes.

18. Le Seigneur connaît les jours de ceux qui sont sans
tache,
et leur héritage sera pour toujours.

19. Point de honte pour eux aux temps mauvais ;
aux jours de famine, ils seront rassasiés.

20. Les pécheurs périront ;
dès que les ennemis du Seigneur auront été honorés
et exaltés,
ils disparaîtront comme une fumée.

21. Le pécheur empruntera et ne rendra pas,
mais le juste a pitié et prête.

22. Car ceux qui en disent du bien hériteront de la terre,
mais ceux qui en disent du mal seront exterminés.

ORIGENIS HOMILIA TERTIA
IN PSALMUM XXXVI

1. Superiore tractatu dicebamus quaedam de gladio et arcu peccatorum et armis Dei et quia omnes homines armati sunt; et quod diximus omnes homines, nunc adiciam quod defuit superioribus, id est hi homines qui
5 vel peccare iam possunt vel abstinere a peccato. Infantes enim neque Dei arma tractare possunt neque arma diaboli. Si qui autem in verbo et actu et cogitatione possunt iam scire quod rectum est et vitare quod contrarium est, ipsi sunt qui dicuntur omnes habere arma et si quidem
10 peccant, diaboli arma habent et iniquitatis, si vero recte agunt, armis Dei dicentur induti.

Quod ergo dixit : **Gladium evaginaverunt peccatores, tetenderunt arcum suum**[a], explanantes dicebamus secundum apostolum, qui dixit a contrariis : *Et gladium*
15 *spiritus quod est sermo Dei*[b], quia peccatorum gladius esset spiritus qui in ipsis est nequam, qui eos inspirat ad verba blasphemiae et iniquitatis et turpitudinis. Verbi causa, si videas gentiles adversum se in disputationibus dimicantes et diversas contra se invicem impietates dia-

---

1. a. Ps. 36, 14.   b. Éphés. 6, 17.

---

1. Voir 36 II, 8. Cette homélie doit avoir suivi de près la précédente pour qu'elle soit reprise explicitement.

2. Origène croit avoir dit : «tous les hommes», mais cette expression ne se trouve pas dans le texte de Rufin. Ou bien celui-ci ne l'avait pas relevée.

TROISIÈME HOMÉLIE
SUR LE PSAUME 36

Une précision **1.** Dans l'homélie précédente nous parlions du glaive et de l'arc du pécheur, et des armes de Dieu[1] : tous les hommes portent des armes. Et parce que nous avons dit «tous les hommes[2]», j'ajoute à présent ce qui manque plus haut : il s'agit de ces hommes qui peuvent, soit pécher actuellement, soit s'abstenir du péché. Car les enfants ne peuvent manier ni les armes de Dieu ni les armes du diable. Mais s'il en est qui en parole, et en acte, et en pensée, peuvent déjà savoir ce qui est droit et éviter ce qui est à l'opposé, ceux-là sont ceux que l'on dit avoir tous des armes : s'ils pèchent, ils ont les armes du diable et de l'iniquité, mais s'ils se conduisent bien, on les dira revêtus des armes de Dieu.

Les pécheurs ont tiré le glaive Donc, ce qu'a dit le texte : «Les pécheurs ont tiré le glaive, ils ont bandé leur arc»[a], nous disions, l'expliquant selon l'Apôtre qui a dit au contraire : «Et le glaive de l'Esprit qui est le Verbe de Dieu[b]», que le glaive des pécheurs était l'esprit, chez eux pervers, qui leur inspire des paroles de blasphème, iniques et obscènes. Par exemple si tu vois des païens lutter entre eux dans des disputes et accumuler tour à tour, les uns contre les autres, diverses

20 lecticae artis versutiis astruentes, potes tunc dicere competenter quia : **Gladium evaginaverunt peccatores**[c]. Sed
et ego qui dicor fidelis, si forte certamen sit mihi cum
aliquo et ad iracundiam provocatus, abiecta mansuetudine,
proferam verba furiosa spiritus mendacis et tumidus vene-
1337 25 natis sermonibus retegam, merito etiam ego tamquam peccator evaginasse gladium dicor.

Bonum igitur primum est ne habere quidem gladium
peccati, secundum vero est saltim non eum evaginare, sed
recondere in vagina sua. Si enim non proferatur gladius
30 de vagina, neque exerceatur, acies eius obtunditur et
aerugine consumitur et si semper cesset ab opere penitus
exterminabitur. Hoc enim etiam Dominus pollicetur ut
exterminet romphaeam, id est peccatum, ita ut ultra iam
non sit peccator[d]. Sed si quidem verbi Dei commonitio-
35 nibus praevenimus hoc opus et in hac vita positi faciamus
in nobis interire peccatum, ut numquam omnino a nobis
neque per cogitationem neque per opus neque per verbum
peccati gladius proferatur, non indigebimus poenae ignis
aeterni[e], non tenebris exterioribus[f] condemnabimur neque
40 illis suppliciis quae peccatoribus imminent subiacebimus[g].
Si vero in hac vita contemnimus commonentis nos divinae
Scripturae verba et curari vel emendari eius correptionibus
nolumus, certum est quia manet nos ignis ille qui prae-
paratus est peccatoribus et veniemus ad illum ignem in
45 quo *uniuscuiusque opus quale sit ignis probabit*[h].

---

c. Ps. 36, 14.   d. Cf. Ps. 36, 10.   e. Cf. Jude 7.   f. Cf. Matth.
8, 12.   g. Cf. Matth. 25, 46.   h. I Cor 3, 13.

---

1. C'est-à-dire «le mauvais esprit qui m'inspire». Chez Origène l'esprit
est ce qui inspire, tandis que l'âme est la personnalité inspirée. Distinction capitale qu'en général Rufin respecte.
2. Malgré la citation de *I Cor.* 3, 13, le feu dont il s'agit ici n'est-il
pas celui de la géhenne, alors que dans le paragraphe qui suit, Origène
parle du feu du purgatoire?

impiétés grâce aux astuces de la dialectique, tu peux dire
alors avec raison : «Les pécheurs ont tiré le glaive»[c]! De
plus, moi qui me dis croyant, si d'aventure il m'arrive de
me disputer avec quelqu'un, et si, provoqué à l'emportement, congédiant la douceur, je profère les paroles
furieuses de l'esprit de mensonge[1], et me dévoile enflé de
discours venimeux, c'est avec raison que l'on dit de moi
que comme un pécheur, j'ai tiré le glaive!

**Ne pas tirer
son glaive**
Il est donc bien, d'abord de ne pas
même avoir le glaive du péché; en
second lieu, au moins de ne pas
le dégainer, mais de le laisser dans son fourreau. Car si
l'on ne sort pas le glaive du fourreau, si l'on n'en use
pas, son tranchant s'émousse, il est rongé par la rouille
et s'il ne travaille jamais, il sera complètement détruit.
Cela en effet, le Seigneur le promet aussi : de détruire
l'épée, c'est-à-dire le péché, pour que désormais, il n'y
ait «plus de pécheur[d]». Mais si, grâce aux avertissements
de la Parole de Dieu, nous prenons les devants pour cet
effort, et si, en cette vie, nous faisons périr en nous le
péché en sorte que jamais, au grand jamais, ni par une
pensée ni par un acte ni par une parole, nous ne dégai-
nions le glaive du péché, nous n'aurons pas besoin de
«la peine du feu éternel[e]», nous ne serons pas condamnés
aux «ténèbres extérieures[f]», nous ne serons pas soumis
aux supplices qui menacent les pécheurs[g]. Mais si en
cette vie, nous méprisons les paroles de la divine Écriture
qui nous avertit et si nous ne voulons pas être soignés
ou corrigés par ses réprimandes, il est sûr que nous
attend ce feu préparé pour les pécheurs et que nous
irons à ce feu où «ce qu'est l'œuvre de chacun sera
éprouvé par le feu[h2]».

Et, ut ego arbitror, omnes nos venire necesse est ad
illum ignem. Etiamsi Paulus sit aliquis vel Petrus, veniet
tamen ad illum ignem. Sed illi tales audiunt : *Etiamsi per
ignem transeas, flamma non aduret te*[i]. Si vero aliquis
50 similis mei peccator sit, veniet quidem ad ignem illum
sicut Petrus et Paulus, sed non sic transiet sicut Petrus
et Paulus.

Et quemadmodum ad Rubrum mare venerunt Hebraei,
venerunt et Aegyptii, sed Hebraei quidem transierunt mare
55 Rubrum, Aegyptii autem demersi sunt in ipso[j] : hoc modo
etiam nos si quidem Aegyptii sumus et sequimur Pha-
raonem diabolum, praeceptis eius oboedientes[k], demer-
gimur in illum fluvium[l] sive lacum[m] igneum, cum inventa
fuerint in nobis peccata, quae sine dubio ex praeceptis
60 elegimus Pharaonis. Si autem sumus Hebraei et sanguine
agni immaculati[n] sumus redempti, si non portamus
nobiscum fermentum[o] nequitiae[p], ingredimur quidem et
nos fluvium ignis. Sed sicut Hebraeis erat aqua murus
dextra laevaque[q], ita etiam ignis erit murus, si et nos
65 faciamus quod de illis dictum est quia : *Crediderunt Deo
et Moysi famulo eius*[r], id est legi eius et mandatis, et si

---

i. Is. 43, 2 .   j. Cf. Ex. 14, 22 s.   k. Cf. Jos. 24, 24.   l. Cf. Dan.
7, 10-11.   m. Cf. Apoc. 19, 20.   n. Cf. I Pierre 1, 19.   o. Cf. Ex.
12, 34.   p. Cf. I Cor. 5, 8.   q. Cf. Ex. 14, 29.   r. Ex. 14, 31.

---

1. Texte important dans la théologie d'Origène sur ce qu'on appellera
plus tard le purgatoire. Le mot lui-même n'apparaîtra qu'au 12e siècle,
mais l'Alexandrin est un précurseur en ce domaine comme en bien
d'autres. Sa pensée sur ce point est, sinon précise, du moins de bon
aloi, exempte de toute l'imagerie postérieure. Il s'appuie sur trois textes
scripturaires : surtout *Deut.* 4, 24, *I Cor.* 3, 10-15, et parfois *Lc* 3, 16.
Voici les grandes lignes de cette pensée. Une purification est nécessaire avant d'entrer au Paradis (*HomLc* XXIV, 2). Elle se fera par un
feu spirituel (*CCels.* IV, 12). Ce feu est Dieu, «Feu consumant»
(*ComCant.* II, 2, 20) qui détruit non pas l'homme, sa créature, mais la

Nous passerons tous par le feu   Or, à mon avis, nous tous, il nous est nécessaire de venir à ce feu. Même si quelqu'un est Pierre ou Paul, il viendra pourtant à ce feu. Mais de tels hommes s'entendent dire : «Même si tu passes par le feu, la flamme ne te brûlera pas[i].» Par contre si quelqu'un est semblable à moi, pécheur, il viendra certes à ce feu comme Pierre et Paul, mais il ne passera pas au travers comme Pierre et Paul[1].

Et comme les Hébreux vinrent à la Mer Rouge, y vinrent aussi les Égyptiens; mais les Hébreux passèrent à travers la Mer Rouge. Quant aux Égyptiens, ils y furent engloutis[j]. De même, nous aussi, si nous sommes Égyptiens et suivons le Pharaon, le diable, en «obéissant à ses ordres[k]», nous serons engloutis dans ce fleuve[l]– ou cet étang [m]– de feu, quand on trouvera en nous des péchés que, sans aucun doute, nous aurons choisis par les ordres de Pharaon. Mais si nous sommes Hébreux[2] et rachetés par le sang de l'Agneau immaculé[n], si nous ne portons pas avec nous un levain[o] de perversité[p], nous entrons certes, nous aussi, dans le fleuve de feu. Mais comme pour les Hébreux l'eau formait une muraille à droite et à gauche[q], de même aussi le feu formera une muraille si nous aussi, nous faisons ce que l'on dit d'eux : «Ils crurent en Dieu et en son serviteur Moïse[r]», c'est-à-dire à sa loi et à ses commandements[3], et si nous suivons la

---

malice de l'homme qui souillerait le Royaume de Dieu (*HomJér.* XVI, 6). Ce faisant, Dieu agit par bonté.

A propos de «passer à travers» le feu, l'épée flamboyante, voir *HomSam.* V, 10 (*SC* 328, p. 207). Sur ce thème, voir *supra,* 36 II, 3, l. 15-21 et note 1 (p. 104).

2. Il s'agit des Hébreux spirituels, c'est-à-dire des chrétiens dont les Hébreux de l'Ancien Testament sont la figure.

3. Origène souligne souvent par cette citation l'importance de la foi dans la vie du chrétien. Cf. *HomEx.* V, 5 (*SC* 321, p. 168); *HomJos.* XVI, 5 (*SC* 71, p. 368); *ComCant.* Prol. 4, 5 (*SC* 375, p. 150).

sequamur columnam ignis et columnam nubis[s]. Haec monuimus repetentes explanationem, quomodo **gladium evaginaverunt peccatores**.

2. Sed ne illud quidem otiose transeundum est, quod etiam tetendisse dicuntur **arcum suum**[a] : quod non iam appositione contrarii sicut in ceteris fecimus, sed ex similibus absolvimus. In decimo psalmo scriptum est quia :
5 *Peccatores intenderunt arcum, paraverunt sagittas in pharetra ut sagittent in obscuro rectos corde*[b]. Unde apparet quia cor impii repletum est velut pharetra sagittis venenatis. Sunt ergo sagittae impiorum consilia et cogitationes pessimae : os vero ac labia eorum arcus quidam est, quo
10 dilatato atque distento venenati cordis spicula iaculantur. Quod autem ait *in obscuro*, competenter dictum est. Non enim isti tales in die[c], id est in luce Dei incedunt, sed in tenebris ambulant et in obscuritate malitiae atque ignorantiae delitescunt. Quod autem *sagittant rectos corde*[d],
15 id est simplices et ignorantes malitias suas, sed puto quod hic sermo non tam de hominibus peccatoribus, quam de contrariis potestatibus dicatur. Illae sunt enim quae in obscuro sagittant rectos corde.

Propterea ergo die noctuque vigilent hi qui recto sunt
20 corde, quia illi quidem paraverunt sagittas. Non dixit iaculati sunt, sed *paraverunt sagittas*; non sagittarunt neque vulneraverunt, sed parant se ut sagittent. Vides nos

---

s. Cf. Ex. 13, 21.
2. a. Ps. 36, 14.   b. Ps. 10, 2.   c. Cf. Rom. 13, 13.   d. Ps. 10, 2.

---

1. A la fin de l'homélie I, Origène avait opposé les armes de Dieu aux armes du diable. Ici, il rapproche du verset qu'il commente, un autre texte des psaumes.

colonne de feu et la colonne de nuée[s]. Voilà notre enseignement, reprenant l'explication de la manière dont les
pécheurs ont tiré le glaive.

**Les pécheurs ont
bandé leur arc**

2. Il n'y a pas non plus à passer
sans motif ce que l'on dit encore :
«Ils ont bandé leur arc[a].» Nous
l'expliquons non plus maintenant par la juxtaposition des
contraires, comme nous l'avons fait en d'autres passages,
mais à partir de textes similaires[1]. Dans le psaume dix,
il est écrit : «Les pécheurs ont bandé leur arc, ils ont
préparé des flèches dans leur carquois pour les lancer
dans l'ombre sur les hommes droits de cœur[b].» D'où il
ressort que le cœur de l'impie, tel un carquois, est rempli
de flèches empoisonnées. Sont donc flèches des impies
les pires projets et pensées, et leur bouche et leurs lèvres
sont un arc par lequel, tendu puis détendu, sont pro-
jetés les dards d'un cœur empoisonné. Or ces mots, «dans
l'ombre», sont dits à bon escient. Car de telles gens ne
s'avancent pas de jour[c], c'est-à-dire dans la lumière de
Dieu, mais ils marchent dans les ténèbres et se dissi-
mulent dans l'obscurité de la méchanceté et de l'ignorance. «Ils lancent des flèches sur les hommes droits de
cœur[d]», c'est-à-dire des gens candides et qui ignorent
leurs méchancetés; mais je pense que cette parole ne
vise pas tant les hommes pécheurs que les puissances
adverses. Ce sont elles, en effet, qui «dans l'ombre»,
lancent des flèches sur les hommes droits de cœur.

Veiller!

Ainsi donc, qu'ils veillent jour et
nuit, ceux qui ont le cœur droit,
car ceux-ci «ont préparé des flèches». Le prophète n'a
pas dit : ont lancé, mais «ont préparé des flèches»; ils
n'ont pas lancé des flèches ni blessé, mais ils se pré-
parent à en lancer. Vois, on nous avertit avant que nous

antequam vulneremur commoneri, ut nos ab illorum vulneribus defendamus et omni custodia servemus cor
25 nostrum.

3. Volo etiam amplius aliquid in his locis positus aperire,
ne semper de inferioribus loquamur ad vos, sed aliquando
quaedam etiam superiora pulsemus. Considero ergo quia,
sicut Salvator sagitta est Dei, sicut scriptum est : *Posuit*
5 *me sicut sagittam electam*[a], sine dubio autem simili
exemplo etiam Moyses in quo locutus est sagitta Dei est :
et ceteri prophetae et apostoli Christi, in quibus Christus
ipse loquebatur[b], certum est quia per sagittam Dei vul-
nerabant eos et compungebant cor eorum, quibus ser-
10 monem Dei loquebantur, ita ut hi qui ab ipsis audiebant
sermonem, dicerent quia : *Vulnerata caritate ego sum*[c], sic
rursus econtrario quomodo Christus est electa sagitta Dei[d],
sic et Antichristus sagitta diaboli. Et sicut omnes in quibus
Christus locutus est vel loquitur, secundum hanc similitu-
15 dinem prophetae et apostoli etiam ipsi sagittae erant Dei
et quicumque iustus et praedicator loquitur verbum Dei
ad salutem hominum consummandam, sagitta Dei dici
potest : ita et omnes peccatores in quibus diabolus loquitur,
sagittae diaboli dici possunt. Si quando ergo te videris
20 per os peccatoris sagittis diaboli vulnerari, illius quidem
miserere qui se ad hoc opus exhibet diabolo ministrum :
tu autem memor esto tui et arripe scutum fidei, ut possis
in ipso *omnia tela maligni ignita exstinguere*[e].

---

3. a. Is. 49, 2.   b. Cf. II Cor. 13, 3.   c. Cant. 2, 5.   d. Cf. Is.
49, 2.   e. Éphés. 6, 16.

---

1. Les « sujets peu élevés » sont sans doute l'explication morale de
l'Écriture, tandis que les « sens plus hauts » en sont l'explication mystique, relative au Christ et à l'Église. Nous allons en effet retrouver
dans l'explication qui suit le thème de la « blessure d'amour ». Cf. 36 II,
8, note 2 (p. 120-121).

soyons blessés, pour que nous nous défendions de leurs
blessures et préservions notre cœur en faisant bonne garde!

**Flèches de Dieu
et flèches
du diable**

3. Je veux vous découvrir encore
quelque chose de plus, tant que
j'en suis à ce passage, pour ne pas
vous parler toujours de sujets peu
élevés, mais pour frapper aussi parfois à des sens plus
hauts[1]. Je remarque donc que, comme le Sauveur est
une flèche de Dieu, selon ce qui est écrit : «Il m'a placé
comme une flèche de choix[a]», sans aucun doute, par
un exemple semblable, Moïse aussi, par qui il parla, est
une flèche de Dieu. Et les autres prophètes, et les Apôtres
du Christ, en qui le Christ lui-même parlait[b], il est sûr
que d'une flèche de Dieu, ils blessaient et transperçaient
le cœur de ceux à qui ils adressaient la Parole de Dieu,
de sorte que ceux qui les écoutaient parler disaient : «Je
suis blessée d'amour[c]»; ainsi d'autre part, mais à l'inverse, comme le Christ est la «flèche de choix[d]» de
Dieu, de même aussi l'Antichrist est la flèche du diable.
Et comme tous ceux en qui le Christ a parlé ou parle,
– selon cette comparaison les prophètes et les apôtres
eux-mêmes – étaient des flèches de Dieu, et que tout
juste et prédicateur qui dit une parole de Dieu pour mener
à son terme le salut des hommes peut être appelé flèche
de Dieu, de même aussi tous les pécheurs en qui parle
le diable peuvent être appelés flèches du diable. Si donc
tu te vois blessé des flèches du diable par la bouche
d'un pécheur, aie certes pitié de celui qui, pour ce travail,
se montre serviteur du diable, mais prends garde à toi et
saisis «le bouclier de la foi», afin de pouvoir «éteindre
par lui tous les traits enflammés du Méchant[e2]».

2. Voir *supra*, 36 II, 8, note 1 (p. 123). Cf. AMBROISE, *EnPs*. 36, 24
(*PL* 14, 978 C – 979 AB).

Non solum autem in verbis, sed in factis diriguntur in
25 nos tela diaboli. Si enim videris mulierem insidiantem tibi
ut te decipiat, nonne et haec ignitum telum diaboli est,
cum tibi ita loquitur, ut in te ignem libidinis excitet? Similiter et si quis te verbis amaris et asperis ad iracundiam
concitet, nonne et hic ignitum iaculum est maligni, quo
30 inflammaris et incenderis ad furorem? Sed et si quis in
aliud quodque te provocat et instigat, quod tu impatienter
ferens in peccatum decidas, intellege diligentius et adverte
hos omnes iacula esse maligni ignita, quibus rectos corde
inflammet[f] et vulneret ad peccatum.

1339 35 Sed quod est infelicius, paucas video sagittas Dei, pauci
sunt qui ita loquuntur ut inflamment cor auditoris et abs-
trahant eum a peccato et convertatur ad paenitentiam.
Pauci ita loquuntur qui auditoris corde percusso eliciant
ex oculo lacrimam paenitentiae, qui aperientes futurae
40 spei lumen et magnitudinem futuri saeculi ac regni Dei
gloriam protestantes suadere possint hominibus quae
videntur contemnere et expetere quae non videntur,
spernere quae temporalia sunt et quae aeterna sunt
quaerere[g]. Perpauci sunt tales, et ipsi, si qui sunt, pauci,
45 per invidiam et livorem ita agitur ne omnino vel pauci
sint, ne vel prodesse aliquibus possint.

Sagittae autem diaboli omnibus in locis abundant, omnis
terra ipsis repleta est. Populi, urbes, militaris manus,

f. Cf. Ps. 10, 2.   g. Cf. II Cor. 4, 18.

Mais ce n'est pas seulement par des paroles, mais aussi par des actes que l'on dirige sur nous les traits du diable. Car si tu vois une femme te tendre des pièges pour te séduire, n'est-elle pas, elle aussi, un «trait enflammé» du diable puisqu'elle te parle ainsi pour exciter en toi le feu de la luxure? De même encore si quelqu'un t'excite à l'emportement par des paroles amères et mordantes, n'est-il pas, lui aussi, un javelot enflammé du Méchant par qui tu es enflammé et embrasé de fureur? De plus si quelqu'un, sur quelque autre point, te provoque et t'excite pour que sous le coup de l'impatience, tu tombes dans le péché, regarde de plus près et reconnais que tout cela, ce sont des javelots enflammés du Méchant par lesquels il enflamme les hommes droits de cœur[f] et les blesse pour qu'ils pèchent!

Peu de flèches de Dieu
Mais, ce qui est plus triste, je vois peu de flèches de Dieu : il en est peu qui parlent de manière à enflammer le cœur de celui qui les écoute, à le retirer du péché et le tourner vers la pénitence. Il en est peu qui, après avoir frappé le cœur de celui qui les écoute, parlent de manière à lui arracher de l'œil une larme de pénitence ; il en est peu qui en leur découvrant la lumière de l'espérance future et la grandeur du siècle à venir et en les assurant de la gloire du règne de Dieu, peuvent persuader les hommes de négliger ce qui se voit et de désirer ce qui ne se voit pas, de mépriser les choses temporelles et de chercher les biens éternels[g]. Très peu nombreux sont de tels hommes, et ce peu, s'il y en a, par envie et jalousie on fait en sorte qu'il ne puisse pas même y en avoir un peu, ou bien qu'ils ne puissent être utiles aux autres!

Beaucoup de flèches du diable
Mais les flèches du diable abondent en tous lieux, toute la terre en est remplie! Les peuples, les villes, la

maxima ex parte sagittae sunt maligni, et utinam ibi tan-
50 tummodo, atque in illis praevaleret inimicus, ut illos solos
haberet sagittas, nunc autem vereor etiam eos qui intus
sunt et meipsum vereor ne forte diabolus adducat me in
aliquod scandalum et utatur me sagitta adversus animam
hominis : quia qui scandalizaverit aliquem sive in verbo
55 sive in facto, iste illi animae quam scandalizavit sagitta
exstitit et iaculum diaboli.

Et vide quid accidit nobis infelicius. Interdum dum nos
putamus dicere adversus aliquem et incaute proferimus
sermones, dum contentiosius agimus et quibuslibet verbis
60 vincere studemus, tunc diabolus ore nostro utitur velut
arcu, per quem sagittas suas dirigat et sagittet rectos
corde[h], eos videlicet qui nos audiunt ea loquentes, in
quibus scandalum patiuntur.

Et sicut Deus ponit arcum in nubibus[i] ne fiat diluvium
65 et ut tempestas desinat, ita econtrario diabolus ponit arcum
non ut cessare faciat, sed ut suscitet tempestates, ut sere-
nitatem conturbet in anima, ut pacem depellat, ut bella
commoveat et ut turbines excitet ac procellas. Cum enim
videris aliquem vitiis et passionibus agitatum circumire et
70 perturbare omnia, nolo dubites quod ille sagitta diaboli
est et os eius posuit arcum suum et tetendit sagittas verba
eius ut sagittet rectos corde[j]. Sed qui muniti sunt armis
Dei, ab his talibus non poterunt vulnerari[k].

---

h. Cf. Ps. 10, 2.   i. Cf. Gen. 9, 13-16.   j. Cf. Ps. 10, 2.   k. Cf.
Éphés. 6, 16.

---

1. L'antimilitarisme d'Origène est fondé sur la conscience de ce qu'est
un chrétien : «Nous ne tirons plus l'épée contre aucun peuple ni ne
nous entraînons à faire la guerre : nous sommes devenus enfants de
paix par Jésus qui est notre chef», CCels. V, 33 (SC 147, p. 98). Voir
aussi VIII, 73 (SC 150, p. 346).

2. Dans le français courant, les mots «scandale» et «scandaliser»
sont édulcorés : c'est faire quelque chose qui détonne. Ici, comme dans

force militaire[1], sont pour une grande part des flèches
du Méchant; et puisse-t-il n'y en avoir que là et que
l'ennemi ne prédomine qu'en eux pour qu'il ait ceux-là
seuls pour flèches! Mais en fait, je crains aussi ceux du
dedans et je me crains moi-même : pourvu que le diable
ne m'amène pas à causer quelque scandale et ne m'emploie comme une flèche contre l'âme d'un homme! Car
celui qui a scandalisé quelqu'un soit en parole, soit en
acte, celui-là a été pour cette âme qu'il a scandalisée,
une flèche et un trait du diable.

Et vois ce qui nous arrive de bien malheureux. Parfois,
tandis que nous pensons devoir parler contre quelqu'un et
prononçons des mots inconsidérés, tandis que nous le
faisons avec trop d'insistance et nous efforçons de
convaincre par n'importe quelles paroles, alors le diable
se sert de notre bouche comme d'un arc par lequel il dirige
ses flèches et perce des hommes droits de cœur[h], c'est-à-
dire ceux qui nous entendent dire ce qui les scandalise[2].

Et comme Dieu «met son arc dans les nuées[i]» pour
qu'il n'y ait plus de déluge et que cesse la tempête, de
même, mais à l'inverse, le diable met son arc, non pour
faire cesser, mais pour susciter les tempêtes, pour troubler
la sérénité dans l'âme, pour chasser la paix, provoquer des
guerres et faire lever bourrasques et tourmentes. Quand tu
verras, en effet, quelqu'un agité par les vices et les passions, aller et venir, et porter le désordre partout, ne doute
pas que cet homme est une flèche du diable, et qu'il a
placé sa bouche comme un arc, et qu'il a décoché des
flèches par sa parole pour les lancer sur les hommes droits
de cœur[j]. Mais ceux qui sont protégés par les armes de
Dieu ne pourront être blessés par de telles flèches[k]!

la Bible (par ex. *Matth.* 18, 7), ils ont le sens plein du grec σκάν–
δαλον (passé en latin : *scandalum*), qui est l'obstacle placé sur le chemin
de quelqu'un pour le faire tomber. Scandaliser quelqu'un, c'est donc
l'inciter au péché.

4. Quod autem addidit ut **trucident rectos corde**[a],
cum superius dixisset **ut deiciant inopem et pauperem**[a],
iunxit pauperibus rectos corde : quos puto quia similiter
etiam Dominus coniungat in Evangeliis; ubi enim dicit
5 beatos pauperes[b], ibi etiam beatificat mundos corde[c] et
nihil interesse arbitror inter mundos corde et rectos corde.
Trucidantur autem hoc modo. Si quis simplici mente ac
desiderio veniat ad ecclesiam ut proficiat, ut melior se
fiat, iste si videat nos qui multo iam tempore in fide ste-
10 timus vel non recte agentes vel cum offendiculo loquentes,
efficimur illi nos lapsus ad peccatum. Cum autem peccaverit, trucidatus est et sanguis animae eius profluit,
1340   omnis ab eo virtus vitalis abscedit.

Et si audis dici in Genesi quia : *Sanguinem animarum*
15 *vestrarum exquiram ab omni fratre et ab omni bestia*[d],
non putes quia de hoc sanguine magnopere praecipiat
corporali, quantum de interioris hominis sanguine, id est
de vita animae et sanguine spiritali. Scandalizati etenim
animae sanguis effunditur, cum ceciderit in peccatum et
20 propterea dixit quia requiritur sanguis eius a fratre.

Et quare etiam a bestia? Si fidelis est qui te scandalizavit, frater est a quo requirendus est sanguis tuus. Frater
enim tuus est, qui fudit sanguinem tuum, et ideo dictum
est : *De manu fratris requiram sanguinem*[e]. Cum vero
25 contraria potestas fera et nequam perurget hominem et
infidelis est per quem insidiatur, si potuerit fundere san-

4. a. Ps. 36, 14.   b. Cf. Matth. 5, 3.   c. Cf. Matth. 5, 8.
d. Gen. 9, 5.   e. Gen. 9, 5.

1. Cf. *supra,* 36 III, 3, note 2 (p. 138-139).
2. Sur l'«homme intérieur», opposé à l'«homme extérieur», voir *supra,*
36 I, 4, et note 1 (p. 74).

Droits de cœur   **4.** Or ce que le prophète ajoute :
«Pour égorger les gens au cœur
droit[a]», alors qu'il avait dit plus haut : «Pour abattre le
faible et le pauvre[a]», a réuni aux pauvres les hommes
au cœur droits. Ceux-ci, je pense, le Seigneur aussi les
rassemble de la même façon dans les Évangiles. Là, en
effet, où il dit : «Heureux les pauvres[b]», là aussi il pro-
clame heureux ceux qui ont le cœur pur[c], et je pense
que rien ne sépare les «cœurs purs» des «cœurs droits».
Et voici en quel sens ils sont massacrés. Si quelqu'un,
intègre d'esprit et de désir, vient à l'Église pour progresser, pour se rendre meilleur, et si cet homme nous
voit, nous qui depuis déjà bien longtemps sommes établis
dans la foi, soit mal agir, soit parler de manière à scandaliser[1], nous devenons pour lui une occasion de chute.
Et quand il aura péché, le voilà égorgé, le sang de son
âme coule abondamment, de lui s'en va toute force vitale!

Le sang   Et si tu écoutes ce qui est dit dans
de l'âme   la Genèse : «Je demanderai compte
du sang de vos âmes à tout frère et
à toute bête[d]», ne pense pas qu'on le prescrit plus à propos
du sang corporel, que du sang de l'homme intérieur[2], c'est-
à-dire de la vie de l'âme et du sang spirituel. En effet, le
sang de l'âme de l'homme scandalisé est répandu quand
il est tombé dans le péché, et c'est pourquoi le Seigneur
a dit qu'il demandera compte de son sang à son frère.

Et pourquoi en demandera-t-il compte aussi à une bête?
Si c'est un fidèle qui t'a scandalisé, il est le frère à qui
l'on doit demander compte de ton sang. Car il est ton
frère, celui qui a répandu ton sang, et c'est pourquoi on
dit : «A la main du frère, je demanderai compte du
sang[e].» Mais lorsqu'une puissance hostile, cruelle et per-
verse, harcèle l'homme, et que c'est un infidèle qui lui
tend des pièges, s'il a réussi à verser le sang de ton

guinem animae tuae, id est deicere te in peccatum, bestia
est de qua exquirit Dominus sanguinem tuum. Sed et
Ezechiel propheta cum dicit speculatorem se positum
30 domui Israel[f], qui si annuntiaverit romphaeam venientem,
reus non fiat sanguinis, si non nuntiaverit, reus sit sanguinis[g], et in lege cum dicitur, si haec et haec fecerit,
innocens erit a sanguine[h]; sine dubio etiam hic animae
sanguinem designat, qui effunditur per peccatum. Prop-
35 terea ergo timeamus omnes ne forte sanguis alicuius qui
scandalizatur, requiratur a nobis, sicut propheta designat.

Haec oportuit nos repetere, ut plenius ostenderemus
quomodo **gladium evaginaverunt peccatores** et **tetenderunt arcum suum**[i] et quis esset pauper quem dei-
40 cerent et quomodo trucidantur recti corde, vel quis est
sanguis eorum qui effunditur.

5. Nunc autem videamus quid sit istis ipsis peccatoribus qui haec faciunt, id est qui gladio diaboli utuntur
et iaculis maligni, quid de his rursum dicit sermo divinus :
Framea – inquit – **eorum intret in cor eorum et arcus**
5 **eorum conteratur**[a]. Framea genus teli est, hoc nomine
nuncupatum. Sermones igitur isti, quos inspirante diabolo
iniqui et peccatores proferunt, inquit, adversus iustum, *ut
trucident rectos corde*[b], convertentur adversum ipsos qui
eos proferunt et illuc redeant unde processerant. Sicut
10 enim dicitur ad iustos et sanctos apostolos a Domino :
*In quamcumque domum intraveritis, dicite : pax huic
domui; et si fuerit ibi filius pacis, pax vestra veniet super
eum; sin minus, pax vestra ad vos revertetur*[c]; sic et hic

---

f. Cf. Éz. 3, 17.   g. Cf. Ez. 3, 18-19.   h. Cf. Deut. 21, 8-9.
i. Ps. 36, 14.
5. a. Ps. 36, 15.   b. Ps. 36, 14.   c. Lc 10, 5-6.

---

1. La framée. Le mot désigne une sorte de lance utilisée par les Ger-
mains, ou une épée à deux tranchants. La Septante a le mot : ῥομ–
φαία, épée. On peut se demander pourquoi Rufin a traduit par « framée ».

âme, c'est-à-dire à te précipiter dans le péché, c'est une
bête à qui le Seigneur demande compte de ton sang. De
plus, Ézéchiel le prophète, quand il se dit placé comme
guetteur pour la maison d'Israël[f], s'il a fait connaître l'arrivée de l'épée, il n'est pas responsable du sang versé;
s'il ne l'a pas annoncée, il est responsable du sang[g]. Et
dans la Loi, quand on dit : s'il a fait ceci et cela, il sera
innocent du sang[h], sans aucun doute ici aussi elle signifie
le sang de l'âme répandu par le péché. Aussi craignons
donc tous que, par hasard, le sang de quelqu'un qui a
été scandalisé ne nous soit demandé, comme le signifie
le prophète.

Il nous a fallu reprendre ceci pour montrer de façon
plus complète comment «les pécheurs ont tiré leur glaive
et bandé leur arc[i]», et qui était le pauvre qu'ils abat-
taient, et comment sont égorgés les hommes droits de
cœur, ou ce qu'est leur sang qu'on répand.

**Ce qui arrive
aux pécheurs**
5. Mais voyons maintenant ce qui
arrive à ces pécheurs, à ceux-là
mêmes qui agissent ainsi, c'est-à-
dire qui se servent du glaive du diable et des traits du
Méchant, ce que dit d'eux en retour la Parole divine :
«Que leur framée entre dans leur cœur, et que leur arc
soit brisé[a]!» Une framée est une sorte de javelot appelé
de ce nom[1]. Ces paroles donc, que sous l'inspiration du
diable, les hommes iniques et pécheurs, dit-on, profèrent
contre le juste, «pour égorger les hommes au cœur
droit[b]», se retourneront contre ceux qui les ont pro-
férées; qu'elles reviennent à l'endroit d'où elles étaient
parties. En effet, comme le Seigneur dit aux justes et
saints apôtres : «En quelque maison que vous entriez,
dites : Paix à cette maison. Et s'il y a là un fils de la
paix, votre paix viendra sur lui; sinon votre paix retournera
vers vous[c]», de même ici aussi, à l'inverse, il est dit que

econtrario gladius impiorum qui evaginatur ut trucidet
15 rectos corde[d], reverti in ipsos dicitur et demergi in cor
eorum, atque arcus eorum confringi, dum Dominus de
insidiis eorum liberat iustum.

**6. Melius est modicum iusto super divitias pecca-
torum multas**[a]. Secundum litteram continuo etiam sim-
plicioribus quibusque utilis admonitio est, de qua et prius
dicendum est, quamvis habeat etiam profundius aliquid,
5 quod *si quis capere potuerit, capiat*[b]. Quid ergo nos doceat
littera, videamus.

In hoc mundo communem vitae sollicitudinem gerunt
et iusti et iniusti, ut habeantur quae ad victum necessaria
sunt. Sed iusti quidem non tam propensi sunt erga sol-
10 licitudinem victus, quam enixe gerunt iustitiae curam, ita
ut etiam si eis quaerenda sunt quae ad victum necessaria sunt, absque iniustitia quaerantur, ut ipse quaestus
eorum, cotidiano usui necessarius, cum omni iustitia fiat.
Iniusti vero nihil curant de iustitia, sed omnem curam in
15 hoc impendunt quomodo acquirant, in hoc eorum omne
studium est, quomodocumque et qualiacumque lucra
captare : non quaerunt si bene acquirant, si cum iustitia,
non sunt solliciti ut in iudicio Christi inveniantur pos-
sessiones eorum cum iustitia quaesitae. Quomodo possunt
20 haec facere qui agrum ad agrum coniungunt et villam
villae appropriant[c], ut aliquid proximo auferant?

Cum ergo unum e duobus fieri necesse sit, id est aut
multa acquirere cum iniustitia, aut modicum cum iustitia,
melius est – inquit – **modicum iusto, super divitias
25 peccatorum multas**[d]. Et vere quasi speciali quodam titulo

d. Cf. Ps. 36, 14.
6. a. Ps. 36, 16.   b. Matth. 19, 12.   c. Cf. Is. 5, 8.   d. Ps. 36, 16.

le glaive des impies dégainé «pour égorger les hommes
au cœur droit[d]», s'est retourné contre eux, il s'est enfoncé
dans leur cœur et leur arc a été brisé tandis que le Seigneur délivre le juste de leurs embûches.

**La lettre
du texte**
6. «Mieux vaut peu de choses pour
le juste, que les nombreuses
richesses des pécheurs[a].» Selon la
lettre même, il y a toujours, utile même à tous ceux qui
sont les plus simples, un avertissement dont il faut d'abord
parler, bien qu'il y ait encore quelque chose de plus
profond; «Si quelqu'un peut le comprendre, qu'il comprenne[b]!» Voyons donc ce que nous enseigne la lettre.

En ce monde, justes et injustes ont un commun souci
de vivre, d'avoir le nécessaire pour leur subsistance. Mais
les justes cependant ne sont pas tant portés au souci de
leur subsistance, qu'au soin de garder à tout prix la
justice; ainsi même s'il leur faut rechercher ce qui est
nécessaire à leur subsistance, ils le cherchent sans injustice,
de sorte que leur gain même, nécessaire à leurs besoins
de chaque jour, se fait en toute justice. Les injustes, au
contraire, n'ont cure de la justice, mais tout leur soin, ils
le consacrent à la manière d'acquérir; en cela réside toute
leur préoccupation: comment et de quelle manière
amasser du gain. Ils ne cherchent pas s'ils acquièrent
honnêtement, s'ils le font avec justice; ils n'ont pas souci
qu'au jugement du Christ, leurs biens soient reconnus
acquis avec justice. Comment peuvent-ils le faire, eux qui
ajoutent champ à champ et rattachent propriété à propriété[c], pour ôter quelque chose à leur prochain?

Puisqu'il est donc nécessaire d'opter pour l'un de ces
deux choix: ou acquérir de grands biens par injustice,
ou peu avec justice, «Mieux vaut peu de choses pour
le juste, dit le prophète, que les nombreuses richesses
des pécheurs[d].» Et vraiment, comme sous un titre spécial,

multae divitiae in iniquitate censentur. Unde et ego arbitror Dominum et Salvatorem nostrum, quasi vere Deum et Dominum Mammonam iniquitatis pronuntiasse cum dicit : *Facite vobis amicos de iniquo Mammona*[e]. Haec secundum
30 litteram.

Videamus nunc si quid etiam secreti contineat sermo. Sunt multa et diversa studia litterarum in hoc mundo et videas quamplurimos incipientes a grammaticis ediscere carmina poetarum, comoediarumque fabulas, tragoediarum vel commen-
35 titias vel horrificas narrationes, historiarum longa ac diversa volumina, tum deinde transire ad rhetoricam, atque ibi omnem fucum eloquentiae quaerere, post haec venire ad philosophiam, perscrutari dialecticam, syllogismorum nexus inquirere, mensuras geometriae temptare, astrorum leges ac stellarum
40 cursus scrutari, omittere quoque nec musicam : et sic per omnes istas eruditi tam diversas et varias disciplinas, in quibus nihil de Dei voluntate cognoverunt, multas quidem, sed peccatorum divitias congregaverunt.

Videas autem unum de ecclesia imperitum quidem in
45 verbo atque eruditione, sed fide ac timore Dei repletum, qui propter timorem Dei in nullo audet delinquere, sed veretur omnino aperire os suum, ne forte sermo malus procedat de ore eius et observat etiam in minimo delinquere, a quibus observare se non potest ille qui dives
50 est in huius mundi sapientia. Hos igitur sibi conferens sermo divinus ait : **Melius est modicum iusto, super divitias peccatorum multas**[f]. Ut sint divitiae peccatorum,

---

e. Lc 16, 9.   f. Ps. 36, 16.

---

1. Remarquer le *cursus studiorum* décrit ici par Origène et sa conclusion importante qu'il n'apprend rien sur Dieu ; au contraire de l'enseignement des sciences de la nature donné par Origène, selon Grégoire le Thaumaturge : *Remerciement à Origène* VIII, 109-114 (*SC* 148, p. 140-142). Sur ce cursus, voir H. I. MARROU, *Histoire de l'éducation dans l'antiquité*, Paris 1948, ch. 7 à 11.

de nombreuses richesses sont à mettre au compte de l'iniquité. De là vient, je pense, que notre Seigneur et Sauveur a parlé du Mammon d'iniquité comme vraiment Dieu et Seigneur, quand il dit : «Faites-vous des amis avec le Mammon inique[e].» Voilà selon la lettre.

Un sens plus secret   Voyons maintenant si le verset contient encore quelque chose de secret. Il y a de nombreuses et diverses études des lettres en ce monde, et tu vois un très grand nombre de gens commencer auprès des grammairiens à s'instruire des vers des poètes, des fables des comédiens, des récits imaginaires ou affreux des tragédiens, des recueils prolixes et divers des historiens, pour passer ensuite à la rhétorique et y chercher tout le fard de l'éloquence ; après cela, venir à la philosophie, explorer à fond la dialectique, s'enquérir du nœud des syllogismes, tâter les dimensions de la géométrie, scruter les lois des astres et le cours des étoiles, sans omettre non plus la musique. Et ainsi, instruits par toutes ces disciplines si diverses et variées, où ils n'ont rien appris de la volonté de Dieu, ils ont certes amassé bien des richesses, mais «les richesses des pécheurs»[1].

Mais vois un homme appartenant à l'Église, certes ignorant en parole et en savoir, mais rempli de foi et de crainte de Dieu, qui par crainte de Dieu, n'ose se permettre aucune faute, mais craint surtout d'ouvrir la bouche, de peur que d'aventure une parole méchante n'en sorte ; il se garde aussi de faire une faute dans le moindre des points où ne peut se garder d'en faire l'homme riche en sagesse de ce monde. Se référant donc à ces gens, la Parole divine déclare : «Mieux vaut peu de choses pour le juste, que les nombreuses richesses des pécheurs[f].» Étant donné que les pécheurs ont des

sapientia huius mundi, in qua divites sunt et abundantes
in eloquentia, nec tamen se per haec continere praevalent
55 a peccato, modicum autem iusti, qui habet fidem tamquam
granum sinapis modicam[g], sed vividam et vehementem,
1342 per quam se communit et continet a peccato, **melius est**
ergo hoc **modicum** fidei **iusto super divitias pecca-**
torum multas[h], quas habent in eloquentia ac sapientia
60 huius saeculi, quae destruitur[i].

Tamen si potuerit quis et divitias habere, et non peccatorum habere divitias, sed congregare aliqua de thesauris Moysi legis latoris, alia etiam de censu acquirere
prophetarum, de Isaia, de Ieremia, de Ezechiel, perscrutari
65 quoque secreta Danielis, ceterorumque prophetarum
reconditos et obscuros penetrare thesauros, iste iam non
confertur sapientibus huius mundi, ut melior illis dicatur,
sed illis magis exaequatur qui dicebant : *Quia divites facti*
estis in omni verbo et in omni scientia[j], et qui destruentes
70 huius mundi sapientiam et velut victores eius effecti dicunt
se paratos esse ad captivandum *omnem intellectum extol-*
lentem se et erigentem adversus scientiam Christi[k]. Etsi
quidem sit ille quem superius diximus imperitus et idiotes,
sed fidelis et timens Deum, **melius est modicum** illud
75 fidei huic **iusto super divitias peccatorum multas**[l], quas
ex huius saeculi sapientia[m] compararunt. Super ambos
autem istos est qui dives est in verbo Dei et scientia
veritatis, id est qui secundum Paulum dives est *in omni*

g. Cf. Matth. 17, 20.   h. Ps. 36, 16.   i. Cf. I Cor 2, 6.   j. I Cor.
1, 5.   k. II Cor. 10, 5.   l. Ps. 36, 16.   m. Cf. I Cor. 2, 6.

1. Ce passage où Origène met en valeur le chrétien illettré, mais
pieux, tranche avec l'aristocratisme intellectuel qu'on lui attribue souvent.
D'autant que ce n'est pas le seul passage de ce genre. Mais pour lui,

richesses : la sagesse de ce monde par laquelle ils sont riches et débordent d'éloquence, mais qu'ils n'en sont pas plus forts pour se garder par elle du péché, tandis que le juste a peu de chose : une foi petite comme le grain de sénevé[g], mais pleine de vie et forte, grâce à laquelle il se défend et s'abstient du péché, «mieux vaut donc ce peu de foi pour le juste que les nombreuses richesses des pécheurs[h]» qu'ils trouvent dans l'éloquence et la sagesse de ce monde vouées à la destruction[i][1].

Les richesses des Écritures Pourtant quelqu'un pourrait avoir aussi des richesses et ne pas avoir les «richesses des pécheurs», mais en rassembler quelques-unes provenant des trésors de Moïse, le législateur, en acquérir d'autres encore venant de la fortune des prophètes, d'Isaïe, de Jérémie, d'Ézéchiel, scruter aussi les secrets de Daniel et pénétrer dans les trésors cachés et obscurs des autres prophètes ; cet homme n'est plus à comparer aux sages de ce monde pour qu'on le dise meilleur qu'eux, mais il est plutôt à mettre de pair avec ceux qui disaient : «Vous avez été enrichis en toute parole et en toute science[j]», et qui détruisant la sagesse du monde et devenus comme ses vainqueurs, se disent prêts à «réduire en captivité toute intelligence qui s'élève et se dresse contre la science du Christ[k]». Et même s'il s'agit de celui dont nous avons parlé plus haut, ignorant et borné, mais croyant et craignant Dieu, «mieux vaut ce peu de foi pour ce juste, que les nombreuses richesses des pécheurs[l]» amassées à partir de la sagesse de ce monde[m]. Mais supérieur à ces deux-là est celui qui est riche en Parole de Dieu et en science de Vérité, c'est-à-dire celui qui, selon Paul,

il n'est pas impossible, comme le montre la suite, d'unir vie spirituelle et science.

verbo et in omni scientia[n] et nihilominus dives est in
80 operibus bonis.

Si autem vis scire quid est divitem esse in omni verbo,
breviter te docebo. Incipe discutere a primo verbo
Geneseos, inde in verbo Exodi, post haec in verbo Levitici,
in Numeris, in Deuteronomio, ditesce de Iesu Nave, ditesce
85 de omnibus simul Iudicibus, et iam inde per consequentiam de singulis quibusque Scripturae divinae libris,
usquequo pervenias ad evangelicas apostolicasque divitias.

Nam verbi causa, si quis uni verbo Psalmorum operam
dederit et integrum Psalterium cum voluerit canit, dives
90 est quidem, sed non in omni verbo atque omni scientia[o],
sed est dives in solo verbo Psalterii. Vel si quis evangeliis atque apostolicae lectioni studium tribuat et in mandatis Novi Testamenti semetipsum exerceat, dives est et
hic, sed non in omni verbo[o], nisi evangelico tantum atque
95 apostolico. Si vero potuerit Novum ac Vetus Testamentum
pari studio ediscere, atque ex omni eius eruditione ins-
truitur, ita ut paratus sit reddere rationem de singulis quibusque quae scripta sunt et vitam suam secundum verbum
veritatis eius quae in Scripturis continetur aptare; iste vere
100 dives est in omni verbo[o] et in omni opere bono[p], et
istas puto esse divitias de quibus dicitur : *Redemptio
animae viri propriae divitiae eius*[q]. **Melius est – ergo –
modicum iusto super divitias peccatorum multas**[r].

n. I Cor. 1, 5.   o. Cf. I Cor. 1, 6.   p. Cf. II Cor. 9, 8.   q. Prov.
13, 8.   r. Ps. 36, 16 .

1. Origène insiste sur le fait qu'on ne peut négliger aucune des
parties de la Bible. Ayant à lutter contre les gnostiques et les marcionites, il s'est fait le champion de l'union et de la correspondance des
deux Testaments. Du reste dans toute son œuvre, par son exégèse allé-

est «riche en toute parole et en toute science[n]», et n'en est pas moins riche en œuvres bonnes.

Riche en toute parole

Or si tu veux savoir ce que c'est qu'«être riche en toute parole», je te l'enseignerai brièvement. Commence à étudier depuis la première parole de la Genèse; de là, passe à celle de l'Exode, puis à celle du Lévitique, aux Nombres, au Deutéronome; enrichis-toi de Jésus, fils de Navé, enrichis-toi de tous les Juges ensemble, et de là, en les prenant à la suite, de chacun des livres de l'Écriture divine, jusqu'à ce que tu parviennes aux richesses des Évangiles et des Apôtres.

Car par exemple, si quelqu'un ne s'adonne qu'à la seule parole des psaumes et chante quand il le voudra le Psautier en son entier, certes il est riche, mais non «en toute parole et en toute science[o]», il est riche dans la seule parole du Psautier. Ou bien, si quelqu'un met son ardeur à la lecture des Évangiles et des Apôtres, et s'exerce lui-même dans les commandements du Nouveau Testament, il est riche lui aussi, mais non «en toute parole»[o], seulement en celle des Évangiles et des Apôtres. Mais s'il a pu étudier avec une égale ardeur le Nouveau et l'Ancien Testament, et s'il est instruit de tout leur enseignement, en sorte qu'il soit prêt à rendre compte de tout ce qui y est écrit, et à conformer sa vie à la Parole de cette Vérité que contiennent les Écritures, celui-là est vraiment riche en toute parole[o] et en toute œuvre bonne[p], et je pense que ce sont là les richesses dont il est dit : «La rançon de l'âme d'un homme, ce sont ses propres richesses[q1].» «Mieux vaut donc peu de choses pour le juste, que les nombreuses richesses des pécheurs[r].»

gorique centrée sur la personne du Christ, il montre dans l'Ancien la figure du Nouveau.

7. Quoniam brachia peccatorum conterentur[a].
Quomodo potest hoc secundum litteram stare, etiamsi
aliquis vim facere conetur per imperitiam? Sunt multa in
Scripturis ita posita, quae etiam eum qui valde brutus est
⁵ et stertit, movere possunt, immo cogere ut necesse habeat
littera derelicta ad intellectum conscendere spiritalem : sicut
et nunc faciunt brachia ista peccatoris, quibus imminere
contritionem comminatur. Sed et in alio loco dicit : *Contere
brachium peccatoris et maligni*[b]. Quid ergo? Brachium
¹⁰ istud corporeum peccatoris putabimus conterendum? Non
facile hoc accidere videmus.

Sed si intueamur quomodo cum elati fuerint in
superbiam peccatores et arcus suos paraverint et sagittas
illas[c] suas, de quibus superius diximus, tetenderint
¹⁵ adversus iustos; cum haec omnis eorum intentio Domini
fuerit virtute destructa, sic merito dicitur brachium peccatoris esse contritum. Vel alio modo quoniam manus et
brachium operis est indicium. Si ergo videas peccatorem
ad opus bonum, ad opus misericordiae non extendentem
²⁰ manum suam, absurdum non erit dicere brachium eius
esse contritum. Sed huiuscemodi contritionem non a Deo,
sed a diabolo fieri credendum est. Ipse est enim qui
conterit et constringit brachia peccatorum ne ad misericordiam extendantur.

1343

---

7. a. Ps. 36, 17.   b. Ps. 10, 15.   c. Cf. Ps. 36, 14.

---

1. Ce passage montre bien que contrairement à ce que pensent
souvent des auteurs modernes à propos de la «lettre» origénienne, le
sens littéral, pour Origène, n'est pas ce qu'a voulu exprimer l'auteur,
mais la matérialité brute de l'expression employée, alors qu'il s'agit évidemment de style figuré. C'est une pointe contre les anthropomor-

A ne pas prendre à la lettre ! 7. « Car les bras des pécheurs seront brisés[a]. » Comment ce texte, compris selon la lettre, peut-il tenir debout, même si quelqu'un s'efforce de lui faire violence, par ignorance ? On trouve ainsi dans les Écritures bien des passages qui peuvent troubler même un homme complètement stupide et profondément endormi, et lui faire penser plutôt qu'il est nécessaire de laisser la lettre pour monter à l'intelligence spirituelle : ce que font ici ces « bras du pécheur » qu'on menace de briser[1] ! De plus, dans un autre endroit, le psalmiste dit : « Brise le bras du pécheur et du méchant[b]. » Quoi donc ? Allons-nous penser que ce bras de chair du pécheur doive être brisé ? Nous voyons que cela n'arrive pas facilement !

Bras brisé Mais si nous considérons comment les pécheurs élevés dans leur orgueil ont préparé leur arc et dirigé contre les justes ces flèches[c] dont nous avons parlé plus haut[2], puisque tout ce dessein qui était le leur a été détruit par la puissance du Seigneur, c'est à bon droit que l'on dit « brisé » le bras du pécheur. Ou d'une autre manière, parce que la main et le bras sont le symbole de ce qu'on fait. Si donc tu vois un pécheur ne pas étendre sa main pour faire une œuvre bonne, une œuvre de miséricorde, il ne sera pas absurde de dire que son bras a été brisé. Mais une fracture de ce genre, croyons-le, n'est pas le fait de Dieu, mais du diable. C'est lui-même, en effet, qui brise et ligote les bras du pécheur pour qu'ils ne s'étendent pas pour la miséricorde.

---

phites : cette conception de la littéralité est à la base de la lutte qu'Origène mène contre eux.

2. Cf. *supra*, 36 III, 2-3.

25 Fit ergo quaedam contritio peccatorum a Deo, cum
insidiantes eos iusto destruit et deterret, quaedam vero a
diabolo, cum boni operis studia velut vinctis et contritis
infidelium brachiis impedit. Est et alia contritio, quae a
Deo quidem conceditur, impletur autem per diabolum,
30 illa de qua dicebat diabolus ad Dominum : *Verumtamen
immitte manum tuam et tange omnia quae habet, nisi in
facie te benedixerit*[d] et tunc accepit eum in potestate.
Unde et ipse Iob ait : *Manus enim Domini est quae contigit
me*[e].

8. Suffulcit autem iustos Dominus[a]. Qui infirmi sunt
et fragiles opus habent suffultore. Ubi ruina imminet et
lapsus, ibi quaeritur suffultura. Omnis autem homo,
quantum ad humanam fragilitatem spectat, et infirmus est
5 et promptus ad lapsum. Et in hoc quidem psalmo scriptum
est quia **iustos suffulciat Dominus**, in alio autem dicit :
*Suffulcit Dominus omnes qui cadunt et erigit Dominus
omnes elisos*[b]. Tantum est ut nos exspergiscamur aliquando et evigilemus, ut si quando per infirmitatem casus
10 aliquis imminet, deprecemur Dominum ut mittat nobis
verbum suum et sapientiam suam, quae suffulciat casuros
et erigat.

**9. Cognoscit Dominus dies immaculatorum et here-
ditas eorum in aeternum erit**[a]. Secundum Scripturas,
sicut in multis locis observavimus, Dominus non omnia
cognoscit, sed sola illa quae bona sunt; mala autem dicitur
5 ignorare, non quod vere aliquid sit quod eius scientiam
lateat, sed ea quae indigna sunt notione eius, dicitur

---

d. Job 1, 11.   e. Job 19, 21.
8. a. Ps. 36, 17.   b. Ps. 144, 14.
9. a. Ps. 36, 18.

Différentes fractures Dieu fait donc une certaine fracture aux pécheurs, quand il les renverse et les écarte, alors qu'ils tendent des pièges au juste; mais il y en a une autre faite par le diable quand il les empêche de s'appliquer à une œuvre bonne : les bras des incrédules sont comme liés et brisés. Il est encore une autre fracture qui certes, est permise par Dieu, mais accomplie par le diable, celle dont celui-ci parlait au Seigneur : «Étends seulement ta main et touche à tout ce qu'il possède pour voir s'il te bénira en face[d]»; et il reçut Job en son pouvoir. Aussi Job lui-même dit-il : «Car c'est la main du Seigneur qui m'a touché[e].»

Le soutien du Seigneur 8. «Mais le Seigneur soutient les justes[a].» Ceux qui sont faibles et fragiles ont besoin d'un soutien. Où menace la ruine et la chute, on cherche un soutien. Or tout homme, étant donné la fragilité humaine, est à la fois faible et prompt à tomber. Aussi est-il écrit dans ce psaume : «Le Seigneur soutient les justes[a]», et dans un autre aussi : «Le Seigneur soutient tous ceux qui tombent, le Seigneur relève tous les abattus[b].» Il suffit que nous sortions enfin de notre torpeur et nous réveillions pour que, si parfois, du fait de notre faiblesse, quelque chute nous menace, nous priions le Seigneur de nous envoyer son Verbe et sa Sagesse qui soutient tous ceux qui vont tomber et les relève.

Le sens littéral 9. «Le Seigneur connaît les jours de ceux qui sont sans tache, et leur héritage sera pour toujours[a].» Selon les Écritures, comme nous l'avons observé en bien des endroits, le Seigneur ne connaît pas toutes choses, mais celles-là seules qui sont bonnes; mais les mauvaises, on dit qu'il les ignore, non pas qu'il y ait vraiment quelque chose qui échappe à sa science, mais celles qui sont indignes de sa connais-

ignorare. Quod ostendimus etiam de Scripturis, cum dicit
apostolus : *Si quis in vobis propheta vel spiritalis, cognoscat*
quae scribo vobis, quia Domini sunt. Si quis autem ignorat,
ignorabitur[b]. Et in Evangelio ubi dicit Dominus ad peccatores : *Nescio vos, discedite a me, operarii iniquitatis*[c].
Sicut ergo et alibi dicitur : *Cognoscit Dominus qui sunt*
eius[d], sic hic non impiorum, sed immaculatorum dies
cognoscere dicitur Dominus. Dignae enim scientia Domini
immaculatorum dies.

Sed et hoc secundum litteram nescio si possit consequenter exponi. Quae enim possunt esse dies immaculatorum, quae non sint etiam peccatorum? Cum huius
saeculi dies una eademque sit omnibus atque in eadem
sive iusti sive peccatores simul luce versentur : sicut et
ipse Dominus de Patre dicit quia : *Solem suum iubet oriri*
super bonos et malos[e]. Quomodo ergo hic velut exceptum
aliquid et segregatum **immaculatorum dies** cognoscere
dicitur **Dominus**[f]? Sed videamus ne forte unusquisque
propriam sibi ipse faciat diem. Et si quando abicientes
mendacium loquimur veritatem cum proximo nostro[g], in
veritatis die et veritatis luce versamur. Similiter et cum
retrahimus nos ab his qui oderunt fratres et in tenebris
ambulant[h] et in dilectione fratrum permanemus, dies nobis
facimus caritatis. Sed et cum iustitiam custodimus et cum
visitantes viduas atque orphanos in tribulatione sua, imma-
culatos nos custodimus ab hoc saeculo[i], **immaculatorum**

1344

10

15

20

25

30

b. I Cor. 14, 37-38.   c. Lc 13, 27.   d. II Tim. 2, 19.   e. Matth. 5, 45.
f. Ps. 36, 18.   g. Cf. Éphés. 4, 25.   h. Cf. I Jn 2, 11.   i. Jac 1, 27.

1. Il s'agit là d'un thème fréquent chez Origène, qui suppose différentes intensités de sens au verbe connaître, depuis le sens commun
(l'omniscience divine), jusqu'au sens le plus prégnant : connaître, c'est
s'unir, «se mélanger avec», ce que Dieu ne peut faire avec le pécheur,
son péché lui faisant obstacle. Cf. H. CROUZEL : *Origène et la connais-*
sance mystique, p. 513-521.

sance, on dit qu'il les ignore[1]. Ceci, nous le montrons
encore à partir des Écritures, puisque l'Apôtre dit : «S'il
y a parmi vous un prophète ou un homme spirituel, qu'il
reconnaisse ce que je vous écris, car cela vient du Seigneur. Mais si quelqu'un l'ignore, il sera ignoré[b].» C'est
aussi dans l'Évangile, là où le Seigneur dit aux pécheurs :
«Je ne vous connais pas, éloignez-vous de moi, vous qui
faites le mal[c]!» Donc, comme on dit encore ailleurs : «Le
Seigneur connaît ceux qui sont à lui[d]», de même ici il est
dit que le Seigneur connaît les jours, non des impies, mais
de ceux qui sont sans tache. Ils sont en effet dignes d'être
connus du Seigneur, les jours de ceux qui sont sans tache.

**Les jours
de ceux qui sont
sans tache**

Mais je ne sais si ce texte peut être
expliqué selon la lettre d'une
manière cohérente. Que peuvent
être, en effet, ces jours d'hommes
sans tache qui ne soient aussi ceux des pécheurs? Un jour
de ce monde est le même pour tous, et dans sa même
lumière, justes et pécheurs vivent ensemble ; comme aussi
le Seigneur lui-même dit du Père : «Il ordonne à son soleil
de briller sur les bons et les mauvais[e].» Comment donc
est-il dit ici que «le Seigneur connaît les jours de ceux qui
sont sans tache[f]» comme si c'était quelque chose d'exceptionnel, de particulier? Mais voyons si, par hasard,
chacun de nous ne se fait pas à lui-même son propre jour.
Quand rejetant le mensonge, nous disons la vérité à notre
prochain[g], nous vivons dans un jour de vérité et dans une
lumière de vérité. De même aussi lorsque nous nous retirons
de ceux qui haïssent leurs frères et marchent dans les
ténèbres[h], et persévérons dans l'amour de nos frères, nous
nous faisons un jour de charité. De plus, quand nous
gardons la justice et que, «visitant les veuves et les orphelins
dans leur affliction, nous nous gardons sans tache, loin de
ce monde[i]», nous nous faisons à nous-mêmes «les jours

nobis ipsis facimus **dies**[j]. Et istae sunt dies quas Dominus nosse dicitur, quando cognoscit dies immaculatorum.

35   Verum si sacratiorem adhuc sensum in hoc loco volumus perscrutari, possumus dicere quia dies mali sunt huius saeculi secundum quod scriptum est : *Quoniam dies mali sunt*[k]. Dies autem boni alii sunt, qui et ipsi immaculatorum sunt, quos Dominus cognoscit, in quibus et here-
40 ditas eorum in aeternum manet; tunc sine dubio cum iusti hereditatem capient vitae aeternae, consequentur quae *oculus non vidit nec auris audivit nec in cor hominis ascendit, quae praeparavit Deus diligentibus se*[l]. Illae enim sunt immaculatorum dies, in quibus non iste sol quem
45 occasus excipit et cuius nox succedens lumen interimit, sed sol iustitiae[m] lucebit, qui noctem nesciat[n], qui lumen aeternum sit, sicut scriptum est quia : *Ipse Dominus erit eis lux sempiterna*[o].

10. Et non confundentur in tempore malo[a]. Soli iusti non confundentur in tempore malo. Tempus autem malum hic tempus iudicii nominat, propter multitudinem peccatorum et eorum quos saeva tormenta suscipient.
5 Tunc ergo in tempore resurrectionis cum omnes resurrexerint, et alii resurgent in vitam aeternam, alii in confusionem aeternam[b], tunc, inquit, iusti non confundentur[c], quia nihil dignum confusione in eorum actibus invenietur.

---

j. Ps. 36, 18.   k. Éphés. 5, 16.   l. I Cor. 2, 9.   m. Cf. Mal. 3, 20.   n. Cf. Apoc. 21, 25.   o. Is. 60, 19-20.
10. a. Ps. 36, 19.   b. Cf. Matth. 25, 46.   c. Cf. Ps. 36, 19.

de ceux qui sont sans tache». Et ces jours sont ceux que l'on dit connus de Dieu, quand il «connaît les jours de ceux qui sont sans tache[j]».

Un sens plus profond

A vrai dire, si nous voulons scruter en ce passage un sens encore plus sacré, nous pouvons dire que les jours mauvais sont les jours de ce siècle, selon ce qui est écrit : «Car ce sont des jours mauvais[k].» Mais d'autres jours sont bons, ceux-là même qui sont «les jours de ceux qui sont sans tache», que le Seigneur connaît, dans lesquels leur héritage demeure pour toujours; alors, sans aucun doute, quand les justes saisiront l'héritage de la vie éternelle, ils obtiendront «ce que l'œil n'a pas vu, ce que l'oreille n'a pas entendu, ce qui n'est pas monté au cœur de l'homme, ce que Dieu a préparé pour ceux qui l'aiment[l]». Voilà les jours de ceux qui sont sans tache, où luira non pas ce soleil dont s'empare le déclin et dont la nuit qui s'avance éteint la lumière, mais le Soleil de Justice[m] qui ne connaît pas de nuit[n], qui est Lumière éternelle, selon ce qui est écrit : «Le Seigneur lui-même sera pour eux une Lumière perpétuelle[o].»

Point de honte pour les justes

10. «Point de honte pour eux aux temps mauvais[a].» Seuls les justes n'auront pas de honte au temps mauvais. Or le «temps mauvais» désigne ici le temps du jugement, en raison de la multitude des pécheurs et de ceux qui subiront de durs tourments. Alors donc, au temps de la résurrection, quand tous seront ressuscités, les uns ressusciteront pour la vie éternelle, les autres pour la honte éternelle[b], alors, dit le prophète, point de honte pour les justes[c], car on ne trouvera dans leurs actes rien qui mérite la honte.

Addit autem : **Et in diebus famis saturabuntur**[d]. Inqui-
10 rendum primo est quae sint dies famis. Comminatur in
quodam loco Deus per prophetam et dicit : *Ecce dies*
veniunt, dicit Dominus, et immittam famem super terram,
non famem panis neque sitim aquae, sed famem ad
audiendum verbum Dei. Et circuibunt ab oriente usque
15 *ad occidentem, ut audiant verbum Domini et non inve-*
nient[e]. Istae ergo sunt dies et istud est tempus famis,
cum non sunt qui verbum Dei loquantur, sicut et fames
nunc est apud Iudaeos. Nusquam enim prophetae,
nusquam sapiens, nusquam prudens aestimatur, nusquam
20 quinquagenarius, nusquam sapiens consiliarius, nusquam
intelligens auditor, omnia abstulit Deus a Iudaea et Ieru-
salem[f].

Sed et in nobis ipsis metus est ingens ne forte etiam
nobis immineat fames. Sicut enim illi de quibus supra
25 diximus, legendo legem et non faciendo incurrerunt in
hoc ut verbi Dei famem paterentur et auferrentur ab illis
omnia Dei dona quae supra diximus et mandatum est
nubibus (prophetis scilicet) ne pluerent super eos pluviam
verbi Dei[g], verendum est ne tale aliquid etiam nobis cor-
30 reptionis inducatur genus : sed magis efficiamur non auditores legis tantum, sed et factores[h], ut mandet Dominus
nubibus suis, non uni neque duabus, sed pluribus, pluere
super nos pluviam, ut in ecclesia *prophetae duo vel tres*

---

d. Ps. 36, 19.   e. Cf. Amos 8, 11-12.   f. Cf. Is. 3, 1-3.   g. Cf.
Is. 5, 6.   h. Cf. Jac 1, 22 ; Rom. 2, 13.

---

1. La faim d'entendre la Parole de Dieu pourrait être entendue en
un bon sens, celui du désir. Mais pour Origène comme pour Amos,
c'est un châtiment, la famine et la sécheresse. Voir H. CROUZEL, *Origène*
et la connaissance mystique, p. 166-167, qui renvoie à 16 textes dont
celui-ci. C'est donc aussi un thème fréquent.

**Le temps
de famine**

Or il ajoute : «Et aux jours de famine, ils seront rassasiés[d].» Cherchons d'abord ce que sont les jours de famine. Dans un certain passage, Dieu menace par un prophète et dit : «Voici que viennent des jours, dit le Seigneur, et j'enverrai la faim sur la terre, non une faim de pain ni une soif d'eau, mais une faim d'entendre la parole de Dieu. Et ils iront çà et là, de l'Orient jusqu'à l'Occident pour entendre la Parole du Seigneur, et ils ne la trouveront pas[e].» Ce sont donc des jours et un temps de faim quand il n'y a personne pour annoncer la Parole de Dieu[1], comme c'est à présent la faim chez les Juifs. Nulle part de prophète en effet, nulle part de sage, nulle part d'homme prudent, estime-t-on, nulle part de chef de cinquante, nulle part de sage conseiller, nulle part d'auditeur intelligent, tout cela Dieu l'a ôté de Judée et de Jérusalem[f]!

De plus, chez nous-mêmes, il y a fort à craindre que peut-être la famine ne nous menace aussi. En effet, comme ceux dont nous avons parlé plus haut qui, en lisant la Loi sans la mettre en pratique, en sont venus au point de souffrir la faim de la Parole de Dieu et de se voir ôter tous les dons de Dieu mentionnés plus haut, et comme l'ordre fut donné aux nuages – à savoir les prophètes – de ne pas faire tomber sur eux la pluie de la Parole de Dieu[g][2], il est à craindre que nous soit appliqué à nous aussi un tel genre de réprimande. Devenons plutôt, au contraire, non simplement des auditeurs de la Loi, mais aussi ceux qui la mettent en pratique[h], pour que le Seigneur commande à ses nuages, non pas à un ou deux, mais à plusieurs, de faire tomber sur nous la pluie, pour que dans l'Église, «deux ou trois prophètes parlent

2. Sur la pluie que dispensaient les prophètes, voir *HomJér*. VIII, 3 (*SC* 232, p. 364); *ComCant*. III, 14, 24 (*SC* 376, p. 668).

dicant et ceteri examinent. Et si sedenti revelatum fuerit,
35 *prior taceat*[i], ut plures fiant operarii inconfusibiles recte
tractantes verbum veritatis[j], ut dicat unusquisque doctorum
et praedicantium verbum Dei secundum Paulum : *Ego
plantavi,* – et ille – *rigavit, sed Deus incrementum dedit*[k].
Haec autem fient, si nos qui rigamur a nubibus et audimus
40 verbum Dei, afferamus fructus illos quos enumerat apostolus, id est, *fructus spiritus* qui sunt *gaudium, caritas,
pax, patientia, longanimitas*[l] et cetera his similia. Quos
fructus si moramur afferre, verendum est ne mandetur
nubibus abstinere a nobis imbres suos[m] et incipiat unus-
45 quisque sanctorum facere illud quod scriptum est : *Qui
autem intellegit, in tempore illo sedebit et tacebit, quia
tempus malum est*[n].

Sed et meminisse debemus historiae antiquorum de famis
tempore, quomodo iustus in tempore famis saturatur. Conve-
50 niens puto fames erat temporibus Eliae prophetae, quando
clausum est caelum annis tribus et mensibus sex[o]. Et tunc
populus quidem periclitabatur fame, sed Elias non patie-
batur famem. Et tunc quidem pascebatur ab angelo, quando
et abiit in virtute escae illius et permansit quadraginta diebus
55 et quadraginta noctibus[p]; nunc autem corvis ministrantibus
pascebatur, cum ei in matutino panes deferrent et ad ves-
peram carnes et iterum refertur bibisse aquam de torrente
Corath[q] et venisse in Sarepta Sidoniorum ad mulierem
viduam[r] famis tempore, et quia iustus erat, non est passus
60 inediam famis, sed ubique ei abundantia praesto erat, atque

---

i. I Cor. 14, 29-30.   j. Cf. II Tim. 2, 15.   k. I Cor 3, 6.   l. Gal.
5, 22.   m. Cf. Is. 5, 6.   n. Amos 5, 13.   o. Cf. Lc 4, 25.   p. Cf.
III Rois 19, 8.   q. Cf. III Rois 17, 6.   r. Cf. III Rois 17, 10 s.

---

1. C'est-à-dire les prophètes.

et que tous les autres jugent. Et s'il vient une révélation à l'un des assistants, que le premier se taise»[i], pour que plusieurs deviennent des ouvriers qui n'ont pas à rougir, livrant de façon droite la Parole de Vérité[j] pour que chacun des docteurs et prédicateurs de la Parole de Dieu dise après saint Paul : «Moi, j'ai planté, lui arrosa, mais Dieu a donné la croissance[k].» Or ceci nous arrivera si, nous qui sommes arrosés par les nuages[l] et entendons la Parole de Dieu, nous portons ces fruits qu'énumère l'Apôtre, c'est-à-dire «les fruits de l'Esprit qui sont la joie, la charité, la paix, la patience, la longanimité[l]» et d'autres semblables. Si nous tardons à porter ces fruits, il est à craindre qu'on ne commande aux nuages de détourner de nous leurs averses[m] et que chacun des saints commence à faire ce qui est écrit : «L'homme avisé, en ce temps-là, s'assiéra et se taira, car c'est un temps mauvais[n].»

L'histoire d'Élie   De plus, nous devons nous souvenir de l'histoire des anciens concernant le temps de famine, comment le juste est rassasié en un temps de famine. C'était une famine de ce genre, je pense, au temps du prophète Élie, quand le ciel fut fermé pour trois ans et six mois[o]. Alors le peuple était éprouvé par la faim, mais Élie n'en souffrait pas. Il était nourri par un ange quand il s'en alla, par la force de cette nourriture, et poursuivit sa marche quarante jours et quarante nuits[p]; mais alors des corbeaux, ses serviteurs, le nourrissaient puisqu'ils lui apportaient le matin du pain et vers le soir de la viande, et l'on rapporte encore qu'il avait bu l'eau du torrent de Corath[q], et qu'il était venu à Sarepta de Sidon vers une veuve[r], en un temps de famine; et parce qu'il était juste il ne souffrit pas de la disette, mais partout il trouvait abondance, et dans le même temps c'était la famine pour

1346 uno eodemque tempore erat peccatoribus fames; Elias
autem quia iustus erat, nesciebat famem.

Sic ergo etiam si fames veniat aliquando, quod Dominus
non praestet ecclesiae suae! si quando tamen accidit, qui
65 habet intellectum et exercitium in meditatione verbi Dei
et consistit meditari in lege eius die ac nocte[s] atque
exercere se ad intellectum spiritalem percipiendum,
inveniet in his panem illum qui de caelo descendit[t] et
fiet ei sermo Dei abundans cibus et profluens potus, et
70 non solum cibus et potus, verum si profundiora sacramenta mysticae intellegentiae potuerit perscrutari, erunt ei
sermones Dei deliciae.

Potest etiam alio modo in hoc loco profundior sensus
aperiri. Dominus et Salvator ait : *Veniet nox quando nemo*
75 *potest operari*[u]. Et hoc dicit de illo tempore quod erit
post hoc saeculum, tempore quo unusquisque pro malis
suis recipiet poenas. Tunc ergo dicit noctem illam futuram,
cum iam nemo potest operari aliquid, sed unusquisque
tunc pascitur ex operibus suis quae hic positus operatus
80 est. Cum ergo nox fuerit, nemo operatur in illo tempore
malo : cum peccatores suppliciis affliguntur, erit sine dubio
et fames his qui nullos fructus boni operis collegerunt.
In illo autem famis tempore, **saturabuntur** iusti[v], ex fructibus scilicet iustitiae suae.

85 Sicut enim in deserto sex diebus colligebant manna, in

---

s. Cf. Ps. 1, 2.   t. Cf. Jn 6, 41.50.   u. Jn 9, 4.   v. Cf. Ps. 36, 19.

---

1. Origène se complaît dans le sens spirituel de l'Écriture. Il y trouve
ses délices. Ici, ces délices de l'Écriture sont rattachées au thème des
nourritures spirituelles. Plus haut : 36 I, 4, l. 31-41, ce thème des nourritures spirituelles n'était pas absent, mais c'était le thème de la connaissance par les sens spirituels qui dominait. Lorsqu'ils sont agis par l'Esprit
de Dieu, ces sens spirituels permettent en effet de connaître Dieu de
manière directe, bien que toujours sous le régime de la foi. C'est la

les pécheurs; mais Élie, parce qu'il était juste, ne connaissait pas la faim.

Ainsi donc, si parfois vient encore la famine, que le Seigneur en préserve son Église! Si pourtant elle arrivait, que celui qui est intelligent et s'entraîne à méditer la parole de Dieu, persévère à «méditer sa loi jour et nuit[s]» et s'exerce à comprendre le sens spirituel, y trouve ce pain «qui descendit du ciel»[t], et que la Parole de Dieu lui devienne une nourriture abondante et une boisson qui coule à flots, et qu'il y trouve non seulement nourriture et boisson, mais s'il a pu scruter avec attention les mystères plus profonds de l'intelligence mystique, les paroles de Dieu lui seront des délices[1].

Un sens plus profond   D'une autre manière, un sens plus profond peut encore être découvert en ce passage. Le Seigneur et Sauveur déclare: «Viendra la nuit où personne ne peut travailler[u].» Et cela, il le dit de ce temps qui suivra ce siècle, temps où chacun recevra des châtiments pour ses méfaits. Il parle donc de cette nuit future où personne ne peut plus rien faire, mais où chacun est alors nourri des œuvres qu'il a faites quand il vivait ici. Puisqu'il fera donc nuit, personne ne travaille en ce temps mauvais: quand les pécheurs sont tourmentés par des supplices, ce sera aussi sans aucun doute la famine pour ceux qui n'auront amassé nul fruit d'œuvre bonne. Mais en ce temps de famine, les justes seront rassasiés[v], évidemment des fruits de leur justice.

Comme au désert en effet les Hébreux ramassaient la

---

quatrième étape de la connaissance que trace Origène, la plus haute connaissance possible ici-bas (Cf. H. CROUZEL, *Origène*, p. 155-157). Les délices spirituelles sont donc les délices de la connaissance de Dieu que goûte l'âme agie par l'Esprit de Dieu. Cf. *HomGen.* XVI, 3-4 (*SC* 7bis, p. 380-384).

sexta autem die non unius diei modum, sed quantum
sufficeret in crastinum colligebant et unusquisque edebat
in die Sabbati, quae collegerat in die sexta[w]; ita etiam
nunc velut sexta quaedam dies putanda est Domini nostri
90 Iesu Christi adventus et tempus hoc dispensationis eius,
quam passione sua hoc in saeculo procuravit. Et idcirco
dum in die sexta sumus, colligamus manna dupliciter, ut
sufficere nobis possit dum advenerit vera Sabbati observatio populo Dei. Si enim non colligerimus duplices cibos,
95 qui nobis et in praesenti saeculo sufficiant et in futuro,
in diebus famis non saturabimur.

Sic enim cum iusti **saturabuntur in diebus famis, peccatores** – inquit – **peribunt. Inimici autem Domini
statim ut honorabuntur et exaltabuntur, deficientes
100 ut fumus deficient**[x]. Docet nos sermo divinus quales
sint honores saeculi huius. Cum enim videris illum acceptis
illius provinciae fascibus tumidum, alium consulatibus
elatum, alium diversis magistratibus inflatum, cum ergo
omnem istam videris elationem, considera quia **defi-
105 cientes sicut fumus deficient** : recordare etiam quantos
in his honoribus videris et usque ad te quanta eos fastigia conscendisse memineris, et vide si non omnes pene,
posteaquam exaltati sunt, deiecti denuo et prostrati **sicut
fumus** defecerunt. **Inimici autem Domini statim ut
110 honorabuntur et exaltabuntur, deficientes ut fumus**

---

w. Cf. Ex. 16, 21-26.   x. Ps. 36, 19-20.

---

1. *Dispensatio* traduit le grec οἰκονομία qui désigne chez les Pères
le plan divin sur le monde, ici spécialement l'Incarnation. Depuis celle-
ci, le temps présent est «comme une sorte de sixième jour» qui précéde
le septième jour, celui de la résurrection et du sabbat éternel. Cf. A.
LUNEAU, *L'histoire du salut chez les Pères de l'Église*, Paris 1964, p. 109-
110.

manne durant six jours, mais le sixième ramassaient non pas la mesure nécessaire pour un seul jour, mais autant qu'il en suffirait pour le lendemain, et chacun mangeait le jour du sabbat ce qu'il avait récolté le sixième jour[w], de même aussi à présent, il faut interpréter comme une sorte de sixième jour l'avènement de notre Seigneur Jésus-Christ et le temps de son économie[1] qu'il accomplit en ce monde par sa Passion. Aussi, tant que nous sommes dans le sixième jour, récoltons deux fois plus de manne pour que cela puisse nous suffire quand viendra la véritable observance du Sabbat pour le peuple de Dieu. Car si nous n'avons pas fait une double récolte de vivres, qui nous suffise pour le siècle présent et pour le siècle à venir, nous ne serons pas rassasiés aux jours de famine[2].

Les pécheurs disparaîtront

Ainsi en effet, tandis que les justes «seront rassasiés aux jours de famine, dit le prophète, les pécheurs périront; quant aux ennemis du Seigneur, dès qu'ils auront été honorés et exaltés, ils disparaîtront comme une fumée[x].» La Parole divine nous enseigne ce que sont les honneurs de ce monde. En effet, quand tu as vu celui-là gonflé d'orgueil pour avoir reçu les faisceaux qui lui donnent la charge de cette province, un autre fier du consulat, un autre enflé par diverses magistratures, lors donc que tu as vu toute cette fierté, considère qu'«ils disparaîtront comme une fumée»! Rappelle-toi aussi combien d'hommes tu as vu dans ces honneurs et combien de sommets tu te souviendras qu'ils ont gravi jusqu'à ton époque, et vois si presque tous, après leur exaltation, n'ont pas finalement été renversés et abattus et n'ont pas «disparu comme une fumée». «Quant aux ennemis du Seigneur, dès qu'ils auront été honorés et exaltés, ils dis-

2. Cf. *HomEx*. VII, 5 (*SC* 321, p. 224).

deficient[y]. Econtrario vero amici Domini statim ut
contempti fuerint et despecti et ab hominibus humiliati,
a Deo exaltabuntur et erigentur, quoniam *omnis qui se
exaltat humiliabitur, et qui se humiliat exaltabitur*[z].

11. Post haec adduntur quaedam quae non parva
indigent expositione, ait enim : **Mutuabitur peccator et
non reddet, iustus autem miseretur et commodat**[a].
Etiam hoc si secundum litteram accipiamus, non videbitur
verum. Multi etenim peccatores mutuo accipiunt pecuniam
et reddunt cum fenore, ita ut et ipsi interdum lucrum ex
pecunia quam sumpserant ceperint. Definit autem hic propheta dicens : **Mutuabitur peccator et non solvet**. Sed
si intellegas quis est qui fenerat et quis est qui accipit
fenus et requiras quis est peccator qui non reddit
pecuniam quam sumpsit, intelleges consequentiam habere
quod scriptum est.

Verbi gratia, cum docet Paulus et assistunt ei auditores,
Paulus est qui pecuniam fenerat dominicam, auditores
autem sunt qui ex ore eius pecuniam verbi suscipiunt
feneratam. Et si quidem iustus sit qui suscipiat ab eo
pecuniam, reddet integrum fenus et dicet : quinque mnas
mihi dedisti, ecce acquisivi alias quinque[b]. Si iustus est,
dicit : quinque talenta mihi dedisti, ecce habes decem;
vel, duo talenta mihi dedisti, ecce habes quattuor[c]. Si
vero peccator est, suscepto Dei verbo non operatur ex
eo opera mandati et non reddet usuras, sed consumit
omnia quae accepit in fenus.

y Ps. 36, 20.   z. Lc 14, 11.
11. a. Ps. 36, 21.   b. Cf. Luc 19, 18.   c. Cf. Matth. 25, 20.22.

paraîtront comme une fumée[y].» Mais au contraire, les
amis du Seigneur, dès qu'ils auront été méprisés, rejetés
et humiliés par les hommes, seront exaltés par Dieu et
relevés, car «quiconque s'élève sera humilié, et qui s'humilie sera exalté[z]».

**Emprunteur
et prêteur**

11. Après cela, on ajoute quelques
mots qui ont besoin d'une ample
explication : «Le pécheur emprun-
tera et ne rendra pas, mais le juste a pitié et prête[a].»
Cela encore, si nous le prenons selon la lettre, ne semblera pas vrai. Bien des pécheurs en effet reçoivent les
uns des autres de l'argent et le rendent avec l'intérêt, de
sorte qu'eux-mêmes pendant ce temps ont tiré aussi profit
de l'argent qu'ils avaient reçu. Or ici, le Prophète pose
en fait : «Le pécheur empruntera et ne paiera pas[a].» Mais
si tu comprends qui est celui qui prête et qui est celui
qui reçoit l'intérêt et si tu recherches qui est le pécheur
qui ne rend pas l'argent emprunté, tu saisis la cohérence
de ce qui est écrit.

Par exemple, lorsque Paul enseigne et que des gens
sont près de lui pour l'écouter, Paul est celui qui prête
l'argent du Seigneur tandis que ceux qui l'écoutent sont
ceux qui de sa bouche reçoivent l'argent prêté : la Parole.
Et si c'est un juste qui reçoit de lui l'argent, il lui en
rendra l'intérêt en son entier et dira : «Tu m'as donné
cinq mines, voici que j'en ai acquis cinq autres[b].» Si c'est
un juste, il dit : «Tu m'as donné cinq talents, voici que
tu en as dix», ou : «Tu m'as donné deux talents, voici
que tu en as quatre[c].» Au contraire, si c'est un pécheur,
une fois reçue la Parole de Dieu, il ne s'en sert pas pour
travailler aux œuvres commandées et ne rend pas les
intérêts, mais dépense tout ce qu'il a reçu en prêt.

Ecce et nunc vos omnes quibus haec loquor, pecuniam
25 accipitis feneratam verba mea, haec pecunia Domini est.
Aut si dubitas, audi prophetam dicentem quia : *Eloquia
Domini eloquia casta, argentum igne probatum terrae pur-
gatum septuplum*[d]. Si ergo male doceo, pecunia mea
reproba est, secundum illos quibus dictum est : argentum
30 vestrum reprobum[e]. Si autem bene doceo, pecunia vel
argentum non est meum, sed Domini est et probatum
est. Licet ergo mihi fenerari pecuniam Domini, meam
autem propriam pecuniam non licet, quia verbum Domini
prohibet humanam pecuniam fenerari[f].

35 Quae est ergo humana et quae Domini pecunia? Ego
puto quod Valentini sermo humana pecunia est et reproba
et Marcionis et Basilidis pecunia humana est et reproba
et omnium haereticorum sermo non est probata pecunia,
nec dominicam integre in se habet figuram, sed adulte-
40 ratam, quae, ut ita dicam, extra monetam figurata est,
quia extra ecclesiam composita est. Si autem videris
aliquem non sua propria, sed Dei verba proloquentem,
qui vere audeat dicere : *Aut probamentum quaeritis eius
qui in me loquitur Christi*[g], scito quia iste fenerat quidem
45 et non suam, sed Domini pecuniam fenerat et facit illud
quod scriptum est : *Tota die miseretur et fenerat*[h], habens
auctoritatem fenerandi ab ipso sibi meo Deo Iesu Christo
datam.

d. Ps. 11, 7.   e. Cf. Jér. 6, 30.   f. Cf. Lév. 25, 37 ; Deut. 23, 20.
g. II Cor. 13, 3.   h. Ps. 36, 26.

**Mes paroles,
c'est l'argent**
Voici qu'aujourd'hui encore, vous tous à qui je parle, vous avez reçu une monnaie prêtée : mes paroles c'est l'argent du Seigneur. Ou si tu en doutes, écoute le Prophète : «Les paroles du Seigneur sont des paroles sincères, de l'argent éprouvé au feu, purifié sept fois de la terre[d].» Si donc j'enseigne mal, ma monnaie est de mauvais aloi comme ceux à qui l'on dit : «Votre argent est de mauvais aloi[e].» Mais si j'enseigne bien, la monnaie ou l'argent n'est pas le mien, mais c'est celui du Seigneur, et il est de bon aloi. Il m'est donc permis de prêter la monnaie du Seigneur, mais il ne m'est pas permis de prêter ma propre monnaie, car la Parole du Seigneur défend de prêter à intérêt de la monnaie humaine[f].

**Monnaie sincère
et
fausse monnaie**
Quelle est donc la monnaie humaine et quelle est celle du Seigneur? Moi, je pense que la parole de Valentin est de la monnaie humaine et de mauvais aloi, et la monnaie de Marcion et de Basilide est humaine et de mauvais aloi, et la parole de tous les hérétiques n'est pas monnaie de bon aloi, elle ne porte pas sur elle de manière véridique l'effigie du Seigneur, mais une effigie falsifiée qui, pourrait-on dire, a été frappée hors de l'hôtel de la monnaie, car elle a été faite hors de l'Église. Mais si tu as vu quelqu'un exprimant, non ses propres paroles, mais celles de Dieu, qui ose dire en vérité : «Cherchez-vous une preuve que celui qui parle en moi, c'est le Christ[g]?», sache que celui-là prête en vérité, et qu'il prête non pas son argent, mais celui du Seigneur et qu'il fait ce qui est écrit : «Tout le jour il a pitié et prête[h]», ayant un pouvoir de prêter qui lui a été donné par mon Dieu lui-même, Jésus-Christ.

Ipse est enim Dominus qui in parabola data pecunia
1348 50 dicit ad servos : *Ite, negotiamini usquequo redeam*[i]. Et ad
illum servum qui pecuniam multiplicare contempserat, dicit
quia : *Oportuit te pecuniam meam dare nummulariis et
ego veniens exigerem eam utique cum usuris*[j]. Iste est
ergo peccator qui mutuatur et non solvet : iustus autem
55 acceptam pecuniam restituet cum usuris, hoc est acceptum
Dei verbum cum operibus repraesentat.

Audis sermonem de castitate, collaudas doctorem,
amplecteris doctrinam, admiraris magisterium, per haec
suscepisti pecuniam castitatis. Et si quidem peccator es,
60 egressus ecclesiam inseris te negotiis saecularibus, excipit
te lascivia, subsequitur temulentia, corruptorum hominum
malefida colloquia, oblitus continuo omnium quae a
doctore susceperas, quae laudaveras, quae admiratus
fueras, ad impudica rursum devolveris scorta et effectus
65 peccator, qui mutuatus es verbum castitatis et non reddis
opera castitatis[k].

Similiter et si audieris verbum iustitiae in ecclesia,
egressus es foras, occurrit tibi vicinus cuius agellum concu-
pieras et continuo oblitus eorum quae dicta sunt, ut cupi-
70 ditati tuae satisfacias invadis quae aliena sunt et sic
mutuatus de iustitia pecuniae non reddis usuras, operans
gesta iustitiae. Sic ergo et de singulis quibusque **mutuatur
peccator et non solvet, iustus autem miseretur et
commodat**[l]. Non solum, inquit, fenerat iustus, hoc est
75 non solum praedicat verbum, hoc est non solum docet
imperitos, verum etiam miseratur infirmos. Sequitur enim

---

i. Lc 19, 13.   j. Matth. 25, 27.   k. Cf. Ps. 36, 21.   l. Ps. 36, 21.

---

1. Cf. *HomEx*. XIII, 1 (*SC* 321, p. 374).
2. Ailleurs Origène parle de la «monnaie du diable » : *HomEx*. VI,
9 (*SC* 321, p. 194).

Rendre l'argent et son intérêt C'est en effet le Seigneur lui-même qui, dans la parabole, dit aux serviteurs après leur avoir donné de l'argent : «Allez, faites-le valoir jusqu'à ce que je revienne[i].» Et à ce serviteur qui avait négligé de multiplier l'argent, il dit : «Il te fallait donner mon argent aux banquiers et à mon retour, je l'aurais sûrement recouvré avec les intérêts[j1].» Voilà donc le pécheur qui emprunte et ne paie pas; le juste au contraire restituera l'argent reçu avec les intérêts, c'est-à-dire présente la Parole reçue de Dieu, avec des œuvres.

Tu écoutes un sermon sur la chasteté, tu loues le docteur, tu embrasses la doctrine, tu admires l'enseignement; par là, tu as reçu l'argent de la chasteté. Si tu es pécheur, sorti de l'église, tu te mêles aux affaires du monde : des propos lascifs te surprennent, s'ensuivent l'ivrognerie, les entretiens louches avec des hommes corrompus; oubliant aussitôt tout ce que tu avais reçu du maître, ce que tu avais loué, ce que tu avais admiré, tu retournes à nouveau chez les prostituées éhontées et te voilà pécheur, toi qui as emprunté une parole de chasteté et ne rends pas des œuvres de chasteté[k].

De même encore, si tu as entendu une parole de justice à l'église; te voilà dehors, vient à ta rencontre un voisin dont tu avais convoité le petit champ; aussitôt, oubliant ce qu'on t'avait dit, pour satisfaire ta cupidité tu te jettes sur le bien d'autrui, et ainsi, ayant emprunté de la justice, tu ne rends pas les intérêts de l'argent en accomplissant des actes de justice[2]. Ainsi donc, dans chacun de ces cas, «le pécheur emprunte et ne paie pas, tandis que le juste a pitié et prête[1].» Non seulement, dit-il, le juste prête», c'est-à-dire non seulement il annonce la Parole, c'est-à-dire non seulement il enseigne les ignorants, mais

exemplum Domini dicentis : *Misericordiam malo quam sacrificium*[m].

12. **Quia qui benedicunt eum, hereditabunt terram**; **qui autem maledicunt eum, exterminabuntur**[a]. **Qui benedicunt eum**, id est qui benedicunt iustum, **hereditabunt terram**. Quam terram? Terram illam bonam,
5 terram multam hereditabunt illam fluentem lac et mel[b], ubi sunt bona illa quae vere bona sunt, illam **possidebunt qui benedicunt iustum, maledicentes vero eum exterminabuntur**[c]. Et vobis parum videtur interdum male loqui de sanctis et perleve est vobis dicere de servis
10 Dei : ille talis et talis est et ille fingit et ille saeculum diligit, ille autem impostor est. Non audis quia **qui maledicunt iustum, exterminabuntur**[c]?

Aut si hoc parum vobis videtur, audite et alibi Deum dicentem ad iustum : *Inimicus ero inimicis tuis et adver-*
15 *sabor adversariis tuis*[d]. Videtis quanti periculi sit inimicari iustis vel male loqui de sanctis. Si enim vere credimus illud quod dixit Dominus de unoquoque servorum suorum quia : *Esurivi et non dedistis mihi manducare*[e], et ea quae addit et dicit quia : *Qui uni ex minimis meis* fecit, *mihi*
20 fecit[f], consequens est ut et hoc dicat : qui maledicebatis mihi, detrahebatis de me et falsa contra me loquebamini et accusabatis me. Et si dixerimus : Domine, quando tibi
1349 malediximus, aut quando detraximus; aut quando falsa

---

m. Matth. 9, 13.
12. a. Ps. 36, 22.   b. Cf. Ex. 3, 8.17.   c. Ps. 36, 22.   d. Ex. 23, 22.   e. Matth. 25, 42.   f. Matth. 25, 40.

il a aussi pitié des faibles. Il suit en effet, l'exemple du Seigneur qui dit : «Je préfère la miséricorde au sacrifice[m].»

Mal parler des saints

12. «Car ceux qui en disent du bien hériteront de la terre; mais ceux qui en disent du mal seront exterminés[a].» «Ceux qui en disent du bien», c'est-à-dire ceux qui disent du bien du juste, «hériteront de la terre.» De quelle terre? Ils hériteront de cette bonne terre, de cette terre riche, ruisselante de lait et de miel[b], où sont ces biens qui sont vraiment des biens. Ils la posséderont «ceux qui disent du bien du juste, mais ceux qui en disent du mal seront exterminés[c]». Et à vous, cela paraît peu de chose de mal parler parfois des saints et c'est pour vous une bagatelle de dire des serviteurs de Dieu : «Celui-là est comme ceci et comme cela, celui-ci est faux et celui-là aime le siècle; quant à celui-ci c'est un imposteur!» N'entends-tu pas que «ceux qui disent du mal du juste seront exterminés[c]»?

Vous avez dit du mal de moi!

Ou bien, si cela vous semble peu de chose, écoutez encore ailleurs Dieu dire au juste : «Je serai l'ennemi de tes ennemis et l'adversaire de tes adversaires[d].» Vous voyez comme il est dangereux d'être l'ennemi du juste ou de mal parler des saints! Car si nous croyons vraiment ce qu'a dit le Seigneur à propos de chacun de ses serviteurs : «J'ai eu faim et vous ne m'avez pas donné à manger[e]», et ce qu'il ajoute : «Ce qu'on a fait à l'un des plus petits parmi les miens, c'est à moi qu'on l'a fait[f]», il est logique qu'il dise encore ceci : «Vous qui disiez du mal de moi, vous qui me critiquiez, vous qui débitiez des mensonges contre moi et qui m'accusiez.» Et si nous disons : «Seigneur, quand avons-nous dit du mal de toi, ou quand t'avons-nous cri-

contra te locuti sumus? Tunc dicet ad nos : *Amen dico*
25 *vobis, quia cum fecistis uni ex minimis, mihi fecistis*[g].

Sicut enim dantes manducare uni ex istis mihi fecistis
et dantes bibere uni ex istis mihi dedistis et sicut induentes
unum ex istis, me induistis : ita maledicentes uni ex istis,
mihi maledixistis et si benedixistis vel honorastis unum
30 ex his, mihi benedixistis et me honorastis, sicut et alibi
nihilominus dicit : *Qui vos recipit, me recipit*[h] et : *Qui vos*
spernit, me spernit[i].

Propterea ergo contineamus linguam nostram et servos
Domini admiremur et benedicamus iustos et nunquam
35 detrahamus de eis, nec aperiamus os nostrum ad male
loquendum, ne forte exterminemur, sed benedicamus, ut
et nos benedictionem consequamur per Christum
Dominum nostrum, cui est *gloria et potestas in saecula*
saeculorum[j]. Amen.

g. Matth. 25, 40.   h. Matth. 10, 40.   i. Lc 10, 16.   j. Apoc. 5, 13.

tiqué, ou quand avons-nous débité des mensonges contre toi?», alors il nous dira : «En vérité, je vous le dis : ce que vous avez fait à l'un des plus petits, c'est à moi que vous l'avez fait[g].»

«Comme, en effet, en donnant à manger à l'un de ceux-ci, c'est à moi que vous l'avez fait, et en donnant à boire à l'un de ceux-ci, c'est à moi que vous l'avez donné, et comme en revêtant l'un de ceux-ci, c'est moi que vous avez revêtu, de même en disant du mal de l'un de ceux-ci, c'est de moi que vous avez dit du mal; et si vous avez dit du bien ou honoré l'un de ceux-ci, c'est de moi que vous avez dit du bien et moi que vous avez honoré.» De même, il dit aussi ailleurs : «Qui vous reçoit me reçoit[h]»; et : «Qui vous méprise me méprise[i].»

Maîtriser sa langue Voilà pourquoi, maîtrisons notre langue, admirons les serviteurs du Seigneur, disons du bien des justes et ne les critiquons jamais; n'ouvrons pas notre bouche pour dire du mal, de peur d'être exterminés, mais disons du bien pour obtenir, nous aussi, la bénédiction, par le Christ, notre Seigneur, à qui est «gloire et puissance dans les siècles des siècles[j]». Amen.

QUATRIÈME HOMÉLIE
SUR LE PSAUME 36

PSAUME 36, versets 23 à 29

23. Le Seigneur guide les pas de l'homme,
    et il désirera sa Route.
24. Quand il tombera, il ne sera pas troublé,
    car le Seigneur soutient sa main.
25. Je fus jeune et j'ai vieilli, et je n'ai pas vu de juste
    délaissé,
    ni sa descendance en quête de pain.
26. Tout le jour il a pitié et prête,
    et sa descendance sera en bénédiction.
27. Détourne-toi du mal, fais le bien,
    et habite dans les siècles des siècles.
28. Car le Seigneur aime le jugement,
    et ne délaisse pas ses saints ; ils seront gardés pour
    toujours.
    Les injustes seront châtiés et la descendance des
    impies périra.
29. Mais les justes hériteront la terre
    et habiteront en elle pour les siècles des siècles.

ORIGENIS HOMILIA QUARTA
IN PSALMUM XXXVI

1. A Domino – inquit – **gressus hominis diriguntur**[a].
Et alibi in hoc ipso psalmo dicit de gressibus iusti hoc
modo : *Lex Dei eius in corde eius et non supplantabuntur
gressus eius*[b]. Sed et in septuagesimo secundo psalmo
5 dicitur : *Paulominus effusi sunt gressus mei*[c]. Gressus ergo
a gradiendo nominamus, secundum illud quod in Exodo
scriptum est, quod Moyses vidit flammam ignis et angelum,
cum rubus arderet quidem, sed non combureretur et dixit :
Digrediens – sive transiens – *videbo visionem magnam
10 hanc*[d]. Ex hoc ergo loco occasio nobis datur intellegentiae
eorum quae habemus in manibus.

Igitur de his quae in Exodo scripta memoravimus, id
est, *digrediens videbo visionem istam magnam*[e], audivi
quendam de sapientibus ante nos dicentem, cum expla-
15 naret hunc locum, quia non est possibile prius videre
visum magnum, id est intueri atque perspicere magna
mysteria stanti in conversatione et actibus mundi huius :
sed transire oportet prius ab his et transcendere omnia

---

1. a. Ps. 36, 23.   b. Ps. 36, 31.   c. Ps. 72, 2.   d. Cf. Ex. 3, 2-3.
e. Ex. 3, 3.

---

1. Dans ce chapitre sont employés des mots de même racine : *gressus,*
gradior, digredior que nous nous efforçons de rendre par des mots

QUATRIÈME HOMÉLIE
SUR LE PSAUME 36

Introduction

1. « Le Seigneur guide les pas de l'homme[a] », dit le prophète. Et ailleurs, dans ce même psaume, il parle ainsi des pas du juste : « La loi de son Dieu est dans son cœur et ses pas ne chancelleront pas[b]. » De plus, dans le psaume soixante-douze, il est dit : « Mes pas se sont presque égarés[c] ! » Nous appelons donc « pas » le mot qui vient de « passer[1] », selon ce qui est écrit dans l'Exode : Moïse vit une flamme de feu et un ange, alors qu'un buisson brûlait sans être consumé, et il dit : « Passant par là, – ou allant au-delà –, je verrai cette grande vision[d]. » Par cet épisode, nous est donc donnée l'occasion de comprendre ce texte que nous avons en main.

La vision de l'Exode

Donc, à propos de ces mots écrits dans l'Exode que nous avons rappelés : « Passant par là je verrai cette grande vision[e] », j'ai entendu quelqu'un des sages dire avant nous, quand il expliquait ce passage, qu'il n'est pas possible de voir de prime abord une grande vision, c'est-à-dire de contempler et de pénétrer de grands mystères, si l'on reste dans la manière de vivre et d'agir de ce monde. Mais il faut d'abord aller au-delà de ceci,

français ayant également une racine semblable ; mais ce n'est pas toujours possible.

saecularia et sensum nostrum ac mentem liberam fieri, et
20 tunc ad magnarum et spiritalium rerum intuitum pervenire,
et ita demum visum magnum videre. Hunc quidem ille
explanans locum quae supra memoravimus enarrabat. Nos
vero quibus studium est secundum Scripturae monita verba
sapientium laudare et addere ad ea[f], possumus ad haec
25 quae ille dixit tale aliquid addere.

Unusquisque qui iter agit ad virtutem, proficit in ambu-
lando, ut paulatim per multos profectus itineris perveniat
ad eam. Iter ergo agens et velut quibusdam passibus gra-
diens digreditur semper, et transit ea quae explicuit ac
30 posteriora omittens ad ea quae priora sunt se extendit[g].
Digrediens ergo transit primum locum malitiae et inde
1350 proficiens passibus et ingressibus transit alias peccatorum
sudes, tum deinde scrupeas nequitiae cautes, et lubrica
ac praerupta vitiorum. Cum vero haec etiam evaserit,
35 semper ad ea quae in antea sunt se extendens, minus
restat malitiae et omne quod proficit viae, si tamen in
incedendo cautius gressus suos observaverit ne labatur,
ut, singula quaeque digrediens malitiae loca ita ut non
offendat pedem suum in ea[h], secundum hoc quod in
40 Exodo scriptum est, videre possit visionem magnam[i].
Nemo enim adhuc qui in malitia est nec digreditur eam
et transit, poterit visionem istam magnam secretorum Dei,
scientiae scilicet et sapientiae[j], contueri. Magna ergo est
visio, cum puro corde Deus videtur[k]. Magna est visio
45 cum puro corde verbum Dei et sapientia Dei qui est

---

f. Cf. Prov. 1, 5-6 ; 9, 9.   g. Cf. Phil. 3, 13.   h. Cf. Ps. 90, 12.
i. Cf. Ex. 3, 3.   j. Cf. Col. 2, 3.   k. Cf. Matth. 5, 8.

---

1. S'agit-il de Clément d'Alexandrie? Celui-ci esquisse la nécessité
d'une purification : «Le prophète Isaïe a la langue purifiée par le feu,
afin de pouvoir raconter sa vision. Pour nous, nous devons purifier
non seulement notre langue, mais aussi nos oreilles, si nous voulons
participer à la Vérité», *Strom.* I, 12, 55 (*SC* 30, p. 88).

s'élever au-dessus de toutes les choses profanes, libérer notre pensée et notre intelligence, et parvenir alors à la vue des réalités grandes et spirituelles, et ainsi seulement voir une grande vision. Voilà ce que cet homme nous expliquait quand il commentait le passage mentionné plus haut[1]. Quant à nous qui, selon les avis de l'Écriture, avons à cœur de louer les dits des sages et d'y ajouter[f], nous pouvons ajouter quelque chose à ce qu'a dit un tel homme.

Les dépassements continuels   Celui qui fait route vers la vertu progresse en marchant pour y parvenir peu à peu, par les nombreux progrès de son cheminement. Faisant donc route et marchant comme avec des pas, il dépasse toujours et va au-delà de ce qu'il a expliqué et, laissant ce qui est derrière lui, il se porte vers ce qui est en avant[g].

Passant donc il va d'abord au-delà du lieu de la méchanceté, et de là s'avançant par des pas et des marches, il dépasse les autres pointes du péché, puis les rochers escarpés de la perversité et ceux, glissants et à pic, des vices. Or quand il a franchi tout cela, «se portant toujours vers ce qui est en avant», il ne lui reste guère de méchanceté, mais tout ce qui favorise sa route, si du moins, en avançant, il a veillé très prudemment sur ses pas pour ne pas tomber, de sorte que, dépassant un à un tout lieu de méchanceté, «de peur que son pied ne s'y heurte[h]», il puisse voir «une grande vision», comme il est écrit dans l'Exode[i]. Personne en effet, qui reste encore dans la méchanceté et ne la dépasse pas et ne va pas au-delà, ne pourra regarder cette grande vision des secrets de Dieu, c'est-à-dire de sa science et de sa sagesse[j]. C'est donc une grande vision quand, d'un cœur pur, on voit Dieu[k]. C'est une grande vision quand, d'un cœur pur, on reconnaît la Parole de Dieu et la Sagesse

Christus eius[l] agnoscitur. Magna visio est agnoscere et credere in Spiritum sanctum. Magna ergo haec visio scientia Trinitatis est.

Verumtamen etiam Moyses tunc videbat in Exodo visum
50 magnum, et angelus dicitur qui videbatur in rubo in igne[m] et magnam eam visionem[n] appellat. Intellegebat enim quis esset in angelo. Continuo denique dicit ad eum : *Ego sum* – inquit – *Deus Abraham et Deus Isaac et Deus Iacob*[o]. Vide ergo quam magna sit visio haec, quamvis et hoc
55 ipsum sit magnum scire quod Deus *facit angelos suos spiritus et ministros suos ignem urentem*[p]. Et nunc quidem Moysi adhuc pascenti pecora Iethro soceri sui[q] et digredienti vel transeunti ab his, magna est visio haec, in qua ei angelus dicitur apparere[r]. Si autem etiam mare Rubrum
60 transierit et columna eum nubis obtexerit[s] et futuri adoraverit sacramenta[t], tunc etiam maiorem visionem poterit videre. Ingredietur enim caliginem et turbinem, ubi esse ipse dicitur Deus[u], ubi scriptum est quia Moyses solus accedebat ad Deum, ceteri autem a longe stabant[v].

65 Et in tantum per istas magnas Moyses proficit visiones, ut diceret ad Deum : *Si inveni* – inquit – *gratiam coram te, manifesta mihi teipsum ut evidenter videam te*[w]. Et tunc audit a Deo quia : *Ponam te in foramine petrae*[x] – *petra autem erat Christus*[y] – ut per foramen brevissimum

---

l. Cf. I Cor. 1, 24.   m. Cf. Ex. 3, 2.   n. Cf. Ex. 3, 3.   o. Ex. 3, 6.   p. Ps. 103, 4.   q. Cf. Ex. 3, 1.   r. Cf. Ex. 3, 2.   s. Cf. Ex. 14, 20.   t. Cf. I Cor. 10, 3-11.   u. Cf. Ex. 19, 16 s.   v. Cf. Ex. 20, 21.   w. Ex. 33, 13.   x. Ex. 33, 22.   y. I Cor. 10, 4.

---

1. Origène insiste fréquemment sur le fait que toute connaissance de Dieu est révélation, donc que Dieu a toujours l'initiative, même quand il s'agit de cette connaissance première que nous tirons du fait d'avoir été créés à l'image de Dieu. Mais la connaissance, selon Origène, est la rencontre de deux libertés : celle de Dieu, comme on vient de le dire ; celle de l'homme qui se manifeste par la purification et l'ascèse.

de Dieu qui est son Christ[1]. C'est une grande vision de reconnaître et de croire en l'Esprit-Saint. Grande est donc cette vision : la science de la Trinité[1].

Les visions de Moïse   Mais pourtant Moïse aussi voyait alors dans l'Exode une grande vision, et ce qu'il voyait dans le buisson en feu était un Ange[m], et il appelle cela une grande vision[n]. Il comprenait, en effet, qui était dans l'Ange. Aussitôt, en effet, (l'Ange) lui dit : « Moi, je suis le Dieu d'Abraham, le Dieu d'Isaac et le Dieu de Jacob[o]. » Vois donc comme est grande cette vision, bien que cela soit grand aussi de savoir que « Dieu fait ses anges des vents et ses serviteurs du feu brûlant[p] ». Et maintenant, certes, pour Moïse qui mène encore paître les troupeaux de Jéthro, son beau-père[q], et qui dépasse cet endroit et va au-delà, c'est une grande vision que celle où un Ange est dit lui apparaître[r]. Mais quand il aura encore traversé la Mer Rouge, que la colonne de nuée l'aura recouvert[s] et qu'il aura adoré les signes des mystères à venir[t2], alors il pourra voir encore une plus grande vision. Il entrera en effet dans la ténèbre et la tempête où l'on dit qu'est Dieu lui-même[u], quand il est écrit que Moïse seul s'approchait de Dieu, tandis que les autres se tenaient à distance[v].

Et par ces grandes visions, Moïse progressa au point qu'il disait à Dieu : « Si j'ai trouvé grâce devant toi, manifeste-toi à moi en personne pour que je te voie clairement[w]. » Alors il entend de Dieu : « Je te mettrai dans la fente du rocher[x] » – « or le Rocher était le Christ[y] » –

---

2. Les symboles (*sacramenta*) sont ce qui représente sur terre les réalités divines (Cf. H. Crouzel, *Origène et la connaissance mystique*, p. 226). Sur ce thème de la traversée de la Mer Rouge, comme figure du baptême, voir : J. Daniélou, *Sacramentum futuri*, Paris 1950, p. 152 s.

70 *videas posteriora mea,* hoc est, ut ea quae in novissimis
temporibus implebuntur per assumptionem carnis,
agnoscas : *Faciem autem meam videre non poteris*[z].

Sed digressi quamplurimas visiones, redeamus nunc ad
hoc quod proposuimus de psalmo, quia **a Domino –**
75 inquit – **gressus hominis diriguntur**[aa]. Supra exposuimus
quomodo iter quis ingreditur ad virtutem : quoniam qui
iter agit ad virtutem, multa sunt quae digredi debeat et
transire. Ergo et tu qui ad Christum tendis, qui est Dei
virtus[ab], digredere luxuriam, scorta, adulteria, digredere
80 furta, falsa testimonia, tum deinde digredere et avaritiam
et omnem pecuniae ceterarumque malarum rerum concu-
piscentiam, digredere iracundiam, digredere invidiam per
quam primum terra humanum sanguinem bibit[ac], digredere
mendacium, digredere tristitiam saeculi. Nisi haec omnia
85 digressus fueris, visionem illam magnam Domini videre
non poteris.

1351   Sunt ergo quidam in nobis gressus et pedes, quibus
iter hoc agimus, sunt gressus interioris hominis quibus
ambulare possumus per illam viam quae dicit : *Ego sum
90 via, veritas et vita*[ad]. Hoc ergo iter agentibus multis gressibus utendum est nobis ut illa omnia quae supra diximus

---

z. Ex. 33, 23.   aa. Ps. 36, 23.   ab. Cf. I Cor. 1, 24.   ac. Cf.
Gen. 4, 11.   ad. Jn 14, 6.

1. «Quelle est la fente du Rocher? Si tu considères l'avènement de
Jésus en pensant qu'il est tout entier Rocher, tu comprendras la fente
en fonction de son avènement, fente par laquelle on constate ce qui
est après Dieu, car tel est le sens de ces mots : Tu verras ce qui est
derrière moi», *HomJér.* XVI 2-4 (*SC* 238, p. 136-8). Même exégèse :
ComCant. IV, 2, 12 (*SC* 376, p. 704); *PArch.* II, 4, 3 (*SC* 252, p. 286).
Le thème apparaît déjà chez Irénée, *AdvHaer.* IV, 20, 9 (*SC* 100, p. 654)
et se continuera chez Grégoire de Nysse, *Vie de Moïse* II, 244-248 (*SC* 1,
p. 274-276).
2. Par son contenu et son rythme, ce passage annonce la *Vie de
Moïse* et les *Homélies sur le Cantique* de Grégoire de Nysse. C'est un

pour que par une toute petite fente, «tu voies ce qui vient à ma suite», c'est-à-dire pour que tu reconnaisses ce qui s'accomplira dans les derniers temps par l'assomption de la chair[1]; «quant à mon visage, tu ne pourras le voir[z][2]!»

Toi qui tends vers le Christ Mais quittant de très nombreuses visions, revenons maintenant à ce que nous avons exposé du psaume : «Le Seigneur guide les pas de l'homme[aa].» Nous avons expliqué plus haut comment on s'avance dans le chemin vers la vertu : car celui qui fait route vers la vertu doit dépasser bien des choses et aller au-delà. Donc toi aussi qui tends vers le Christ qui est la Vertu de Dieu[ab][3], dépasse la luxure, les courtisanes, les adultères, dépasse les vols, les faux témoignages; ensuite dépasse aussi l'avarice et toute convoitise de richesses et autres choses mauvaises; dépasse l'emportement, dépasse l'envie par qui la terre but pour la première fois le sang humain[ac], dépasse le mensonge, dépasse la tristesse du monde! Si tu n'as pas dépassé tout cela, tu ne pourras voir cette grande vision du Seigneur.

Dirigé par le Seigneur Il y a donc en nous certains pas et pieds par lesquels nous faisons ce chemin : ce sont les pas de l'homme intérieur[4] qui nous permettent de marcher sur cette Route qui dit : «Je suis la Route, la Vérité et la Vie[ad][5].» Marchant donc sur ce chemin, il nous faut faire de nombreux pas

reflet bien pâle de ce texte que l'on retrouve chez AMBROISE, *EnPs.* 36, 47 (*PL* 14, 990 B).
   3. Cf. *infra*, 36 V, 6, l. 10-13, et note 2 (p. 246-247).
   4. Sur l'«homme intérieur», voir 36 I, 4, l. 2-5, et note 1 (p. 74-75).
   5. «Pour moi, par Route, j'entends Celui qui a dit : Je suis la Route, la Vérité, la Vie » : *HomEx.* III, 3 (*SC* 321, p. 100).

transeamus, quia **gressus hominis a Domino diriguntur**[ae].

Non sufficit homini volenti istud iter incedere sola pro-
95 positi sui voluntas, nisi et Dominus direxerit gressus eius,
quia frequenter accidit iter agentibus ut ambulent quidem,
iter tamen rectum tenere non possint, sed decidant in
aliquos errores : ut illi qui in philosophiae eruditione ver-
santur, videntur quidem iter virtutis incedere, sed quia a
100 Domino non diriguntur gressus eorum, non tenent iter
rectum. Sed et haeretici nihilominus ingrediuntur etiam
ipsi iter, sed cum Scripturas carnaliter, non spiritaliter
intellegunt, declinant in sinistram. Si vero spiritaliter intel-
legant, in ipso autem spiritali intellectu apostolicae non
105 teneant regulam veritatis, decidunt nihilominus et ipsi ad
dexteram, diabolo, ut ita dixerim, gressus eorum non diri-
gente, sed detorquente a via recta.

Nos ergo *neque ad dexteram neque ad sinistram decli-
nantes*[af] ingrediamur mediam viam quae est Christus
110 Dominus, quia in ipso ambulantium gressus Dominus
dirigit. **A Domino** – ergo – **gressus hominis dirigentur
et viam eius cupiet**[ag], illam scilicet viam de qua supra
diximus. Cupiet enim qui a Deo dirigitur Christum et
desiderabit permanere semper in Christo.

2. Cum ceciderit – inquit – **non conturbabitur**[a].
Superius dicens quia **a Domino diriguntur gressus**[b] eius,

---

ae. Ps. 36, 23.   af. Nombr. 20, 17.   ag. Ps. 36, 23.
2. a. Ps. 36, 24.   b. Ps. 36, 23.

---

1. Ce texte nous montre qu'on ne peut accuser Origène de pélagianisme avant la lettre. Si son œuvre est étudiée en entier, elle échappe
au pélagianisme, et aussi au semi-pélagianisme ; et cela non seulement
par les traductions latines, mais aussi par des passages des grands commentaires conservés en grec, comme : *ComJn* VI, 36 (20) 180 (*SC* 157,
p. 264), ou encore considéré dans son ensemble : *PArch.* III, 1 (*SC* 268,
p. 16-150), le traité du libre arbitre conservé en grec par la Philocalie.

pour dépasser tout ce dont nous avons parlé plus haut,
car «le Seigneur guide les pas de l'homme[ae]».

Elle ne suffit pas à l'homme qui veut marcher sur ce
chemin, la seule volonté de son propos, si le Seigneur aussi
n'a pas dirigé ses pas. Car souvent il arrive à ceux qui
voyagent, de marcher certes, sans pourtant pouvoir garder
un droit chemin. Ils tombent en quelques errements : comme
ceux qui s'appliquent à connaître la philosophie paraissent,
il est vrai, s'avancer sur le chemin de la vertu, mais parce
que leurs pas ne sont point dirigés par le Seigneur, ils ne
gardent pas un droit chemin[1]. De plus, les hérétiques
pareillement s'engagent eux aussi sur un chemin; mais
quand ils comprennent les Écritures de façon charnelle et
non pas spirituelle, ils dévient à gauche. Si cependant ils
les comprennent de façon spirituelle, mais si dans cette
intelligence spirituelle elle-même, ils ne gardent pas la Règle
de vérité apostolique, ils tombent pareillement eux aussi,
vers la droite. Car le diable, pour parler ainsi, ne dirige
pas leurs pas, mais les détourne de la voie juste.

Nous donc, «ne déviant ni à droite ni à gauche[af]», marchons sur la Route du milieu qui est le Christ Seigneur,
car le Seigneur dirige les pas de ceux qui marchent en lui.
«Le Seigneur dirigera donc les pas de l'homme, et il désirera
sa Route[ag]», à savoir cette Route dont nous avons parlé
plus haut. Car il désirera le Christ, celui qui est dirigé par
Dieu, et il aura envie de demeurer toujours dans le Christ.

**La chute
du juste**
2. «Quand il tombera, dit le prophète, il ne sera pas troublé[a].»
Disant plus haut que «le Seigneur
guide ses pas[b]», il parle ici de sa chute. Vois donc,

Certes, des textes isolés de l'ensemble pourraient faire craindre du pélagianisme ou du semi-pélagianisme, mais un auteur doit être jugé sur
l'ensemble de son œuvre, surtout quand il s'agit de questions qui n'ont
pas encore été posées nettement à l'Église par une hérésie.

hic de casu eius loquitur. Vide ergo quia etiam his qui
iter hoc incedunt aliquando accidat cadere, etiam his qui
5 a Domino diriguntur, sed est multa differentia inter casum
iusti et casum iniusti.

Iustus, inquit, cum ceciderit non prosternitur : iniustus
et qui spem non habet in Deo positam, si ceciderit, prosternitur et non surgit : id est, si peccaverit, non paenitet
10 et peccatum suum emendare nescit. Iustus autem etiam
si in aliquo offenderit, si in verbo – apostolus enim est
qui dicit : *In multis enim offendimus omnes et si quis in
verbo non offendit, hic perfectus est vir*[c] – offendit ergo
et iustus in verbo, fortassis autem aliquando etiam in
15 facto, sed scit emendare, scit corrigere. Scit ille qui dixerat :
Nescio hominem[d], paulo post cum respectus fuisset a
Domino, flere amarissime[e]. Scit et ille qui de tecto
mulierem viderat et concupierat eam[f] dicere : *Peccavi,
quia tibi soli peccavi et malum coram te feci*[g]. Si ergo
20 cum ceciderit iustus non prosternitur, non permanebit in
peccato, sed exsiliet cito, tamquam damula ex retibus[h],
et tamquam avis de laqueo. Iniustus autem non solum
permanet, sed et prosternitur in peccatis.

Iustus autem quid facit? *Lex Dei eius in corde ipsius et*
1352 25 *non supplantabuntur gressus eius*[i]. Ibi dixit quia : **diriguntur gressus hominis a Domino**[j], hic quia : **non
supplantabuntur gressus** iusti, quia **Dominus** – inquit
– **confirmat manus eius**[k]. In alio psalmo, id est in septuagesimo secundo, dicit : *Mei autem pene moti sunt*
30 *pedes*[l]. Quod id ipsum mihi videtur intellegendum similiter. Proficientes etenim ad virtutem velut ascensu
quodam nitimur, in quo ascensu si quis labatur et decidat,

---

c. Jac. 3, 2.   d. Matth. 26, 72.   e. Cf. Matth. 26, 75.   f. Cf. II
Sam. 11, 24.   g. Ps. 50, 6.   h. Cf. Ps. 123, 7.   i. Ps. 36, 31.   j.
Ps. 36, 23.   k. Ps. 36, 24.   l. Ps. 72, 2.

même à ceux qui s'engagent sur ce chemin, il arrive parfois de tomber, même à ceux que dirige le Seigneur; mais il y a une grande différence entre la chute du juste et la chute de l'injuste.

Le juste, dit-il, quand il est tombé, ne reste pas à terre; l'injuste et celui qui ne place pas son espérance en Dieu, s'il est tombé reste à terre et ne se relève pas, c'est-à-dire s'il a péché, il ne se repent pas et ne sait se corriger de son péché. Le juste au contraire, a pu tomber en quelque point, en parole par exemple, car c'est un apôtre qui dit : «En bien des points nous tombons tous, et si quelqu'un ne tombe pas en parole, celui-là est un homme parfait[c].» Il tombe donc aussi le juste en parole, mais peut-être parfois en acte également; toutefois il sait se corriger, il sait se redresser. Celui qui avait dit : «Je ne connais pas l'homme[d]!», peu après, quand le Seigneur l'eut regardé, sait pleurer amèrement[e]. Celui aussi qui, depuis sa terrasse, avait vu une femme et l'avait convoitée[f], sait dire : «J'ai péché; devant toi seul j'ai péché et ce qui est mal à tes yeux, je l'ai fait[g].» Si donc, une fois tombé, le juste ne reste pas à terre, il ne demeurera pas dans le péché, mais s'en échappera aussitôt comme le jeune daim des pièges et comme l'oiseau du filet[h]. L'injuste, au contraire, non seulement demeure dans ses péchés, mais il gît à terre sous eux.

Mais le juste, que fait-il? «La loi de son Dieu est dans son cœur et ses pas ne trébucheront point[i].» Là il a dit : «Les pas de l'homme sont dirigés par le Seigneur[j]»; ici : «Les pas du juste ne trébucheront point, car le Seigneur fortifie sa main[k].» Dans un autre psaume, le psaume soixante-douze, il dit : «Pour un peu, mes pieds glissaient[l]!» Cela même me semble être à comprendre de la même façon. Progressant en effet vers la vertu, nous faisons des efforts comme dans une montée : dans cette montée, si quelqu'un trébuche et tombe, il perd le progrès

ascensionis suae perdit profectum. Istius ergo effusi sunt gressus.

35 Hoc autem fit, cum quis post profectum retrorsum fuerit conversus : sicut accidit et uxori Lot, quae ingrediebatur bene egrediens de Sodomis et effugiens poenas malorum ingrediebatur et ascendebat ad montem quo angelo duce pergebat, sed quoniam contra mandatum Dei fecit, quod
40 iussa fuerat non respicere retrorsum neque stare in omni regione illa[m], sed ad montem ascendere atque ibi salvari, cum conversa ad posteriora retrorsum respexit, ibi effusi sunt gressus eius et perdidit omne quod fuerat ante digressa; permansit perfecta statuuncula salis[n]. Hoc est
45 quod Dominus in Evangelio dicit : *Nemo mittens manum suam ad aratrum et retro respiciens aptus est regno Dei*[o].
    Vis tibi ostendam et alios quorum effusi sunt gressus? Recordare illos qui transierunt per mare Rubrum tamquam per aridam[p] et peccantes in deserto ceciderunt et ibi
50 effusi sunt gressus eorum. Sed et nunc si quando accidat aliquem vixisse in continentia tribus aut quattuor annis et eo amplius, alium in verbi et doctrinae studio et sapientiae laboribus operam dedisse; tunc deinde si victus fuerit hic et ad carnis luxuriam transeat, vel ad alia peccata
55 declinet, aut ad vitam transferat saeculi vel ad negotia se ac lucra corruptibilis vitae convertat, non dubites de eo dicere quia effusi sunt gressus eius.
    Nos ergo deprecemur Dominum ut dirigat gressus nostros et custodiat vias nostras, uti ne supplantentur

---

m. Cf. Gen. 19, 17.   n. Cf. Gen. 19, 26.   o. Lc 9, 62.   p. Cf. Ex 14, 15 s.

---

1. La mémoire d'Origène est ici en défaut : dans le texte de *Gen.* 19, 17-22, l'ordre de se sauver sur la montagne est effectivement donné à Lot, mais celui-ci demande comme grâce de se réfugier dans une ville plus proche.

de son ascension. Les pas de cet homme ont donc bronché.

Ceux dont les pas ont bronché Or cela arrive lorsque quelqu'un, après un progrès, s'est retourné en arrière ; comme il advint à la femme de Lot qui marchait d'un bon pas, sortant de Sodome ; fuyant les peines infligées aux méchants, elle marchait et gravissait la montagne où elle allait sous la conduite de l'ange[1]. Mais parce qu'elle agit à l'encontre du commandement de Dieu qui lui avait ordonné de ne pas regarder en arrière ni de s'arrêter dans toute cette région[m], mais de monter sur la montagne pour être sauvée, quand s'étant retournée elle regarda en arrière, alors ses pas bronchèrent, et elle perdit tout ce qu'elle avait été avant son écart : elle resta pour toujours parfaite statuette de sel[n]. C'est ce que le Seigneur dit dans l'Évangile : « Quiconque met la main à la charrue et regarde en arrière, n'est pas apte au Royaume de Dieu[o]. »

Veux-tu que je t'en montre d'autres encore dont les pas ont bronché ? Rappelle-toi ceux qui passèrent à travers la Mer Rouge comme sur une terre sèche[p] et qui, péchant, tombèrent dans le désert ; là, leurs pas ont bronché. De plus, aujourd'hui, il peut arriver à quelqu'un de vivre dans la continence trois ou quatre ans et davantage encore, à un autre de s'adonner à l'étude de la parole et de la doctrine et aux labeurs de la sagesse ; puis, si celui-ci est vaincu et passe à la luxure de la chair ou dévie vers d'autres péchés, ou bien s'installe dans une vie mondaine et se tourne vers les affaires et les gains de cette vie corruptible, n'hésite pas à dire de lui que ses pas ont bronché.

Nous donc, prions le Seigneur de diriger nos pas et de garder nos chemins pour que nos pas ne trébuchent

60 gressus nostri, ut in via quam incedimus, hoc est in
Christo Domino nostro[q], quasi supra petram stabilem ves-
tigia nostra firmentur, ne quoquo modo supplantari possimus; per illum scilicet cuius nos caput observamus et
ille nostrum observat calcaneum[r], cui utique numquam
65 nos oportet plantam nudam praebere, sed semper
debemus esse *calciati pedes in praeparatione Evangelii
pacis*[s], ut, si venerit diabolus supplantator et invenerit
pedes nostros munitos et supra petram stantes, inde nos
supplantare non valeat.

70 Quamvis enim paulo ante dixerimus posse etiam casum
aliquem et lapsum accidere his qui virtutis viam sequuntur,
tamen observandum est, quia ibi ubi dixit : **Cum ceciderit, non prosternitur** [t], superius non tam de iusto
quam de homine puro proposuerat. Ait enim : **A Domino
75 gressus hominis dirigentur et viam eius cupiet, cum
ceciderit non prosternitur**[t]. In quo ostenditur esse
aliquos casus qui tamen non continuo indicent esse victum
et prostratum eum qui ceciderit. Sicut enim in agone fieri
solet, ut duobus inter se luctantibus accidat primo quidem
80 cadere unum et, cum ceciderit, surgat et vincat : ita etiam
in nostro agone, qui est nobis adversum principem huius
mundi[u], si forte acciderit aliquem de nobis vinci et in
aliquo peccato cadere, possibile est ut post peccatum resi-
piscat aliquis et exsurgat et perhorrescat malum quod
85 admisit et de cetero non solum contineat se, verum etiam
satisfaciat Deo, lavans per singulas noctes lectum suum
et lacrimis rigans stratum suum[v], accipiens fiduciam pro-

1353

---

q. Cf. Jn 14, 6.   r. Cf. Gen. 3, 15.   s. Éphés. 6, 15.   t. Ps. 36,
23-24.   u. Cf. Jn 12, 31.   v. Cf. Ps. 6, 7.

---

1. Cf. *supra*, 36 IV, 1, l. 87-114.

point; pour que sur cette Route où nous marchons, c'est-à-dire le Christ notre Seigneur[q1], nos pas soient assurés comme sur un roc solide, pour qu'en aucune façon nous ne puissions trébucher, bien entendu par la faute de celui dont nous guettons la tête, et qui guette notre talon[r], lui à qui assurément il ne faut jamais offrir nue la plante de notre pied, mais toujours garder « les pieds chaussés, préparés pour annoncer l'Évangile de la paix[s] », pour que si vient le diable qui fait trébucher, et qu'il trouve nos pieds protégés et debout sur le Roc, de là, il ne puisse nous faire trébucher.

Se relever   Car, bien qu'un peu auparavant, nous ayons dit qu'il est possible qu'arrive quelque chute et quelque faute, même à ceux qui suivent le chemin de la vertu, cependant il faut remarquer que là où le prophète a dit : « Quand il tombera, il ne restera pas à terre[t] », il avait parlé plus haut non pas tant du juste que de l'homme en général. Il dit en effet : « Le Seigneur dirige les pas de l'homme, et il désirera sa route, quand il tombera, il ne restera pas à terre[t]. » On montre par là qu'il y a des chutes qui pourtant n'indiquent pas immédiatement que soit vaincu et que reste à terre celui qui est tombé. En effet, comme il arrive d'habitude dans une lutte que de deux hommes qui s'affrontent, l'un tombe d'abord et, une fois tombé, se relève et soit vainqueur, de même aussi dans notre lutte, celle que nous livrons contre le prince de ce monde[u], si d'aventure il arrive à l'un d'entre nous d'être vaincu et de tomber dans quelque péché, il est possible qu'après le péché, il se repente et se relève, et prenne en horreur le mal qu'il a commis, et dans la suite, non seulement se maîtrise, mais en fasse encore réparation à Dieu, baignant chaque nuit sa couche, et de ses larmes arrosant son lit[v], faisant sienne la confiance qu'autorise

pheticae auctoritatis qua dicitur : *Numquid qui cadit non
adiciet ut resurgat? Aut qui aversus est, non convertetur?*
90 *Vae his qui aversi sunt aversione impudenti, dicit Dominus*[w]. Et iste est qui cadere quidem potuit, prosterni
vero non potuit.

Si autem videris aliquem cecidisse in aliquod peccatum,
et post casum desperantem conversionem et dicentem :
95 iam quomodo possum ego salvus fieri qui cecidi? Iam
nulla spes est, peccata mea me colligant, quomodo audere
possum accedere ad Dominum? Quomodo ad ecclesiam
redire? Et si hac desperatione iste talis recedat etiam a
Deo, hic non solum cecidit, sed in casu suo prostratus
100 atque demersus est.

Et est quidem optabile ut athleta pietatis ac virtutis
maneat semper immobilis ut ne unam quidem luctam, ut
ita dicam, perdat, ne semel inclinetur aut supplantetur.
Quod si fieri non potest, sed evenerit eum cadere, non
105 iaceat post casum, ne prosternatur, sed exsurgat et
emendet culpam, expurget paenitentiae suae satisfactione
commissum, ne etiam de ipso apostolus dicat : *Et lugeam
multos ex his qui ante peccaverunt et non egerunt paenitentiam de immunditia et fornicatione et impudicitia*
110 *quam gesserunt*[x]. Quare etiam apostolus exempla palaes-
trici agonis assumpsit cum dicit : *Nemo coronatur nisi qui
legitime certaverit*[y], nisi quia nos scire volebat legis certamina et agones? Qui et de seipso ait : *Sic pugno, non
quasi aerem verberans*[z]. Et iterum : *Certamen bonum
115 certavi*[aa].

Quia ergo certamen nobis est et agon propositus, etiam

w. Jér. 8, 4-5.   x. II Cor. 12, 21.   y. II Tim. 2, 5.   z. I Cor. 9,
26.   aa. II Tim. 4, 7.

le prophète par ces mots : «Celui qui tombe ne sera-t-il pas aidé à se relever? Ou celui qui s'est détourné ne se retournera-t-il pas? Malheur à ceux qui se sont détournés par un détournement éhonté, dit le Seigneur[w]!» Et voilà l'homme qui, certes, a pu tomber, mais n'a pu rester à terre!

Mais si tu as vu quelqu'un tombé en quelque péché, après sa chute désespérer de sa conversion et dire : «A présent, comment pourrais-je être sauvé, moi qui suis tombé! A présent, plus d'espoir, mes péchés m'enchaînent, comment pourrais-je oser m'approcher du Seigneur? Comment revenir à l'Église?»; et si par ce désespoir, un tel homme s'éloigne même de Dieu, celui-là n'est pas seulement tombé, mais il s'est écrasé dans sa chute, et il est submergé!

Le combat des chrétiens Il est certes souhaitable que l'athlète de la piété et de la vertu demeure toujours inébranlable, qu'il ne perde même pas une seule lutte, si l'on peut dire, que pas une fois il ne plie ou ne trébuche. Si cela ne peut se faire, mais s'il lui arrivait de tomber, qu'il ne reste pas étendu après sa chute, qu'il ne reste pas à terre, mais qu'il se relève et corrige sa faute, qu'il nettoie ce qu'il a fait par la satisfaction de sa pénitence, de peur que l'Apôtre ne dise aussi de lui-même : «... Et que je pleure sur plusieurs de ceux qui ont péché précédemment et n'ont pas fait pénitence pour leurs actes d'impureté, de fornication et d'impudicité[x]!» Pourquoi l'Apôtre a-t-il encore pris les exemples de la lutte de la palestre quand il dit : «Personne n'est couronné s'il n'a pas lutté selon les règles[y]», s'il ne voulait nous apprendre les combats et les luttes de la Loi? Il dit aussi de lui-même : «Je fais du pugilat, non comme si je cognais dans l'air[z]», et ailleurs : «J'ai combattu le bon combat[aa].»

Donc, puisqu'il nous est proposé un combat et une

legis agonem nosse debemus. Sunt athletae qui in omnibus
certaminibus vincunt et in omnibus coronantur. Inter
πᾶιδας vincunt, inter ἀγενείους vincunt, inter ἄνδρας
120 vincunt. Alii vincuntur inter ἄνδρας, sed coronantur inter
ἀγενείους, nonnumquam etiam inter ἄνδρας vincunt. Ergo
aliquanti semper, aliquanti secundo vel tertio coronantur.
Certe miserum est et ultimae infelicitatis, in omnibus ago-
nibus tam variis tamque diversis, ne unam quidem pro-
125 mereri coronam. Ita ergo et Christianus, cui *certamen est*
non adversus carnem et sanguinem, sed adversus princi-
patus et potestates et adversus mundi huius rectores tene-
brarum harum, adversus spiritalia nequitiae in caeles-
tibus[ab], cum tantos habeat et tales adversarios, tamquam
1354 130 agonista vigilare debet, si fieri potest, ut semper vincat
quotiescumque conflixerit et primas inter πᾶιδας, id est
inter pueros, statim capiat coronas.

Vis tibi ostendam aliquos qui inter pueros, id est, in
primo statim lacte coronati sunt? Respice beatum Danielem,
135 qui a puero et prophetiae gratiam meruit et iniquos arguens
presbyteros, puer coronam iustitiae et castitatis obtinuit[ac].
Vis tibi et alium proferam inter pueros coronatum? Ieremiam
vide, qui cum se propter adolescentiam excusaret a pro-
phetando, audit a Domino : *Noli dicere quia : puer ego sum,*
140 *quoniam ad omnes quoscumque mittam te, ibis, et quae-*
cumque dixero tibi, loqueris[ad].

---

ab. Éphés. 6, 12.   ac. Cf. Dan. 13, 45 s.   ad. Jér. 1, 7.

1. La lutte était fort en honneur chez les Grecs et faisait partie de
l'éducation gymnique. Depuis la fin du 8e siècle avant notre ère, elle
fut introduite officiellement dans les concours de tous les jeux publics.
Vers le milieu du 7e siècle, on instaure des concours d'enfants et d'adolescents (imberbes : ἀγένειοι). On avait alors ce qui correspond aux
termes de nos compétitons actuelles : luttes pour cadets, luttes pour
juniors, luttes pour séniors, cf. *HomLév.* XVI, 1 (*SC* 287, p. 262). «Il y
a des athlètes qui sont nommés enfants, adolescents, hommes» (*pueri,*
ephebi, viri), AMBROISE, *EnPs.* 36, 52 (*PL* 14, 992 C).

lutte, nous devons connaître aussi la lutte pour la Loi. Il
y a des athlètes qui sont vainqueurs dans tous les combats,
et dans tous sont couronnés. Parmi les enfants, ils sont
vainqueurs, parmi les imberbes, ils sont vainqueurs, parmi
les adultes, ils sont vainqueurs[1]. D'autres sont vaincus
parmi les adultes, mais couronnés parmi les imberbes;
parfois même, ils sont vainqueurs parmi les adultes.
Quelques-uns donc sont toujours couronnés, quelques
autres deux ou trois fois. Certes, il est déplorable, et de
la dernière infortune, dans toutes ces luttes si variées et
si diverses, de ne pas même mériter une seule couronne.
Ainsi donc, le Chrétien aussi, dont «le combat n'est pas
contre la chair et le sang, mais contre les principautés
et les puissances, et contre les princes de ce monde de
ténèbres, contre les esprits pervers qui sont dans les
cieux[ab]», puisqu'il a des adversaires si grands et d'une
telle valeur, doit veiller comme un lutteur pour les vaincre
toujours, s'il est possible, chaque fois qu'il entrera en
conflit, et s'emparer aussitôt des premières couronnes
parmi les παῖδας, c'est-à-dire parmi les enfants.

**Parmi
les enfants**
Veux-tu que je te montre quelques-
uns qui ont été couronnés parmi
les enfants, c'est-à-dire aussitôt, dès
le premier lait? Regarde le bienheureux Daniel qui, dès
l'enfance, mérita aussi la grâce de la prophétie et,
reprenant les vieillards iniques, obtint, enfant, la couronne
de la justice et de la chasteté[ac]. Veux-tu que je t'en présente un autre aussi parmi les enfants? Vois Jérémie qui,
lorsqu'il se dérobait au devoir de prophétiser vu sa jeunesse, entendit du Seigneur: «Ne dis pas: Je suis un
enfant, car vers tous ceux à qui je t'enverrai tu iras, et
tout ce que je te dirai, tu le leur transmettras[ad].»

Sed fortasse adultae tibi iam istae videantur aetates.
Dabo tibi athletam qui ante luctatus sit et vicerit priusquam
inter homines emiserit vagitus. Iacob adhuc intra uterum
145 matris suae luctatus cum fratre Esau, supplantavit et vicit[ae],
ex quo et supplantati et devicti fratris benedictiones pri-
mogeniti a parente suscepit[af]. Nam et illi pueri non tibi
videntur in puerili agone coronati, qui apud Bethleem a
bimatu et infra pro Domini nomine palmam cepere mar-
150 tyrii[ag]? Vides quanta in pueros coronarum habemus
exempla.

Haec de eo quod repetivimus expositionem versiculi
illius qui dicit : **Cum ceciderit, non prosternitur**[ah]. Et
quare non prosternatur, adiecit causam dicens : **Quia**
155 **Dominus confirmat manus eius**[ah]. Et vide quam consequenter de singulis dicit : ne cadat, Dominus, inquit,
gressus eius dirigit, si autem ceciderit, non prosternetur :
Dominus – inquit – **confirmat manum eius**. Vides ergo
quia semper Domini auxilio indigemus. Primo ne cadamus,
160 tum deinde etiam si ceciderimus, ut resurgamus.

**3. Iuvenis fui et senui, et non vidi iustum dere-
lictum, nec semen eius quaerens panes. Tota die
miseretur et fenerat et semen eius in benedictione
erit**[a]. Qui simpliciter dicunt et secundum historiam acci-
5 pienda esse verba Scripturae divinae, dicent sine dubio
in hoc loco confirmare David, quia transacta aetate iuven-
tutis suae cum iam usque ad senectutis suae tempus
venisset, in omni hoc tempore numquam se vidisse ita
iustum derelictum ut panibus indigeret.

10   Et quid facimus quod apostolus Paulus enumerans et

---

ae. Cf. Gen. 25, 22 s.   af. Cf. Gen 27, 1 s.   ag. Cf. Matth. 2, 16.
ah. Ps. 36, 24.
3. a. Ps. 36, 25-26.

Mais peut-être ceux-là te paraissent-ils déjà d'âge adulte? Je t'offre un athlète qui a lutté plus tôt et qui a vaincu avant d'avoir émis un vagissement parmi les hommes : Jacob encore dans le sein de sa mère, lutta contre son frère Ésaü, le supplanta et le vainquit[ae] ; en suite de quoi, il reçut de son père les bénédictions du premier-né, son frère, à la fois supplanté et vaincu[af]. Et ces enfants aussi, ne te semblent-ils pas avoir été couronnés dans une lutte enfantine, eux qui aux alentours de Bethléem, à l'âge de deux ans et moins, reçurent la palme du martyre pour le nom du Seigneur[ag]? Vois combien, chez les enfants, nous avons d'exemples de couronnés!

Voilà ce que nous avons dit en reprenant l'explication de ce petit verset : «Lorsqu'il sera tombé, il ne restera pas à terre[ah].» Et il ajoute la raison pour laquelle il ne restera pas à terre : «Car le Seigneur soutient sa main[ah].» Vois comme il parle de façon logique en chaque point : de peur qu'il ne tombe, le Seigneur, dit-il, dirige ses pas ; mais s'il est tombé il ne restera pas à terre : «Le Seigneur, dit-il, soutient sa main.» Tu vois donc que toujours, nous avons besoin de l'aide du Seigneur. D'abord pour ne pas tomber, et ensuite encore, si nous sommes tombés, pour nous relever.

Non pas au sens littéral 3. «Je fus jeune et j'ai vieilli, et je n'ai pas vu de juste délaissé ni sa descendance en quête de pain. Tout le jour il a pitié et prête, et sa descendance sera en bénédiction[a].» Ceux qui disent qu'il faut prendre les paroles des Écritures divines telles quelles et selon l'histoire, diront pour sûr : David en ce passage affirme que, l'âge de sa jeunesse passé, maintenant arrivé au temps de sa vieillesse, durant tout ce temps, il n'a jamais vu de juste délaissé au point de manquer de pain.

Et que faisons-nous du fait que l'apôtre Paul, passant

exponens prophetarum vitas dicit eos indigentes, tribu-
latos, in pellibus caprinis oberrasse per cavernas petrarum
et per speluncas[b] : et de seipso commemorans frequenter
dicit, in fame et siti[c]. Et cum haec pati iustos frequenter
15 Scripturarum historiis cognoscamus, quomodo nunc
putandum est haec David dicere secundum simplicem
intellectum?

Sed videamus ne forte sint aliquae aetates interioris
hominis nostri, ad similitudinem exterioris et corporalis
20 aetatis. Unde et interdum ad viros iam matura aetate
dicitur quia pueri sunt, et aliis quia iuvenes, et aliis quia
senes et haec utique dici de corporali aetate non convenit.
1355 Denique cum plurimi ante Abraham sexcentos et quin-
gentos, ut minimum certe trecentos annos vixissent, de
25 nullo illorum dictum est quia senior et plenus dierum
fuerit, nisi Abraham tantummodo[d]. Ex quo intellegendum
est quod non hoc de aetate corporis, sed de maturitate
interioris hominis designatum est. Unde et nos optare
debemus non pro aetate corporis, neque pro officio pres-
30 byterii appellari presbyteri et seniores, sed pro interioris
hominis perfecto sensu et gravitate constantiae, sicut et

---

b. Cf. Hébr. 11, 37-38.   c. Cf. II Cor. 11, 27.   d. Cf. Gen. 25, 8.

1. Le thème des différents âges figurant les progrès spirituels de
l'homme – en relation avec *I Cor.* 13, 11 et *I Jn* 2, 12-14 – se retrouve
souvent chez Origène. Par exemple : *HomNombr.* 9, IX (*SC* 29,
p. 184-186); *ComCant.* Prol. 2, 6 s. (*SC* 375, p. 94 s.).

2. Déjà amorcé dans le livre de la Sagesse (4, 8-9), ce thème se
retrouve chez PHILON : «Abraham est présenté comme ayant vécu moins
longtemps que presque tous ses ancêtres. Mais je crois qu'à aucun de
ceux qui vécurent très longtemps n'est donné le titre d'ancien, alors
qu'à lui, il est donné» (*Sobr.* 17). Origène dépend ici de ce texte et
reprend l'idée en bien des passages. Par exemple : «Au point de vue
de l'âge corporel, beaucoup avant eux (Abraham et Sara) avaient vécu

en revue et commentant les vies des prophètes, les dit
dans le besoin, éprouvés, errant sous des peaux de
chèvres, par les trous des rochers et les grottes[b]? Et de
lui-même, le rappelant souvent, il se dit dans la faim et
la soif[c]. Et puisque nous savons par les histoires rap-
portées par les Écritures, que les justes ont fréquemment
enduré ces épreuves, comment penser maintenant que
David dit cela selon le simple sens de la lettre?

**Les âges de
l'homme intérieur**   Mais voyons si peut-être il n'y a
pas des âges de notre homme inté-
rieur à la ressemblance de l'âge
extérieur et corporel[1]. De fait, on dit parfois à des hommes
d'un âge déjà mûr qu'ils sont des enfants et à d'autres
qu'ils sont des jeunes gens, et à d'autres qu'ils sont des
vieillards, et ceci, évidemment, il ne convient pas de le
dire de l'âge du corps. Ainsi, alors que bien des gens,
avant Abraham, avaient vécu six cents, cinq cents, ou au
moins trois cents ans, d'aucun d'eux il n'est dit qu'il fut
vieillard et comblé de jours, sinon d'Abraham seulement[d].
D'où l'on doit comprendre qu'on le désigne ainsi, non
d'après l'âge corporel, mais d'après la maturité de l'homme
intérieur[2]. C'est pourquoi, nous aussi, nous devons sou-
haiter être appelés anciens et vieillards, non pas en raison
de notre âge corporel, ni d'une fonction d'ancien[3], mais
en raison du jugement parfait de l'homme intérieur et de
la gravité de sa constance, comme Abraham aussi fut

de plus longues années, et pourtant aucun n'a été appelé ancien. Ce
qui prouve que l'on ne donne pas cette appellation aux saints en raison
de leur longévité, mais par suite de leur maturité», *HomGen.* IV, 4
(*SC* 7bis, p. 154). Voir aussi : *HomGen.* III, 3 (*ibid.*, p. 122); *HomJos.*
XVI, 1 (*SC* 71, p. 362).

3. Cette fois, il s'agit de la fonction de presbytre. Le terme, parfois
encore équivoque, (voir 36 II, 6, p. 115, note 4), désigne ici le second
rang de la hiérarchie, après l'évêque.

Abraham appellatus est presbyter nutritus in senectute bona.

Est ergo aetas aliqua secundum interiorem hominem
35 puerilis, est et aetas iuvenilis, est et senilis secundum quod et apostolus dicebat : *Cum essem parvulus, loquebar ut parvulus, sapiebam ut parvulus, cogitabam ut parvulus; cum autem factus sum vir, quae parvuli erant deposui*[e]. Ergo haec ab apostolo non de corporali aetate dici
40 intellego, sed quoniam cum in initio credidisset, fuit parvulus nuper genitus, *rationabile et sine dolo lac* concupiscens[f], tunc intellegebat Scripturas ut parvulus, sapiebat de Evangelio ut parvulus, cogitabat ut parvulus; sed post haec proficiens aetate ad similitudinem Christi de quo
45 scriptum est quia : *Proficiebat aetate et sapientia et gratia apud Deum et apud homines*[g], deponebat quae erant parvuli; et propterea dixit : *Cum factus sum vir, quae parvuli erant deposui*[h], ita ergo intellegendus est etiam David dicere : **Iuvenis fui et senui**[i], ut si diceret, cum
50 essem parvulus secundum interiorem hominem, nunc iam senui.

Nisi enim senuisset, propheta non esset. Namque senum est prophetare. Etiamsi videas aliquando iuvenem prophetantem, non dubites dicere de eo quia : secundum
55 interiorem hominem senuit, propterea propheta est; denique Ieremias cum audivisset : *Priusquam te plasmarem in utero novi te et antequam exires de vulva sanctificavi te et prophetam in gentibus feci te*[j] respondit quia : *Iuvenis ego sum et nescio loqui*[k]. Sed ille qui ei donavit gratiam
60 ut non esset puer, sed esset senior secundum interiorem hominem, ait ad eum : *Noli dicere quia iuvenis ego sum*[l].

e. I Cor. 13, 11.   f. I Pierre 2, 2.   g. Lc 2, 52.   h. I Cor. 13, 11.   i. Ps. 36, 25.   j. Jér. 1, 5.   k. Jér. 1, 6.   l. Jér. 1, 7.

appelé ancien, rassasié de jours dans une heureuse vieillesse.

Il y a donc un âge d'enfant selon l'homme intérieur, il y a aussi un âge de jeune homme, il y a encore un âge de vieillard selon ce que disait l'Apôtre : « Lorsque j'étais enfant, je parlais en enfant, je pensais en enfant, je raisonnais en enfant ; mais quand je suis devenu homme, j'ai déposé ce qui était de l'enfant[e]. » Je comprends donc cette parole de l'Apôtre, non d'un âge corporel, mais en ce sens : quand au début il a cru, il fut petit enfant nouveau-né « désirant le pur lait spirituel et sans fraude[f] » ; il comprenait alors les Écritures comme un enfant, pensait à partir de l'Évangile comme un enfant, raisonnait comme un enfant. Mais après cela, grandissant en âge à la ressemblance du Christ dont il est écrit : « Il croissait en âge, en sagesse et en grâce devant Dieu et devant les hommes[g] », il déposait ce qui était de l'enfant ; et c'est pourquoi il a dit : « Quand je suis devenu homme, j'ai déposé ce qui était de l'enfant[h]. » Ainsi faut-il donc comprendre aussi David quand il dit : « Je fus jeune et j'ai vieilli[i] », comme s'il disait : « J'étais petit enfant selon l'homme intérieur, mais à présent j'ai vieilli. »

J'ai vieilli   S'il n'avait pas vieilli, en effet, il ne serait pas prophète. Car c'est aux vieillards de prophétiser. Même si tu vois parfois un jeune prophétiser, n'hésite pas à dire de lui : selon l'homme intérieur il a vieilli, c'est pourquoi il est prophète. Par exemple quand Jérémie entendit : « Avant de te façonner dans le ventre maternel, je t'ai connu et avant ta sortie de la vulve, je t'ai sanctifié et je t'ai fait prophète pour les nations[j] », il répondit : « Je suis jeune et ne sais parler[k]. » Mais celui qui lui donna la grâce de ne plus être un enfant, mais d'être un vieillard selon l'homme intérieur lui dit : « Ne dis pas : Je suis jeune[l]. » Autrement,

Alioquin nisi haec ita intellegantur, quid habebit rationis
ut dicatur puero, cuius aetas iuvenilis et rudis : *Noli dicere
quia iuvenis ego sum?* Hoc est dicere, non dicas quod
65 verum est.

Iuvenis ergo erat secundum aetatem corporis : sed
quoniam Dominus dederat verba sua in ore eius, quibus
eradicaret et subverteret et disperderet ac rursum aedifi-
caret et plantaret^m, quae virtus verborum animam eius
70 illuminans et sanctificans non eam sinebat esse puerilem,
ideo merito ad eum dicitur : *Noli dicere quia iuvenis ego
sum*^n. Similiter ergo et hoc quod David dicit : **Iuvenis
fui et senui et non vidi iustum derelictum, nec semen
eius quaerens panes**^o, secundum hoc quod supra de
75 aetate iuvenili, vel senili interioris hominis diximus, sen-
tiendum est.

1356   Alioquin secundum exteriorem hominem sic derelinqui
a Deo putandus est iustus, cum aegritudo corporis advenit,
cum tribulatio, cum paupertas et singulae quaeque huius
80 vitae molestiae generantur : haec maxime iustis accidere
solent, quibus et persecutionem pati pro nomine Dei sol-
lemne est, sed non derelinquuntur cum patientes haec
omnia et tolerantes dicunt : nemo nos separabit a caritate
Dei, quae est in Christo Iesu, neque tribulatio, neque
85 fames, neque angustia, neque nuditas, neque gladius,
neque altitudo, neque profundum, neque alia creatura^p.
Denique prophetae, qui circuibant in deserto per cavernas
petrarum et speluncas, egentes, tribulati, afflicti^q, licet in
desertis oberrarent, et essent ab hominibus derelicti, mul-
90 titudo tamen eos angelorum circumdabat. Sic denique Eli-
saeus cum esset ab hominibus derelictus, caelesti cir-
cumdabatur exercitu, secundum quod scriptum est : *Aperi
oculos pueri huius, ut videat quia plures nobiscum sunt*

---

m. Cf. Jér. 1, 10.   n. Jér. 1, 7.   o. Ps. 36, 25.   p. Cf. Rom. 8,
35.39.   q. Cf. Hébr. 11, 37-38.

si ce n'est pas à comprendre ainsi, pourquoi dire à un enfant dont l'âge est juvénile et non éduqué : «Ne dis pas : Je suis jeune»? C'est dire : Ne dis pas ce qui est vrai!

Il était donc jeune selon l'âge corporel; mais parce que le Seigneur avait mis ses paroles dans sa bouche «pour arracher, renverser, disperser», et à l'inverse pour «bâtir et planter[m]», cette force des paroles illuminant et sanctifiant son âme ne lui permettait plus d'être enfantine; aussi lui dit-on à juste titre : «Ne dis pas : Je suis jeune[n]!» De même donc ce que dit aussi David : «Je fus jeune et j'ai vieilli, et je n'ai pas vu de juste délaissé ni sa descendance en quête de pain[o]», est à comprendre selon ce que nous avons dit plus haut à propos de l'âge juvénile ou sénile de l'homme intérieur.

Pas de juste délaissé Autrement, selon l'homme extérieur, on peut penser que le juste est ainsi délaissé de Dieu lorsqu'arrive la maladie du corps, que surviennent l'épreuve, la pauvreté, tous les désagréments de cette vie : ceci arrive d'habitude surtout aux justes pour lesquels c'est chose courante de souffrir aussi la persécution pour le nom de Dieu; mais ils ne sont pas délaissés lorsqu'endurant tout cela et le supportant, ils disent : «Personne ne nous séparera de l'amour de Dieu qui est dans le Christ Jésus : ni l'épreuve, ni la faim, ni l'angoisse, ni la nudité, ni le glaive, ni la hauteur, ni la profondeur, ni aucune autre créature[p].» Ainsi les prophètes qui tournaient dans le désert de cavernes en grottes, dans le besoin, éprouvés, affligés[q] : même s'ils erraient dans les déserts et s'ils étaient délaissés par les hommes, cependant une multitude d'anges les entourait. Ainsi par exemple Élisée abandonné des hommes, était entouré de l'armée céleste, selon ce qui est écrit : «Ouvre les yeux de ce garçon pour qu'il voie

quam cum illis. Et vidit totum montem equitibus et cur-
95 *ribus plenum*[r]. Nunquam enim solus est iustus, sed ne
unius quidem aut duorum vel trium tantummodo angelorum societate subnixus est, sed exercitus ei virtutum
caelestium praesto est.

Quod si pluribus adhuc testimoniis opus est, suscipe
100 et aliud. Iacob quamdiu erat in domo parentum et cum
fratre Esau, non erat cum exercitu angelorum : cum vero
secessisset ad solitudinem deserti et solus iter ageret ad
Mesopotamiam, dormivit in loco quodam[s] et exsurgens
dicit quia vocatur hic locus παρεμβολή[t], quod est castra,
105 pro eo quod vidit ibi non unum aliquod castrum, sed
plura castra Dei.

Haec diximus de eo quod nequaquam iustus dicitur
derelinqui, spiritalibus dumtaxat bonis. In corporalibus
enim vide quid iustus dicit, in quibus etiam gloriatur :
110 *Usque ad hanc –* inquit *– horam et esurimus et sitimus
et nudi sumus et colaphis caedimur et laboramus ope-
rantes manibus nostris*[u]. Et iterum : *Maledicimur et benedicimus, persecutionem patimur et sustinemus, blasphemati
deprecamur*[v]. Sed quoniam iste talis non derelinquebatur
115 spiritu, dicebat : *Propter quod placeo mihi in infirmitatibus meis, in iniuriis, in necessitatibus, in persecutionibus,
in angustiis pro Christo*[w].

Dupliciter ergo derelinquitur, qui derelinquitur. Corporaliter quidem hoc modo, quo superius diximus pati omnes
120 sanctos et non laedi. Derelinquuntur vero spiritu illi de

r. IV Rois 6, 16-17.   s. Cf. Gen 28, 11.   t. Cf. Gen 32, 2-3.   u.
I Cor. 4, 11-12.   v. I Cor. 4, 12-13.   w. II Cor. 12, 10.

1. Confusion dans la pensée d'Origène qui rassemble ici deux épi-
sodes différents : l'un se situe au départ de Jacob (*Gen.* 28, 11 s.), et
l'autre à son retour (*Gen.* 32, 2-3). Origène lit dans la Septante, en
32, 2 : Καὶ ἐκάλεσε τὸ ὄνομα τοῦ τόπου ἐκείνου Παρεμβολαί, ce qui
explique qu'il traduise un pluriel par un singulier qui se trouve un peu

qu'il y en a plus avec nous qu'avec eux. Et il vit toute la montagne couverte de cavaliers et de chars[r].» Jamais, en effet, le juste n'est seul : il n'est pas même défendu par la compagnie d'un, de deux ou de trois anges, mais c'est l'armée des puissances célestes qui est à sa disposition.

S'il est encore besoin de plusieurs témoignages, reçois-en un autre : Jacob, tant qu'il restait dans la demeure de ses parents et avec son frère Ésaü, n'était pas avec l'armée des anges. Mais tandis qu'il s'était retiré dans la solitude du désert et que, seul, il faisait route vers la Mésopotamie, il s'endormit «dans un certain lieu[s]», et à son lever, il dit : ce lieu est appelé : παρεμβολή[t], ce qui veut dire «camps», du fait qu'il vit là non un camp unique, mais plusieurs camps de Dieu[1].

Deux sortes de délaissements   Nous avons dit ceci parce que le juste n'est jamais dit délaissé, évidemment de biens spirituels. Car pour les biens matériels, vois ce que dit un juste, en quoi même il se glorifie : «Jusqu'à cette heure nous avons faim et soif, nous sommes nus, nous sommes frappés à coup de poings et nous peinons en travaillant de nos mains[u].» Et encore : «On nous maudit et nous bénissons, nous souffrons persécution et le supportons, calomniés, nous prions[v].» Mais parce qu'un tel homme n'était pas délaissé par l'Esprit, il disait : «C'est pourquoi je me complais dans mes faiblesses, dans les outrages, dans les détresses, dans les persécutions, dans les angoisses pour le Christ[w].»

Il est donc délaissé de deux façons, celui qui est délaissé. Corporellement certes, de cette manière dont, nous l'avons dit plus haut, ont souffert tous les saints sans en retirer dommage. Mais ils sont délaissés en esprit ceux de qui

plus haut dans le même verset où Jacob dit : παρεμβολὴ Θεοῦ. Ambroise qui copie Origène, reproduit la confusion : *EnPs.* 36, 58 (*PL* 14, 995D).

quibus dicitur : *Quoniam non probaverunt Deum habere
in notitiam, tradidit illos Deus in reprobum sensum, ut
faciant quae non congruunt, repletos omni iniquitate,
nequitia, avaritia, plenos invidia, homicidiis, contentione,*
125 *dolo, susurratores, detractores, Deo odibiles, contumeliosos,
superbos, elatos*[x] et cetera huiusmodi mala pro quibus et
derelinqui meruerunt. Quae quoniam aliena sunt a iusto,
propterea dicit quia : **Non vidi iustum derelictum, nec
semen eius quaerens panes**[y].

1357 130   Iterum si audis semen eius, ad semen corporeum redi-
turus es? Et quomodo verum invenies hoc quod semen
iusti non quaerat panes, cum videas Ismael illum de
semine natum Abrahae, quique cum mater eius fugiens
dominam suam Saram portaret eum in deserto, et aquam
135 utique quaerebat et panes[z]? Sed et Esau de agro veniens
deficiebat inedia et in tantum famis rabie praecipitatus
est ut primatus suos lentis cibo distraxerit[aa]. Oportet ergo
nos secundum ea quae supra diximus, etiam semen iusti
intellegere spiritale. Et quid aliud semen iusti dignum est
140 putare, nisi discipulum iusti, qui suscepto ab eo verbi
Dei semine, ad vitam generatur aeternam?

   Verbi gratia, si orationibus vestris mererer esse iustus
et accipere a Domino gratiam in verbo sapientiae et in
verbo scientiae[ab], ita ut possem secundum gratiam quam
145 ipse a Domino meruissem, vobis quoque ministrare
verbum Dei et serere illud in animabus vestris[ac] : tum
deinde ingressus sermo Dei animas vestras et haerens in
corde vestro formaret mentes vestras secundum speciem

---

   x. Rom. 1, 28-30.   y. Ps. 36, 25.   z. Cf. Gen. 21, 17.   aa. Cf.
Gen. 25, 29 s.   ab. Cf. I Cor. 12, 8.   ac. Cf. Matth. 13, 18.

l'on dit : «Parce qu'ils n'ont pas jugé bon de connaître Dieu, Dieu les a livrés à leur pensée faussée pour faire ce qui ne convient pas : remplis de toute espèce d'injustice, de perversité, d'avarice, pleins d'envie, de meurtres, de querelles, de ruses, médisants, calomniateurs, honnis de Dieu, insolents, orgueilleux, fanfarons[x]», et toutes sortes de méfaits de cette nature pour lesquels ils méritèrent aussi d'être délaissés. Parce que tout cela est étranger au juste, le prophète dit : «Je n'ai pas vu de juste délaissé ni sa descendance en quête de pain[y].»

Descendance du juste De nouveau, quand tu entends : «sa descendance», te tourneras-tu vers une descendance charnelle? Mais comment trouver exact que la descendance du juste n'est pas en quête de pain, quand tu vois cet Ismaël, né de la semence d'Abraham, demander bel et bien de l'eau et des pains, quand sa mère, fuyant sa maîtresse Sara, le portait dans le désert[z]? Et Ésaü aussi, au retour des champs, tombait d'inanition et il fut entraîné par la violence de sa faim jusqu'à vendre son droit d'aînesse pour un plat de lentilles[aa]! Il nous faut donc, selon ce que nous avons dit plus haut, comprendre aussi la descendance du juste de façon spirituelle. Et comment comprendre plus dignement la descendance du juste, qu'en y voyant le disciple du juste qui, après avoir reçu de lui la semence de la Parole de Dieu, est engendré à la vie éternelle?

Par exemple, si par vos prières je méritais d'être juste et de recevoir du Seigneur la grâce d'une parole de sagesse et d'une parole de science[ab], de sorte que je puisse, selon cette grâce que moi-même j'aurais méritée du Seigneur, vous présenter à vous aussi la Parole de Dieu et la semer dans vos âmes[ac], et qu'alors la Parole de Dieu entrée dans vos âmes et adhérant à votre cœur façonne vos intelligences selon la forme du Verbe lui-

verbi ipsius, id est ut hoc velletis et hoc ageretis quod
150 verbum Dei vult, et per hoc ipse Christus formaretur in
vobis[ad] : tunc vere efficeremini semen iusti, quod non
quaerit panes[ae], habentes scilicet in vobis semper panem
illum qui de caelo descendit[af].

Quod si respondeas mihi et dicas : quanti audierunt
155 Petrum et Paulum, qui utique erant iustissimi doctores,
et tamen peccaverunt, quomodo ergo semen iusti dicentur?
Sed vide ne forte sicut non omnes qui ex Abraham sunt,
etiam semen Abraham dicuntur[ag], quibus dicitur : *Si filii
Abraham essetis, opera utique Abraham faceretis*[ah], ita
160 etiam illi qui audierunt Petrum vel Paulum et non fecerunt
quae docuerat Petrus vel Paulus, non erant semen eorum,
quia suscepta ab eis verbi semina, ex anima sua velut
abusione quadam abiecerunt et effuderunt.

Denique et in hoc ipso psalmo dicit alio loco : *Semen
165 impiorum exterminabitur*[ai]. Certum est autem quia
impiorum semen corporale non exterminatur. Iob denique
semen Esau impii erat, et utique non est exterminatus,
sed manifestatus est iustus a Domino et propheta esse
ostenditur et a Deo supra omnes iustos collaudari meretur[aj].
170 Sed hoc est quod superius diximus quia sicut semen iusti
sermo et doctrina eius est, qui sermo ita pascit et reficit
animas, ut negentur panibus indigere, quia Christus panis
earum est[ak]; ita e contrario doctrina impiorum et sermo
semen eorum est quod exterminandum dicitur[al], quia ex
175 falsitate compositum est, et adveniente luce veritatis,
certum est quia mendacii tenebrae fugabuntur.

ad. Cf. Gal. 4, 19.   ae. Cf. Ps. 36, 25.   af. Cf. Jn 6, 41.   ag.
Cf. Rom. 9, 7.   ah. Jn 8, 39.   ai. Ps. 36, 28.   aj. Cf. Job 2, 3.
ak. Cf. Jn 6, 35.   al. Cf. Ps. 36, 28.

1. Job est censé vivre aux confins de l'Arabie et du pays d'Edom.
Il est donc de la descendance d'Esaü (cf. *Gen.* 36, 9s.).

même, c'est-à-dire pour que vous vouliez et fassiez ce
que veut le Verbe de Dieu; et que par là, le Christ lui-
même soit formé en vous [ad], alors vous seriez devenus
vraiment la descendance du juste qui n'est pas en quête
de pain [ae], ayant bien entendu toujours en vous ce Pain
qui descendit du ciel [af].

Tu vas me répondre et dire : «Combien écoutèrent Pierre
et Paul, docteurs assurément très justes, et pourtant
péchèrent; comment les dire descendance du juste?» Mais
vois s'il n'est pas vrai que, comme ce ne sont pas tous
ceux qui sont issus d'Abraham qui sont appelés aussi descendance d'Abraham [ag] – puisqu'il leur est dit : «Si vous
étiez fils d'Abraham, vous feriez, pour sûr, les œuvres
d'Abraham [ah]» –, de même aussi ceux qui écoutèrent Pierre
ou Paul et ne firent pas ce qu'avait enseigné Pierre ou
Paul, n'étaient pas leur descendance, car ayant reçu d'eux
les semences du Verbe, ils les rejetèrent de leur âme comme
par un mauvais usage et les dispersèrent.

Descendance des impies

Ainsi dans ce même psaume aussi, on
dit en un autre endroit : «La descendance des impies sera exterminée [ai].»
Or il est sûr que la descendance charnelle des impies n'est
pas exterminée. Job, par exemple, était de la descendance
de l'impie Ésaü [1], et loin d'être exterminé, le Seigneur le
déclare juste, et on le montre prophète et il mérite d'être
comblé d'éloges par Dieu, plus que tous les justes [aj]. Mais
nous l'avons dit plus haut : la descendance du juste est sa
parole et sa doctrine, parole qui nourrit et restaure les âmes
au point qu'elles déclarent n'avoir pas besoin de pain,
puisque le Christ est leur pain [ak]; de même, à l'inverse, la
doctrine et la parole des impies est leur descendance que
l'on dit à exterminer [al], car elle est faite de fausseté, et
quand se lèvera la lumière de la Vérité, il est sûr que les
ténèbres du mensonge s'enfuiront.

4. Tota die miseretur et fenerat[a]. Iustus **tota die miseretur**, et tota die dicitur fenerare : ad nihil aliud vacat nisi ut feneret de ea pecunia quae sibi abundat. Numquid et hic hoc putabitur, quia iustus tota die sedeat ad mensam, et habens pecuniam ante se hanc feneret necessitatem patientibus? Fortassis hoc putabitur esse quod dictum est per Moysen : *Et tu fenerabis gentibus multis, tu autem mutuo non quaeres*[b]. Sed certum est quia de dominica pecunia dicatur, quae nummulariis praecipitur erogari de thesauris sapientiae et scientiae[c] Dei prolata, ut faciamus de quinque talentis decem et de duobus quattuor[d]. Quanto autem abundantiorem pecuniam habuerimus in anima nostra, tanto magis tota die fenerabimus.

Sed et nunc licet non sim iustus, tamen hoc quod loquor pecuniam vobis dominicam fenero : sed vos orate ut efficiar iustus et possim vobis iustitiae pecuniam fenerare, ut non solum verbo, verum etiam iustitiae exemplo iustitiam doceam.

Propterea sicut sunt pecuniae iniustae, quae inique et contra legem congregantur per calumniam et mendacia et diversa avaritiae mala, et rursum sunt pecuniae quae iuste et secundum legem congregatae sunt, id est de propriis et iustis laboribus, ita etiam in verbo et doctrina invenitur. Sunt verba non bene, nec iuste, neque legitime congregata, ut haereticorum verba sunt et doctrina contra legem Dei congregata, quae nos velut iniquam pecuniam et pestiferam et de malo collectam refugere debemus. Orate ergo ut haec nostra pecunia quam vobis feneramus tota inveniatur ex iustis laboribus, tota de dominica moneta

1358 5

10

15

20

25

---

4. a. Ps. 36, 26.   b. Deut. 15, 6.   c. Cf. Col. 2, 3.   d. Cf. Matth. 25, 16-17.

1. Cf. *CCels*. VII, 18 (*SC* 150, p. 56).

4. «Tout le jour il a pitié et prête[a].»

Il prête Le juste «a pitié tout le jour» et «tout le jour» on dit qu'il prête : il ne vaque à rien d'autre, sinon à prêter de cet argent dont il abonde. Se figurera-t-on ici aussi un juste assis tout le jour à une table, avec de l'argent devant lui, qui prête à ceux qui souffrent nécessité? Peut-être pensera-t-on qu'il s'agit de ce qui a été dit par Moïse : «Et toi, tu prêteras à des nations nombreuses, mais sans chercher à recevoir en retour[b1].» Mais il est sûr que l'on parle de l'argent du Seigneur, que l'on prescrit de placer chez les banquiers après l'avoir tiré des trésors de la sagesse et de la connaissance[c] de Dieu, pour que nous produisions de cinq talents, dix, de deux, quatre[d]. Or plus nous aurons de l'argent débordant en notre âme, plus nous prêterons tout le jour.

De vraies richesses De plus, bien qu'à présent je ne sois pas un juste, toutefois, je vous prête ce que je vous dis : c'est l'argent du Seigneur. Mais vous, priez pour que je devienne un juste et puisse vous prêter un argent de justice, pour que, non seulement de parole, mais aussi par un exemple de justice, j'enseigne la justice.

C'est pourquoi, comme il y a des fortunes injustes, amassées de façon inique et illégale par la calomnie, le mensonge et les divers maux dus à l'avarice, et qu'à l'inverse, il y a des fortunes amassées de manière juste et selon la loi, c'est-à-dire par des travaux appropriés et justes, ainsi aussi en est-il de la parole et de la doctrine. Il y a des paroles amassées de manière ni bonne ni juste ni légale, comme le sont les paroles des hérétiques et leur doctrine amassée contre la loi de Dieu, que nous devons fuir comme un argent inique et porteur de peste, récolté à partir du mal. Priez donc pour que notre argent, celui que nous vous prêtons, soit reconnu tout entier fruit

30 procedens ut et vos fenus integrum consignetis et nos
non audiamus quia : *Oportuit te pecuniam meam dare
nummulariis*[e].

**5. Iuvenis – ergo – fui et senui et non vidi iustum
derelictum, nec semen eius quaerens panes. Tota
die miseretur et fenerat**[a]. In superioribus dicitur quia :
Mutuatur peccator et non reddit[b], hic quia iustus **tota**
5 **die miseretur et fenerat**[c]. Et vide quam in contrariis
pares sint. Peccator non solum mutuo accipit, sed et
cum acceperit non reddit, iustus autem non solum
mutuo non accipit, sed et fenerat, et non solum semel
vel bis, sed tota die fenerat, hoc est toto vitae suae
10 tempore fenerans miseretur, unde **et semen eius in
benedictione erit**[c].

**6. Declina a malo et fac bonum, et inhabita in sae-
culum saeculi**[a]. Haec, inquit, audiens fac quod bonum
est et habitabis in saeculum, hoc est, si ita egeris quemadmodum edoctus es, habitatio tua erit aeterna. Si enim
5 respicias *non ad ea quae videntur, sed quae non videntur,
quoniam quae videntur temporalia sunt, quae autem non
videntur aeterna sunt*[b], habitabis in saeculum.

**7. Quia Dominus amat iudicium et non derelinquit
sanctos suos**[a]. Quomodo Dominus amat iudicium? Dum

---

e. Matth. 25, 27.
5. a. Ps. 36, 25-26.   b. Ps. 36, 21.   c. Ps. 36, 26.
6. a. Ps. 36, 27.   b. II Cor. 4, 18.
7. a. Ps. 36, 28.

---

1. Nous trouvons là l'ambiguïté, dans le Nouveau Testament et chez
Origène lui-même, du mot αἰών traduit par *saeculum* et de son adjectif
αἰώνιος rendu par *aeternus*. Αἰών et αἰώνιος signifient à la fois une
longue période de temps, et l'éternité conçue comme un temps sans
fin. Origène s'explique là-dessus dans le *ComRom*. VI, 5 (*PG* 14, 1066 C),
auquel il faut joindre *PArch*. I, 2, 11 (*SC* 252, p. 138, l. 400). Cette ambiguïté explique les hésitations d'Origène à propos de l'éternité des peines

de justes labeurs, provenant tout entier de la monnaie du Seigneur, de sorte que vous d'une part, vous rendiez l'intérêt au complet et que nous d'autre part, nous n'entendions pas : «Il te fallait donner mon argent aux banquiers[e]!»

Tout le jour   **5.** «Je fus donc jeune et j'ai vieilli, et je n'ai pas vu de juste délaissé ni sa descendance en quête de pain. Tout le jour, il a pitié et prête[a].» Il est dit plus haut : «Le pécheur emprunte et ne rend pas[b].» Ici : «Le juste a pitié tout le jour et prête[c].» Vois comme dans des choses opposées il y a des similitudes! Non seulement le pécheur reçoit en prêt, mais quand il a reçu, il ne rend pas; le juste au contraire, non seulement ne reçoit pas en prêt, mais il prête : et non seulement une fois ou deux, mais tout le jour, c'est-à-dire qu'il prête par pitié tout le temps de sa vie; aussi, «et sa descendance sera en bénédiction[c]».

Dans les siècles   **6.** «Détourne-toi du mal, fais le bien et habite dans les siècles des siècles[a].» En écoutant cela, dit le prophète, fais ce qui est bien, et tu habiteras «dans les siècles»; c'est-à-dire : si tu agis conformément à ce qu'on t'a appris, ta demeure sera éternelle. Si tu regardes, en effet, «non pas vers ce qui se voit, mais vers ce qui ne se voit pas, car les choses visibles sont temporaires, mais les invisibles sont éternelles[b]», tu habiteras dans les siècles[1].

Avec jugement   **7.** «Car le Seigneur aime le jugement et ne délaisse pas ses saints[a].» Comment le Seigneur aime-t-il le jugement?

de la Géhenne. Αἰών (*sæculum*) peut aussi avoir le sens de «monde» (cf. *infra*, 36 IV, 8).

nihil apud eum sine iudicio fit, nihil sine ratione. Ita ergo
et tu sciens quoniam Dominus amat iudicium, age omnia
5 iusto iudicio et vero, audiens illum qui te admonet dicens :
1359 cum consilio omnia fac[b], cum consilio vinum bibe[c].

**8. Et non derelinquit Dominus sanctos suos, in
aeternum conservabuntur**[a]. Sicut dicit quia habitabit in
saeculum[b], ita et **conservabuntur in aeternum**. Quod
utrumque utique ad futurum respicit tempus vel saeculum,
5 cui conservabuntur sancti, ut deinceps in aeternitate per-
durent.

**Iniusti punientur et semen impiorum peribit : iusti
autem hereditabunt terram**[c]. Diximus iam hinc superius
quale impiorum sit semen, cum id ad verbum doctri-
10 namque retulimus : et quomodo exterminabitur, dum omne
mendacium a luce veritatis velut tenebrae effugatur.

Iusti autem hereditabunt terram[d]. Et hinc superius
iam diximus, quomodo sive iusti sive mansueti hereditatem terrae bonae et magnae illius consequantur et
15 quomodo **habitent in ea in saeculum saeculi**[e], non
solum in saeculum, sed in saeculum saeculi. Vide quam
magna Domini retributio. Pro labore triginta aut quadraginta, ut multum certe quinquaginta annorum recipiet
homo non solum saeculi huius retributionem, sed in sae-

---

b. Cf. Sir. 32, 19.   c. Cf. Eccl. 9, 7.
8. a. Ps. 36, 28.   b. Cf. Ps. 36, 27.   c. Ps. 36, 28-29.   d. Ps.
36, 29.   e. Ps. 36, 29.

---

1. Citations de mémoire. La première est : «Ne fais rien sans conseil»,
et la seconde : «Bois ton vin avec plaisir».
2. Cf. *supra*, 36 IV, 3, l. 173-176.
3. Cf. *supra*, 36 II, 4, l. 19-24.

Puisque rien chez lui n'est fait sans jugement, rien n'est fait sans raison. Ainsi donc, toi aussi, sachant que le Seigneur aime le jugement, fais tout par un jugement juste et vrai, écoutant celui qui t'avertit en disant : Fais tout avec conseil[b], bois du vin avec conseil[c][1].

Pour toujours   **8.** «Et le Seigneur ne délaisse pas ses saints ; ils seront gardés pour toujours[a].» Comme le prophète dit : il habitera dans les siècles[b], de même aussi : «Ils seront gardés pour toujours.» Ici et là, assurément, il a en vue le temps du siècle futur pour lequel les saints sont gardés pour subsister ensuite dans l'éternité.

Sort des impies et des justes   «Les injustes seront châtiés et la descendance des impies périra. Mais les justes hériteront la terre[c].» Nous avons déjà dit plus haut[2] quelle est la descendance des impies lorsque nous l'avons rapportée à la parole et à la doctrine, et comment elle sera exterminée, puisque tout mensonge, comme les ténèbres, est chassé devant la lumière de la Vérité.

«Mais les justes hériteront la terre[d].» Ici aussi nous avons déjà dit plus haut[3] comment les justes ou les doux obtiennent l'héritage de cette terre bonne et vaste, et comment «ils l'habiteront dans les siècles des siècles»[e], non seulement dans les siècles[4], mais dans les siècles des siècles. Vois comme elle est grande la récompense du Seigneur ! Pour un labeur de trente, quarante, cinquante ans au plus, l'homme recevra non seulement une

---

4. Origène/Rufin écrit *saeculum* au singulier, ce qui s'explique par l'ambiguïté du mot αἰών/*saeculum* soulignée en 36 IV, 6, note 1 (p. 216-217).

20 culum saeculi. Si vero permaneat quis in verbo Dei, et
sapientiae eius adhaereat, atque in lucis aeternitate per-
sistat, pervenit etiam in hoc, ut referat Deo gloriam in
saecula saeculorum. Amen.

1. Cf. *supra*, 36 IV, 6, note 1 (p. 216-217). «Si tous, nous avons
passé nos quatre-vingt ans, et même nos cent ans, dans la vie ascé-

récompense pour ce siècle-ci, mais pour les siècles des siècles[1]! Or si quelqu'un demeure dans le Verbe de Dieu et adhère à sa Sagesse, s'il se maintient dans la lumière de l'éternité, il parvient même à ceci : rendre gloire à Dieu dans les siècles des siècles! Amen.

tique, nous ne régnerons pas seulement cent ans, mais dans la suite des siècles», ATHANASE, *Vie d'Antoine,* 16, 7 (*SC* 400, p. 181).

CINQUIÈME HOMÉLIE
SUR LE PSAUME 36

30. La bouche du juste méditera la sagesse,
    et sa langue parlera du jugement.
31. La loi de son Dieu est dans son cœur,
    et ses pas ne trébucheront pas.
32. Le pécheur guette le juste,
    et cherche à le livrer à la mort.
33. Mais le Seigneur ne le laissera pas entre ses mains,
    il ne le condamnera pas quand on le jugera.
34. Attends le Seigneur et garde sa voie,
    et il t'exaltera pour que tu hérites la terre.
    Quand périssent les pécheurs, tu le verras.
35. J'ai vu l'impie exalté à l'extrême
    et élevé au-dessus des cèdres du Liban.
36. Je suis passé, et voilà qu'il n'était plus :
    quand on cherche sa place, on ne la trouve pas.
37. Conserve l'innocence et vois l'Équité,
    car il y a des restes pour l'homme pacifique.
38. Au contraire, les injustes seront exterminés d'un seul
    coup.
    Les restes des impies périront.
39. Or le salut des justes vient du Seigneur.
    Il est leur protecteur au temps de l'affliction.
40. Dieu les aidera et il les arrachera et soustraira aux
    pécheurs et il les sauvera,
    car ils ont espéré en lui.

ORIGENIS HOMILIA QUINTA
IN PSALMUM XXXVI

1. Lex quidem volens nos aperire os ad verbum Dei praecepit dicens : *Loqueris* – inquit – *haec sedens in domo et pergens in via et iacens et exsurgens*[a]. Sed et Salomon in Proverbiis simile aliquid brevi commonitione distinguit
5 dicens : *Aperi os tuum verbo Dei*[b]. Similiter etiam nunc propheta nos docet, cum dicit : **Os iusti meditabitur sapientiam**[c]. Revera enim nec debet aliud quidquam procedere de ore iusti nisi sapientia. Unde et vos imperitiores quique fratres, audientes sermonem prophetae, date
10 studium et meditamini cum iustitiae operibus etiam de ore vestro proferre sermonem sapientiae. Quod ne difficile vobis videatur praeceptum, brevem vobis sapientiae insinuabo sermonem.

Apostolus ait quia : *Christus est Dei virtus et Dei sa-*
15 *pientia*[d]. Si igitur Christum semper loquamini, si semper eius verba meditemini, si praecepta eius in ore teneatis, digne os vestrum meditabitur sapientiam. Neque enim haec sola est sapientiae meditatio, si quis docere potest vel latius in ecclesia disputare et contradicentes revincere.

---

1. a. Deut. 6, 7.   b. Prov. 31, 8.   c. Ps. 36, 30.   d. I Cor. 1, 24.

---

1. Le grec μελετάω, comme le latin *meditari*, connote à la fois le sens de «méditer» et de «s'exercer». Il a ici le dernier sens, vu le parallélisme avec : *date studium*. Sur ce mot chez les Pères et au Moyen-Age, voir : Dom J. LECLERCQ, *L'amour des lettres et le désir de Dieu*, Paris 1957, p. 22-23.

CINQUIÈME HOMÉLIE
SUR LE PSAUME 36

Bouche et sagesse

1. La loi qui, certes, désire que nous ouvrions notre bouche à la Parole de Dieu, donne cet ordre : « Tu diras ceci assis dans ta maison, et marchant sur la route, quand tu es couché et à ton lever[a]. » De plus, Salomon, dans les Proverbes, relève quelque chose de semblable par ce bref avertissement : « Ouvre ta bouche à la Parole de Dieu[b]. » De même aussi maintenant, le prophète nous instruit quand il dit : « La bouche du juste méditera la sagesse[c]. » Vraiment, en effet, rien d'autre ne doit sortir de la bouche du juste sinon la sagesse. Aussi vous tous, frères qui n'en avez pas assez la pratique, entendant la parole du prophète, appliquez-vous, et, avec des œuvres de justice, exercez-vous[1] à proférer aussi de votre bouche une parole de sagesse. Pour que cet ordre ne vous semble pas difficile, je vais vous suggérer un bref propos sur la sagesse.

L'œuvre de sagesse

L'Apôtre dit : « Le Christ est Puissance de Dieu et Sagesse de Dieu[d]. » Si donc vous parlez toujours du Christ, si toujours vous méditez ses paroles, si vous gardez ses préceptes à la bouche, votre bouche méditera la sagesse comme il convient. Car cette méditation de la Sagesse ne consiste pas seulement à pouvoir l'enseigner ou en discourir longuement dans l'Église et

20 Est quidem et hoc opus sapientiae, sed alius amplius
alius autem minus. In alio hoc ipsum quod credit Dei
sapientiae, sapientia reputatur, in alio et hoc quod
acquiescit sapientibus et amat dicta sapientium, sapientia
dicitur, nonnullis vero etiam interrogantibus tantummodo
25 de sapientia, sapientia reputatur.

Illud solum observate, fratres, ne quis vestrum inveniatur non solum non loqui nec meditari sapientiam,
1360 verum et odisse atque adversari his qui studium sapientiae
gerunt. Solent enim imperiti habere etiam istud cum ceteris
30 pessimum vitium ut inanes et superfluos putent eos qui
verbo et doctrinae operam dederint et amplectuntur magis
imperitiam suam quam illorum studia ac laborem : muta-
tisque nominibus exercitia eorum verbositatem, suam vero
indocibilitatem vel imperitiam, simplicitatem vocantes.
35 Optimus tamen et ille est qui sapientiam probat actibus
et esse sapiens vitae suae probitate cognoscitur. Beatus
ergo qui os suum aperit verbo Dei[e] et proficiens aetate
secundum Christum[f] proficiet et sapientia. Certe si amplius
non possumus in sapientia proficere, saltem illud observare
40 non pigeat *in psalmis et hymnis et canticis spiritalibus*[g]
et in oratione Dei frequentius aperire os nostrum. Est
enim et haec non parva sapientiae meditatio ut et per
hoc inveniatur semper os iusti sapientiam meditari.

Non tamen mihi videtur otiosum quia non dixit : os
45 iusti meditatur, quod utique ad praesens tempus spectare
poterat, sed dixit **meditabitur sapientiam**[h]; quod sine

e. Cf. Ps. 80, 11.   f. Cf. Lc 2, 52.   g. Col. 3, 16.   h. Ps.
36, 30.

réfuter les contradicteurs. Certes, cela aussi est œuvre de Sagesse, mais l'un a plus, un autre moins. Chez l'un, le fait même de croire à la Sagesse de Dieu est compté pour sagesse; chez l'autre l'acquiescement donné aux sages et l'amour des paroles de sagesse est déclaré sagesse; et pour quelques-uns encore qui se contentent d'interroger sur la sagesse, c'est compté pour sagesse.

Veillez sur ce seul point, frères: qu'on ne trouve personne parmi vous qui non seulement s'abstienne de parler de la sagesse ou de la méditer, mais qui de plus prenne en haine et affronte ceux qui étudient la sagesse. D'ordinaire en effet les ignorants ont encore, parmi d'autres, ce vice exécrable d'estimer inutiles et propres à rien ceux qui s'adonnent à la parole et à l'enseignement, et de chérir davantage leur ignorance que les études et le labeur de ceux-ci; et modifiant les termes, ils appellent les exercices de ceux-ci «verbosité», tandis qu'à leur propre incapacité d'apprendre et à leur ignorance ils donnent le nom de «simplicité». Meilleur toutefois est celui qui prouve sa sagesse par des actes, et que l'on reconnaît sage à l'honnêteté de sa vie. Heureux donc celui qui ouvre la bouche à la Parole de Dieu[e] et qui, progressant en âge comme le Christ[f], progressera aussi en sagesse. Et si nous ne pouvons progresser davantage en sagesse, qu'on ne rechigne pas du moins à observer ceci: ouvrir plus souvent notre bouche «pour des psaumes, hymnes ou cantiques spirituels[g]», et pour prier Dieu. Car cela aussi est une méditation de la Sagesse qui n'est pas des moindres quand, de ce fait, la bouche du juste se trouve toujours occupée à méditer la sagesse.

Méditera la sagesse Ce n'est pourtant pas sans raison, me semble-t-il, que le prophète n'a pas dit: «La bouche du juste médite», ce qui pouvait assurément concerner le temps présent, mais «méditera la sagesse[h]»; ceci, pour sûr,

dubio ad futurum respicit tempus in quo etiam ceteri
interpretes omnes absque uno consentiunt. Ne forte ergo
aliquid mysticum designet hoc tempus, quo scilicet indi-
50 cetur futurae repromissionis et gratiae et hereditatis spes
talis quaedam futura ut os iustorum non cibis et potu
neque deliciis et voluptatibus, non vescendo epulas sed
meditando sapientiam repleatur. Ultra enim non erit aliquis
imperitus in regno Dei, non indocilis permanebit, nullus
55 erit a rerum scientia peregrinus; omnes efficiemur, si
tamen merebimur, discipuli sapientiae. Si quis hic positus
imbuitur et instituitur in his quae potuit in carne positus
attingere, ibi iam illuminabitur perfectioribus disciplinis et
ea quae hic studio ac labore quaesita sunt, ad com-
60 pendium futurae inibi institutionis accedent. Qui vero hic
nondum deposuit prima rudimenta sed adhuc ut parvulus
loquitur et ut parvulus sapit, etiam ibi instituitur ut parvulus quo effectus aliquando vir per profectum sapientiae
quae parvuli sunt deponat[i].
65 Aut non tale aliquid, si spiritaliter intellegatur, etiam
lex designat cum dicit : *Loqueris in eis sedens domi et
pergens in via et iacens et exsurgens*[j]? Quod ita possumus
intellegere : sedentes in domo et iacentes, cum in ecclesia,
quae est domus Dei[k], loquimur verbum Dei, in hoc sci-
70 licet corpore positi, pergentes in via, in illa quae dicit :

---

i. Cf. I Cor. 13, 11.   j. Deut. 6, 7.   k. Cf. I Tim. 3, 15.

1. Ces interprètes sont les traducteurs grecs de la Bible, en dehors
de ceux de la Septante, c'est-à-dire Aquila, Symmaque, Théodotion, et
peut-être les traducteurs de la Quinta, de la Sexta ou de la Septima,
tous ceux qu'Origène avait colligés dans ses *Hexaples*. Le texte en
question ne se trouve pas dans ce qui reste des *Hexaples* : aussi n'est-il
pas possible de dire quel traducteur mettait le présent et non le futur.
2. Sans doute pointe antimillénariste. Origène est un des premiers à
s'élever contre les théories eschatologiques matérialistes des milléna-

regarde le futur, temps sur lequel tous les interprètes sont d'accord, sauf un[1]. Ce temps n'indiquerait-il pas alors peut-être quelque chose de mystérieux : l'espérance de la promesse de la grâce et de l'héritage futur, espérance future telle que la bouche des justes serait rassasiée non de nourriture et de boisson ni de délices et de voluptés, non en se repaissant de festins, mais en méditant la sagesse[2]. Car il n'y aura plus personne d'inexpérimenté dans le royaume de Dieu, l'ignorant n'y demeurera pas, personne ne sera étranger à la science des réalités; tous, si toutefois nous le méritons, nous deviendrons disciples de la Sagesse. Si quelqu'un est formé et instruit ici-bas de ce qu'il peut atteindre quand il vit dans la chair, là, il sera dès lors illuminé par des savoirs plus parfaits et ce qu'il cherche ici par l'étude et le travail lui viendra là-bas par le raccourci de l'enseignement futur. Au contraire, celui qui sur cette terre n'a pas encore dépassé les premières études, mais en est encore à «parler comme un enfant, à penser comme un enfant», sera là aussi instruit «comme un enfant», jusqu'à ce que, devenu enfin un homme par son progrès dans la sagesse, il fasse disparaître ce qui est de l'enfant[i][3].

Et n'est-ce pas quelque chose de semblable qu'indique aussi la loi, si on la comprend de façon spirituelle, quand elle déclare : «Tu diras ces paroles assis dans ta maison, et marchant sur la route, et couché, et à ton lever[j]»? Ce que nous pouvons comprendre ainsi : «Assis dans notre maison et couchés», lorsque dans l'Église qui est la maison de Dieu[k] nous disons la Parole de Dieu, étant bien entendu dans ce corps. «Marchant sur la route», quand,

ristes «qui certes croient au Christ, mais comprennent à la juive les Écritures divines», *PArch*. II, 11, 2 (*SC* 252, p. 396).

3. A ce passage correspond un texte fameux du *Traité des Principes*, sur l'instruction des âmes après la mort : *PArch*. II, 11, 5-7 (*SC* 252, p. 404-412).

Ego sum via[1], loquimur verbum Dei, et exsurgentes, cum
exsurrexerimus e somno mortis in resurrectione, tunc
loquimur illa quae perfecta sunt, exsurgentes de somno
mortis, sicut et Salomon dicit de eo qui sapientiam sibi
75 amicam et familiarem fecit quia : *Si sederis, sine timore
eris, et si dormieris, libenter somnum capies et non timebis
terrorem supervenientem neque impetus impiorum
irruentes super te*[m]. Sufficiant ista de eo quod scriptum
1361   est : **Os iusti meditabitur sapientiam**[n] quibus additur :
80 **Et lingua eius loquetur iudicium**[n].

2. Duplici modo lingua iusti intellegitur iudicium loqui,
sive pro eo quod omnia recto iudicio et cum deliberatione et cum consilio loquitur quae loquitur et nihil per
iracundiam, nihil ut hominibus placeat, nihil ex tristitia,
5 nihil ex metu, quae singula solent utique non integrum
hominibus servare iudicium, vel certe quod semper de
futuro iudicio loquitur iustus ut commonens semper vel
semetipsum vel qui se audiunt de futuri iudicii metu et
de suppliciis quae praeparata sunt peccatoribus[a], de futura
10 examinatione sed et de repromissionibus sanctorum quae
praeparatae sunt eis a Deo[b] et semetipsum salvum faciat
et eos qui se audiunt[c]. Et hoc modo complebitur quia
lingua iusti loquetur iudicium[d].

Si vero oportet etiam hic declinationem futuri temporis
15 observare quia non dixit loquitur sed loquetur, possumus
etiam in hoc tale aliquid intellegere : quia nunc quan-
tumcumque illud est quod de Dei iudicio vel loqui pos-

---

l. Jn 14, 6.   m. Prov. 3, 24-25.   n. Ps. 36, 30.
2. a. Cf. Matth. 25, 42.   b. Cf. I Cor. 2, 9.   c. Cf. I Tim. 4, 16.
d. Ps. 36, 30.

---

1. Cf. *supra*, 36 IV, 1, l. 87-93. Ambroise développe largement ce
passage en *EnPs*. 36, 65-67 (*PL* 14, 1001-1003).
2. Cf. *supra*, 36 V, 1, l. 44-48.

sur cette route qui dit : «Je suis la Route[1]», nous disons
la Parole de Dieu[1]. «Et à notre lever», quand nous nous
serons levés du sommeil de la mort, dans la résurrection ;
alors nous parlerons de ce qui est parfait, nous levant
du sommeil de la mort, comme Salomon le dit aussi de
celui qui s'est fait de la Sagesse une amie et une confi-
dente : «Si tu t'assieds, tu seras sans frayeur et si tu dors,
tu dormiras tranquille et tu ne craindras ni la terreur
arrivant à l'improviste ni l'assaut des impies se ruant sur
toi[m].» Voilà qui suffit pour ces mots : «La bouche du
juste méditera la sagesse[n]» auxquels fait suite : «Et sa
langue parlera du jugement[n].»

**Deux
interprétations**
2. Il y a deux façons de comprendre
que la langue du juste parle du
jugement : soit parce que tout ce
qu'elle dit vient d'un droit jugement, avec délibération et
conseil et que rien n'est dit par emportement, rien pour
plaire aux hommes, rien par tristesse, rien par crainte,
toutes choses qui, évidemment, n'assurent pas d'ordinaire
aux hommes un jugement parfait ; soit parce que le juste
parle sans cesse du jugement à venir pour que, rappelant
toujours à lui-même ou à ceux qui l'écoutent la crainte
du jugement futur, les châtiments réservés aux pécheurs[a],
l'examen à subir, mais aussi les biens promis aux saints,
qui leur sont réservés par Dieu[b], il sauve et lui-même
et ceux qui l'écoutent[c]. Et de cette façon s'accomplira :
«La langue du juste parlera du jugement[d].»

Parlera
Or s'il convient d'observer qu'ici
encore, la conjugaison est au futur[2],
puisqu'il n'est pas dit : «Sa langue parle», mais «parlera»,
nous pouvons aussi comprendre ici quelque chose de
semblable : maintenant, quoi que nous puissions dire ou
penser du jugement de Dieu, il nous est nécessaire de

sumus vel sentire, necesse est nos illud scire quod definit
apostolus dicens : *Quam inscrutabilia sunt iudicia eius et*
20 *investigabiles viae eius*[e]! Si vero pervenire poterimus ad
illam perfectionem de qua dicit : *Tunc autem facie ad*
faciem[f], id est cum res ipsae nobis evidentiores fient,
cum coeperimus agnoscere rationem singularum rerum
quae in hoc mundo vel gesta sunt vel geruntur, quali
25 iudicio gesta sunt vel quo iudicio Deus utatur in singulis
quibusque providentiae suae dispensationibus, si quis
dignus fuerit considerare et perspicere quomodo *iudicia*
Dei abyssus multa est[g], cum plenius recipere poterimus
gratiam spiritus illius qui *omnia perscrutatur, etiam alta*
30 *Dei*[h], tunc vere et integre secundum prophetici verbi dis-
tinctionem **lingua iusti loquetur**[i] iudicia Dei.

3. Lex Dei eius in corde eius[a]. Non solum in ore
iustus **meditabitur sapientiam et lingua loquetur**
iudicium[b], sed et in corde suo legem Dei gerit : quia
lex velut radix quaedam in profundo cordis posita, ger-
5 minat verba iustitiae, verba sanctitatis quae profert iustus
de corde suo et non solum verba, verum etiam actus et
gesta. Iudaei pene indesinenter legem Dei[c] ore suo et
labiis meditantur, sed non habent ea in profundo cordis
defixa et propterea dicitur ad eos : *Populus hic labiis me*
10 *honorat, cor autem eorum longe est a me*[d]. Nos ergo si
secundum hoc quod legimus, ore nostro sapientiam medi-
temur et lingua nostra loquatur iudicium[e] et lex Dei sit
in cordibus nostris, adipiscemur illud quod sequitur : **Et**
non supplantabuntur gressus eius[f].

e. Rom. 11, 33.   f. I Cor. 13, 12.   g. Ps. 35, 7.   h. I Cor.
2, 10.   i. Ps. 36, 30.
3. a. Ps. 36, 31.   b. Ps. 36, 30.   c. Cf. Ps. 1, 2.   d. Is. 29, 13;
Matth. 15, 8.   e. Cf. Ps. 36, 30.   f. Ps. 36, 31.

savoir ce que l'Apôtre établit par ces mots : «Que ses jugements sont insondables et ses voies incompréhensibles[e]!» Mais quand nous pourrons parvenir à cet état parfait dont il dit : «Alors ce sera face à face[f]!», c'est-à-dire lorsque ces réalités elles-mêmes nous deviendront plus évidentes, que nous commencerons alors à reconnaître la raison de chacune des choses qui se sont passées ou se passent dans ce monde, par quel jugement elles sont arrivées, ou de quel jugement Dieu use pour toutes les dispositions de sa Providence, quand on aura été digne de considérer et de percevoir comment «les jugements de Dieu sont un grand abîme[g]», quand nous pourrons recevoir plus amplement la grâce de cet «Esprit qui scrute tout à fond, même les profondeurs de Dieu[h]», alors de façon véritable et parfaite selon la précision apportée par la parole prophétique, «la langue du juste parlera des jugements[i]» de Dieu.

Dans son cœur   **3.** «La loi de son Dieu est dans son cœur[a].» Non seulement de bouche le juste «méditera la sagesse et sa langue parlera du jugement[b]», mais dans son cœur il porte la loi de Dieu; car la loi implantée comme une racine au profond du cœur, germe en paroles de justice, en paroles de sainteté que le juste tire de son cœur; et non seulement en paroles, mais aussi en faits et en gestes. Les Juifs méditent presque continuellement la loi de Dieu[c] de leur bouche et de leurs lèvres, mais ils ne l'ont pas enracinée au profond du cœur, et c'est pourquoi on leur dit : «Ce peuple m'honore des lèvres, mais leur cœur est loin de moi[d]!» Nous donc, si, comme nous l'avons lu, de notre bouche nous méditons la Sagesse, et si notre langue parle du jugement[e], et si la loi de Dieu est dans nos cœurs, nous obtiendrons ce qui suit : «Et ses pas ne trébucheront pas[f].»

15   Puto vos meminisse eorum quae dudum de gressibus
disputavimus et opus est in memoriam nos revocare quae
dicta sunt ut videamus quomodo ingredientes quidam sup-
plantantur et effunduntur gressus eorum. Quod si servatis
1362   in memoriam et diligentius retinetis, scire debetis quia, si
20 sapientiam meditemini in ore vestro et lingua vestra
loquatur iudicium[g] et lex Dei sit in cordibus vestris,
numquam supplantabuntur gressus vestri[h].

   4. Post haec ait : **Considerat** – inquit – **peccator
iustum**[a]. Considerat et intuetur peccator iustum et gravis
est ei etiam ad videndum et ideo considerat **ut morti
eum tradat** : quod fecerunt sine dubio adversus Salva-
5 torem illi qui prophetas occiderunt[b] et Deum crucifixerunt
et nos persecuti sunt etiam nunc[c] et populum Dei qui
est Christi, id est iustitiae discipulos, considerant et morti
tradere cupiunt et quaerunt mortificare eos. Sed quid dicit
populus Dei iustus et iustitiae discipulus? Utitur verbo
10 magistri et dicit : *Non haberes in me potestatem nisi tibi
data esset desuper*[d]. Potest hoc et in tempore persecu-
tionis gentilium de sanctis martyribus et confessoribus
aptari. Considerant enim impii persecutores unumquemque
iustorum et quaerunt mortificare eum.
15   Sed ne securum reddat pacis tempore ista talis expositio, memento quia cotidianum habet iustus persecutorem
diabolum et ille est qui considerat iustum. Insidiatur enim

---

g. Cf. Ps. 36, 30.   h. Cf. Ps. 36, 31.
4. a. Ps. 36, 32.   b. Cf. Matth. 23, 31.   c. Cf. I Thess. 2, 15.
d. Jn 19, 11.

---

1. Cf. *supra*, 36 IV, 1, l. 87-114.
2. La vie d'Origène s'est écoulée dans une alternance de périodes
de persécutions et de calme. Le texte envisage ici ces deux alterna-
tives. Il semble que ces homélies aient été prononcées en temps de

Des pas qui ne trébuchent point Je pense que vous vous souvenez de ce que nous avons expliqué naguère au sujet des pas[1]; il faut nous remettre en mémoire ce qui a été dit pour voir comment dans leur marche certains trébuchent et comment leurs pas bronchent. Si vous gardez cela en mémoire et le retenez avec grand soin, vous devez savoir que si vous méditez la Sagesse dans votre bouche, si votre langue parle du jugement[g], et si la loi de Dieu est dans vos cœurs, jamais vos pas ne trébucheront[h].

Le pécheur guette le juste 4. Après cela le prophète dit : «Le pécheur guette le juste[a].» Le pécheur guette et observe le juste, et il lui est insupportable même de le voir; aussi le guette-t-il pour «le livrer à la mort». Voilà ce que firent, assurément, envers le Sauveur, ceux qui tuèrent les prophètes[b] et crucifièrent Dieu, et qui nous ont persécutés encore maintenant[c] : le peuple de Dieu qui est celui du Christ, c'est-à-dire les disciples de la justice, ils les guettent et désirent les livrer à la mort, et cherchent à les faire mourir. Mais que dit le peuple de Dieu qui est juste et disciple de la Justice? Il se sert de la parole du Maître et dit : «Tu n'aurais aucun pouvoir sur moi, s'il ne t'avait été donné d'en-haut[d].» Ceci peut être appliqué aux saints martyrs et aux confesseurs au temps de la persécution des païens. Les impies persécuteurs guettent en effet chaque juste et cherchent à le faire mourir.

Mais pour qu'une telle explication ne te rende pas insouciant en temps de paix[2], souviens-toi que chaque jour le juste a pour persécuteur le diable, et c'est lui qui guette le juste. Car toujours il lui tend des embûches, et

paix, probablement sous Philippe l'Arabe, le premier empereur chrétien, avant la grande persécution de Dèce.

semper et *sicut leo circuit et quaerit quem transvoret*[e].
Sed si fide plenus es et confidis in Domino vide quid
20 repromittatur : **Dominus autem non derelinquet eum
in manibus eius** – peccatoris scilicet – **nec damnabit
eum cum iudicabitur illi**[f].

Dupliciter intellegitur hoc quod ait **iudicabitur illi**, id
est sive cum iudicatur iustus a Deo sive cum ipse Deus
25 iudicatur cum iusto. Frequenter enim Scriptura divina docet
hoc fieri dicens quia : *Ipse Dominus in iudicium veniet*[g].
Cum ergo iudicatur iustus cum Domino, non condemna-
bitur et ideo dicit : **Exspecta Dominum**[h], id est si tri-
bularis, si in angustiis es, si in persecutionibus[i], **exspecta**
30 **Dominum et custodi viam eius**[j], nec declines ad dexteram neque ad sinistram[k]. Si enim indeclinabiliter exs-
pectaveris Dominum, adipisceris illud quod sequitur : **Et
exaltabit te** – inquit – **ut heredites terram**[l].

Frequenter diximus de terra sancta et de terra quae in
35 hereditate promissionum caelestium nominatur; cuius
naturae etiam situs paulo evidentius in hoc versiculo designatur. Nam ista terra in qua nunc vivimus deorsum esse
dicitur secundum illud quod scriptum est : *Deus autem
in caelo sursum, tu autem in terra deorsum*[m]. Illa autem
40 terra quae in hereditatem iustis promittitur, non deorsum
sed sursum esse dicitur. Propterea ad eum qui exspectat
Dominum et custodit viam eius, ait repromissionis sermo :
Exaltabit te ut heredites terram[n]. Nisi enim quis exal-
tetur et ascendat in altum et efficiatur caelestis, non potest

---

e. I Pierre 5, 8.   f. Ps. 36, 33.   g. Is. 3, 14.   h. Ps. 36, 34.   i.
Cf. Rom. 8, 35.   j. Ps. 36, 34.   k. Cf. Deut. 5, 32 ; 17, 11.   l. Ps.
36, 34.   m. Eccl. 5, 1.   n. Ps. 36, 34.

---

1. «Souvent», par exemple : *Is.* 3, 14; 41, 1 ; *Jér.* 2, 9; *Osée* 4, 1; *Mal.*
3, 5. Mais en tous ces textes, le sens n'est pas celui que donne ici

«comme un lion, il rôde et cherche qui dévorer[e]». Mais si tu es rempli de foi et te confies dans le Seigneur, vois ce qui t'est promis : «Mais le Seigneur ne le laissera pas entre ses mains», à savoir celles du pécheur, «il ne le condamnera pas quand on le jugera[f]».

Au temps du jugement Ces mots : «On le jugera» se comprennent de deux façons : soit quand le juste est jugé par Dieu, soit quand Dieu lui-même est jugé avec le juste. Souvent[1] en effet l'Écriture divine enseigne que cela arrivera, disant : «Le Seigneur lui-même viendra en jugement[g].» Lors donc que le juste est jugé avec le Seigneur, il ne sera pas condamné, et c'est pourquoi le prophète dit : «Attends le Seigneur[h].» C'est-à-dire : si tu es dans l'épreuve, si tu es dans l'angoisse, si tu es dans les persécutions[i], «attends le Seigneur et garde sa voie[j]», ne t'écarte ni à droite ni à gauche[k]. Car si tu as attendu le Seigneur sans dévier, tu obtiendras ce qui suit : «Et il t'exaltera pour que tu hérites la terre[l].»

La terre en-haut Souvent nous avons parlé de la terre «sainte», et de la terre qui est mentionnée dans l'héritage des promesses célestes; de quelle nature est son emplacement, cela nous est encore indiqué de manière un peu plus évidente en ce verset. Car cette terre où nous vivons à présent, est dite «en-bas», selon ce qui est écrit : «Dieu est au ciel, en haut, mais toi sur la terre en-bas[m].» Or cette terre promise aux justes en héritage est dite être non pas «en-bas», mais «en-haut». C'est pourquoi, à celui qui attend le Seigneur et garde sa voie, on fait cette promesse : «Il t'exaltera pour que tu hérites la terre[n].» En effet, si quelqu'un n'est pas exalté, ne monte pas en-haut, ne devient pas «céleste», il ne peut

Origène : Dieu juge contre son peuple, mais n'est pas jugé avec le juste.

45 hereditatem terrae illius consequi. Unde ego arbitror quia
sicut caeli istius, id est firmamenti, inferius solum arida
haec in qua nos habitamus, terra eius dicitur, ita et illius
1363 superioris qui principaliter caelum dicitur, inferius solum
in quo habitatores illi caelestes conversantur et, ut ita
50 dicam, dorsum ipsum firmamenti huius, merito, ut dixi,
terra illius caeli esse dicitur, sed terra bona[o], terra sancta
[p], terra multa, terra vivorum[q], terra fluens lac et mel[r]. Et
ideo dicit nunc sermo divinus : **Exaltabit te ut heredites
terram**[s].

5. Cum pereunt peccatores videbis[a]. Fortassis hoc
prius erit ut peccatores et impios iusti videant condem-
natos. Prius enim peccatoribus poenae et supplicia decer-
nuntur, quae cum viderint iusti et agnoverint quid intersit
5 inter bonam vitam et malam et cum intellexerint bene
vivendo de quantis evaserint malis ita ut illi qui in poenis
sunt videntes eos in gloria dicant : *Nos stulti vitam eorum
putabamus insaniam*[b], postea ergo quam viderint
quomodo pereunt peccatores, tunc ipsi exaltabuntur et
10 afferentur ad caelum ut hereditent terram.

Nunc iam sermonem movet et solamen adhibet causae
huic, quae satis crebro cor pene omnium hominum pulsat.
Nam quia frequenter nos infirmi videntes iniquos quosque

---

o. Cf. Deut. 1, 25.   p. Cf. Ex. 3, 5.   q. Cf. Ps. 26, 13.   r. Cf.
Ex. 13, 5.   s. Ps. 36, 34.
5. a. Ps. 36, 34.   b. Sag. 5, 4.

---

1. Origène distingue, d'après le texte de la Genèse, deux ciels : le
firmament (*Gen.* 1, 6-7) que nous appelons «ciel», et le «ciel» premier
créé (*Gen.* 1, 1) qu'il définit : «Toute substance spirituelle sur laquelle
Dieu repose comme sur un trône», *HomGen.* I, 2 (*SC* 7bis, p. 28). Il
fait ici écho à la cosmogonie antique selon laquelle le ciel, supporté
par des colonnes, reposerait sur la terre. Sur ce passage, voir *supra*,

obtenir l'héritage de cette terre-là. C'est pourquoi, je pense, comme cet élément sec sur lequel nous habitons, support inférieur de ce ciel-ci (le firmament), est appelé sa «terre», de même aussi le support inférieur de ce ciel supérieur qui est appelé originellement «ciel», support où vivent les habitants des cieux, et qui est, pour ainsi dire, le dos même de ce firmament, est à bon droit appelé «terre» de ce ciel, comme je l'ai dit[1]; mais c'est une bonne terre[o], une terre sainte[p], une terre riche, la terre des vivants[q], la terre où coulent le lait et le miel[r]. Et c'est pourquoi la Parole divine dit à présent : «Il t'exaltera pour que tu hérites la terre[s].»

Déconvenue des impies

5. «Quand périssent les pécheurs, tu le verras[a].» Peut-être arrivera-t-il auparavant que les justes voient les pécheurs et les impies condamnés. Avant, en effet, on décrète peines et châtiments pour les pécheurs : lorsque les justes les auront vus et qu'ils auront reconnu la distance entre une bonne vie et une mauvaise et auront compris qu'en vivant bien ils ont échappé à des maux si grands, que ceux qui sont dans les tourments disent en les voyant : «Que nous étions insensés, nous tenions leur vie pour une folie[b]!» Après donc avoir vu comment périssent les pécheurs, alors eux-mêmes, les justes, seront exaltés et transportés au ciel pour avoir la terre en héritage.

Le problème du mal

Dès à présent cela provoque la parole et apporte l'apaisement à ce problème qui choque assez souvent le cœur de presque tous les hommes. Car fréquemment, faibles que nous sommes, en voyant des hommes iniques

---

36 II, 4, l. 26-29, et notes 2-3 (p. 108-109). Cf. A. Jaubert, Introduction à *HomJos.* (*SC* 71, p. 22-27).

et impios in hac vita cum omni felicitate degentes et
15 prosperis successibus florentes, abundare divitiis, honoribus, fecunda et numerosa prole gaudere, deliciis fluitare,
scandalizamur et dicimus in cordibus nostris : ubi est iustitia Dei? Si per providentiam divinam res agerentur, permitteret Deus hunc iniquum et impium in tantum felici-
20 tatis ascendere? Propterea ergo nunc sermo divinus ex
persona iustorum dicit : **Vidi impium** non solum exaltatum sed **superexaltatum et elevatum** non super
arbores qualescumque sed **super cedros Libani**[c] : ut et
arbor excelsa nimis sit et locus montis cunctis excelsior
25 et tamen videns haec omnia **transivi** – inquit – **et ecce
non erat**[d]. Quid putas illud est quod transit iustus ut
ista cesset elatio? Si meministis in superioribus cum diceremus transisse Moysen ut videret visionem magnam[e],
potestis et nunc scire quid est quod transire dicitur iustus.

30   Cum videmus extolli impios et in nimiam superbiam
crescere, transeamus et nos mente et intellectu ab his
quae videntur et temporalia sunt et transferamus sensum
nostrum ad ea quae non videntur et aeterna sunt[f]. Cogi-
temus temporalia haec esse et paucorum dierum quae
35 videntur elata. Intueamur iudicii diem et ita sensu nostro
cernimus istum qui **superexaltatus est et elatus sicut
cedrus Libani**[g], in die iudicii omnino non esse. Qui enim
non est particeps illius qui semper est, id est qui dixit :
Ego sum qui sum[h], iste neque esse dicitur. Denique pec-
40 catores non computantur esse. Unde et apostolus de voca-

c. Ps. 36, 35.   d. Ps. 36, 36.   e. Cf. Ex. 3, 3.   f. Cf. II Cor.
4, 18.   g. Ps. 36, 35.   h. Ex. 3, 14.

1. Cf. 36 IV, 1, l. 12-72.

et pécheurs passer leur vie en toute joie, arborer les
fleurs d'heureux succès, déborder de richesses et d'honneurs, se réjouir d'une descendance prolifique et nom-
breuse, nager dans les délices, nous sommes scandalisés
et disons en nos cœurs : «Où est la justice de Dieu? Si
les choses étaient menées par la Providence divine, Dieu
permettrait-il à cet individu inique et impie de s'élever à
un tel bonheur?» Voilà pourquoi la Parole divine déclare
ici en la personne des justes : «J'ai vu l'impie», non seulement exalté, mais «exalté à l'extrême et élevé», non
pas au-dessus d'arbres quelconques, mais «au-dessus des
cèdres du Liban[c]»; bien que d'une part, cet arbre soit
très haut, et que d'autre part son site soit plus haut que
toute montagne, pourtant, constatant tout cela, «je suis
passé, et voilà qu'il n'était plus[d].» A ton avis, qu'a dépassé
le juste pour que cesse cette hauteur? Si vous vous souvenez de ce que nous avons dit plus haut, que Moïse
était passé pour voir une grande vision[e][1], vous pouvez
maintenant savoir aussi ce que veut dire : le juste «passe».

Passer   Quand nous voyons les impies
exaltés et grandir dans un orgueil
excessif, passons nous aussi par delà l'intelligence et l'entendement, loin des choses visibles et temporelles, et
transportons notre pensée vers celles qui ne se voient
pas et sont éternelles[f]. Songeons que celles-là sont éphé-
mères, et que ce qui semble élevé dure peu de jours.
Regardons le jour du jugement, et ainsi par notre pensée,
nous voyons que celui qui est «exalté à l'extrême et
élevé au-dessus des cèdres du Liban[g]», n'existe plus du
tout au jour du jugement. Car celui qui n'a point part à
Celui qui est toujours, à Celui qui a dit : «Je suis celui
qui suis[h]», celui-là, on dit qu'il n'est pas. Ainsi les pécheurs
ne sont pas comptés avec ce qui est. Aussi l'Apôtre disait-

tione gentium dicebat : *Elegit Deus quae non sunt ut ea
quae sunt destruat*[i]. Et in libro Esther dicitur : *Non tradas,
Domine, sceptrum tuum his qui non sunt*[j].

Donec ergo quis miratur superbos in elatione sua, donec
1364 45 adulatur quis peccatoribus et superbis, certum est eum
non transisse nec vidisse quia non sunt, sed permanere
in hoc praesenti statu et idcirco mirari in eis praesentem
gloriam. Si autem eo modo transeat quo superius diximus,
id est mente et sensu transcendat a praesentibus et tem-
50 poralibus ad futura atque perpetua, tunc vero dicit de eo
quem viderit elatum sicut cedros Libani[k] quia : **Transii
et ecce non erat**[l], quoniam *et caelum ipsum et terra
transibunt*[m].

Apud Dominum omnia quae futura sunt iam pro factis
55 habentur. Denique dicebat quia : *Dederunt in escam meam
fel*[n], quod sine dubio futurum adhuc erat et iam factum
dicebatur. *In siti mea potaverunt me aceto*[n] et non dixit :
potabunt. Sic ergo apud Deum quae futura sunt, iam
facta dicuntur. Quod si et tu imitator es Dei et imitaris
60 Christum, non exspectas quousque transeat peccator, non
exspectas quousque iste elatus humilietur et exstinguatur,
sed apud temetipsum et in mente atque animo tuo transisse ea iam cernis, si ipse sensu ac mente transeas a
praesentibus ad futura.

65 Accipe et exemplum ad haec quae dicimus. Si navigiis
et navi positus vidisti terras et promontoria et montes
transeuntia, non quo illa continuo moveantur, sed quia

---

i. I Cor. 1, 28.   j. Esther 14, 11 (Vulg.).   k. Cf. Ps. 36, 35.
l. Ps. 36, 36.   m. Matth. 24, 35.   n. Ps. 68, 22.

---

1. Le fait d'être, d'après la révélation du Buisson ardent, a souvent
chez Origène un sens surnaturel. C'est un thème très fréquent chez lui.
Le mal est ce «rien» créé sans le Verbe, selon *Jn* 1, 3 (*ComJn* II,
13 (7) 91-93). Ceux qui, comme les démons, refusent leur participation

il à propos de l'appel des païens : «Dieu a choisi ceux qui ne sont pas pour réduire à rien ce qui est[i].» Et dans le livre d'Esther, il est dit : Ne livre pas ton sceptre, Seigneur, à ceux qui ne sont pas [j1].»

Tant donc que quelqu'un admire les orgueilleux dans leur élévation, tant que quelqu'un flatte les pécheurs et les orgueilleux, il est sûr qu'il n'est pas passé et qu'il n'a pas vu qu'ils ne sont pas, mais qu'il reste dans cette condition présente et par suite, admire en eux leur gloire présente. Mais s'il passe de la manière dont nous avons parlé plus haut, c'est-à-dire si par l'intelligence et la pensée il monte des choses présentes et temporelles aux biens futurs et éternels, il dit alors en vérité de celui qu'il aura vu «élevé comme les cèdres du Liban[k]» : «Je suis passé, et voilà qu'il n'était plus[l]!» Car «le ciel lui-même et la terre passeront[m]».

Pour le Seigneur, tout ce qui est à venir est tenu pour déjà fait. Ainsi il disait : «Ils m'ont donné pour nourriture du fiel[n]» : ce qui, sans aucun doute était encore futur, il le disait déjà fait. «Dans ma soif, ils m'ont abreuvé de vinaigre[n]», il n'a pas dit : «ils m'abreuveront». Ainsi donc, pour Dieu, ce qui est à venir est dit déjà fait. Si toi aussi, tu prends exemple sur Dieu et imites le Christ, tu n'attends pas que passe le pécheur, tu n'attends pas que cet homme élevé soit humilié et anéanti, mais à tes yeux, dans ton intelligence et ton âme, tu le vois déjà passé, si toi-même par la pensée et l'intelligence, tu passes des choses présentes aux futures.

Écoute encore un exemple sur ce que nous disons. Si tu as été sur des barques ou sur un navire, tu as vu passer les terres, les promontoires et les montagnes ; non pas que ceux-ci soient toujours en mouvement, mais parce

à Dieu, deviennent des «non-étants» (*Fragm. in Éphés.* II, *JThS* III, p. 235, l. 9 s.), et bien d'autres textes.

tu vento prospero flante transis, illa se subducere videntur
ac ferri, ita et in hoc ergo si sancto Spiritu mentem tuam
70 perflante et spirante, secundo et prospero naviges cursu,
pertransies sensu tuo omnia haec quae videntur, quia
temporalia sunt et intueris illa quae aeterna sunt[o]; sine
dubio dicis quia haec omnia quae videntur iam non sunt
quia nec futura sunt. **Vidi** – ergo – **impium super-**
75 **exaltatum et elatum super cedros Libani et transivi**
et ecce non erat[p].

Movet me amplius adhuc aliquid in hoc loco. Video
enim et alium impium qui exaltatur **super cedros Libani**[q]
et extollitur. Cum enim haeretici supra conditorem Deum
80 fingunt sibi alium quendam Deum et exaltantur atque
extolluntur in verbo mendacii negantes creatorem
omnium Deum Deum esse bonum, impiis suis praedi-
cationibus extolluntur supra **cedros Libani**, adversariis scilicet potestatibus innitentes, quarum inspiratione huius-
85 cemodi adversus creatorem omnium Deum commenta
simularunt, pro eo quod legem secundum litteram tantummodo intellegentes et spiritalem[r] eam esse ignorantes
decepti sunt in cogitationibus suis[s]. Hos ergo ego si
videam et transeam ultra iam non erunt. Quid transeam?
90 Si transeam litteram, si transgrediar historiae superficiem
et perveniam ad sensum spiritalem, quoniam lex spiritalis
est[t], si omnia illa in quibus errant et decipiuntur, spiritaliter explanem, dogmata eorum impia et iniqua iam non
erunt. Et ita complebitur ut exaltatus impius et elatus me
95 transeunte iam non sit.

---

o. Cf. II Cor 4, 18.   p. Ps. 36, 35-36.   q. Cf. Ps. 36, 35.   r. Cf.
Rom. 7, 14.   s. Cf. Col. 2, 8.   t. Cf. Rom. 7, 14.

que toi, sous le souffle d'un vent favorable, tu passes,
ils te semblent se dérober, se mouvoir. De même donc
ici aussi, quand le Saint-Esprit souffle et anime ton intelligence, tu navigues d'une course heureuse et prospère ;
tu dépasseras alors par ta pensée tout ce que l'on voit,
car ce sont choses temporelles, et tu contempleras ces
biens qui sont éternels[o]. Sans aucun doute, tu dis que
toutes ces choses qui se voient ne sont plus, car elles
ne seront pas dans l'avenir. « J'ai donc vu l'impie exalté
à l'extrême et élevé au-dessus des cèdres du Liban. Je
suis passé, et voilà qu'il n'était plus[p]. »

D'autres impies Quelque chose m'impressionne
encore davantage en ce passage.
Je vois, en effet, encore un autre impie qui s'est exalté
au-dessus des cèdres du Liban[q] et s'est exhaussé. Car
lorsque les hérétiques se façonnent au-dessus du Dieu
Créateur quelque autre Dieu, et qu'ils sont exaltés et
exhaussés par une parole de mensonge, niant que le
Dieu Créateur de tout soit le Dieu bon, leurs prédica-
tions impies les haussent « au-dessus des cèdres du
Liban » : c'est-à-dire que s'appuyant sur des puissances
adverses, par l'inspiration desquelles ils ont simulé des
inventions de cette sorte contre le Dieu Créateur de tout,
pour comprendre la loi seulement selon la lettre et
ignorer qu'elle est spirituelle[r], ils ont été trompés dans
leurs pensées[s]. Moi donc, si je vois ces gens et si je
« passe », ils ne seront jamais plus. Qu'est-ce que je
passe ? Si je passe la lettre, si je vais au-delà de la
surface de l'histoire et parviens au sens spirituel –
puisque la loi est spirituelle[t] –, si j'explique de façon
spirituelle tous ces endroits où ils errent et sont trompés,
leurs croyances impies et fausses ne seront plus. Et il
arrivera ainsi que l'impie exalté et élevé ne soit plus
lorsque « je passe ».

Sed et **cum quaeritur locus eius non invenietur**[u].
Locus impii dogmatis, littera legis est quae littera occidit.
Cum ergo nos a littera occidente transimus ad spiritum
1365 vivificantem[v], ne locus quidem impii dogmatis repudiata
100 littera potest inveniri. Quomodo autem quaerimus eum?
Cum disputamus adversus eos et cum conquirimus ad
invicem, tunc quaerimus locum dogmatis illius in littera
legis [historiae], et cum ostenditur secundum historiam
stare non posse, amota littera ac reiecta, nusquam utique
105 quaerentibus nobis et disserentibus locus impii dogmatis
invenitur.

6. Custodi innocentiam et vide aequitatem[a]. Cus-
todire innocentiam nos praecipit sermo Dei. In tantum
corruptela morum proficit in hominibus ut apud quamplurimos innocentia pro stultitia iudicetur : verum Scriptura
5 summae hoc virtutis iudicat opus, quia innocentiam iudicat
illam quae nemini noceat, neminem laedat. Cum ergo
dicit : **Custodi innocentiam**, hoc est quod nos servare
praecepit ut neminem laedamus, nemini noceamus. Hoc
autem obtinemus, si semper intento animo et vigilanti
10 videamus aequitatem. Aequitatem ergo in hoc loco sic
accipio, sicut veritatem, sicut iustitiam, sicut vitam quod
Christus est. Haec enim videndo simul etiam Deum vide-
bimus.

---

u. Ps. 36, 36.   v. Cf. II Cor. 3, 6.
6. a. Ps. 36, 37.

---

1. Allusion soit à *II Cor.* 7, 2 où Paul déclare n'avoir lésé personne,
soit à l'hymne à la charité de *I Cor.* 13, 7.
2. «Le Christ, c'est-à-dire le Logos, la Sagesse et toute vertu», *CCels.*
III, 81 (*SC* 136, p. 182). «Nous avons coutume de comprendre le Christ
comme étant la personnification des vertus», *ComCant.* I 6, 13 (*SC* 375,

Plus de place   De plus, «quand on cherche sa place, on ne la trouvera pas[u].» La place de la croyance impie, c'est la lettre de la loi, une lettre qui tue. Quand donc nous passons de la lettre qui tue à l'Esprit qui vivifie[v], on ne peut même pas trouver la place de la croyance impie, une fois la lettre écartée. Or comment la cherchons-nous? Lorsque nous argumentons contre ces gens et que nous disputons ensemble, nous cherchons alors la place de cette croyance dans la lettre de la loi, et quand il est démontré que, selon l'histoire, elle ne peut tenir debout, une fois la lettre écartée et rejetée, pour nous qui avons cherché et discuté, nulle part assurément ne se trouve la place de la croyance impie!

Innocence et Équité   **6.** «Conserve l'innocence et vois l'Équité[a].» La Parole de Dieu nous ordonne de conserver l'innocence. La corruption des mœurs progresse tellement parmi les hommes, que chez un très grand nombre l'innocence est tenue pour sottise. Mais l'Écriture la juge l'œuvre de la plus grande vertu, puisqu'elle porte un jugement sur cette innocence qui ne nuit à personne, ne lèse personne[1]. Lors donc que le prophète dit : «Conserve l'innocence», c'est qu'il nous a enjoint d'y veiller pour que nous ne lésions personne, ne nuisions à personne. Or nous y arriverons si toujours, d'une âme attentive et vigilante, nous voyons l'Équité. Je comprends donc l'Équité, en ce passage, comme la Vérité, comme la Justice, comme la Vie : ce qu'est le Christ[2]. Car voyant en même temps ces vertus, nous verrons aussi Dieu.

p. 257), à propos de *Cant.* 1, 4 : «L'Équité t'a aimé». Sur les vertus, *epinoiai* du Christ, cf. *supra*, 36 I, 4, note 1 (p. 80); 36 II, 1, l. 10-22; 36 IV, 1, l. 45, 69, 78-79, 89-90.

Custodi – ergo – **innocentiam et vide aequitatem,**
15 **quoniam sunt reliquiae homini pacifico**[b]. Requiro quae
sint reliquiae istae quae homini pacifico reservantur? Reliquias dicere solemus cum spiritus separatur a corpore,
velut maiore parte hominum in spiritu deputata, quae
superest pars corporis reliquiae nominantur. Si ergo cre-
20 dimus verbis apostoli dicentis quia *seminatur* corpus *in
corruptione*, mortis scilicet tempore et *surgit in incor-
ruptione*[c], cum resurrectionis tempus advenerit, cum etiam
*corruptibile hoc induerit incorruptionem et mortale hoc
induerit immortalitatem*[d], tunc erunt **reliquiae homini**
25 **pacifico**[e]. Erunt autem ibi pacifici hominis reliquiae in
pace[f] et in requie. Dicit enim et Dominus de pacificis,
quia etiam *filii Dei vocabuntur*[g]. *Pater, volo ut ubi ego
sum, et isti mecum sint*[h]. **Sunt** – ergo cum Christo – **reliquiae homini pacifico**[i].

7. Iniqui autem exterminabuntur simul[a], id est
omnes pariter exterminabuntur, quia unus finis erit eorum
gehenna. **Reliquiae impiorum peribunt**[a], tunc cum
corpus et animam perditum dabit in gehennam is qui
5 habet potestatem[b].

---

b. Ps. 36, 37.   c. I Cor. 15, 42.   d. I Cor. 15, 53.   e. Ps. 36,
37.   f. Cf. Sag. 3, 3.   g. Matth. 5, 9.   h. Jn 17, 24.   i. Ps.
36, 37.
7. a. Ps. 36, 38.   b. Cf. Lc 12, 5.

---

1. En latin *reliquiæ*, qui a donné notre mot « reliques ». Le culte des
reliques, dans l'Église, est lié à la résurrection. Or ce culte a commencé
dès les débuts de l'Église ; ainsi dans le martyre de Polycarpe, les païens
demandent avec insistance que son corps ne soit pas remis aux chrétiens ; ils veulent ôter à ceux-ci l'occasion de vénérer ses reliques : ils
savent donc que les chrétiens vénèrent les reliques des martyrs. Mais
les fidèles recueillent cependant ces restes (*Martyre de Polycarpe* XVII,

**Les restes
de l'homme**

« Conserve donc l'innocence et vois l'Équité, car il y a des restes[1] pour l'homme pacifique[b]. » Je me demande ce que sont ces restes réservés à l'homme pacifique. Nous parlons d'ordinaire de « restes », quand l'esprit est séparé du corps : comme la partie la plus importante de l'homme est assignée à l'esprit, la partie du corps qui subsiste est appelée : « restes ». Si donc nous croyons aux paroles de l'Apôtre, que le corps « est semé dans la corruption », à savoir au temps de la mort, et « se relève dans l'incorruptibilité[c] », quand viendra le temps de la résurrection, quand « ce corps corruptible revêtira l'incorruptibilité, et ce corps mortel revêtira l'immortalité[d] », alors il y aura « des restes pour l'homme pacifique[e] ». Mais les « restes » de l'homme pacifique seront là, dans la paix[f] et le repos. Car le Seigneur dit aussi des pacifiques : « Ils seront appelés fils de Dieu[g]. » « Père, je veux que là où je suis, ceux-là soient aussi avec moi[h]. » Ils sont donc avec le Christ, les « restes de l'homme pacifique[i] ».

Dans la géhenne

7. « Au contraire, les injustes seront exterminés d'un seul coup[a] », c'est-à-dire que tous seront exterminés ensemble, car une seule fin les attend : la géhenne. « Les restes des impies périront[a] » alors, quand celui qui en a le pouvoir livrera à la géhenne l'être perdu, corps et âme[b].

SC 10 bis, p. 266 ou 10⁴, p. 230-232). A Lyon, pour la même raison (et pour leur ôter tout espoir de ressusciter), les corps des martyrs sont réduits en cendres par les païens et jetés dans le Rhône (EUSÈBE, *H.E.* V, 1, 62-63, SC 41, p. 22 s.).

Salus autem iustorum a Domino[c]. Sed melius dicit
in Graeco : **Salus autem iustorum apud Dominum**. Non
dixit in caelo salus iustorum : et hoc enim praeterit[d], non
apud aliquam creaturam, quia nihil immobile vel immu-
10 tabile; sed **apud Dominum salus est iustorum**[e], qui
semper manet, semper idem est, semper immobilis est,
nec usquam potest esse tutius salus hominis quam apud
Dominum. Ille mihi locus, ille mihi domus, ille mihi
mansio, ille requies, ille sit habitaculum. Denique annun-
15 tiatur nobis a sancta Scriptura non solum regnum caelorum[f], sed et regnum Dei[g]. Et ut memini me iam saepe
1366   dixisse, regnum caelorum est eorum qui adhuc in pro-
fectionibus sunt; regnum vero Dei, eorum, qui iam ad
perfectum venerunt finem. Unde et nunc **salus** iusti **apud**
20 **Deum**[h] esse dicitur, cum utique perfectione vitae usque
ad ipsum Dominum meruerit pervenire.

Et protector eorum est in tempore tribulationis[i].
Quod est tempus tribulationis, nisi hoc in quo sumus, cum
per artam et angustam viam incedimus quae ducit ad vitam[j]?
25 Si tamen per angustam incedimus quae ducit ad vitam et
non per illam latam et spatiosam[k] quae divitiis dilatatur et

---

c. Ps. 36, 39.   d. Cf. Matth. 24, 35.   e. Ps. 36, 39.   f. Cf. Matth.
3, 2.   g. Cf. Matth. 12, 28.   h. Ps. 36, 39.   i. Ps. 36, 39.   j. Cf.
Matth. 7, 14.   k. Cf. Matth. 7, 13.

---

1. Ici du moins (ce n'est pas toujours le cas chez lui), Rufin se sert
d'un texte scripturaire usuel (qui n'est pas encore la Vulgate de Jérôme,
faite sur l'hébreu, mais une «vieille latine» faite sur le grec).

2. Dans son *Traité sur la Prière*, Origène distingue entre «Royaume
de Dieu» et «Royaume du Christ» : «Je pense qu'il faut entendre par
Royaume de Dieu le bienheureux état de l'intellect et le bon ordre des
sages pensées, et par Royaume du Christ les paroles de salut qui vont
au-devant des auditeurs et l'accomplissement des œuvres de justice et
des autres vertus, car le Fils de Dieu est Parole et Justice», *PEuch.*
XXV, 1 (*GCS* II, p. 357). ÉVAGRE reprendra cette distinction, parlant en
fonction de sa synthèse, du «Royaume des cieux» qui est la physique,

Ou auprès du Seigneur «Or le salut des justes vient du Seigneur[c].» Mais c'est mieux dit en grec : «Or le salut des justes est près du Seigneur[1].» Il n'a pas dit : le salut des justes est dans le ciel, car celui-là aussi passera[d]; ni auprès de quelque créature, car rien n'est immobile ni immuable; mais : «Le salut des justes est près du Seigneur[e]» qui toujours demeure, toujours reste le même, toujours est sans changement, et le salut de l'homme ne saurait être plus en sûreté qu'auprès du Seigneur. Que celui-ci me soit un lieu, qu'il me soit une maison, qu'il me soit une demeure, qu'il me soit un repos, qu'il me soit un foyer! Ainsi la sainte Écriture nous annonce non seulement «le royaume des cieux[f]», mais «le royaume de Dieu[g]». Et comme je me souviens de vous l'avoir souvent dit : le royaume des cieux est à ceux qui sont encore en progrès, tandis que le royaume de Dieu est à ceux qui sont déjà parvenus au terme accompli[2]. Aussi dit-on ici : «Le salut du juste est près de Dieu[h]», puisqu'assurément, par la perfection de sa vie, il a mérité de parvenir jusqu'au Seigneur lui-même.

Un protecteur au temps de l'affliction «Et il est leur protecteur au temps de l'affliction[i].» Qu'est ce temps de l'affliction, sinon celui où nous sommes quand nous marchons sur le chemin étroit et resserré qui mène à la Vie[j]? Si toutefois nous marchons sur le chemin resserré qui mène à la Vie, et non pas sur la voie large et spacieuse[k], qui

---

et du «Royaume de Dieu», la théologie : cf. *Traité Pratique* 2 (*SC* 171, p. 499, note 2). Ces différents concepts : Royaume du Christ, Royaume de Dieu, Royaume des cieux chez Origène, sont analysés par H. CROUZEL : «Quand le Fils transmet le Royaume à son Père : l'interprétation d'Origène», *Studia Missionalia* 33 (1984), p. 359-384.

luxuria dissolvitur, quae in carnis voluptatibus emollescit,
quae praesentem gloriam diligit. Horum protector non Deus
est, sed Mammona[1] : eorum autem qui in tribulatione et
30 angustia sunt, protector est Deus, quia *multae sunt tribu-
lationes iustorum*[m]. Tribulantur enim considerantes tempus
iudicii et semetipsos discutientes ne forte aliquid inveniatur
in eis quod vocetur ad culpam. Qui ergo propter hoc tribulantur et solliciti sunt, erit Deus **protector eorum in
35 tempore tribulationis**[n], in tempore iudicii, cum tradentur
impii ad poenas : tunc **et adiuvabit eos Dominus** in
tempore tribulationis **et eripiet eos et auferet eos a peccatoribus**[o], non solum ab hominibus peccatoribus, sed
etiam a contrariis potestatibus vel certe eo tempore cum
40 anima separatur a corpore et occurrunt ei peccatores daemones, adversae potestates, spiritus aëris huius qui eam
volunt detinere et revocare ad se si quid in ea suorum
operum gestorumque cognoverint.

Venit enim ad unamquamque animam de hoc mundo
45 exeuntem princeps huius mundi[p] et aeriae potestates[q] et
requirunt si inveniant in ea aliquid suum; si avaritiam
invenerint, suae partis est : si iram, si luxuriam, si invidiam
et singula quaeque eorum similia si invenerint, suae partis
est et sibi eam defendunt et ad se eam trahunt et ad
50 partem eam peccatorum declinant. Si vero aliquis imitatus
est illum qui dixit : *Ecce venit princeps mundi huius et
in me non invenit quidquam*[r], si se aliquis ita observabit,

---

l. Cf. Matth. 6, 24.   m. Ps. 33, 20.   n. Ps. 36, 39.   o. Ps. 36,
40.   p. Cf. Jn 12, 31.   q. Cf. Éphés. 2, 2.   r. Jn 14, 30.

---

1. Réminiscence de *Éphés.* 2, 2. C'est un thème judéo-chrétien : l'air
était pour les anciens l'habitat des puissances démoniaques. Voir encore
ATHANASE, *Vie d'Antoine* 66 (*SC* 400, p. 308-310).

2. Cf. *ComCant.* IV, 3, 21 (*SC* 376, p. 730). L'image des puissances
mauvaises recherchant sur les défunts qui montent à travers les sphères
célestes ce qui leur appartient, se trouve aussi chez les gnostiques. Voir

est élargie par les richesses, amollie par la luxure, adoucie
par les voluptés de la chair, qui chérit la gloire présente.
Le protecteur de ces gens n'est pas Dieu, mais Mammon[1];
par contre, le protecteur de ceux qui sont dans l'affliction
et l'angoisse, c'est Dieu, car «nombreuses sont les afflictions des justes[m]». Ils sont en effet affligés en considérant
le temps du jugement et en s'examinant eux-mêmes, de
peur que peut-être l'on ne trouve en eux quelque chose
qui soit tenu pour faute. Ceux donc qui pour ce motif
sont affligés et inquiets, Dieu sera «leur protecteur au
temps de l'affliction[n]», au temps du jugement, quand les
impies seront livrés aux châtiments; alors «le Seigneur
les aidera» au temps de l'affliction, et «il les arrachera
et soustraira aux pécheurs[o]», non seulement aux hommes
pécheurs, mais encore aux puissances hostiles et surtout
en ce temps où l'âme est séparée du corps et où viennent
à sa rencontre les démons pécheurs, les puissances
adverses, les esprits de cet air[1] qui veulent la retenir et
la ramener à eux s'ils ont reconnu en elle quelque chose
de leurs faits et gestes.

Viennent en effet à chaque âme qui sort de ce monde
le Prince de ce monde[p] et les puissances de l'air[q], et ils
recherchent s'ils trouvent en elle quelque chose qui leur
appartient. S'ils ont trouvé de l'avarice, elle est leur lot;
s'ils ont trouvé de la colère, de la luxure, de l'envie ou
quelque vice semblable à ceux-ci, elle est leur lot; ils la
revendiquent pour eux, l'entraînent vers eux et la
détournent vers le lot des pécheurs[2]. Mais si quelqu'un
a imité celui qui a dit: «Voici que vient le Prince de
ce monde, et en moi il ne trouve rien[r]», si quelqu'un
se garde de la sorte, ils viennent, certes, ces pécheurs,

A. ORBE, *Los primeros herejes ante la persecucion. Estudios Valentinianos*,
vol V, Rome 1956, p. 121-123. Il cite un autre texte d'Origène déve-
loppant cette idée: *HomLc* XXIII, 5-7 (*SC* 87, p. 316-320).

veniunt quidem isti peccatores et requirentes in eo quae
sua sunt et non invenientes temptabunt nihilominus ad
55 suam partem violenter eum detorquere, sed Dominus
eripiet eum **a peccatoribus**[s]. Et forte propterea iubemur
cum quodam mysterio etiam in oratione petere, dicentes :
Et libera nos a malo[t].

Sed et causam qua eripiat iustos suos Dominus a pec-
60 catoribus, sive in tempore exitus nostri sive in tempore
iudicii, cum dies ille secundum prophetam necessitatis et
angustiae, dies obscuritatis et perditionis, iudicii dies[u]
advenerit; tunc ergo causam qua eripi mereantur subiungit
et dicit : **Quia speraverunt in eum**[v]. Sperantes ergo in
65 se eripiet et de tribulatione et necessitate.

1367   Quomodo autem sperare debeas, volo tibi de Scripturis
sanctis ostendere. Sicut *nemo potest duobus dominis
servire*[w], ita nemo potest in dominis duobus sperare.
Nemo potest *in incerto divitiarum sperare*[x] et in Domino.
70 Nemo potest *sperare in principibus*[y] et in Deo. Nemo
potest sperare in viribus equi[z] et in Deo. Nemo potest
sperare in saeculo et in Deo. Nisi enim in solo Deo spe-
raveris, et videat Deus spem tuam ad saeculum aeternum
1368   esse conversam et quia aliam nullam omnino spem geris
75 nisi in ipso, qui vivificat mortuos et vocat quae non sunt
tamquam quae sunt[aa], non poteris eripi a peccatoribus.
Solus est enim ipse qui salvos facit sperantes in se, per
Christum Dominum nostrum, *cui est gloria et potestas in
saecula saeculorum. Amen*[ab].

---

s. Cf. Ps. 36, 40.   t. Matth. 6, 13.   u. Cf. Soph. 1, 15.   v. Ps.
36, 40.   w. Matth. 6, 24.   x. I Tim. 6, 17.   y. Ps. 117, 9.   z. Cf.
Ps. 146, 10.   aa. Cf. Rom. 4, 17.   ab. Apoc. 5, 13.

et recherchant en lui ce qui est à eux, et ne le trouvant pas, ils tenteront tout de même de le détourner par violence vers leur lot. Mais le Seigneur l'arrachera aux pécheurs[s]. Peut-être est-ce pour cela qu'on nous ordonne – avec un certain mystère –, de demander aussi dans la prière : «Et délivre-nous du Mauvais[t]!»

De plus, la cause pour laquelle le Seigneur arrache ses justes aux pécheurs, soit au moment de notre mort, soit au moment du jugement, quand sera advenu ce jour qui, selon le prophète, sera un jour de détresse et d'angoisse, jour d'obscurité et de ruine, un jour de jugement[u]; la cause donc pour laquelle ceux-ci méritent de leur être arrachés, le prophète l'ajoute et dit : «Car ils ont espéré en lui[v].» Donc ceux qui espèrent en lui, il les délivrera de l'affliction et de la détresse.

Espérer dans le Seigneur   Mais comment tu dois espérer, je veux te le montrer à partir des Écritures saintes. Comme «personne ne peut servir deux maîtres[w]», de même personne ne peut espérer en deux maîtres. Personne ne peut «espérer dans l'incertain des richesses[x]» et dans le Seigneur. Personne ne peut «espérer dans les princes[y]» et en Dieu. Personne ne peut espérer dans les forces du cheval[z] et en Dieu. Personne ne peut espérer dans le siècle et en Dieu. Car si tu n'as pas espéré en Dieu seul, et si Dieu ne voit pas que ton espérance est tournée vers le siècle éternel et que tu ne portes aucune autre espérance sinon en Lui-même qui rend la vie aux morts et appelle ce qui n'est pas comme ce qui est[aa], tu ne pourras être arraché aux pécheurs. Car il est le seul qui sauve ceux qui espèrent en lui, par le Christ notre Seigneur, «à qui est gloire et puissance dans les siècles des siècles. Amen[ab]!»

PREMIÈRE HOMÉLIE
SUR LE PSAUME 37

PSAUME 37, versets 1 à 11.

1. Psaume de David. Pour la souvenance.
2. Seigneur, ne m'accuse pas dans ta fureur,
   et dans ta colère, ne me réprimande pas!
3. Car tes flèches se sont fichées en moi,
   et tu as affermi sur moi ta main.
4. Il n'y a rien de sain dans ma chair devant la face de
   ta colère.
   Il n'est pas de paix pour mes os devant la face de
   mes péchés.
5. Car mes fautes ont dépassé ma tête;
   comme un fardeau pesant, elles ont pesé sur moi.
6. Car mes plaies empestent et sont en putréfaction,
   en face de ma folie.
7. J'ai été affligé par mes misères et courbé à l'extrême,
   et tout le jour, je marchais dans la tristesse,
8. Car mes reins sont remplis d'illusions,
   et il n'y a rien de sain dans ma chair!
9. Je suis fort affligé et humilié.
   Je rugirai du gémissement de mon cœur.
10. Seigneur, sous ton regard est tout mon désir,
    et mon gémissement ne t'est pas caché.
11. Mon cœur est troublé et ma force m'a délaissé,
    et la lumière de mes yeux n'est plus avec moi!

ORIGENIS HOMILIA PRIMA
IN PSALMUM XXXVII

1. Creator humanorum corporum Deus sciebat quod talis esset fragilitas humani corporis, quae languores diversos posset recipere et vulneribus aliisque debilitatibus esset obnoxia : et ideo venturis passionibus providens, etiam medicamenta procreavit ex terra[a] et medicinae tradidit disciplinam ut, si accideret aegritudo corpori, non deesset medela.

Quo nobis tendit ista praefatio? Ad animam sine dubio revocatur : quoniam et ipsam cum creator omnium condidisset, sciebat quod futura esset vitiorum capax et ob hoc subiecta atque obonerata peccatis. Et ideo sicut corpori medicamenta praeparavit ex herbis arte disciplinaque compositis, ita etiam animae medicamenta praeparavit in his sermonibus quos per divinas Scripturas seminavit atque dispersit : ut hi qui aliqua aegritudine fuerint oppressi, statim ut vim morbi senserint atque alicuius vulneris stimulum doloremque perspexerint, id est cum viderint animam aliquid praeter naturam gerentem, requirant aptam

---

1. a. Cf. Sir. 38, 4.

1. Il s'agit des plantes médicinales, les simples, comme le contexte l'indique plus loin. Cf. *HomLév.* VIII, 1 (*SC* 287, p. 8-10). Ambroise reprend l'idée : *EnPs.* 37, 7 (*PL* 14, 1012 BC).

2. Pour Origène, la nature est bonne : «Si nous disons que c'est le Dieu bon qui dans sa création elle-même, a créé quelque chose qui lui soit ennemi, cela paraîtra tout à fait absurde», *PArch.* III, 4, 5 (*SC* 268, p. 214). Par ailleurs, l'homme est créé à l'image de Dieu : «Il a reçu

PREMIÈRE HOMÉLIE
SUR LE PSAUME 37

**Médecines
et médecins
des âmes**

1. Dieu qui a créé les corps humains, savait que la fragilité du corps de l'homme était telle qu'il pouvait être sujet à diverses maladies, exposé à des blessures et autres infirmités. Et c'est pourquoi, prévoyant les souffrances à venir, de la terre il créa aussi des remèdes[a][1], et enseigna la science de la médecine, pour que, s'il arrivait une maladie au corps, il ne manquât pas de remèdes.

A quoi tend ce préambule? Sans aucun doute, il se rapporte à l'âme; car lorsque le Créateur de tous les êtres l'eût créée, elle aussi, il savait qu'elle devait être sujette aux vices, et de ce fait, soumise aux péchés et accablée par eux. Et c'est pourquoi, comme il a préparé pour le corps des médicaments à partir d'herbes réunies avec art et science, de même, pour l'âme aussi, il a préparé des remèdes dans ces paroles qu'il a semées et disséminées parmi les divines Écritures. De la sorte, ceux qui seront surpris par quelque maladie, dès qu'ils sentiront l'atteinte du mal et percevront l'aiguillon et la douleur de quelque blessure, c'est-à-dire dès qu'ils verront l'âme faire quelque chose d'opposé à sa nature[2], qu'ils recherchent une dis-

la dignité de l'image dans sa première création», *ibid.*, 6, 1 (*SC* 268, p. 236). Ainsi l'âme a par nature une certaine parenté avec Dieu : «Etre raisonnable signifie donc avoir des semences de bonté morale», P. NEMESHEGYI, *La Paternité de Dieu chez Origène*, Tournai 1960, p. 108.

et convenientem sibi rationabilem disciplinam, quae eis
20 ex praeceptis Dei possit mederi : nam tradidit et medicinae artis industriam, cuius archiater est Salvator dicens
de se quia : *Non opus habent qui sani sunt medico, sed
qui male habent*[b]. Et ille quidem erat archiater qui possit
curare omnem languorem et omnem infirmitatem[c]; dis-
25 cipuli vero eius Petrus vel Paulus sed et prophetae medici
sunt et hi omnes qui post apostolos in ecclesia positi
sunt quibusque curandorum vulnerum disciplina commissa
est, quos voluit Deus in ecclesia sua esse medicos animarum, quia non vult Deus noster mortem peccatoris,
30 sed paenitentiam et orationem eius exspectat[d].

Denique et iste psalmus qui nunc lectus est, nobis
ostendit ut si forte aliquando praevenimur in delictis qualiter nos et cum quo affectu orare oporteat et medico
supplicari pro doloribus vel infirmitatibus nostris. Si
35 quando ergo praeoccupaverit nos inimicus et ignitis iaculis
suis[e] vulneraverit animam nostram, primo hoc nos docet
hic psalmus quod convenit post peccatum confiteri peccatum et in memoriam recordari delictum ut, per recordationem culpae stimulatum cor et cruciatum pro delicto
1370 40 suo, interim refrenet ac revocet ne quid tale ultra com-
mittat : et propterea puto superscriptum esse ipsum
psalmum **Psalmus David in recordationem**[f]. Quid sit
autem **in recordationem** per totum ipsius psalmi corpus
enarrat.

---

b. Matth. 9, 12.   c. Cf. Matth. 9, 35.   d. Cf. Éz. 18, 23.   e. Cf.
Éphés. 6, 16.   f. Ps. 37, 1.

---

1. «Les prophètes étaient de nombreux médecins, et mon Seigneur
et Sauveur est le médecin-chef», *HomSam.* V, 6 (*SC* 328, p. 191). Sur
le Christ médecin (ou Dieu médecin), voir : *PArch.* II, 10, 6 (*SC* 252,

cipline spirituelle adaptée et qui leur convienne, propre à les guérir grâce aux commandements de Dieu. Car il a donné aussi la technique d'un art médical dont le médecin-chef est le Sauveur qui dit à son sujet : «Ce ne sont pas les gens en bonne santé qui ont besoin du médecin, mais les malades[b].» Oui certes, c'était lui le médecin-chef capable de soigner toute faiblesse et toute infirmité[c]; or ses disciples, Pierre ou Paul, et même les prophètes, sont des médecins[1], et tous ceux qui ont été établis dans l'Église après les Apôtres et à qui fut confiée la science de soigner les blessures, eux que Dieu a voulu médecins des âmes dans son Église, car notre Dieu ne veut pas la mort du pécheur, mais il attend son repentir et sa prière[d].

Pour la souvenance Ainsi ce psaume aussi, lu aujourd'hui, nous montre, si par aventure nous sommes parfois surpris dans les fautes, comment et avec quel sentiment il faut prier et supplier le médecin pour nos peines et nos infirmités. Lors donc que l'ennemi nous aura devancé et qu'il aura blessé notre âme de ses traits enflammés[e], ce psaume nous apprend d'abord qu'il convient, après un péché, de l'avouer et de se souvenir dans sa mémoire du délit pour que, par la souvenance de la faute, le cœur aiguillonné et tourmenté de son délit se maîtrise pour un temps et revienne à lui pour ne plus commettre quelque chose de tel. Et c'est pourquoi, je pense, il est écrit en tête du psaume lui-même : «Psaume de David, pour la souvenance[f].» Or ce que signifie : «Pour la souvenance», par tout l'ensemble de ce psaume, il l'explicite.

p. 388); *HomJér.* XII, 5 (*SC* 238, p. 26) et Latin II, 6 (*ibid.*, p. 350); *HomLév.* VII, 1-2 (*SC* 286, p. 302 et 310); VIII, 1 (*SC* 287, p. 10) où l'Église est son «institut médical», comme ici : *in ecclesia sua medicos*.

45　Videamus ergo nos omnes peccatores, si in aliquo
delicto fuerimus inventi, vel quid dicere vel quid facere
debeamus ut, cum haec in Scriptura sacra didicerimus,
etiam medelam vulneris nostri consequi mereamur. Bonum
quidem erat semper corpus, ut ita dixerim, animae nostrae
50　in sanitate donare et armis Deiᵍ circumdatum ab omnibus
telis ignitis diaboli maligniʰ invulnerabile permanere,
nullius languoris, nullius aegritudinis experiri, nihilque
interiorem nostrum hominem vitii morbique suscipere.
Quod si per negligentiam sui atque animi desidiam incur-
55　rerit in peccatum, quid eum consequatur agnoscat. Argui
vel corripi est doloris poena, cruciatus et ita gravis est
ut etiam hi qui fideles et religiosi videntur, si forte ut
homines aliquando in delicto aliquo incurrerint et
arguantur, indignentur adversus eos qui arguunt et oderint
60　eos. Corripiunt enim ut emendent.

Et hoc malum fuit in causa ut etiam a priori populo
in odium haberentur prophetae, persecutionibus agita-
rentur. Hoc fuit causae quod Isaiam secari fecit, quod
Zachariam inter templum et altareⁱ compulit trucidari,
65　Ieremiam in lacum coeni demergiʲ. Et ad ultimum haec
fuit causa quae Dominum nostrum Iesum Christum egit
in crucem. Omnia enim quae supra enumeravimus scelera
atque flagitia non alia ex causa commissa sunt, nisi quod

g. Cf. Éphés. 6, 13 s.　　h. Cf. Éphés. 6, 16.　　i. Cf. Matth. 23, 35.
j. Cf. Jér. 38, 6.

1. «Les malades indociles fuient les médecins, souvent même ils les
injurient, les insultent et font tout ce qu'un ennemi ferait à son ennemi.
Il leur échappe que le médecin vient en ami, ils ne voient que le côté
pénible du régime, le côté pénible du bistouri, sans voir le résultat qui
suivra la souffrance ; ils détestent le médecin comme s'il n'engendrait
que des souffrances, et non des souffrances qui conduisent le patient
à la santé », *HomJér*. XIV, 1 (*SC* 238, p. 66).

2. Le peuple des Juifs.

3. Une tradition d'origine juive conservée dans le *Talmud* (Traité Ye-
bemoth 49b) et dans le *Targum sur II (IV) Rois*, 21, 16 (*Sanhédrin* 103b),

Un mal courant Voyons donc nous tous, pécheurs, ce que nous devons dire ou faire quand nous avons été surpris dans quelque péché, pour qu'après l'avoir appris dans l'Écriture sacrée, nous méritions d'obtenir un remède pour notre blessure. Certes, il était bon au corps de notre âme, si je puis m'exprimer ainsi, de conserver toujours une bonne santé et, revêtu des armes de Dieu[g], de rester invulnérable à tous les traits enflammés du diable méchant[h], de n'éprouver nulle langueur, nulle maladie et de n'exposer notre homme intérieur à aucun vice, à aucun mal. Que si par négligence de soi et paresse de l'âme il est tombé dans le péché, qu'il sache ce qui s'ensuivra. Etre accusé ou réprimandé est une peine douloureuse ; c'est un tourment, et si pénible que ceux qui semblent croyants et pieux, si d'aventure, en hommes qu'ils sont, ils tombent en quelque péché et sont accusés, ils s'indignent contre ceux qui les accusent et les haïssent. Mais ils les réprimandent pour qu'ils se corrigent[1].

Et ce mal fut cause que, par le premier peuple aussi[2], les prophètes étaient haïs et inquiétés par des persécutions. Ce fut le motif qui fit scier Isaïe[3], qui poussa à tuer Zacharie entre le temple et l'autel[i], à plonger Jérémie dans une citerne de vase[j]. Et pour finir, ce fut le motif qui mit en croix notre Seigneur Jésus-Christ. Car tous ces crimes et toutes ces infamies énumérés plus haut n'ont pas été commis pour un autre motif que celui-ci : tous

rapporte qu'Isaïe fut scié par ordre du roi Manassé. L'écrit apocryphe : *L'ascension d'Isaïe* 5, 1-2 ; 11-14 (trad. E. Tisserand, Paris 1909, p. 128-131), et de nombreux Pères, se font l'écho de cette tradition (cf. Justin, *Dial.* 120 ; Tertullien, *Pat.* 14, 1 ; Jérôme, *In Is.* 57, 1). Origène en parle en plusieurs endroits : *In Matth.* X, 18 (*SC* 162, p. 224-226) où il voit le martyre d'Isaïe sous les termes de l'épître aux Hébreux : « Ils ont été sciés. » Son *Homélie I sur Isaïe* précise qu'Isaïe aurait été scié pour avoir dit : « J'ai vu le Seigneur des armées », alors que l'Écriture assure : « Personne ne verra Dieu face à face et restera en vie » (*PG* 13, 223C).

dum omnes in medicinali disciplina resecari per correp-
70 tionem delinquentium nolunt, curae impatiens populus et
medelae in perniciem medentis exarsit.

Beati ergo sapientes iam ab ipsa Scriptura appellantur
hi qui, cum deliquerint, si arguantur non oderunt
arguentes. Ita enim dicit Scriptura : *Noli arguere malos ne*
75 *oderint te, argue sapientem et amabit te*[k]. Vides quomodo
sapientem appellavit Scriptura eum qui correptioni
obnoxius est, non tamen odit sed magis diligit arguentem?
Tales erant illi qui ab apostolo arguebantur et confutati
non oderant arguentes. Unde et ego arbitror illum qui in
80 Corintho gravissime deliquerat, idcirco misericordiam
consecutum, quoniam correptus ab apostolo et ita acerbe
correptus ut a conventu abscideretur ecclesiae[l] non tamen
odio habuit arguentem sed animadversionem patienter
accepit et fortiter tulit. Ego arbitror quod etiam maiorem
85 affectum concepit erga Paulum atque erga omnes qui sta-
tutis Pauli in eius animadversione paruerant. Unde et
Paulus sententiam revocat et eiectum reconiungit ecclesiae
et addit dicens : *Confirmate in eum caritatem*[m]. Vidit enim
eum post animadversionem servasse caritatem : et ideo
90 dixit ut etiam post peccatum non tam tribueretur ei caritas,
inerat enim, sed ut ab omnibus ea quae inerat firmaretur.

Necesse est ergo eum qui peccat argui : sed quoniam
gravis nobis infirmioribus, quamvis sit utilis ista correptio,
ferre eam sub omnium praesentia devitamus. Et quid dico

1371

---

k. Prov. 9, 8.   l. Cf. I Cor. 5, 1.   m. II Cor. 2, 8.

1. Comme tous les Pères anciens, sauf le Tertullien montaniste du
De Pudicitia, et malgré l'avis assez général des exégètes modernes,
Origène voit dans l'incestueux de Corinthe qui avait épousé la veuve
de son père et qui est excommunié par Paul en *I Cor.* 5, 1-5, celui
que Paul pardonne e*n II C*or. 2, 5-11. Voir de même *Fragm. in I Cor.*
XXIV, *JThS* IX, p. 363-365, surtout les lignes 18-20.

refusant d'être redressés selon l'art médical par la réprimande des coupables, le peuple, ne supportant pas soins
et remèdes, s'est enflammé pour perdre le médecin!

La conduite du sage L'Écriture elle-même appelle donc «heureux sages» ceux qui, quand ils ont péché et sont accusés, ne haïssent pas ceux qui les accusent. Ainsi parle en effet l'Écriture : «N'accuse pas les méchants, de peur qu'ils ne te haïssent; accuse le sage et il t'aimera[k].» Vois-tu comment l'Écriture a nommé «sage» celui qui, sujet à une réprimande, ne hait pourtant pas, mais aime davantage celui qui l'a accusé? Tels étaient ceux qui étaient accusés par l'Apôtre : confondus, ils ne haïssaient pas ceux qui les accusaient. C'est pour cela, je crois, que cet homme qui, à Corinthe, avait commis une faute très grave obtint miséricorde : repris par l'Apôtre, et repris si vertement qu'il fut retranché de l'assemblée de l'Église[l], il ne prit pourtant pas en haine celui qui l'accusait, mais accepta le châtiment avec patience et le supporta courageusement[1]. Je crois qu'il en a même conçu une plus grande affection à l'égard de Paul et de tous ceux qui avaient obéi aux décisions de Paul touchant son châtiment. Aussi Paul revient-il sur sa sentence et réunit-il à nouveau l'exclu à l'Église en ajoutant : «Affermissez en lui la charité[m].» Il vit, en effet, qu'après le châtiment, l'homme avait conservé la charité; et c'est pourquoi il dit, même après son péché, non pas tant de lui donner la charité, car elle était là, mais que tous fortifient cette charité qui était là.

La pénible réprimande Il est donc nécessaire que celui qui pèche soit accusé. Mais comme cette réprimande nous est pénible, à nous qui sommes faibles, bien qu'elle soit utile, nous évitons de la subir en présence de tous. Que dis-je : «en

95 omnium praesentia? Interdum ne duos quidem cum
arguimur adesse patimur testes sed culpamus arguentem
et dicimus : oportuerat te soli mihi dicere quae velis et
non sub multorum praesentia facere mihi ruborem.
Dolemus, iactamur, effervescimus et in interioribus animae
100 sensibus cruciamur.

Quod si talis correptio est qua ab hominibus vel coram
hominibus arguimur, quid facimus si Deus nos arguat, si
ipse Deus confutet et arguat in furore[n]? Nos qui episcopi
arguentis iracundiam ferre non possumus sed indignanter
105 accipimus, illum furorem qui Dei esse dicitur, arguentem
nos quomodo tolerabimus? Sciens ergo propheta quamplurimas esse differentias arguendi et volens quasi homo
pro delictis quidem argui, verens autem ne graviori
pondere, id est ne in furore Domini argueretur, ait sicut
110 iam et in alio psalmo ante dixerat etiam hic : *Domine,
ne in furore tuo arguas me*[o]. Similiter autem dicit et quod
sequitur : **Neque in ira tua corripias me**[p].

Oportet ergo nos aliqua et de correptione dicere, de
qua generaliter nos apostolus docet dicens : *Omnis quidem*
115 *correptio ad praesens non videtur gaudii esse sed mae-*
roris, postea autem fructum pacatissimum his qui per eam
exercitati sunt, reddet iustitiae[q]. Est videre etiam a pueris,
quemadmodum cum corripiuntur verberibus a paedagogis
vel a doctoribus excitantur, moleste quidem accipiunt et
120 summum malum iudicant dolorem illum, qui eis causa

n. Cf. Ps. 37, 2.   o. Ps. 6, 2.   p. Ps. 6, 2 ; 37, 2.   q. Hébr.
12, 11.

---

1. On voit qu'à l'époque d'Origène l'évêque a la prééminence dans
la pratique de la pénitence.

présence de tous»? Parfois nous ne souffrons même pas la présence de deux témoins quand on nous accuse, mais nous nous en prenons à celui qui nous accuse et disons : «Il te fallait dire à moi seul ce que tu voulais me dire, et non pas me faire rougir en présence de beaucoup!» Nous voilà dans la peine, agités, en ébullition et tourmentés dans les pensées intérieures de l'âme!

Si telle est la réprimande quand nous sommes accusés par des hommes ou devant des hommes, que feronsnous si Dieu nous accuse, si Dieu lui-même nous confond et nous accuse dans sa fureur[n]? Nous qui ne pouvons supporter l'emportement de l'évêque qui nous accuse[1], mais l'accueillons avec indignation, comment supporterons-nous cette fureur que l'on dit être celle de Dieu quand il nous accusera? Le prophète donc, sachant qu'il existe un très grand nombre de manières d'être accusé, et voulant tout de même, comme un homme, être accusé pour ses fautes, mais craignant que ce ne soit d'un poids plus lourd, c'est-à-dire craignant d'être accusé dans la fureur du Seigneur, demande ici encore, comme déjà il l'avait fait auparavant dans un autre psaume : «Seigneur ne m'accuse pas dans ta fureur[o].» Or il parle de même pour ce qui suit : «Et dans ta colère ne me réprimande pas[p]!»

Un exemple Il nous faut donc dire aussi quelque chose de la réprimande sur laquelle l'Apôtre nous donne un enseignement général, disant : «Toute réprimande ne semble pas sur le moment un sujet de joie, mais de tristesse; mais plus tard elle rend à ceux qu'elle a exercés, le fruit très apaisant de la justice[q].» On le voit aussi chez les enfants : repris avec des verges par leurs pédagogues ou stimulés par leurs maîtres, ils l'acceptent mais avec peine et jugent un souverain mal cette douleur qui leur est

eruditionis infligitur : et quamvis profectus suos in huiuscemodi eruditionibus vel correptionibus esse positos non
ignorent, tamen moleste atque impatienter ferunt. Quod
si eruditio puerorum huiuscemodi est, quid sentire
125 debemus de nobis senibus, qualem nobis vel eruditionem
vel correptionem imminere censemus, quae non a dis-
pensatoribus neque a paedagogis infertur? Novit quippe
Scriptura paedagogum[r] et dispensatorem[s] et procuratorem
parvuli : quid, inquam, existimare vel sentire debemus,
130 cum ab ipso patrefamilias eruditio nostra facta fuerit atque
correptio?

Iterum redeamus ad similitudinem puerorum. Si corri-
1372 piatur puer a paedagogo, non erit necesse eum correptionem paternae austeritatis agnoscere, quae ex gravio-
135 ribus delictis ac flagitiosioribus provocatur. Si corripiatur
a doctore puer, non ita austerus erit magister sicut pater
esse potest, si gravia delicta in filio cognoverit. Si enim
corripiat pater pro maioribus gravioribusque peccatis et
tantum sit commissum filii quod ad iracundiam concita-
140 verit patrem, sine dubio post cruciatus, post supplicia
etiam abdicationis poena metuenda est.

Si intellexisti similitudinem, transi mihi ab exemplo ad
rem, et intellege de nobis hominibus quae dicuntur.
Omnes episcopi atque omnes presbyteri vel diacones eru-
145 diunt nos et erudientes adhibent correptiones et verbis
austerioribus increpant. Est autem quando erudimur etiam
a procuratoribus et actoribus[t], id est ab his angelis quibus
creditae sunt dispensandae et regendae animae nostrae :
quemadmodum describitur in quodam loco angelus pae-

---

r. Cf. Gal. 3, 24.   s. Cf. I Cor. 4, 1.   t. Cf. Gal. 4, 2.

1. Cf. 36, V, 7, note 1 (p. 252). Mais dans *PArch.* II 11, 6 (*SC* 252,
p. 406), ce sont les anges qui commencent l'éducation *post mortem*,
représentée comme une instruction, avant de remettre les âmes aux
mains du Christ, puis du Père.

infligée pour les instruire, et bien qu'ils n'ignorent pas que leurs progrès sont dus à des instructions et réprimandes de cette nature, ils les supportent pourtant avec peine et impatience. Si l'instruction des enfants est telle, que devons-nous penser de nous, vieillards? Avons-nous idée de l'instruction, de la réprimande qui nous attend et qui ne nous sera infligée ni par des intendants, ni par des pédagogues? L'Écriture connaît, en effet, le péda-gogue[r], l'intendant[s] et le précepteur du petit enfant. Que devons-nous juger ou penser, dis-je, puisque notre ins-truction sera faite par le Père de famille en personne, comme notre réprimande?

Revenons encore à l'exemple des enfants. Si l'enfant est réprimandé par le pédagogue, il ne lui sera pas néces-saire de connaître la réprimande de la sévérité paternelle appelée par des fautes plus graves et plus honteuses. Si l'enfant est réprimandé par un professeur, le maître ne sera pas si sévère que le père peut l'être, s'il a connais-sance de graves méfaits chez son fils. Car si le père fait des réprimandes en raison de péchés plus grands et plus graves, et si le fils en a commis tellement qu'il a poussé son père à l'emportement, il n'y a pas de doute qu'après les tourments et les châtiments, il ait encore à redouter la peine d'être chassé!

L'Ange de la Pénitence Si tu as compris la comparaison, passe avec moi de l'exemple à la réalité, et comprends ce qu'on dit de nous, les hommes. Tous, évêques, prêtres, diacres, nous instruisent, et pour nous instruire font usage de réprimandes et nous fustigent par des paroles assez sévères. Mais parfois nous sommes encore instruits par des précepteurs et des curateurs[t], c'est-à-dire par ces anges à qui sont confiées nos âmes pour être conduites et dirigées[1]; de même l'on nous dépeint quelque part l'Ange

150 nitentiae qui nos suscipit castigandos, sicut *Pastor* exponit,
si cui tamen libellus ille recipiendus videtur. Interim
diversis eruditionibus succumbimus nos homines casti-
gantibus, nos et corripientibus : nondum tamen ab ipso
patrefamilias castigamur, sed a procuratoribus angelis, qui
155 uniuscuiusque nostri castigandi atque emendandi sortiuntur
officium et est tolerabilius cum ab aliquo horum corri-
pimur.

Sic quoque interdum etiam paedagogo commissa est
nostra correptio. Nam quicumque sub lege erant, quoniam
160 *lex paedagogus noster fuit in Christo*[u], delinquentes in
lege a paedagogo corripiebantur cum puniebantur ex lege.
Puniebantur enim vel cum lapidabantur vel cum aliquid
eorum quae Moyses scripserat[v] perferebant. Nullus ergo
eorum de quibus superius diximus ab ipso patrefamilias
165 puniebatur. Non enim erat paterfamilias lex neque angelus
paenitentiae.

Sed sunt alia peccata pro quibus peccantem ipse paterfamilias punit, eum videlicet qui mensuram facinorum
supergressus, ultra creaturae contumeliam sceleris sui
170 impietatem tetendit. Nec tamen alius quis novit praeter
Deum solum, qui vel quando procuratoribus tradi debeat
castigandus vel qui corripiendus actoribus, quando etiam
qui subici debeat paedagogo, cui autem inferiores sint

---

u. Gal. 3, 24.   v. Cf. Lév. 20, 1 s.

1. *Le Pasteur*, attribué à Hermas, jouissait d'une grande autorité dans
l'Église primitive. Considéré comme Écriture par Clément, Tertullien
catholique et Origène (quoique non reconnu par tous), sa canonicité
est refusée à la fin du IIe siècle par le canon de Muratori qui ne le
met pas parmi les livres du Nouveau Testament, mais accepte cependant
qu'on le lise à l'Église.

de la Pénitence qui nous accueille pour nous châtier, comme l'expose «le Pasteur», si du moins ce livre semble recevable à quelqu'un[1]. Pour l'instant, nous autres hommes, nous nous laissons abattre par les diverses instructions qui nous châtient et nous reprennent; nous ne sommes pourtant pas encore châtiés par le Père de famille en personne, mais par des anges-précepteurs qui, en châtiant et redressant chacun de nous, remplissent leur office; et c'est plus facile à supporter lorsque nous sommes repris par l'un d'eux.

La loi pédagogue Ainsi aussi, c'est parfois à un pédagogue qu'est confiée notre réprimande. Car tous ceux qui étaient sous la loi, puisque «la loi fut notre pédagogue dans le Christ[u]», s'ils manquaient à la loi, étaient réprimandés par le pédagogue quand ils étaient punis par la loi. Car ils étaient punis, soit quand ils étaient lapidés, soit quand ils subissaient quelques-unes de ces peines édictées par Moïse[v]. Aucun donc de ceux dont nous avons parlé plus haut n'était puni par le Père de famille lui-même. En effet, ni la loi ni l'Ange de la Pénitence n'étaient le Père de famille.

Le Père de famille Mais il y a d'autres péchés pour lesquels le Père de famille en personne punit le pécheur, c'est-à-dire celui qui, dépassant la mesure des crimes, a étendu l'impiété de son forfait au-delà de l'outrage que peut perpétrer une créature. Pourtant, personne d'autre que Dieu seul ne sait qui doit être livré aux précepteurs pour être châtié, et quand il doit l'être, ou qui subira la réprimande des curateurs, ou quand encore quelqu'un doit être soumis au pédagogue; pourtant toutes ces réprimandes sont infé-

horum omnium correptiones, si quis scilicet talis est qui
175 ipsam ut ita dixerim divinam manum in suam provocet
ultionem.

Si intellexisti quae dicta sunt, si altiorem secutus es
intellectum, intuere nunc qualiter haec propheta prose-
quitur cum dicit : etiam si corripis me Deus noli me in
180 ira corripere[w]. Sed nos nec corripi volumus nec paedagogum patimur commonentem neque procuratorum vel
actorum correptiones libenter accipimus et propterea ab
ipsa ira Dei correptionem nobis induci necesse est. Propheta enim dicit : **Domine ne in furore tuo arguas me
185 neque in ira tua corripias me**[x].

1373   **2.** Sed qui hoc dicit, debet proferre aliquam rationem
quare nolit vel in furore argui vel in ira corripi[a]. Et quae
sit ista ratio videamus ut et nos si delinquimus hanc
rationem dicentes et facientes secundum hoc quod
5 docemur, non incurramus in vindictam Domini furore
arguentis vel ira corripientis. **Quoniam** – inquit – **sagittae
tuae infixae sunt mihi et confirmasti super me manum
tuam**[b]. Sermo Domini sagittis est similis. Denique et Salvator ita dixit : *Posuit me sicut sagittam electam et in pha-
10 retra sua abscondit me*[c]. Qui ergo loquitur sermonem
Domini, sagittas iaculatur. Et cum loquitur corripiens et
castigans, correptionis iaculo cor perforat audientis.

---

w. Cf. Jér. 10, 24.   x. Ps. 37, 2.
2. a. Cf. Ps. 37, 2.   b. Ps. 37, 3.   c. Is. 49, 2.

---

1. Les paroles qui terminent le chapitre 1.
2. Sur le thème du Christ-flèche, voir *supra*, 36 II, 8, note 2 (p. 120-
121). Mais ici la flèche n'est plus une flèche d'amour, mais de pénitence.
3. D'après J. Doignon, «Hilaire de Poitiers face à la mystique origénienne de la purification par l'amour», *Revue des Études augustiniennes* XXXVI (1990), p. 217-224, ce texte aurait «eu une influence

rieures aux siennes, si quelqu'un bien entendu est tel qu'il invite la divine main elle-même à se venger, si je puis m'exprimer ainsi.

Si tu as compris ce qui a été dit, si tu as suivi un sens plus élevé, considère maintenant de quelle manière le prophète poursuit cette idée quand il déclare : Même si tu me réprimandes, ô Dieu, ne me réprimande pas dans la colère[w]. Mais nous, nous ne voulons pas être repris, nous ne supportons pas un pédagogue qui nous avertit, et nous n'acceptons pas volontiers les réprimandes des précepteurs ou des curateurs ; et c'est pourquoi il est inévitable que nous attirions sur nous la réprimande de la colère de Dieu elle-même. Le prophète dit en effet : «Seigneur ne m'accuse pas dans ta fureur, et dans ta colère ne me réprimande pas[x].»

Flèches des paroles de Dieu

2. Mais celui qui dit cela[1] doit avancer quelque motif pour lequel il ne veut pas être accusé dans la fureur de Dieu ou réprimandé dans sa colère[a]. Aussi voyons quel est ce motif, pour que nous aussi, si nous péchons, exprimant ce motif et agissant selon ce qu'on nous enseigne, nous n'encourions pas la vengeance du Seigneur qui accuse dans la fureur et réprimande dans la colère. «Car dit-il, tes flèches se sont fichées en moi et tu as affermi sur moi ta main[b].» La Parole du Seigneur est semblable aux flèches. Aussi le Sauveur a-t-il dit : «Il a fait de moi une flèche choisie et m'a caché dans son carquois[c 2].» Donc, celui qui dit une parole du Seigneur, lance des flèches. Et quand il parle pour réprimander et châtier, il transperce le cœur de celui qui l'écoute du trait de la réprimande[3].

particulière sur un texte d'Hilaire de Poitiers», un passage de son *Commentaire sur le psaume 119*, 5 (*PL* 9, 648C-649A).

Qui ergo ita suscipit verba Domini ut ex his quos audit
sermonibus cor suum configatur et per stimulum eorum
15 quae dicta sunt ad paenitentiam suscitetur, certum est
quoniam in illum in vanum non abiit iaculum sermonis
Dei neque transvolavit sed in ipso omnes illae sermonum
Dei defixae sunt sagittae. Denique ita et quodam loco
ait : *Vidisti quomodo compunctus est Achab*[d]? Merito ergo
20 et nunc dicit propheta : **Domine ne in furore tuo arguas
me neque in ira tua corripias me**[e]. Digna est enim
causa quae subsequitur, quae ab eo correptionem furoris
Domini debeat temperare, **quoniam sagittae tuae infixae
sunt mihi**[f].

25 Verbi gratia et nunc, si ex ista omni multitudine auditorum sint aliqui conscii sibi in aliquo peccato atque
utinam quidem nullus sit, verumtamen necesse est esse
aliquos conscios sibi et hi, si his auditis quae loquimur,
recte et fideliter audiant et compungatur cor eorum ex
30 iaculis verborum nostrorum et transfixi talibus iaculis
doleant et conversi ad paenitentiam dicant : **Domine ne
in furore tuo arguas me neque in ira tua corripias
me, quoniam sagittae tuae infixae sunt mihi**[g]. Si vero
audiens haec non compungatur sed tamquam in corpore
35 iam emortuo, ita in anima eius nulla sagitta, nullum
iaculum sensum doloris inveniat nec ullam recordationem
suorum capiat peccatorum : iste quippe est ut stimulis
1374   furoris Domini corripiatur atque irae eius correptionibus

---

d. III Rois 21, 29.   e. Ps. 37, 2.   f. Ps. 37, 3.   g. Ps. 37, 2-3.

---

1. Ce mot latin *compunctus*, (de *pungere*, piquer), veut dire aussi :
« a été touché de componction ». C'est le sens qu'il a ici et plus loin.
Mais, vu le contexte, nous continuons à le traduire par « transpercé ».
Sur la componction chez Origène, voir M. HARL, « Les origines grecques

Si donc quelqu'un reçoit les paroles du Seigneur de manière que son cœur soit percé par ces paroles qu'il entend et, par l'aiguillon de ce qu'on lui a dit, soit poussé à la pénitence, il est sûr qu'en lui le trait de la Parole de Dieu n'est pas allé en vain, qu'il n'a pas volé au-dessus de lui, mais qu'en lui toutes ces flèches des paroles de Dieu se sont fichées. Ainsi dit-on encore en un certain passage : «As-tu vu comment Achab a été transpercé[d][1] ?» C'est donc avec raison que le prophète dit aujourd'hui encore : «Seigneur ne m'accuse pas dans ta fureur et dans ta colère ne me réprimande pas[e].» Car c'est une bonne raison qui suit, qui doit de ce fait modérer la réprimande de la fureur du Seigneur : «Car tes flèches se sont fichées en moi[f].»

Les flèches des paroles
Par exemple, aujourd'hui encore, si parmi toute cette multitude qui m'écoute il en est quelques-uns qui se savent en quelque péché – plût à Dieu qu'il n'y en eût pas même un! Pourtant il est forcé que quelques-uns en soient conscients –, si ceux-là, après avoir entendu ce que nous disons, l'écoutent avec droiture et foi et si leur cœur est transpercé par les traits de nos paroles, et si transpercés par de tels traits ils souffrent, qu'ils disent tournés vers la pénitence : «Seigneur, ne m'accuse pas dans ta fureur et dans ta colère ne me réprimande pas, car tes flèches se sont fichées en moi[g].» Mais si, entendant cela, il n'est pas touché, et si, comme il en est dans un corps déjà mort, en son âme nulle flèche, nul trait n'éveille un sentiment de douleur et ne lui fasse percevoir aucun souvenir de ses péchés[2], voilà certes un homme à réprimander par les aiguillons de la fureur du Seigneur et à blâmer par la répri-

du mot et de la notion de componction dans la Septante et ses commentateurs», *Revue des Études augustiniennes* XXXI (1986), p. 3-21.

2. Cf. *HomJér.* VI, 2 (*SC* 232, p. 332).

arguatur. Non enim potest dicere Domino : **Quoniam**
40 **sagittae tuae infixae sunt mihi**[h].

Atque utinam omnes qui nos audiunt compuncti et sti-
mulati ex his quae dicuntur atque ad paenitentiam conversi
dicant ad doctorem : **Quoniam sagittae tuae infixae sunt
mihi** et dum castigas nos verbo Dei, dum verberas, dum
45 in interioribus nos conscientiae percutis : **Confirmasti
super me manum tuam**[i]. Confirmat namque manum
supra pueros paedagogus dum verberat et emendat et
confirmat manus, cum verbera non negligenter aut leviter
infiguntur. Ita etiam Domino dicere quis potest cum miserit
50 sagittas, sed, per quoscumque vult mittere sagittas verborum suorum, quoniam **confirmasti super me manum
tuam**.

Cum enim manus Domini <ei> adsit, qui emittit verborum iacula et infigit sagittas in auditoris animam, merito
55 etiam Domino dicit quoniam : **Confirmasti super me
manum tuam : nec est sanitas in carne mea a facie
irae tuae**[j]. Propterea ergo rogo non ipsius irae tuae
potentiam experiri, quoniam indicium eius tantummodo
accipiens et solam quodammodo faciem eius videns, quae
60 ex solis verbis divinae Scripturae deformatur, iam doleo
omne corpus meum et conturbor : **Nec est** ulla **sanitas
in carne mea** neque **pax in ossibus meis**[k], tantum quod
faciem irae tuae ex Scripturis sanctis, non tamen ipsam
iram sentire vel videre visus sum. Et si ex hoc solo talia
65 sunt quae patior, propter hoc oro ut non ipsam iram
patiar.

h. Ps. 37, 3.   i. Ps. 37, 3.   j. Ps. 37, 3-4.   k. Ps. 37, 4.

mande de sa colère. Car il ne peut dire au Seigneur : «Car tes flèches se sont fichées en moi[h].»

Ah, si seulement tous ceux qui nous écoutent, transpercés et aiguillonnés par ce qu'on dit et tournés vers la pénitence, disaient au professeur : «Car tes flèches se sont fichées en moi», et, tandis que tu nous châties par la Parole de Dieu, que tu nous frappes de verges, que tu nous atteins au plus profond de la conscience, «tu as affermi sur moi ta main[i]»! Car le pédagogue affermit sa main sur les enfants quand il les frappe de verges et les redresse, et sa main s'affermit quand les coups ne sont pas infligés avec négligence ou à la légère. De même aussi quelqu'un peut dire au Seigneur quand il a envoyé ses flèches – quels que soient ceux par qui il veut envoyer les flèches de ses paroles – : «Car tu as affermi sur moi ta main.»

Rien de sain en ma chair Puisqu'en effet, la main du Seigneur est présente en celui qui envoie les traits des paroles et fiche des flèches dans l'âme de ceux qui l'écoutent, c'est avec raison que le prophète dit encore au Seigneur : «Tu as affermi sur moi ta main; il n'y a rien de sain dans ma chair devant la face de ta colère[j].» Voilà pourquoi je te prie de ne pas me faire expérimenter la puissance de ta colère elle-même, puisqu'en en recevant seulement une indication et en voyant en quelque sorte sa seule face, tracée seulement à partir des paroles de la divine Écriture, je souffre à présent dans tout mon corps et je suis bouleversé : «Il n'y a rien de sain dans ma chair ni de paix dans mes os[k]», seulement parce qu'il m'a semblé ressentir ou voir la face de ta colère à partir des Écritures saintes, et non toutefois ta colère elle-même. Et si de ce seul fait j'endure de telles souffrances, pour cela je te prie de ne pas avoir à souffrir ta colère elle-même.

Vide ergo si non manifeste haec dicuntur in eo quod
ait : **Et confirmasti super me manum tuam; nec est
sanitas in carne mea a facie irae tuae**[l]. Potuit dicere :
70 ab ira tua, sed nunc ait : **A facie irae tuae**. Si enim
dixisset : ab ira tua, superfluum erat illud sine dubio quod
superius dixit : **Ne in ira tua corripias me**. Nunc autem
dicit : **Non est sanitas in carne mea a facie irae tuae**.
Quoniam quidem sola facies irae tuae id est consideratio
75 ipsa indignationis, ita me perterruit et convertit ut irae
tuae iam in me locus esse non debeat.

Nec est sanitas in carne mea[m]. De eo qui apud
Corinthum peccaverat indicavit apostolus, dicens : *Tradere
huiusmodi hominem Satanae in interitum carnis*[n].
80 Numquid putandum est quod iniquum fieri volebat quem
dicebat tradi debere Satanae in interitum carnis? Quin
potius apparet, quoniam pro salute eius tradebat carnem
eius in interitum. Denique addit dicens : *Tradidi eiusmodi
hominem Satanae in interitum carnis ut spiritus salvus
85 fiat in die Domini*[n], ostendens non posse salvari spiritum,
nisi caro in interitum traderetur.

Quis ergo sit interitus carnis audi. Quia quod interierit,
sine dubio mortuum est. Vivit autem caro in peccatore,
mortua est caro in homine iusto. Propter quod et iustus
90 dicit : *Semper mortificationem Iesu Christi in corpore nostro
circumferentes ut et vita Iesu Christi manifestetur in carne
nostra mortali*[o]. Et iterum mandatum accepimus dicens :

---

l. Ps. 37, 3-4.   m. Ps. 37, 4.   n. I Cor. 5, 5.   o. II Cor. 4, 10.

1. La «face de la colère de Dieu» est un hébraïsme pour dire «devant
la colère de Dieu». Mais Origène ne le comprend pas ainsi. De même
dans *HomSam*. 3, fragm. 4 (*SC* 328, p. 161).

2. «Inique» est dans l'Écriture, un des noms de Satan (*II Thess*. 2,
8) et des damnés (*Act*. 24, 15; *II Pierre* 2, 9).

**La face
de ta colère**

Vois donc si ce n'est pas dit de façon évidente par ces mots : «Et tu as affermi sur moi ta main. Il n'y a rien de sain dans ma chair devant la face de ta colère[1].» Il aurait pu dire : «devant ta colère». Mais il dit ici : «devant la face de ta colère». Car s'il avait dit : «devant ta colère», c'était sans aucun doute superflu, puisqu'il a dit plus haut : «Ne me réprimande pas dans ta colère.» Or il dit ici : «Il n'y a rien de sain dans ma chair devant la face de ta colère[1].» C'est que la seule face de ta colère, c'est-à-dire la considération même de ton indignation, m'a épouvanté et retourné au point que pour ta colère il ne doit maintenant plus y avoir de place en moi.

**Pour sauver
l'âme**

«Il n'y a rien de sain dans ma chair[m].» A propos de celui qui, à Corinthe, avait péché, l'Apôtre le montra, disant de «livrer un individu de cette espèce à Satan, pour la perte de sa chair[n]». Devons-nous penser qu'il voulait que devienne inique[2] celui qu'il disait devoir être livré à Satan pour la perte de sa chair? Bien plutôt, il semble que c'est pour son salut qu'il livrait sa chair à la perte. Ainsi il ajoute : «Que soit livré un individu de cette espèce à Satan pour la perte de sa chair, afin que son esprit soit sauvé au jour du Seigneur[n]», montrant que l'esprit ne pouvait être sauvé si la chair n'était pas livrée à sa perte.

Écoute ce que veut dire «la perte de la chair». Ce qui a péri, sans aucun doute est mort. Or la chair vit dans le pécheur, la chair est morte dans l'homme juste. C'est pourquoi le juste dit aussi : «Portant toujours la mise à mort de Jésus-Christ en notre corps pour que la vie de Jésus-Christ aussi soit manifestée en notre chair mortelle[o].» Et d'autre part, nous recevons le comman-

Mortificate membra vestra quae sunt super terram[p]. Et beatus est qui mortuus est peccato, secundum quod dictum
95 est : *Corpus quidem mortuum est propter peccatum, spiritus autem vita propter iustificationem*[q]. Tradi ergo in interitum carnis tale est ut emoriatur sensus carnalis in nobis et non vivat carnis cupiditas in ea. Ex eo enim quod moritur sensus carnis ut non secundum carnem
100 sapiamus[r], spiritus salvus efficitur. Alioquin dum vivit sensus in nobis carnis et caro vivit, non possumus de spiritalibus sapere. Hoc ergo modo apostolus tradidit in interitum carnis eum qui secundum carnem vixerat ut sensu carnis emortuo *spiritus in die Domini salvaretur*[s].
105 Si intellexisti apostolicum sermonem, ad id quod propositum est revertamur.

Utinam in corpore meo si quando delinquo, delictum autem semper ex sensu carnis venit, superduceretur interitus carnis ut spiritus salvaretur. Si enim caro infir-
110 matur, sine dubio proficiens infirmitas etiam ad mortificationem pervenit carnis, et tunc est quando recte dicitur quoniam : **Non est sanitas in carne mea**[t]. Si vero [non] infirmatur quidem caro sed redit ad sanitatem suam, id est ut sapiat quae sunt carnis ac desideret malum, tunc
115 sanitas est in carne, quod utique spiritui non est bonum.

---

p. Col. 3, 5.   q. Rom. 8, 10.   r. Cf. Rom. 8, 5.   s. I Cor. 5, 5.
t. Ps. 37, 4.

---

1. « Perte de la chair » : d'après l'anthropologie tripartite origénienne, l'âme, qui se situe entre l'esprit et le corps, a une partie supérieure, le νοῦς qui subit l'attraction de l'esprit, et une partie inférieure, la chair, σάρξ, qui l'entraîne vers le corps. La pensée de la chair, φρόνημα τῆς σαρκός (en référence à *Rom.* 8, 6-7), est la tendance qui tire l'âme vers le corps. Il y a donc une différence entre le corps et la chair : le corps n'est pas mauvais en soi, la chair l'est. Origène ne demande pas un affaiblissement physique du corps, mais la « perte de la chair » : il ne veut pas que la chair se rebelle contre Dieu. Cette perte de la

dement : «Mettez à mort vos membres terrestres[p].» Et bienheureux celui qui est mort au péché, selon ces paroles : «Le corps, certes, est mort en raison du péché, mais l'Esprit est vie en raison de la justice[q].» Donc, être livré pour la perte de la chair signifie : pour que meure en nous la pensée de la chair et que ne vive pas en elle le désir de la chair. Car du fait que la pensée de la chair est morte pour que nous ne sentions plus selon la chair[r], l'esprit est sauvé. Autrement dit, tant que vit en nous la pensée de la chair et que vit la chair, nous ne pouvons sentir les réalités spirituelles. C'est donc de cette manière que l'Apôtre a livré pour la perte de la chair celui qui avait vécu selon la chair : pour qu'une fois morte la pensée de la chair, «l'esprit soit sauvé au jour du Seigneur[s][1]». Si tu as compris la parole de l'Apôtre, revenons à notre sujet.

Affaiblir la chair Si seulement, quand je commets une faute en mon corps – mais une faute vient toujours de la pensée de la chair –, on attirait sur moi la perte de la chair pour que l'esprit soit sauvé ! Car si la chair est affaiblie, à coup sûr, la faiblesse, en progressant, aboutit aussi à la mise à mort de la chair, et c'est alors qu'on dit avec raison : «Rien de sain dans ma chair[t].» A l'opposé, si la chair est affaiblie, mais retrouve sa santé, à savoir pour penser à ce qui est de la chair et désirer le mal, alors la chair est en bonne santé, ce qui assurément pour l'esprit n'est pas un bien[2].

chair qui aura pour but de remédier au péché, se fera par les pratiques de la pénitence publique.

2. La chair n'est pas le corps (voir note précédente). Un apophtegme paraît traduire la même idée, mais le langage est différent : là, il s'agit bien du corps. «L'abbé Daniel disait : Autant le corps est florissant, autant l'âme végète ; et autant le corps végète, autant l'âme est florissante», *Apophtegmes, collection alphabétique*, Solesmes 1981, p. 77.

Iste ergo qui recusat per furorem Domini argui atque iracundia eius corripi, iustissimas causas huius excusationis
ostendit, asserens se et sagittis verborum Dei esse
confixum et ita turbatum atque perterritum a sola facie
120 irae Domini ut nulla prorsus **in carne** eius **sanitas**, id
est nullum peccandi ultra desiderium manserit.

Memini me aliquando de illo capitulo evangelii dispu-
tantem in quo scriptum est : *Spiritus quidem promptus est,
caro autem infirma*[u], tale aliquid sensisse quod antequam
125 Salvator noster veniret ad crucem et crucifigeret carnem
atque emori eam faceret, antequam perfecte mortifica-
retur, prius dixit infirmari carnem suam; et donec infir-
mabatur quidem caro, spiritum promptum esse dicebat :
cum vero cruci eam tradit et perfecta morte consummat,
130 tunc non iam promptum spiritum, sed in manibus patris
positum esse[v] testatur. Haec autem ille in se describens
nostris eruditionibus praebebat exemplum. Propter nos
enim et nobis infirmus erat.

Ideo consideremus nosmetipsos, si infirma est caro
135 nostra, si non deliciis luxuriaque resolvitur et haec ei
vitiosa sanitas praesto est : vide si per abstinentiam coti-
dianam infirma efficitur caro, si per continentiam desi-
deria resecantur, libido comprimitur, vitia conquiescunt :
tunc etiamsi nondum emortua est, tamen **non est sanitas
140 in carne** tua[w], sed etiam membra tua interim mortificata
sunt super terram[x]. Quid est autem quod facit sanitatem
in carne non esse? Si sentiamus faciem irae Dei. Dum
enim recordamur iram Dei et ante oculos vultum eius
adducimus ex ipsa institutione eius, quae propter hoc

1376 (margin, line 126)

---

u. Matth. 26, 41.   v. Cf. Lc 23, 46.   w. Cf. Ps. 37, 4.   x. Cf.
Col 3, 5.

---

1. Cf. *SerMatth.* 94 (*Delarue* 904), *PG* 13, 1745B-1746A.

Celui-là donc qui ne veut pas être repris par la fureur du Seigneur et corrigé par son emportement, montre les très justes motifs de ce refus, alléguant qu'il est percé lui aussi par les flèches des paroles de Dieu et qu'il est troublé et terrifié par la seule face de la colère du Seigneur, au point qu'il n'y a vraiment « rien de sain dans sa chair », c'est-à-dire qu'il n'y est demeuré aucun désir de pécher davantage.

Je me souviens que jadis, alors que j'exposais le chapitre de l'Évangile où il est écrit : « L'esprit est prompt, mais la chair est faible[u] », j'ai perçu quelque chose de semblable[1] : avant que notre Sauveur vienne à la croix, et crucifie sa chair et la fasse mourir, avant qu'elle ne soit totalement mise à mort, il a d'abord dit qu'il a rendu faible sa chair ; et tant que la chair était affaiblie, il disait que l'esprit est prompt. Mais quand il la livre à la croix et la détruit par une mort totale, alors il n'affirme plus que l'esprit est prompt, mais qu'il est remis entre les mains du Père[v]. Or lui qui décrivait cela en sa personne offrait un exemple pour nous instruire. C'est à cause de nous en effet, et pour nous, qu'il était faible.

Aussi considérons-nous nous-mêmes pour voir si notre chair est faible, si elle n'est pas relâchée par les délices et la luxure, et si cela ne lui donne pas cette santé vicieuse. Vois si, par une abstinence quotidienne, la chair est devenue faible, si par la continence, les désirs sont refrénés, la sensualité réprimée, les vices apaisés ; alors, même si elle n'est pas encore morte, il n'y a pourtant rien de sain dans ta chair[w], mais dès à présent même, tes membres sont mis à mort sur la terre[x]. Or qu'est-ce qui fait qu'il n'y a rien de sain dans la chair ? C'est lorsque nous prenons conscience de la face de la colère de Dieu. Car tant que nous nous souvenons de la colère de Dieu, et plaçons devant nos yeux son visage dans cette disposition même qui est appelée pour cela

145 **facies irae**[y] appellata est, conturbata et exterrita caro infirmatur atque languescit.

3. Non est pax ossibus meis a facie peccatorum meorum[a]. Etiam haec debet dicere qui peccavit et post peccatum peccasse se recordatur, sicut ipse David dicebat in quinquagesimo psalmo : *Et peccatum meum coram me* 5 *est semper*[b]. Sunt quidam qui cum peccaverint securi sunt prorsus nec cogitant de peccato suo nec venit ad sensum eorum quid male gesserint, sed ita vivunt quasi nihil omnino commiserint : isti ergo non possunt dicere : *Quia peccatum meum coram me est semper.* Cum vero post 10 delictum quis consumitur et affligitur pro delicto suo et conscientiae stimulis agitatur, mordetur sine intermissione atque occultis confutationibus impugnatur, iste merito dicit : **Non est pax ossibus meis a facie peccatorum meorum**[c].

15 Est sane facies quaedam etiam peccatorum et, ut ita dixerim, color quidam et species, per quam recordari et recognosci solent ea quae aliquando commissa sunt. Cum ergo ante oculos cordis nostri statuerimus peccata nostra et unumquodque intuentes, recognoscentes erubescimus 20 factique paenitemus, tunc conturbati et exterriti merito dicimus non habere pacem in ossibus nostris a facie peccatorum nostrorum.

4. Addat etiam haec qui paenitet pro peccatis suis et dicat : **Quia iniquitates meae superposuerunt caput**

y. Cf. Ps. 37, 4.
3. a. Ps. 37, 4.   b. Ps. 50, 5.   c. Ps. 37, 4.

face de sa colère[y], troublée et terrifiée, la chair s'af-
faiblit et dépérit.

**Après
avoir péché**

3. «Il n'est pas de paix pour mes
os devant la face de mes péchés[a].»
Il doit dire cela aussi celui qui a
péché et qui, après son péché se souvient d'avoir péché,
comme David lui-même le disait dans le psaume cinquante : «Et mon péché est toujours devant moi[b].» Il y
a des gens parfaitement tranquilles après avoir péché : ils
ne songent pas à leur péché, il ne leur vient pas à la
pensée ce qu'ils ont fait de mal, mais ils vivent comme
s'ils ne s'étaient rendus coupables en rien. Ceux-là ne
peuvent donc dire : «Mon péché est toujours devant moi.»
En revanche quand, après un péché, quelqu'un est accablé
et affligé de sa faute, tourmenté par les remords de sa
conscience, mordu sans relâche et assailli de reproches
secrets, cet homme dit à juste titre : «Il n'est pas de paix
pour mes os devant la face de mes péchés[c].»

**La face
des péchés**

Il y a bien aussi une certaine face
des péchés et, pour m'exprimer
ainsi, une certaine couleur et un
certain aspect par lequel sont d'ordinaire rappelées et
reconnues les fautes commises autrefois. Quand donc
nous avons exposé nos péchés devant les yeux de notre
cœur, et que regardant chacun d'eux, les reconnaissant,
nous rougissons et nous nous repentons de les avoir
commis ; alors troublés et épouvantés, nous disons à juste
titre ne pas avoir de paix pour nos os devant la face
de nos péchés.

Un fardeau pesant

4. Qu'il ajoute encore ceci celui qui
se repent de ses péchés : «Car mes
fautes ont dépassé ma tête ; comme un fardeau pesant

meum, sicut onus grave gravatae sunt super me[a]. Qui
enim nec dolent nec gravantur pro peccatis suis sed securi
5 sunt atque in deliciis fluitant, haec dicere non possunt
nec sentiunt quod iniquitates quidem suae excrescunt et
1377 ultra capitis sui evadunt proceritatem, ipsi vero decrescunt
et in nihilum rediguntur et ideo non possunt dicere :
**Quoniam iniquitates meae superposuerunt caput
10 meum, sicut onus grave gravatae sunt super me.**
Quomodo enim haec possunt dicere illi qui in delictis
suis non solum delectantur, verum etiam exsultantes mala
sua praeferunt, quibus profecto peccatum suum non onus
efficitur sed voluptas?

15 Non est ergo illorum dicere haec sed eorum quibus
libido iam sorduit, quibus vitia horruerunt, a quibus
denique deprehensa est omnis praesentium gratiarum
voluptas esse pro nihilo, quia postea omnino nulla futura
est. Isti sunt qui possunt etiam dicere haec quae
20 sequuntur : **Quoniam foetuerunt et putrefactae sunt
cicatrices meae**[b].

Nolite – inquit Salvator – *mittere margaritas vestras ante
porcos*[c]; ibi appellans eos qui peccatorum foetoribus delectantur sicut porci, qui foetorem omnem tamquam odorem
25 suavissimum expetunt. Considera ergo peccatorem qui in
peccatis suis delectatur et laetus est in malis suis : quoniam
et ipse in stercore foetido volutatur et nullum foetoris eius,
qui ex peccati stercore redditur, percipit sensum, velut
in summis voluptatibus et gratissimis deliciis delectatur.
30 Si vero istum eveniat aliquando porcorum quidem sensum
odoratumque deponere et sensum verbi Dei percipere,

---

4. a. Ps. 37, 5.   b. Ps. 37, 6.   c. Matth. 7, 6.

1. «Les pécheurs sont comparés à des porcs qui se roulent dans
leur péché, comme dans une ordure infecte», *HomGen.* XI, 1 (*SC* 7 bis,
p. 280), et *EntrHéracl.* 13 (*SC* 67, p. 82).

elles ont pesé sur moi[a].» Car ceux qui ne s'affligent pas et ne sentent pas le poids de leurs péchés, mais qui sont tranquilles et nagent dans les délices, ne peuvent dire ces paroles, ni prendre conscience que leurs iniquités forment même une excroissance et étendent leur grandeur au-dessus de leur tête, alors qu'eux-mêmes diminuent et sont réduits à rien ; et c'est pourquoi ils ne peuvent dire : «Car mes fautes ont dépassé ma tête ; comme un fardeau pesant, elles ont pesé sur moi.» Comment, en effet, peuvent-ils parler ainsi, ceux qui non seulement se délectent dans leurs délits, mais encore, triomphants, étalent leurs méfaits, eux pour qui, assurément, leur péché n'est pas un fardeau, mais une volupté ?

Ce n'est donc pas à eux de dire cela, mais à ceux pour qui la passion sensuelle est désormais sordide, à qui les vices font horreur, pour qui enfin toute la volupté des joies présentes est considérée comme rien, car après il n'en restera absolument rien. Voilà ceux qui peuvent dire encore ce qui suit : «Car mes plaies empestent et sont en putréfaction[b].»

Des porcs   «Ne jetez pas vos perles devant les porcs[c]», dit le Sauveur. Il vise ici ceux qui se délectent dans la puanteur des péchés, comme des porcs qui recherchent toute puanteur comme un parfum très suave[1] ! Considère donc un pécheur qui se délecte dans ses péchés et se réjouit de ses méfaits. Puisque lui aussi se vautre dans du fumier puant et ne reçoit aucune perception de la puanteur qu'exhale le fumier du péché[2], il s'y délecte comme dans les plus hautes voluptés et les plus agréables délices. Mais s'il arrive qu'un jour celui-ci se déprenne de la perception et de l'odorat des porcs et reçoive la perception du Verbe

2. Sur la puanteur du péché, voir *EntrHéracl.* 19 (*SC* 67, p. 92-94).

ita ut possit sentire foetorem peccatorum suorum : statim
conversus ad paenitentiam et emendationem requirens,
impatiens proprii foetoris efficitur, proclamans ad cae-
35 lestem medicum[d] atque ostendens cicatrices putrefactorum
suorum vulnerum dicit : **Foetuerunt et putrefactae sunt
cicatrices meae a facie insipientiae meae**[e]. Recte autem
hic peccatum insipientiam nominavit. Nemo enim sapiens
id aliquando committit.

**5. Miseriis afflictus sum et curvatus usque in
finem**[a]. Si videas aliquando eum qui peccavit maerentem
et contristatum tristitia quae secundum Deum est – *quae
enim secundum Deum est tristitia, paenitentiam in*
5 *salutem stabilem operatur*[b] – iste vere dicit quoniam :
Miseriis afflictus sum et curvatus usque in finem[c].
1378 Propterea fortassis etiam ipse sanctus apostolus dicit sciens
se aliquando peccasse : *Miser ego homo, quis me libe-
rabit de corpore mortis huius*[d]? Peccavit enim etiam ipse
10 cum persecutus est ecclesiam Dei, propter quod dicit :
Non sum dignus vocari apostolus[e]. **Miseriis** – ergo –
afflictus sum[f], ait. Non dicit : affligor adhuc. Si enim
transierunt iam peccata mea, afflictus sum miseriis ; si
autem permanent et in ipsis conversor, adhuc affligor
15 miseriis : **Miseriis** – ergo inquit – **afflictus et curvatus
sum usque in finem**[f].

Si videas eum qui peccavit non posse respicere in
caelum sed curvato corpore demersoque in terram vultu
non solum corporis sed et animae, et contorquentem sicut
20 circulum collum suum[g], intellegis quomodo quis curvatur
usque in finem. Si vero vis etiam per exempla cognoscere

---

d. Cf. Matth. 9, 12.   e. Ps. 37, 6.
5. a. Ps. 37, 7.   b. II Cor. 7, 10.   c. Ps. 37, 7.   d. Rom. 7, 24.
e. I Cor. 15, 9.   f. Ps. 37, 7.   g. Cf. Is. 58, 5.

de Dieu, de sorte qu'il puisse sentir la puanteur de ses
péchés, aussitôt tourné vers la pénitence et cherchant à
se redresser, ne pouvant plus supporter sa propre puanteur,
criant vers le céleste médecin[d] et lui montrant les plaies
de ses blessures en putréfaction, il dit : «Mes plaies
empestent et sont en putréfaction, en face de ma folie[e].»
A juste titre celui-ci a nommé ce péché : «folie». Aucun
sage, en effet, n'a jamais commis ce péché-là.

**Affligé
par mes misères**

5. «J'ai été affligé par mes misères
et courbé à l'extrême[a].» Si tu vois
parfois le pécheur affligé et contristé
d'une tristesse qui est selon Dieu – en effet «la tristesse
selon Dieu produit un repentir durable en vue du salut[b]» –,
celui-ci dit vraiment : «J'ai été affligé par mes misères et
courbé à l'extrême[c].» C'est peut-être pourquoi le saint
Apôtre lui-même dit aussi, sachant qu'il avait parfois
péché : «Malheureux homme que je suis, qui me délivrera de ce corps de mort[d]?» Car lui-même aussi a péché
quand il a persécuté l'Église de Dieu; c'est pourquoi il
dit : «Je ne suis pas digne d'être appelé apôtre[e].» «J'ai
donc été affligé par mes misères[f]», dit le prophète. Il ne
dit pas : je suis encore affligé. Car si à présent mes péchés
sont passés, j'ai été affligé par mes misères; mais s'ils
demeurent et si je me tourne vers eux, je suis encore
affligé par mes misères. «J'ai donc été affligé par mes
misères, dit-il, et courbé à l'extrême[f].»

**Courbé
à l'extrême**

Si tu vois celui qui a péché ne
pouvoir regarder vers le ciel, mais
rester le corps courbé et le visage
penché vers la terre – non seulement le visage corporel,
mais aussi celui de l'âme –, et tordant son cou comme
un cercle[g], tu comprends comment quelqu'un est courbé
à l'extrême! Mais si tu veux encore reconnaître par des

quomodo peccatis suis unusquisque curvetur, ita ut sus-
picere non possit nec in caelum elevare oculos suos :
intuere illum publicanum, qui in evangelio ingressus
25 templum et de longe stans nec audens levare oculos suos
in caelum sed percutiens pectus suum et confitens peccata
sua, dicebat : *Deus propitius esto mihi peccatori*[h]. Huic
nimirum convenit dicere quia : **Curvatus sum usque in
finem et tota die contristatus ingrediebar**[i]. Hoc autem
30 dicens, velut affectum ipsum et animum paenitentis
exponit dicentis : ex quo peccavi numquam risi, numquam
laetatus sum, numquam mihi ipsi aliquid iucunditatis
indulsi sed semper in maerore fui, semper in paenitentia,
semper in luctu.
35   Tale est illud quod in evangelio praecipitur, dicente
Domino : *Beati qui lugent*[j] et beati qui flent[k]. Econtrario
autem si quis peccator sit, et multis malis obnoxius et
hic nullo flagitiorum suorum stimulo pulsatus, insuper
etiam et rideat et laetus sit atque iucundus, nec in aliquo
40 conscientiae stimulis agitetur, vide si huic non illa convenit
dici quae scripta sunt : *Vae ridentibus nunc, quia luge-
bitis et plangetis*[l].

6. **Tota die contristatus ingrediebar, quoniam renes
mei completi sunt illusionibus**[a]. In renibus vel in lumbis
humanorum seminum receptaculum esse dicitur : ex quo
1379   illud genus indicatur peccati quod per libidinem geritur.
5 Huius namque opus res est illa quam apostolus inter
prima sacrilegia designavit dicens : *Tollens ergo membra
Christi faciam membra meretricis? Absit*[b]! Cum ergo quis
propensius et incontinentius in huiuscemodi lasciviam

h. Lc 18, 13.   i. Ps. 37, 7.   j. Matth. 5, 5.   k. Cf. Lc 6, 21.
l. Lc 6, 25.
6. a. Ps. 37, 7-8.   b. I Cor. 6, 15.

exemples comment quelqu'un est courbé par ses péchés, de sorte qu'il ne peut regarder en haut ni lever les yeux au ciel, regarde ce publicain qui dans l'Évangile, après être entré dans le temple, se tenait à distance sans oser lever les yeux au ciel, mais se frappait la poitrine en avouant ses péchés et disait : «Dieu, aie pitié de moi, pécheur[h]!» Cet homme, certes, peut dire : «Je suis courbé à l'extrême et tout le jour je marchais dans la tristesse[i].» Or par ces mots, il montre en quelque sorte la disposition même et l'âme d'un pénitent qui dit : «Depuis que j'ai péché, je n'ai plus jamais ri, jamais je ne me suis réjoui, jamais je ne me suis accordé aucune joie, mais toujours je suis demeuré dans la tristesse, toujours dans la pénitence, toujours dans les pleurs.»

Tel est l'enseignement de l'Évangile, quand le Seigneur déclare : «Heureux ceux qui sont affligés[j]», et : Heureux ceux qui pleurent[k]! Mais au contraire si quelqu'un est pécheur, responsable de nombreux maux, et s'il n'est frappé de nul remords pour ses infamies, pire encore, s'il rit, est heureux et joyeux, s'il n'est pas tourmenté par des remords en quelque recoin de sa conscience, vois si à cet homme il ne convient pas de dire ce qui a été écrit : «Malheur à vous qui riez maintenant, car vous serez affligés et vous pleurerez[l]!»

Mes reins, remplis d'illusions   **6.** «Tout le jour, je marchais dans la tristesse, car mes reins sont remplis d'illusions[a].» Dans les reins ou lombes, se trouve, dit-on, le réceptacle des semences humaines; par là, on indique ce genre de péché produit par la passion sensuelle. Car ce qu'on fait là est la chose que l'Apôtre a rangée parmi les profanations majeures, disant : «Prenant donc les membres du Christ, j'en ferais les membres d'une prostituée? Jamais de la vie[b]!» Lors donc que quelqu'un s'est laissé aller trop spontanément

fluxerit, tunc **renes** eius vel lumbi repleti esse **illusio-**
10 **nibus**[c] asseruntur. Illusio est enim diaboli illudentis
hominem atque in huiuscemodi peccati incontinentiam
provocantis.

Non ergo mirum est si peccatorum hominum **renes**
illusionibus repleti sunt, cum et Iob de dracone qui dia-
15 bolus intellegitur, ita dicat : *Virtus eius omnis in lumbis*
est et potentia eius in umbilico ventris eius[d]. Virtus ergo
diaboli praecipue circa lumbos hominis est, unde forni-
catio adulteriaque procedunt, unde puerorum corruptio,
unde omnis spurcitia generatur. Ita sane etiam mulierum
20 circa umbilicum ventris est culpa, quod honestiore voluit
indicare sermone, in quibus videlicet utrisque draconis
diaboli virtutem potentiamque inesse designat.

Et non est sanitas in carne mea[e]. In hoc profectum
suum ostendit et proximum esse ad mortificationem carnis[f]
25 indicat atque interitum eius. Nam ideo hoc et hic secundo
repetit, ut adhibitum iam esse remedium temptationum
molestiis declararet.

Afflictus sum et humiliatus sum valde[g]. Festivitatibus
Domini panem nos afflictionis[h] edere iubemur et in ipsis
30 festivitatibus dicitur ut humiliet homo animam suam : et
cum festivitas propitiationis indicitur, dicitur : Humiliate
animas vestras[i]. Quoniam ergo qui paenitet pro delictis
suis seipsum affligit, humiliat, sicut et ille publicanus, de
quo superius diximus[j], propterea et consequenter dicit in

---

c. Cf. Ps. 37, 8.   d. Job 40, 16.   e. Ps. 37, 8.   f. Cf. I Cor.
5, 5.   g. Ps. 37, 9.   h. Cf. Deut. 16, 3.   i. Cf. Lév. 23, 27.
j. Cf. Lc 18, 13.

---

1. Cf. *HomEz*. VI, 4 (*SC* 352, p. 222).
2. La fête des Azymes : «Pendant sept jours tu mangeras des azymes,
du pain d'affliction» (*Deut.* 16, 3).
3. Cf. *supra*, 37 I, 5, l. 24-34.

et sans aucune retenue à une impudicité de cette nature, ses reins, ou ses lombes, affirme-t-on, ont été remplis d'illusions[c]. C'est en effet une illusion du Diable qui se joue de l'homme et provoque un manque de retenue dans un péché de cette sorte.

Ce n'est donc pas étonnant si les reins des hommes pécheurs sont remplis d'illusions, puisque Job parle ainsi à propos du dragon, qui est à comprendre du diable : «Toute sa force est dans les lombes, et sa puissance dans le nombril de son ventre[d].» La force du diable réside donc surtout à l'entour des lombes de l'homme, d'où procèdent la fornication et les adultères, d'où vient la corruption des enfants, d'où sont engendrées toutes les saletés. De même aussi, le péché des femmes est assurément dans le voisinage du nombril du ventre – ce qu'il a voulu indiquer par une parole plus convenable – où, c'est-à-dire en ces deux endroits, il souligne que résident la force et la puissance du dragon, le Diable[1].

Rien de sain en ma chair «Et il n'y a rien de sain dans ma chair[e].» En cela, le prophète montre son progrès et indique qu'il est près d'avoir mis à mort la chair et de l'avoir détruite[f]. Car il répète ici cela une seconde fois, pour déclarer qu'à présent, il a porté remède aux tentations par les châtiments.

Affligé et humilié «Je suis fort affligé et humilié[g].» Aux fêtes du Seigneur, on nous ordonne de manger un pain d'affliction[h2] et en ces mêmes fêtes, on dit à l'homme d'humilier son âme; ainsi, lorsqu'on annonce la fête de l'Expiation, on dit : Humiliez vos âmes[i]! Donc, puisque celui qui se repent de ses péchés s'afflige lui-même, s'humilie, comme l'a fait aussi ce publicain dont nous avons parlé plus haut[j3], le prophète dit là de façon cohérente qu'il

35 eo quod se ex corde paenitere cognoscit, obsecrans ne
furore Domini arguatur neque ira eius corripiatur[k], ex
hoc quod dicit : **Afflictus sum et humiliatus sum valde**[l].
Non enim solum afflictus sum neque solum humiliatus
sum, dicit, sed valde afflictus sum et valde humiliatus
40 sum.

Ut exempli gratia dixerim, sit dives aliquis secundum
saeculum in multa affluentia positus et hic subito decidat
atque in egestate ultima redigatur, domo quoque pulsus
et patria, insulis ac scopulis religatus squalentem atque
45 infelicem in solitudine exigat vitam, tunc deinde recor-
datus patriae ac parentum, nobilitatis, familiae, bonorum
substantiae, divitiarum abundantiae ac totius illius vitae
qua in deliciis vixerat, quibus iste planctibus, quibus mugitibus recordationem priscae beatitudinis recolet, ut sit ei
50 maior poena recordari quae perdidit, quam pati quae per-
feret?

Ad huius exempli similitudinem intuere mihi etiam eum
qui vitam in sobrietate et castitate iustitiaque transegit,
qui in actibus bene sibi conscius erat : iste si decidat de
55 patria sua, id est de ecclesia, in insulam quandam atque
in horrentes scopulos quae peccati sedes est propellatur
et ex facultatibus ac divitiis suis quae erant ei in omnibus
operibus suis bonis, devolvatur et videat se in ultima pau-
pertate positum; omnes enim eius iustitiae quas fecit non
60 reminiscentur propter peccatum; si se ergo in talibus
videat, quibus gemitibus, quibusque mugitibus proclamabit
dicens : **Rugiebam a gemitu cordis mei. Domine in
conspectu tuo omne desiderium meum et gemitus
meus**[m]. Omnia ergo ex quo deliqui sive concupivi concu-

1380

---

k. Cf. Ps. 37, 2.   l. Ps. 37, 9.   m. Ps. 37, 9-10.

reconnaît se repentir du fond du cœur, suppliant de ne
pas être repris dans la fureur du Seigneur ni réprimandé
par sa colère[k], puisqu'il dit : «Je suis fort affligé et
humilié[l].» Car il ne dit pas seulement : Je suis affligé, ni
seulement : Je suis humilié, mais : Je suis fort affligé et
je suis fort humilié.

**Le cri
du pécheur**
Pour le dire en prenant un exemple,
soit quelqu'un riche selon le monde,
établi dans une grande abondance;
subitement le voici ruiné et réduit à la plus grande misère;
chassé aussi de sa maison et de sa patrie, relégué dans
une île ou un récif, il mène dans la solitude une vie
rude et malheureuse; alors, se souvenant de sa patrie et
de ses ancêtres, de sa noble naissance, de sa famille, de
sa fortune, de l'abondance de ses richesses et de toute
sa vie passée dans les délices, par quelles lamentations,
par quels gémissements celui-ci ne se rappellera-t-il pas
le souvenir de son premier bonheur, de sorte que pour
lui, se rappeler ce qu'il a perdu est une peine plus grande
que souffrir ce qu'il endure?

Par similitude avec cet exemple, regarde aussi avec moi
un homme qui a passé sa vie dans la tempérance, la
chasteté, la justice, conscient d'avoir bien agi. S'il s'écarte
de sa patrie, c'est-à-dire de l'Église, s'il est jeté sur une
île et sur des récifs horribles, là où règne le péché,
retranché de ses biens et de ses richesses qui pour lui
étaient toutes ses œuvres bonnes, et se voit réduit à la
dernière pauvreté – car toutes les œuvres de justice qu'il
aurait faites ne lui viendraient plus en mémoire, par suite
de son péché –, si donc il se voit en de telles extrémités, par quels gémissements, par quels mugissements
ne criera-t-il pas, disant : «Je rugirai du gémissement de
mon cœur. Seigneur, sous ton regard est tout mon désir
et mon gémissement[m]»? Donc, tout ce en quoi j'ai péché,

65 piscentiam saecularem sive quid aliud commisi, omnia
ante te profero et in orationibus meis in conspectu tuo
pono. **Et gemitus meus a te non est absconditus**[n].
Nosti enim quia semper ingemisco.

Cor meum conturbatum est et deseruit me for-
70 **titudo mea**[o]. Tu vide, Domine, cor meum, quia conturbatum est pro peccatis meis. Et consequenter exoro ne
in furore arguar neque in ira corripiar[p]. Quod si **mea
me fortitudo deseruit**, sine dubio fui aliquando fortis
et conversatio mea fuit bona, postea vero cecidi, quia
75 **deseruit me fortitudo mea et lumen oculorum
meorum non est mecum**[q]. Haec vox illius videtur esse
qui post illuminationem, post traditionem doctrinae, post
agnitionem veritatis in tenebras decidit. Ne ergo et nos
eadem patiamur sed potius ut lumen nostrum sit semper
80 in nobis et opera lucis agentes habeamus fiduciam
tamquam filii lucis[r] in Christo Iesu, semper oremus et
Deum Patrem incessabiliter deprecemur, *cui est gloria et
potestas in saecula saeculorum. Amen*[s].

n. Ps. 37, 10.   o. Ps. 37, 11.   p. Cf. Ps. 37, 2.   q. Ps. 37, 11.
r. Cf. Jn 12, 36.   s. Apoc. 5, 13.

1. Dès les premiers siècles chrétiens, «illumination» était synonyme
du baptême qui nous apporte la lumière de la vie incorruptible. A côté
du fragment d'hymne baptismale conservé en *Éphés.* 5, 14, le mot se
trouve déjà avec ce sens dans *Hébr.* 6, 4 et 10, 32. Sur son emploi

convoitises mondaines ou autres fautes, tout cela je l'expose devant toi, et dans mes prières je le place sous ton regard. «Et mon gémissement ne t'est pas caché[n].» Car tu le sais : toujours je gémis.

«Mon cœur est troublé et ma force m'a délaissé[o].» Toi, Seigneur, vois mon cœur, car il est troublé en raison de mes péchés. Et par conséquent je te supplie de ne pas me reprendre dans ta fureur ni de me faire des reproches dans ta colère[p]. Et si «ma force m'a délaissé», c'est que sans aucun doute jadis je fus fort et que ma conduite fut bonne, mais qu'ensuite je suis tombé, car «ma force m'a délaissé et la lumière de mes yeux n'est plus avec moi[q]!» Ce cri me semble être celui de l'homme qui, après l'illumination, après la transmission de la doctrine[1], après la connaissance de la vérité, a chu dans les ténèbres. Donc, pour qu'à nous aussi il n'arrive pas semblable mésaventure, mais pour que plutôt notre lumière soit toujours en nous, et que faisant des œuvres de lumière, nous ayons confiance, en tant que fils de lumière[r], dans le Christ Jésus, prions sans cesse et sans nous lasser Dieu le Père, «à qui appartiennent la gloire et la puissance dans les siècles des siècles. Amen[s].»

par les Pères, voir A. HAMMAN, *Le Baptême*, Paris 1962, p. 19-21. Avant le baptême avait lieu la transmission (*traditio*) du symbole des Apôtres. Après, c'était l'explication des sacrements, et la transmission (*traditio*) du *Pater*, la prière des fils.

DEUXIÈME HOMÉLIE
SUR LE PSAUME 37

PSAUME 37, versets 12 à 23 (fin).

12. Mes amis et mes proches se sont avancés et se sont
    dressés contre moi;
    mes proches se sont tenus à distance,
13. et ils me faisaient violence, ceux qui recherchaient
    mon âme.
    Ceux qui me voulaient du mal ont tenu de vains
    propos,
    et tout le jour, ils méditaient une fourberie.
14. Mais moi, tel un sourd, je n'écoutais pas,
    et j'étais comme un muet qui n'ouvre pas la bouche.
15. Et je suis devenu comme un homme qui n'entend pas
    et n'a pas de réplique à la bouche.
16. Car en Toi, Seigneur, j'ai espéré,
    et tu m'exauceras, Seigneur, mon Dieu!
17. Car j'ai dit : Que mes ennemis ne m'insultent pas!
    Quand mes pieds vacillaient, ils ont fait sur moi de
    grandes phrases.
18. Car je suis prêt aux châtiments,
    et ma douleur est toujours devant moi.
19. Car mon iniquité, je la déclarerai,
    et je songerai à mon péché.
20. Or mes ennemis vivent et ils sont forts contre moi.
    Ils se sont multipliés, ceux qui me haïssent injustement.
21. Ceux qui me rendent le mal pour le bien
    me calomniaient parce que je suivais la justice.
22. Ne me délaisse pas, Seigneur, mon Dieu,
    ne t'éloigne pas de moi!
23. Viens à mon aide,
    Seigneur, Dieu de mon salut!

ORIGENIS HOMILIA SECUNDA
IN PSALMUM XXXVII

1. Qui pro peccatis suis confitetur Deo et animo dolet dum paenitet, sciens post exitum vitae quae poena immineat peccatori, haec dicit, exponens quanta pati necesse sit eum qui se ad paenitentiam emendationemque 5 convertit, quomodo derelinquant eum amici et proximi sui et longe efficiantur, pro eo quod ipse se ad exomologesin peccati sui maeroremque convertit. Dicit ergo : **Amici mei et proximi mei adversum me appropin-**

quaverunt et steterunt[a]. Intellege mihi fidelem quidem 10 hominem, sed tamen infirmum, qui etiam vinci ab aliquo peccato potuerit et propter hoc mugientem pro delictis suis et omni modo curam vulneris sui sanitatemque requirentem, licet praeventus sit et lapsus, volentem tamen medelam ac salutem animae reparare.

15 Si ergo huiusmodi homo memor delicti sui confiteatur quae commisit et humana confusione parvipendat eos qui exprobrant eum confitentem et notant vel irrident, ille autem intellegens per hoc veniam sibi dari et in die resurrectionis pro his quibus nunc confunditur coram homi-20 nibus, tunc ante angelos Dei confusionem atque opprobria evasurum[b], ut nolit tegere et occultare maculam suam,

---

1. a. Ps. 37, 12.   b. Cf. Lc 12, 8.

---

1. Sur *exomologesis*, voir 36, I, 5, note 1 (p. 84).

DEUXIÈME HOMÉLIE
SUR LE PSAUME 37

**Avouer
son péché**

1. Celui qui avoue à Dieu ses péchés et souffre en son âme tandis qu'il se repent, sachant quelle peine attend le pécheur après la mort, dit ces paroles, montrant combien doit souffrir celui qui se tourne vers la pénitence et la correction, comment ses amis et ses proches le délaissent et s'éloignent, parce que lui-même s'est tourné vers l'exomologèse[1] de son péché et la tristesse. Il dit donc : «Mes amis et mes proches se sont avancés et se sont dressés contre moi[a].» Considère avec moi un homme sans doute croyant, mais pourtant faible, qui même a pu être vaincu par quelque péché; aussi gémit-il de ses méfaits et cherche-t-il par tous les moyens à soigner et à guérir sa blessure; bien que surpris et tombé, il veut pourtant recouvrer guérison et salut de l'âme.

**Devant
les hommes**

Voici donc un tel homme : il se souvient de son délit, avoue ce qu'il a fait, et plein de confusion humaine, ne fait pas cas de ceux qui le critiquent d'en faire l'aveu, qui le montrent du doigt ou se gaussent; mais lui, comprenant que par là lui est donné le pardon, et qu'au jour de la résurrection, par ce qui maintenant le remplit de confusion devant les hommes, il échappera à la confusion et à la honte devant les anges de Dieu[b], puisqu'il ne veut pas cacher ni dissimuler sa souillure,

sed pronuntiet delictum suum, nec velit esse *sepulcrum*
dealbatum, quod deforis quidem appareat hominibus spe-
ciosum, id est ut videntibus se quasi iustus appareat, intus
25 *autem sit repletus omni immunditia et ossibus mortuorum*[c],
si ergo sit aliquis ita fidelis ut si quid conscius sit sibi
procedat in medium et ipse sui accusator exsistat; hi
autem qui futurum Dei iudicium non metuunt, haec
audientes cum infirmantibus quidem non infirmentur, cum
30 scandalizantibus non urantur[d], cum lapsis non iaceant sed
dicant : longe te fac a me neque accedas ad me, quoniam
mundus sum, et detestari incipiant eum quem ante admi-
rabantur et ab amicitiis recedant eius qui delictum suum
noluit occultare : super his ergo consequenter dicit qui
35 exomologesin facit : **Amici mei et proximi mei**
adversum me appropinquaverunt et steterunt et
proximi mei de longe steterunt[e].

Sed haec non oportet formidare eum qui post delictum
salvari cupit neque notam eorum pertimescere, qui sua
40 quidem peccata non cogitant nec memores Scripturae sunt
divinae dicentis : *Noli improperare homini convertenti se*
a peccato sed memor esto quoniam omnes sumus in culpis[f].
Non ergo cogitet de talibus sed cogitet de anima sua,
exorans Deum, ut ab ipso exaudiatur et sublevetur post
45 casum suum ut possit etiam dicere quae sequuntur :
Quoniam iniquitatem meam ego pronuntiabo et cogitabo
pro peccato meo[g]. Licet amici mei et proximi mei contrarii
sint et propinqui mei longe se faciant a me[h], dum ego
ipse mei accusator efficior, dum crimina mea nullo me
50 arguente confiteor, dum nolo imitari eos, qui etiam cum
in iudiciis arguantur et testibus convincantur et etiam tor-

    c. Matth. 23, 27.   d. Cf. II Cor 11, 29.   e. Ps. 37, 12.   f. Sir.
8, 5.   g. Ps. 37, 19.   h. Cf. Ps. 37, 12.

mais qu'il avoue au contraire son délit et ne veut pas être «un sépulcre blanchi qui du dehors apparaît beau aux hommes – c'est-à-dire qui passe pour juste à ceux qui le voient, – mais au dedans est rempli de toute sortes d'immondices et d'ossements de morts[c]»; soit donc quelqu'un d'assez croyant pour s'avancer devant tous, s'il est conscient d'être coupable, et se faire son propre accusateur : si ceux qui ne craignent pas le jugement futur de Dieu, loin d'être faibles avec ceux qui sont faibles, brûlés d'un feu avec ceux qui sont scandalisés[d], à terre avec ceux qui sont tombés, disent au contraire en l'entendant : «Va-t-en loin de moi, et ne m'approche pas, car je suis pur», et commencent à détester celui qu'ils avaient admiré auparavant, et rayent de leurs amis l'homme qui n'a pas voulu cacher sa faute, à leur sujet celui qui fait l'exomologèse dit donc avec raison : «Mes amis et mes proches se sont avancés et se sont dressés contre moi, et mes proches se sont tenus à distance[e].»

Mais il ne doit pas craindre ceci, celui qui, après sa faute, désire être sauvé, ni redouter la dénonciation de ceux qui ne pensent même pas à leurs péchés et ne se souviennent pas de l'Écriture divine qui déclare : «Ne fais pas de reproche à l'homme qui se détourne du péché, mais souviens-toi que tous, nous sommes en faute[f].» Qu'il ne pense donc pas à de telles gens, mais qu'il pense à son âme, priant Dieu pour en être exaucé et relevé après sa chute, afin de pouvoir dire aussi ce qui suit : «Car mon iniquité, je la déclarerai, et je songerai à mon péché[g].» Eh bien, que mes amis et mes proches me soient hostiles, et que mes voisins s'éloignent de moi[h], tandis que moi-même je me fais mon propre accusateur, que j'avoue mes crimes sans que personne ne me les reproche, et que je ne veux pas imiter ceux qui, même quand ils sont attaqués devant les tribunaux, convaincus par des témoins, et même châtiés par des bourreaux,

toribus arguantur, tegunt tamen mala sua et plus apud
eos obtinet commissi pudor quam cruciantis poena. Ego
1382 vero qui scio nihil latere Deum sed nuda esse omnia et
55 manifesta in conspectu eius, quid abscondo, quid occulto
quod novit, cur non potius ipse me arguo, ipse me
confuto? Quid exspecto accusatorem, cum accusator meus
conscientia mea mecum sit? Sic forte et ille mihi parcet,
si mihi ipse non parcam.

60   Ergo : **Proximi mei de longe steterunt et vim
faciebant qui quaerebant animam meam. Et qui quaerebant mala mihi locuti sunt vanitatem**[i]. Haec iterum
de aliis dicit. Sunt enim quidam qui quaerunt mala iusto
et non sic gaudent cum audierint de bonis eius aliquid,
65 sicut gratulantur cum audierint mala et velut insultant cum
in malis aliquibus viderint iustum. Et isti sunt qui cum
viderint iustum confitentem peccata sua, velut noxium
quoddam evoment virus, propter quod dicit : **Et vim
faciebant qui quaerebant animam meam. Et qui quae-
70 rebant mala mihi locuti sunt vanitatem**[j].

Et vere manifestissime pervidetur, quia non solum hi
qui iusto quaerunt mala sed etiam omnis qui cuicumque
mala conatur inferre, loquitur vanitatem. Non enim loquitur
ea quae secundum Deum sunt, qui quaerit agere mala.
75 Unde oportet magis quaerere bona. Utinam possemus
etiam his qui oderunt nos reddere bona pro malis et
inimicis nostris vel suadere quae bona sunt vel optare
feroces animos eorum ad concordiam atque pacem

i. Ps. 37, 12-13.   j. Ps. 37, 13.

taisent pourtant leurs méfaits, la honte de ce qu'ils ont commis ayant plus d'effet sur eux que les peines qui les affligent. Mais moi qui sais que rien n'est caché à Dieu, mais que tout est à nu et à découvert sous son regard, que cacher, que dissimuler qu'il ne connaisse? Pourquoi ne pas plutôt me reprendre moi-même, me confondre moi-même? Pourquoi attendre un accusateur quand mon accusateur, ma conscience, est avec moi? Ainsi, peut-être, lui m'épargnera-t-il, si moi-même je ne m'épargne pas!

Ceux qui me voulaient du mal «Mes proches se sont donc tenus à distance et ils me faisaient violence, ceux qui recherchaient mon âme. Ceux qui me voulaient du mal ont tenu de vains propos[i].» Ceci vise encore d'autres personnes. Car il y en a qui veulent du mal au juste et quand ils ont entendu parler en bien de lui, ils ne se réjouissent pas autant qu'ils se félicitent d'en avoir entendu dire du mal; et ils sautent de joie, en quelque sorte, quand ils ont vu le juste dans quelques infortunes. Et ce sont eux qui, lorsqu'ils ont vu le juste avouer ses péchés, le vomissent comme un poison nuisible; c'est pourquoi il dit : «Et ils me faisaient violence, ceux qui recherchaient mon âme. Ceux qui me voulaient du mal ont tenu de vains propos[j].»

Et vraiment, l'on voit bien, de façon très claire, que non seulement ceux qui cherchent du mal au juste, mais encore toute personne qui s'efforce de faire du mal à qui que ce soit, tient de vains propos. Car il ne parle pas de ce qui est selon Dieu, celui qui cherche à faire le mal. C'est pourquoi il vaut mieux chercher les biens. Plaise à Dieu que nous puissions, même à ceux qui nous haïssent, rendre le bien pour le mal, et quant à nos ennemis, soit les inviter au bien, soit désirer ramener leurs âmes féroces à l'entente et à la paix pour devenir

revocare, ut per hoc efficiamur filii *Patris qui in caelis*
80 *est, qui solem suum oriri iubet super bonos et malos et*
pluit super iustos et iniustos[k].

**2. Qui – ergo – quaerebant mala mihi locuti sunt
vanitatem et dolum tota die meditabantur**[a]. Vide insi-
diatorem iusti. Iam enim iustum voco eum qui in primis
sui ipse accusator efficitur, sicut sermo Scripturae
5 designat[b]. Nam et illum sapientem dicit Scriptura, qui cum
arguitur, non odit arguentem sed insuper et diligit eum[c] :
sic et iustus dicitur hic qui post delictum non permanet
in delictis nec spectat diabolum fieri accusatorem suum
neque ut ille proferat in medium peccata ipsius sed ipse
10 se arguet, ipse convincet et per confessionem suam libe-
ratur a morte.

**Qui – enim – quaerebant mala mihi locuti sunt
vanitatem et dolum tota die meditabantur. Ego autem
velut surdus non audiebam**[d]. Nihil hac virtute prae-
15 clarius, nihil excellentius inveniri potest ut audiens unusquisque maledicos atque obtrectatores suos male loqui,
carpere, detrahere, incusare, ipse avertat aurem suam quasi
non audiens et declinet oculum suum, tamquam non
videns ne iracundia exasperetur et prosiliat ad vindictam,
1383 20 ne quaerat oculum pro oculo[e] nec verbum pro verbo,
nec maledictum pro maledicto nec mendacium pro men-
dacio, nec crimen pro crimine[f]. Talis ergo est iustus : iam

---

k. Matth. 5, 45.
    2. a. Ps. 37, 13.   b. Cf. Prov. 18, 17 (LXX).   c. Cf. Prov. 9, 8.
d. Ps. 37, 13-14.   e. Cf. Ex. 21, 24 ; Lév. 24, 20.   f. Cf. I Pierre
3, 9.

---

1. Cf. 37, I, 1, l. 75-77.

par là «les fils du Père qui est dans les cieux, lui qui fait lever son soleil sur les bons et les méchants et pleuvoir sur les justes et les injustes[k]».

Savoir s'accuser 2. «Ceux donc qui me voulaient du mal ont tenu de vains propos, et tout le jour, ils méditaient une fourberie[a].» Vois celui qui tend des pièges au juste! Car je l'appelle déjà «juste» celui qui se fait d'abord son propre accusateur, comme l'indique la parole de l'Écriture[b]. En effet, l'Écriture nomme «sage» celui qui, lorsqu'il est repris, ne hait pas celui qui le reprend, mais, de plus, l'aime[c 1]; de même aussi, est dit «juste» celui qui, après une faute, ne demeure pas dans ses fautes et n'attend pas que le diable se fasse son accusateur, ni qu'il étale devant tous ses péchés, mais s'accusera lui-même, se dénoncera lui-même et par son aveu, est délivré de la mort.

La force du juste En effet «ceux qui me voulaient du mal ont tenu de vains propos, et tout le jour, ils méditaient une fourberie. Mais moi, tel un sourd, je n'écoutais pas[d].» Rien ne se peut trouver de plus splendide, rien de plus excellent que cette force d'un homme qui, entendant ceux qui le maudissent et le calomnient dire du mal de lui, le déchirer, le dénigrer, le mettre en cause, détourne lui-même son oreille comme s'il n'entendait pas, écarte son regard comme s'il ne voyait pas, pour ne pas être exaspéré par l'emportement et ne pas courir à la vengeance, pour ne pas chercher à réclamer œil pour œil[e], parole pour parole, injure pour injure, mensonge pour mensonge, outrage pour outrage[f]. Tel est donc le juste. Car déjà, comme je l'ai dit, j'appelle

enim, ut dixi, iustum eum dico qui per confessionem
suam peccatorum suorum evomet passiones.

**3. Ego autem sicut surdus non audiebam et sicut
mutus non aperiens os suum. Et factus sum sicut
homo non audiens**[a]. Cum malediceret, cum criminarer,
cum omnia probra de me homines proferrent[b], ego eram
5 **sicut surdus et non audiebam et sicut mutus non**
aperui **os meum**[c], pro maledictis nulla maledicta red-
debam[d]. Sed quid prodest nos haec exponere? Quid
prodest haec nos de Scripturis sanctis aperire, si non
horum meminerimus in eo ipso tempore quo res expetit,
10 cum maledicimur a fratribus, cum detrahunt de nobis,
cum etiam in faciem probris et conviciis lacessimur, cum
omnia fiunt ut excitetur furor noster et animus ad iracundiam moveatur? Tunc oportet horum meminisse, tunc
recordemur quia scriptum est : **Factus sum sicut homo**
15 **non audiens et non habens in ore suo increpa-**
tionem[e].

Interdum dicit aliquis adversum me et fortasse men-
titur, interdum etiam vera sunt quae dicit; ego tamen
possum multo peiora de illo dicere et vere dicere : et si
20 quidem peccator sum et nihil horum memini quae nunc
diximus, imitabor illius malitiam et reddendo maledicta
pro maledictis[f] similis illi sed non similis Deo efficior. Si
vero iustus sum, **sicut surdus non** audio **et sicut mutus**
non habens in ore suo increpationem[g], nihil respondeo

---

3. a. Ps. 37, 14-15.   b. Cf. Matth. 5, 11.   c. Ps. 37, 14.   d. Cf.
I Pierre 3, 9.   e. Ps. 37, 15.   f. Cf. I Pierre 3, 9.   g. Ps. 37, 15.

---

1. Même idée dans *HomNombr.* X, 1 (*SC* 29, p. 190-192) où le saint
est celui qui confie son péché à Jésus. Voir aussi *HomLév.* III, 4 (*SC*
286, p. 140); *HomSam.* I, 15 (*SC* 328, p. 146). On retrouve ce thème

«juste» celui qui, par son aveu de ses péchés[1], vomira ses passions.

Tel un sourd   **3.** «Mais moi, tel un sourd, je n'écoutais pas, et j'étais comme un muet qui n'ouvre pas la bouche. Et je suis devenu comme un homme qui n'entend pas[a].» Lorsqu'on disait du mal de moi, qu'on me calomniait, que les hommes tenaient toutes sortes de propos outrageants à mon sujet[b], moi, j'étais «comme un sourd et n'écoutais pas, et comme un muet, je n'ai pas ouvert la bouche[c]»; pour leurs mauvais propos, je ne rendais aucun mauvais propos[d]. Mais à quoi bon exposer cela? A quoi bon expliquer ces textes des saintes Écritures, si nous ne nous en souvenons pas en ces temps où la circonstance le réclame, lorsque des frères disent du mal de nous, qu'ils nous dénigrent, que même, ils nous harcèlent en face par des injures et des outrages, qu'ils font tout pour exciter notre fureur et porter notre âme à l'emportement? C'est alors qu'il faut s'en souvenir; alors rappelons-nous qu'il est écrit: «Je suis devenu comme un homme qui n'entend pas et n'a pas de réplique à la bouche[e].»

Reprendre sans passion   Parfois quelqu'un parle contre moi, et peut-être ment-il; parfois aussi, ce qu'il dit est vrai. Moi pourtant, je puis en dire bien pire à son sujet, et le dire en vérité; et certes, si je suis pécheur et ne me souviens pas du tout de ce que nous avons dit ici, j'imiterai sa méchanceté, et, rendant mauvais propos pour mauvais propos[f], je me rends semblable à lui, mais non semblable à Dieu. Mais si je suis juste, «comme un sourd je n'écoute pas et comme un muet qui n'a pas de réplique à la bouche[g]», je ne réponds rien,

chez Dorothée de Gaza, pour qui s'accuser soi-même est le chemin de la paix: *Œuvres spirituelles*, Instruction VII (*SC* 92, p. 289 s.).

25 et habens in quibus arguam, non arguo. Intellego enim
quia qui recte arguit, impassibiliter debet arguere ut
salutem exspectet eius qui arguitur, non vindictam.

Cum ergo quis detrahit de me vel male de me loquitur,
si arguam eum, non facio competenter. Ex iracundia enim
30 et indignatione hunc arguo, volens ei inferre tristitiam,
non illam quae *secundum Deum est, quae paenitentiam
in salutem stabilem operatur*[h], sed tristitiam quae laedat
animam, non emendet. Si ergo horum meminimus, haec
quidem non faciemus sed cum tale aliquid acciderit nobis,
35 dicimus quia : **Factus sum sicut homo non audiens et
non habens in ore suo increpationes**[i].

1384   Quare autem talis effectus sum? **Quoniam** – inquit –
in te speravi[j]. Nisi enim sperassem in te et credidissem
tibi dicenti : *Mihi vindictam, ego retribuam, dicit
40 Dominus*[k], meipsum utique vindicassem : nunc vero
memor sum praecepti illius quo iubemur non nos ipsos
vindicare, sed dare locum[l]. Et invenies haec in Scripturis
divinis. Et legis : **Et factus sum sicut homo non audiens
et non habens in ore suo increpationes. Quoniam in
45 te, Domine, speravi, tu exaudies, Domine Deus
meus**[m]. Ego sicut surdus non audiebam eos qui me criminabantur, sed tu audi ea quae loquuntur.

Si essemus tales quales nos esse vult sermo divinus,
sicut Elias, diceremus utique Deo ut daret pluviam et
50 plueret[n] : sicut Samuel in diebus messium peteremus ut

h. II Cor. 7, 10.   i. Ps. 37, 15.   j. Ps. 37, 16.   k. Deut. 32, 35.
l. Cf. Rom. 12, 19.   m. Ps. 37, 15-16.   n. Cf. III Rois 18, 45.

et tout en ayant de quoi le reprendre, je ne le reprends pas. Car je comprends que celui qui reprend correctement doit reprendre sans passion, pour attendre le salut de celui qu'il reprend et non une vengeance.

Lors donc que quelqu'un me dénigre ou parle mal de moi, si je le reprends, je n'agis pas convenablement. C'est, en effet, par emportement et indignation que je le reprends, voulant lui causer une tristesse, non celle qui est «selon Dieu, qui produit un repentir durable en vue du salut[h]», mais une tristesse qui blesse l'âme sans la redresser. Si donc nous nous souvenons de cela, nous n'agirons certes pas ainsi, mais quand il nous arrivera quelque chose de tel, disons : «Je suis devenu comme un homme qui n'entend pas et n'a pas de répliques à la bouche[i].»

J'ai espéré en Toi

Or, pourquoi suis-je devenu tel? Parce que, dit-il, «j'ai espéré en Toi[j]». Car si je n'avais pas espéré en Toi et si je n'avais pas cru en Toi qui déclares : «A moi la vengeance, c'est moi qui rétribuerai, dit le Seigneur[k]», je me serais assurément vengé moi-même. Mais à présent je me souviens du précepte par lequel on nous ordonne de ne pas nous venger nous-mêmes, mais de laisser la place[l]. Or tu trouveras cela dans les Écritures divines. Tu lis : «Et je suis devenu comme un homme qui n'entend pas et n'a pas de réplique à la bouche. Car en Toi, Seigneur, j'ai espéré, et tu m'exauceras, Seigneur, mon Dieu[m]!» Moi, tel un sourd, je n'écoutais pas ceux qui me calomniaient, mais Toi, entends ce qu'ils disent.

Dieu nous écoutera-t-il?

Si nous étions tels que nous veut la Parole divine, comme Élie nous dirions assurément à Dieu de nous donner la pluie, et il pleuvrait[n]; comme Samuel aux jours

praestaret de caelo imbrium copiam° et audiremur. Nunc
autem quomodo nos audiet Deus, cum nos ipsum non
audiamus? Quomodo faciet ille quod volumus, cum nos
quae ille vult non faciamus? Vult nos tales esse Deus,
55 ut quasi diiᵖ cum Deo loquamur. Vult nos esse filios Dei,
ut consortes�q et coheredes efficiamur filii Deiʳ et dicamus
sicut ipse dixit : *Pater, scio quia semper me audis*ˢ. Scimus
quia dixit ad nos Deus : *Ego dixi : dii estis et filii excelsi
omnes*ᵗ. Sed nos pro meritis nostris illud magis, quo digni
60 sumus et quod sequitur, exspectamus : *Vos vero sicut
homines moriemini et sicut unus ex principibus cadetis*ᵘ,
tu – vero – exaudies, domine deus meusᵛ.

4. Quia dixi : ne forte insultent mihi inimici meiᵃ.
Cum criminarer et vicem criminantibus non redderem,
haec dicebam : *si* quidem *reddidi retribuentibus mihi
mala*ᵇ, utique derelinquar et ego a Deo et derelictus
5 cadam necesse est. Cum autem cecidero, insultabunt mihi
inimici mei. Si vero non reddidero mala pro malisᶜ sed
Deo dereliquero iudicium, ab ipso adiutus non decidam
sed stabo fortiter et non insultabunt mihi inimici mei.
Dixi etiam hoc : **Dum commoverentur pedes mei, in
10 me magna locuti sunt**ᵈ. Quamdiu stetero intrepidus et
immobilis, non loquentur magna contra me inimici mei,
non enim habent quod dicant. Statim autem ut trepi-
davero, non dicam, cecidero, statim incipient exprobrare
et dicere : vides hunc? Ecce, et ipse quid fecit? Et cum
1385 15 haec doceat, agit alia, contraria enim eorum quae docet,

---

o. Cf. I Sam. 12, 17-18.   p. Cf. Ps. 81, 6.   q. Cf. II Pierre 1, 4.
r. Cf. Rom. 8, 17.   s. Jn 11, 42.   t. Ps. 81, 6.   u. Ps. 81, 7.   v.
Ps. 37, 16.
4. a. Ps. 37, 17.   b. Ps. 7, 5.   c. Cf. I Pierre 3, 9.   d. Ps.
37, 17.

de la moisson, nous demanderions qu'il nous accorde du ciel abondance de pluies[o], et nous serions entendus. Mais aujourd'hui, comment Dieu nous écoutera-t-il, puisque nous ne l'écoutons pas? Comment fera-t-il ce que nous voulons, puisque nous ne faisons pas ce qu'il veut? Dieu nous veut tels que, comme des dieux[p], nous parlions avec Dieu. Il nous veut fils de Dieu pour que nous partagions le sort[q] et l'héritage du Fils de Dieu[r] et disions comme lui-même a dit: «Père, je sais que toujours tu m'écoutes[s].» Nous savons que Dieu nous a dit: «Moi, j'ai dit: Vous êtes des dieux et les fils du Très-Haut, vous tous[t].» Mais nous, en raison de nos mérites, attendons-nous plutôt à ce dont nous sommes dignes et qui suit: «Mais vous, comme des hommes, vous mourrez, et comme l'un des princes, vous tomberez[u]!» «Toi, au contraire, tu m'exauceras, Seigneur, mon Dieu[v]!»

Ne pas riposter 4. «Car j'ai dit: Que mes ennemis ne m'insultent pas[a]! Comme j'étais calomnié et que je ne rendais pas la pareille à mes calomniateurs, je disais ceci: «Si j'ai rendu le mal à ceux qui m'en ont fait[b]», à coup sûr, je serai délaissé moi aussi par Dieu, et délaissé je tomberai, c'est fatal. Mais quand je serai tombé, mes ennemis m'insulteront. En revanche, si je n'ai pas rendu le mal pour le mal[c], mais ai laissé à Dieu le jugement, aidé par lui je ne tomberai pas, mais je tiendrai solidement debout et mes ennemis ne m'insulteront pas. J'ai dit encore ceci: «Quand mes pieds vacillaient, ils ont fait sur moi de grandes phrases[d].» Tant que je me tiendrai debout, intrépide et immobile, mes ennemis ne feront pas sur moi de grandes phrases, car ils n'ont rien à dire. Mais dès que je tremblerai, – je ne dis pas: je tomberai –, aussitôt, ils commenceront à me faire des reproches et à dire: «Le vois-tu? Voilà, lui aussi, qu'a-t-il fait? Il enseigne ceci et fait autre chose:

agit. Isti ergo tales dicant necesse est : **Dum commo-
ventur pedes mei super me magna locuti sunt**[e].

Alius autem hoc melior quantum ad personas pertinet
quae inducuntur a prophetis, vel ipsae sibi comparantur,
20 illud dicit : *Mei autem paulo minus moti sunt pedes*[f]. Illius
quidem moti sunt pedes, mei autem paulo minus moti
sunt. Fortassis autem sit alius aliquis, cuius nec parum
quidem nec paulo minus moti sunt pedes, illius opinor
qui dicit : *Statuit super petram pedes meos*[g]. Ille nihil
25 prorsus de commotione pedum suorum, sed de stabilitate
testatur. Beati ergo sumus si nulla omnino commotio in
nostris pedibus accusatur, sed sunt stantes super petram,
id est super ipsum Dominum Iesum Christum[h]. Quod si
ita stabiles esse non possumus, secundus nos iste saltim
30 et inferior suscipiat gradus, ut vel paulo minus moveantur
gressus nostri. Tertium vero est quod et ultimum est ac
lapsui proximum cum moti fuerint pedes nostri.

5. Quoniam ego in flagella paratus sum[a]. Etiam
haec vox boni et optimi, ut ita dixerim, peccatoris est,
qui deliquerit quidem, spectet tamen delictorum flagella,
quibus in praesenti optet emendari, ne puniatur et pereat
5 in futuro. Propone tibi ante oculos peccatorem dicentem
ad Dominum : ego quoniam peccavi, iam nunc **in flagella paratus sum**, noli me reservare igni aeterno[b], noli
me reservare exterioribus tenebris[c]. Dum in hac vita sum,
redde mihi peccata mea, quoniam flagellas omnem filium
10 quem recipis[d]. Oro te, flagella me quoque et noli me

---

e. Ps. 37, 17.   f. Ps. 72, 2.   g. Ps. 39, 3.   h. Cf. I Cor. 10, 4.
5. a. Ps. 37, 18.   b. Cf. Matth. 25, 41.   c. Cf. Matth. 8, 12.
d. Cf. Hébr. 12, 6.

---

1. Cf. *HomEx.* III, 3 (*SC* 321, p. 112); *HomÉz.*II, 4 (*SC* 352, p. 114).
2. Sur le thème du «bon pécheur», voir *HomJér.* XX, 9 (*SC* 238,
p. 292).

il fait le contraire de ce qu'il enseigne!» Il est donc fatal
que de telles gens parlent ainsi : «Quand mes pieds ont
vacillé, ils ont fait sur moi de grandes phrases[e].»

Ne broncher   Mais un autre, meilleur que celui-
qu'à peine   ci, à considérer les personnages
                    introduits par les prophètes et com-
parés les uns aux autres, dit : «Et moi, mes pieds ont
glissé un peu moins[f]!» Les pieds de celui-là ont glissé,
mais les miens ont glissé un peu moins. Mais peut-être
y a-t-il quelqu'un d'autre dont les pieds n'ont même pas
glissé, ni «un peu», ni «un peu moins»; celui, je crois,
qui dit : «Il a dressé mes pieds sur la Pierre[g].» Celui-là,
loin de dire que ses pieds ont glissé, atteste de leur sta-
bilité. Bienheureux sommes-nous donc si l'on ne reproche
pas à nos pieds le moindre glissement, mais s'ils sont
debout sur la Pierre, c'est-à-dire sur le Seigneur Jésus-
Christ lui-même[h]. Et si nous ne pouvons être stables à
ce point, que nous retienne au moins ce second degré,
inférieur, où nos pas ont glissé «un peu moins». Mais
il y en a un troisième qui est le dernier et proche de
la chute : quand nos pieds ont glissé[1].

Un bon pécheur   5. «Car je suis prêt aux châtiments[a].»
                    C'est encore le cri d'un pécheur, bon
et excellent[2], si l'on peut dire, qui certes a commis une
faute, mais pourtant attend les châtiments de ses fautes,
par lesquels il souhaite être redressé dès à présent pour
ne pas être puni et périr dans l'avenir. Mets-toi devant les
yeux un pécheur disant au Seigneur : Puisque j'ai péché,
dès à présent je suis prêt aux châtiments; ne me mets pas
de côté pour le feu éternel[b], ne me mets pas de côté pour
les ténèbres extérieures[c]. Pendant que je suis en cette vie
donne-moi ce qui est dû à mes péchés, car tu châties tout
fils que tu agrées[d]. Je te prie, châtie-moi aussi et ne me

reservare cum his qui non flagellantur, qui *in laboribus hominum non sunt et cum hominibus non flagellabuntur*[e], id est qui penitus derelinquuntur a te, quorum emendationem correptionemque non quaeris.

15 Sciens ergo quae sit differentia cum flagellatur peccator ab eo qui *flagellat omnem filium quem recipit*[f] et quae sit differentia eius qui dignus non habetur flagellis, ait ad Dominum : **Ego in flagella paratus sum**[g], id est, si volueris superducere languores in me, mittere aegritu-
20 dines, tolerabiliter feram : scio quia dignus sum ut non solum per aegritudines peccata mea solvantur, sed per omnes afflictiones purgari desidero, tantum ut aeternis poenis et cruciatibus non reserver. Si placet inferre damna, sustineo; si placet omnes facultates perire, depereant,
25 tantum ne anima pereat apud te. Si per mortem carorum et propinquorum vis me purgari, moriantur etiam ipsi ut et ipsi ex huiusmodi vinculis liberentur, auferantur filii, dum adhuc pueri sunt et in rudibus annis positi nondum gravioribus peccatorum sordibus maculati sunt. Omnibus
30 igitur flagellis emendari, verberarique paratus sum et nihil horum recuso, tantum ut supplicia aeterni ignis[h] effugiam. **Ego – ergo – in flagella paratus sum et dolor meus coram me est semper**[i]. Ante oculos meos habeo dolorem meum, ut futuros poenarum dolores praesentibus possim
35 doloribus repensare.

1386   **6. Quoniam iniquitatem meam pronuntio**[a]. Pronuntiationem iniquitatis, id est confessionem peccati, fre-

---

e. Ps. 72, 5.   f. Hébr. 12, 6.   g. Ps. 37, 18.   h. Cf. Matth. 25, 41.   i. Ps. 37, 18.
6. a. Ps. 37, 19.

---

1. Au début de l'explication, le verbe est au présent, à la fin au futur.

mets pas de côté avec ceux qui ne sont pas châtiés, «ceux qui n'ont point de part aux peines des hommes et ne sont pas châtiés avec les humains[e]», c'est-à-dire ceux qui sont complètement délaissés de toi, que tu ne cherches pas à corriger et à rendre meilleurs.

Prêt à être châtié Connaissant donc la différence entre un pécheur châtié par celui qui «châtie tout fils qu'il agrée[f]», et celui qui n'est pas jugé digne d'être châtié, il dit au Seigneur : «Moi, je suis prêt aux châtiments[g]», c'est-à-dire : si tu voulais faire tomber sur moi des infirmités, m'envoyer des maladies, je le supporterais avec patience : je sais que je ne mérite pas seulement d'expier mes péchés par des maladies, mais je désire être purifié par toutes sortes d'afflictions, pourvu que je ne sois pas réservé aux peines et aux châtiments éternels! S'il te plaît de m'infliger des dommages, je le supporte; s'il te plaît que tous mes biens périssent, qu'ils périssent, pourvu que mon âme ne périsse pas devant toi! Si tu veux me purifier par la mort d'êtres chers et proches, qu'ils meurent, eux aussi, pour qu'ils soient eux-mêmes libérés de tels liens; que me soient enlevés mes fils alors qu'ils sont encore des enfants et, dans leurs tendres années, ne sont pas encore entachés des souillures des péchés les plus graves. Je suis donc prêt à être redressé et frappé par tous les châtiments, et je n'en refuse aucun, pourvu que j'échappe aux supplices du feu éternel[h]. «Moi donc, je suis prêt aux châtiments, et ma douleur est toujours devant moi[i].» Devant mes yeux, j'ai ma douleur, de manière à pouvoir, par les douleurs présentes, compenser les douleurs à venir des peines éternelles.

Avouer sa faute 6. «Car mon iniquité, je la déclare»[a 1]. Nous avons parlé très souvent de la déclaration de l'iniquité, c'est-à-dire de la

quentius diximus. Vide ergo quid edocet nos Scriptura
divina quia oportet peccatum non celare intrinsecus. For-
5 tassis enim sicut hi qui habent intus inclusam escam indi-
gestam, aut umoris vel phlegmatis stomacho graviter et
moleste imminentia, si vomuerint, relevantur : ita etiam hi
qui peccaverunt, si quidem occultant intra se et retinent
peccatum, intrinsecus urgentur et propemodum suffocantur
10 a phlegmate vel umore peccati. Si autem ipse sui accusator fiat, dum accusat semetipsum et confitetur, simul
evomit et delictum atque omnem morbi digerit causam.

Tantummodo circumspice diligentius, cui debeas confiteri
peccatum tuum. Proba prius medicum, cui debeas causam
15 languoris exponere, qui sciat infirmari cum infirmante[b], flere
cum flente[c], qui condolendi et compatiendi noverit disciplinam : ut ita demum si quid ille dixerit, qui se prius et
eruditum medicum ostenderit et misericordem, si quid consilii
dederit, facias et sequaris, si intellexerit et praeviderit talem
20 esse languorem tuum qui in conventu totius ecclesiae exponi
debeat et curari, ex quo fortassis et ceteri aedificari poterunt
et tu ipse facile sanari, multa hoc deliberatione et satis perito
medici illius consilio procurandum est.

---

b. Cf. I Cor. 9, 22.   c. Cf. Rom. 12, 15.

1. Par exemple *supra*, 37 II, 1, l. 9-27 ; 36, I, 5, l. 19-26 ; II, 1, l. 94-
96 ; IV, 2, l. 17-19.
2. Dans ce passage, et plusieurs autres : *HomLév.* XV, 2 (*SC* 287,
p. 256) ; *HomNombr.* X, 1 (*SC* 29, p. 193), Origène envisage la possi-
bilité d'une pénitence autre que la pénitence publique, où il importe
de bien choisir son médecin. Il ne s'agit donc pas d'une pénitence
réservée à l'évêque ou à son délégué, comme la pénitence publique.
Ce médecin peut conseiller la pénitence publique, mais comme Origène
craint une inflation de la pénitence publique entraînant sa dévaluation,
il peut aussi préconiser des pratiques de pénitence privée.
L'idée d'une pénitence privée dans l'Église primitive, lancée par le
Père Galtier : «La rémission des péchés moindres, dans l'Église, du troi-

confession du péché[1]. Vois donc ce que nous enseigne l'Écriture divine : il ne faut pas cacher un péché au-dedans de soi. Peut-être en est-il en effet comme de ceux qui ont, renfermée au-dedans d'eux-mêmes, une nourriture indigeste ou une stagnation d'humeur ou de glaire accablante et pénible sur l'estomac ; s'ils vomissent, les voilà soulagés ! Ainsi en est-il aussi de ceux qui ont péché : s'ils cachent et gardent en eux leur péché, ils sont oppressés au-dedans d'eux-mêmes et quasiment étouffés par la glaire ou l'humeur du péché. Mais si le pécheur lui-même se fait son propre accusateur, quand il s'accuse lui-même et avoue, en même temps il vomit aussi son méfait, et dissout toute cause de maladie.

L'avouer à un médecin Seulement examine avec le plus grand soin à qui tu dois avouer ton péché. Éprouve d'abord le médecin à qui tu dois exposer la cause de ton malaise ; qu'il sache être faible avec celui qui est faible[b], pleurer avec celui qui pleure[c], qu'il connaisse l'art de s'apitoyer et de compatir. Ainsi seulement, s'il t'a dit quelque chose qui l'ait montré d'abord savant médecin et compatissant, s'il t'a donné quelque conseil, fais-le et suis-le. S'il a compris et vu d'avance que ton mal était tel qu'il devait être exposé et soigné dans l'assemblée de toute l'Église – ce par quoi, peut-être, d'autres pourront être affermis, et toi-même plus facilement guéri –, il te faut être soigné par cette consultation de beaucoup et le conseil bien avisé de ce médecin[2].

sième au cinquième siècle », *Recherches de science religieuse* 13 (1923), p. 97-129 (sur Origène, p. 97-104) a été, dans l'ensemble, mal accueillie par la critique. Peut-être Origène parle-t-il ici, non d'une institution existante, mais d'un comportement qu'il voudrait voir s'installer. Ces « péchés moindres » dont parle le Père Galtier, ne sont pas des péchés véniels, mais des péchés graves qui ne sont pourtant pas les plus graves (homicide, apostasie, adultère, qui requéraient la pénitence publique).

Quoniam iniquitatem meam ego pronuntiabo et
25 **cogitabo pro peccato meo**[d]. Quicumque vestrum
conscius sibi est in aliquo peccato et ita securus est quasi
nihil mali fecerit, commoveatur ex hoc sermone qui dicit :
Cogitabo pro peccato meo. Bonum est eum qui delinquit
[non] esse securum et velut eum qui nihil deliquerit, nullam
30 sollicitudinem gerere nec cogitare quomodo possit suum
delere peccatum? Si in corpore tuo macula aliqua vel vulnus
oriatur, aut ex collisione aliqua intumescat, sollicitus es et
perquiris quid curae debeat adhiberi, quomodo corpori
sanitas antiqua reddatur. Si circa oculos se aliquis acerbus
35 umor infuderit, sollicitus es et perquiris quomodo succurras
et praevenias caecitatem.

Cum anima tua aegrotet et peccatorum languoribus
urgeatur, securus es, contemnis gehennam[e] atque ignis
aeterni supplicia[f] despicis et irrides? Iudicium Dei parvi-
40 pendis et commonentem te ecclesiam despicis? Communicare non times corpus Christi accedens ad eucharistiam,
quasi mundus et purus, quasi nihil in te sit indignum et
in his omnibus putas quod effugias iudicium Dei? Non
recordaris illud quod scriptum est quia : *Propterea in vobis*
45 *infirmi et aegri et dormiunt multi*[g]? Quare multi infirmi?
Quoniam non seipsos diiudicant neque seipsos examinant
nec intellegunt quid est communicare ecclesiae vel quid
est accedere ad tanta et tam eximia sacramenta. Patiuntur
hoc quod febricitantes pati solent, cum sanorum cibos

d. Ps. 37, 19.   e. Cf. Matth. 10, 28.   f. Cf. Matth. 25, 41.
g. I Cor. 11, 30.

---

1. Ce passage d'Origène a eu certainement une influence sur le développement de la doctrine eucharistique du seizième au vingtième siècle,
à en juger d'après les références données par L. LIES, *Origenes' Eucha-*
ristielehre im Streit der Konfessionen. Die Auslegungsgeschichte seit der
Reformation (*Innsbrucker Theologische Studien* 15), Innsbruck-Wien 1985,
p. 410.

**Je songerai
à mon péché**
«Car mon iniquité, je la déclarerai,
et je songerai à mon péché[d].» Celui
qui parmi vous a conscience d'être
en quelque faute et reste aussi tranquille que s'il n'avait
rien fait de mal, qu'il soit secoué par cette parole : «Je
songerai à mon péché.» Est-il bon que celui qui a péché
soit sans inquiétude et, comme celui qui n'a péché en
rien, n'en ait nulle préoccupation et ne pense pas à la
manière d'effacer son péché? S'il survient sur ton corps
quelque tache ou blessure, ou s'il enfle par suite de
quelque choc, te voilà en souci et tu recherches quel
traitement appliquer, comment rendre à ton corps sa santé
d'antan. Si dans le voisinage de tes yeux quelque liquide
acide s'est répandu, te voilà en souci et tu cherches
comment y remédier et prévenir la cécité.

Quand ton âme est malade et accablée des malaises
du péché, tu es sans inquiétude; fais-tu peu de cas de
la géhenne[e], méprises-tu les supplices du feu éternel[f], en
ris-tu? Juges-tu de peu d'importance le jugement de Dieu
et méprises-tu l'Église qui t'avertit? Tu ne crains pas de
communier au corps du Christ en t'approchant de l'eucharistie comme si tu étais propre et pur, comme si rien
en toi n'était indigne, et en tout cela, penses-tu
échapper au jugement de Dieu? Ne te souviens-tu pas
qu'il est écrit : «Voilà pourquoi il y a parmi vous des
infirmes et des malades et beaucoup sont morts[g]»?
Pourquoi «beaucoup d'infirmes»? Parce qu'ils n'opèrent
pas de discernement sur eux-mêmes, ne s'examinent pas
eux-mêmes et ne comprennent pas ce que c'est d'entrer
en communion avec l'Église ou ce que c'est d'avoir
accès à des sacrements si grands et si sublimes[1]. Ils
souffrent de ce que souffrent d'ordinaire les fiévreux :
quand ils prennent la nourriture des bien-portants, ils se

1387 50 praesumunt, sibimetipsis inferentes exitium. Haec de eo
quod dictum est : **Cogitabo pro peccato meo**[h].

7. Sequitur : **Inimici autem mei vivunt et confirmati
sunt super me**[a]. Ad quae omnia subsonare illud debet :
Ego – autem – **cogitabo pro peccato meo**. Frequenter
enim nos peccatores si videamus inimicos nostros viventes
5 auctiores, contristamur et querelas adversus divinam providentiam fundimus. Qui autem salvari vult, ad haec omnia
semper hoc sibi ipse respondeat : etiamsi **inimici mei
vivunt et confirmati sunt super me**[b], **ego** – tamen –
cogitabo pro peccato meo[c]. Et quamvis videam me
10 peccatorem esse, considerans tamen etiam ceterorum
peccata quae fortassis graviora sunt, videns quoque eos
pro peccatis suis non esse sollicitos, comparans me illis
qui omnino de gravissimis delictis suis nihil cogitant et
cogitans pro peccato meo, spem habeo in te.

8. Et multiplicati sunt qui oderunt me inique[a].
Impossibile est in hac vita positum odio non haberi.
Christus Iesus odio habitus est[b]. Et quid dico impossibile
est in hac vita positum odio non haberi? Deus ipse qui
5 in hanc vitam non venit, odio habetur ab aliquibus. Si
enim non haberetur odio, nequaquam diceret propheta :
*Nonne odientes te, Domine, oderam et super inimicos tuos
tabescebam? Perfecto odio oderam eos*[c]. Marcionistae et
Basilides et Valentini oderunt Deum et verba eius oderunt.
10 Cum ergo Deus odio habeatur et Christus usque in

---

h. Ps. 37, 19.
7. a. Ps. 37, 20.   b. Ps. 37, 20.   c. Ps. 37, 19.
8. a. Ps. 37, 20.   b. Cf. Jn 15, 18.   c. Ps. 138, 21-22.

---

1. Origène a en vue le Père, car pour lui, Dieu, ὁ Θεός, est le nom
propre du Père ; chez le Fils, il est attribut et sans article (à moins
qu'il ne soit qualifié d'un adjectif). Cet usage, conforme au Nouveau
Testament (Cf. K. RAHNER, *Écrits théologiques*, I, Paris 1959, p. 93-96)

causent à eux-mêmes leur perte. Voilà sur ces mots : « Je songerai à mon péché[h] ».

Malgré mes ennemis

7. Vient ensuite : « Or mes ennemis vivent et ils sont forts contre moi[a]. » A tout ceci doit faire écho : « Mais moi, je songerai à mon péché. » Car souvent, nous autres, pécheurs, si nous voyons nos ennemis bien en vie et plus considérés, nous sommes attristés et répandons des plaintes contre la divine Providence. Mais que celui qui veut être sauvé, devant tout cela se redise toujours à lui-même : « Même si mes ennemis vivent et sont forts contre moi[b] », moi pourtant « je songerai à mon péché[c] ». Et bien que je me voie pécheur, pourtant considérant aussi les péchés des autres qui sont peut-être plus graves, voyant encore qu'ils ne sont pas inquiets pour leurs péchés, me comparant à ceux qui ne pensent absolument pas à leurs très graves délits et songeant à mon péché, j'ai espoir en toi.

Qui n'a pas été haï ?

8. « Ils se sont multipliés, ceux qui me haïssent injustement[a]. » Il est impossible en cette vie de ne pas être haï. Le Christ Jésus a été sujet à la haine[b]. Et pourquoi dire qu'il est impossible en cette vie de ne pas être haï ? Dieu lui-même, qui n'est pas venu en cette vie[1], est haï par quelques-uns. Car s'il n'était pas haï, le prophète n'aurait jamais dit : « N'avais-je pas en haine, Seigneur, ceux qui te haïssent, et ne me consumais-je pas à cause de tes ennemis ? Je les haïssais d'une haine parfaite[c] ! » Les adeptes de Marcion, de Basilide et de Valentin haïssent Dieu et haïssent ses paroles ! Alors donc que Dieu est haï, que le Christ, encore aujourd'hui, est objet d'exé-

n'exprime pas, chez Origène, une infériorité du Fils ou une altérité de nature, mais signifie que le Père est la source de la divinité qu'il communique au Fils et à l'Esprit.

hodiernum diem a Iudaeis anathema fiat, cum spiritus
sanctus qui in prophetis locutus est ab haereticis odio
habeatur, tu vis odio non haberi sed ab omnibus diligi
et benedici? Vide ne te inveniat illa sententia quae dicit :
15 *Vae cum benedixerint vobis omnes homines*[d]. Quin potius
illud tantummodo observemus, ut et nos dicamus
quoniam : **Multiplicati sunt qui oderunt me iniuste**[e].
1388   Opto cum odio habear, ut sciat conscientia mea
quoniam iniuste odium patior. Odio habiti sunt etiam pro-
20 phetae sed iniuste; odio habitus est Christus, sed gratis[f].
Si autem pro peccato meo odio habeor, non possum
dicere quia : **Multiplicati sunt qui oderunt me iniuste**[g].
Iuste enim odio habeor, si perosus fuero propter inho-
nestos actus meos et turpes. Non possum dicere : *Quia*
25 *oderunt me gratis*[h]. Atque utinam tanta confidentia dicere
possimus et nos quia : **Multiplicati sunt qui oderunt
me iniuste**[i].

9. Qui retribuunt mihi mala pro bonis[a]. Ego quidem
bona cum eis agebam, illi vero obliti bonorum meorum
reddebant mala pro bonis, **criminabantur me, quoniam
subsequebar iustitiam**[a]. Criminantur me et exprobrant
5 inimici mei pro his si qua mihi aliquando commissa sunt,
non erubescunt me iustitiam subsequentem nec dant
veniam praeteritis malis pro praesentibus bonis.

Verum tu, Domine, **quoniam subsequebar iustitiam,
ne derelinquas me, Domine Deus meus**. Et haec vox
10 confitentis est et misericordiam postulantis : **Ne derelinquas me, Domine Deus meus, ne discesseris a me**[b].
In alio quidem psalmo dicit : *Spiritum sanctum tuum ne
auferas a me*[c]. In hoc dicit ad ipsum Deum : **Ne dis-**

---

d. Lc 6, 26.   e. Ps. 37, 20.   f. Cf. Jn 15, 25.   g. Ps. 37, 20.
h. Jn 15, 25.   i. Ps. 37, 20.
9. a. Ps. 37, 21.   b. Ps. 37, 22.   c. Ps. 50, 13.

cration pour les Juifs, que l'Esprit-Saint qui a parlé dans les prophètes, est haï par les hérétiques, tu veux, toi, ne pas être haï, mais être aimé de tous et béni? Prends garde à ce qu'elle ne t'atteigne pas cette sentence : «Malheur, lorsque tous les hommes diront du bien de vous[d]!» Puissions-nous seulement veiller à dire nous aussi : «Ils se sont multipliés, ceux qui me haïssent injustement[e].»

Je souhaite, quand je suis haï, que ma conscience sache que je souffre la haine injustement. Les prophètes aussi ont été haïs, mais injustement; le Christ a été haï, mais sans motif[f]. Mais si je suis haï pour mon péché, je ne puis dire : «Ils se sont multipliés ceux qui me haïssent injustement[g].» Car je suis haï justement si l'on m'a détesté pour mes actes honteux et ignobles. Je ne puis dire : «Ils m'ont haï sans motif[h].» Ah! si seulement nous pouvions dire avec une telle assurance, nous aussi : «Ils se sont multipliés, ceux qui me haïssent injustement[i].»

Calomnié 9. «Ceux qui me rendent le mal pour le bien[a].» Moi, certes, j'agissais bien à leur égard, mais eux, oublieux de mes bienfaits, rendaient le mal pour le bien, «ils me calomniaient parce que je suivais la justice[a]». Mes ennemis me calomnient et me font des reproches pour les fautes commises jadis; ils n'en rougissent pas, alors que je suis la justice et ne pardonnent pas les méfaits passés en raison des bonnes actions présentes.

Ne m'abandonne pas Mais toi, Seigneur, «parce que je suivais la justice, ne me délaisse pas, Seigneur mon Dieu!» C'est là le cri de celui qui reconnaît et implore la miséricorde : «Ne me délaisse pas, Seigneur mon Dieu, ne t'éloigne pas de moi[b]!» Dans un autre psaume, il dit : «N'enlève pas de moi ton Esprit-Saint[c]!» Ici il dit à Dieu lui-même :

cesseris a me. Ex quo ostenditur a quibusdam meritis
15 suis discedere Deum et apud alios pro suis meritis permanere. Infelix tamen homo ille a quo discesserit Deus,
beatus autem est ille cum quo permanet Deus.

**Attende in adiutorium meum, Domine, Deus salutis
meae**[d]. Et nos ergo oremus et dicamus : **Attende in**
20 **adiutorium meum,** quoniam grandis est pugna et
potentes sunt adversarii. Infestus est hostis, invisibilis
inimicus per istos visibiles impugnat. Attende ergo in adiutorium nostrum Domine Deus noster et adiuva nos per
sanctum filium tuum Dominum nostrum Iesum Christum,
25 per quem omnes nos redemisti[e], per quem tibi *gloria et
potestas in saecula saeculorum. Amen*[f].

d. Ps. 37, 23.   e. Cf. Apoc. 5, 9.   f. Apoc. 5, 13.

«Ne t'éloigne pas de moi.» Par là, on montre que Dieu s'éloigne de certains en raison de leurs mérites et demeure chez d'autres en raison de leurs mérites. Malheureux donc cet homme dont Dieu s'est écarté, mais heureux celui avec qui Dieu demeure!

Viens à mon aide! «Viens à mon aide, Seigneur, Dieu de mon salut[d]!» Et nous donc, prions et disons : «Viens à mon aide», car long est le combat, et puissants les adversaires. Menaçant est l'ennemi : un ennemi invisible combat par ces ennemis visibles. Viens donc à notre aide, Seigneur notre Dieu, et secours-nous par ton saint Fils, notre Seigneur Jésus-Christ, par qui tu nous as tous rachetés[e], par qui te viennent «gloire et puissance, dans les siècles des siècles. Amen[f]»!

PREMIÈRE HOMÉLIE
SUR LE PSAUME 38

PSAUME 38, versets 1 à 6.

1. Sur la fin, pour Idithun, psaume de David.
2. J'ai dit : Je garderai mes voies pour ne pas pécher par
   ma langue.
   J'ai mis une garde à ma bouche.
   Tandis que le pécheur se dresse contre moi,
3. je me suis tu,
   je me suis humilié et je me suis abstenu de dire une
   parole bonne.
   Et ma douleur a été ravivée.
4. Mon cœur s'est échauffé au-dedans de moi,
   Et dans ma méditation, un feu s'allume. J'ai parlé par
   ma langue :
5. Fais-moi connaître, Seigneur ma fin,
   et quel est le nombre de mes jours, pour que je sache
   ce qui me manque.
6. Vois, tu as fait que mes jours soient avancés,
   mon être est comme rien devant Toi.
   Vraiment, c'est une totale vanité, tout homme vivant.

ORIGENIS HOMILIA PRIMA
IN PSALMUM XXXVIII

1. Sicut unus homo proficit secundum Deum et studium sibi adhibens melior seipso efficitur, ita etiam populo universo accidebat. Propter quod et ipso proficiente, etiam legis ei fiebat augmentum. Denique quomodo in lege
5 scriptum est, praecepta quaedam sacerdotibus sunt et levitis de sacrificiis ceterisque sollemnibus : verum cum proficeret populus eo tempore quo inerat ei virtus adhuc proficiendi, non stetit res in illo primo ordine, sed alligatae sunt illis eminentiores quaedam legislationes secundo
10 et tertio.

Et si quis vult scire quae sint ista quae de sacerdotibus ac levitis adiecta sint, legat primum librum Paralipomenon et patienter inspiciat omnem illum catalogum nominum[a] et inveniet ibi admirandum quendam ordinem
15 et distributionem tribuum pro suo quamque nomine et loco praecipuum quid in sollemni ordine esse sortitam[b]. Sed et levitas et sacerdotes inveniet diversis officiis atque ordinibus distributos, ut alii quidem sint ad aperiendas templi ianuas praepositi[c], alii quibus claves creduntur,
20 aliis sacrificiorum et altarium cura committitur[d]. Et multa sunt quae ex illius libri historia possumus dicere de sacerdotalibus institutis.

---

1. a. Cf. I Chr. 9, 10-33.   b. Cf. I Chr. 24, 5 s. ; 25, 8 s. ; 26, 13 s.   c. Cf. I Chr. 9, 17-27 ; 26, 1-19.   d. Cf. I Chr. 9, 28-32.

PREMIÈRE HOMÉLIE
SUR LE PSAUME 38

**La Loi
s'accroît**
1. Comme un seul homme progresse selon Dieu et, en s'appliquant, s'améliore, ainsi en arrivait-
il aussi au peuple entier. C'est pourquoi, de son progrès
même résultait aussi pour lui une croissance de la Loi.
Ainsi, comme il est écrit dans la Loi, il y a certaines
prescriptions pour les prêtres et les lévites, concernant
les sacrifices et les autres solennités. Mais lorsque le
peuple s'accroissait – en un temps où se trouvait encore
en lui la force de croître –, la chose n'en resta pas à
cette disposition première, mais certaines législations plus
élevées furent jointes à ces prescriptions, en un second
et en un troisième temps.

Et si quelqu'un veut savoir quels sont ces ajouts
concernant les prêtres et les lévites, qu'il lise le premier
livre des Paralipomènes et qu'il examine avec patience
toute cette liste de noms[a]; il trouvera là un certain ordre
admirable et une répartition des tribus selon le nom et
le lieu de chacune qui a tiré au sort une certaine prééminence dans un ordre solennel[b]. De plus, il trouvera
lévites et prêtres répartis en diverses fonctions et classes :
les uns, par exemple, sont chargés d'ouvrir les portes du
temple[c], à d'autres sont confiées les clés, à d'autres est
remis le soin des sacrifices et des autels[d]. Et l'on pourrait
dire bien des choses, à partir du sens littéral de ce livre,
sur les règles de conduite des prêtres.

Si quis ergo inspicere potest quomodo exemplari et umbrae caelestium deserviunt Iudaei[e], ascendat ab infe-
25 riori verbi crepidine ad summa eius ac superiora fastigia et contempletur ex his futuri sacerdotii statum et elec- tionem illam caelestem, atque inibi contemplabitur qui sint isti ordines sacerdotales vel quae sint officia levi- tarum quae in caelestibus ministeriis exhibentur et omnia
30 in caelis mente coniciet, quae disposita vidit in terris. Erit enim et ibi populus et ex populo Dei electi levitae et ex his rursum electi eximii sacerdotes et sacerdotum nihi- lominus differentiae quamplurimae : sicut in primo libro Paralipomenon indicatur viginti quattuor esse ordines
35 sacerdotum, alios quidem sub Eleazaro, alios vero sub principe Ithamar[f], quorum et ephemeri esse dicuntur.

---

e. Cf. Hébr. 8, 5.   f. Cf. I Chr. 24, 1 s.

---

1. Cette citation de *Hébr.* 8, 5, fréquente chez Origène, se réfère à *Ex.* 25, 40 cité dans le même verset. Le Tabernacle, donc le Temple qui l'a suivi, est conçu par Moïse «suivant le modèle qui t'est montré sur la montagne», c'est-à-dire qu'il est l'image ou l'ombre du sanctuaire céleste. Le culte chrétien n'est plus ombre, mais ne fait qu'un avec le culte céleste qu'il reproduit cependant «à travers un miroir, en énigme» (*I Cor.* 13, 12), car l'«Évangile temporel», celui que vivent les chré- tiens ici-bas, est un par sa réalité (*hypostasis*) avec l'«Évangile éternel», celui de la béatitude; il en diffère seulement par l'*epinoia*, la manière humaine de voir les choses.

2. Cette dernière phrase qui a trait au sacerdoce, résume ce qu'amorce plus haut Origène : «Qu'il monte du fondement le plus bas de la Parole, à ses sommets et à ses faîtes les plus hauts, et qu'il contemple de là l'état du sacerdoce à venir et cette élection céleste.» Ceci montre qu'Origène a une vision historique et graduelle du sacerdoce. Le «fon- dement le plus bas» est le sacerdoce lévitique, les «faîtes les plus hauts» sont le sacerdoce céleste. Entre les deux se trouve le sacerdoce du Corps Mystique, selon le schéma qu'en donne H. U. VON BALTHASAR, *Parole et Mystère chez Origène,* Paris, 1957, p. 88, qui suit le schéma tripartite d'Origène : ombre-image-vérité. Ou mieux, A. Vilela a tracé un

**De l'ombre
à la réalité**

Si donc quelqu'un peut examiner comment les Juifs servent la copie et l'ombre des réalités célestes[e][1], qu'il monte du fondement le plus bas de la Parole, à ses sommets et à ses faîtes les plus hauts et qu'il contemple de là, l'état du sacerdoce à venir, et cette élection céleste; là, il contemplera qui sont ces classes sacerdotales, ou quels sont les offices des lévites présentés dans les ministères célestes, et par sa pensée il rassemblera dans les cieux tout ce qu'il a vu disposé sur la terre[2]. Car il y aura, là aussi, un peuple, et parmi ce peuple de Dieu des lévites choisis; et de plus, choisis parmi eux, des prêtres excellents, et de même, de fort nombreuses différences de prêtres : ainsi, au premier livre des Paralipomènes, on mentionne qu'il y a vingt-quatre classes de prêtres, les uns sous Éléazar, les autres sous le prince Ithamar[f], parmi lesquels, dit-on, sont ceux qui assurent le service quotidien.

schéma plus détaillé où, à la suite du sacerdoce lévitique, vient le sacerdoce historique du Christ, puis le sacerdoce du Corps Mystique dans ses deux dimensions : la visible avec le sacerdoce hiérarchique, et l'invisible avec le sacerdoce de la perfection, pour aboutir au sacerdoce céleste. Ainsi :

Sacerdoce Lévitique

⇓

Sacerdoce historique du Christ

⇓

Sacerdoce hiérarchique

⇓

Sacerdoce du Corps Mystique

⇓

Sacerdoce de la perfection

⇓

Sacerdoce céleste

Voir le commentaire que fait de ce schéma A. VILELA, *La condition collégiale des prêtres*, Paris 1971, p. 56-57.

2. Sed dicat aliquis fortassis auditorum : quid haec pertinent ad psalmum? Plurimum. Nam superscriptio est huius psalmi : **In finem pro Idithum psalmus David**[a].

1392 Hunc Idithum invenimus unum esse ex his quibus hymnorum Dei studium ac sollicitudo commissa est[b]. Oportuit ergo nos invenientes hoc nomen psalmi superscripti, ostendere quis fuerit iste Idithum et quomodo post primam legem, secunda facta sit de observationibus sacerdotalibus ordinatio.

Apud Graecos quicumque carmina vel sonos musicos conscribebant, quibus eis visum fuisset in agone ea canenda praestabant : et fiebat ut alius quidem coronaretur in agone, alius autem victori conscriberet carmen. In psalmis ergo divinae Scripturae quicumque sunt superscripti secundum Septuaginta <in finem apud alios> interpretes victoriales vel ad victoriam vel victori attitulantur, pro eo videlicet quod velut victoriae laus in ipsis inferatur. Fecit ergo David divino spiritu repletus psalmum hunc et dedit Idithum, cui officium canendi Deo hymnos fuerat iniunctum, tamquam pollenti in huiusmodi disciplina. Et ideo ergo superscribitur : **In finem pro Idithum psalmus David**[c].

3. Sed nunc iam videamus quid vox proferat iusti. Et videntes tamquam in speculo nosmetipsos intueamur si

---

2. a. Ps. 38, 1.   b. Cf. I Chr. 16, 41-42.   c. Ps. 38, 1.

1. La traduction du mot hébreu *la-mnaseah*, qui signifie : «au chef de chœur», a posé problème aux anciens. Il peut signifier «qui est devant les autres», d'où la traduction des Septante Εἰς τὸ τέλος pouvant avoir le sens de : «au plus haut sommet», «en pleine force», et même «prix dans les luttes». Cela explique les traductions de Τῷ νικοποιῷ par Aquila, Ἐπινίκιον par Symmaque ou Εἰς τὸ νῖκος par Théodotion. Un siècle et demi plus tard, JÉRÔME préfère encore la traduction *victori* (*PL* 28, 1157 A), et la justifie dans son prologue au *Commentaire sur*

Idithun

2. Mais peut-être quelqu'un de ceux qui m'écoutent se dit-il : «Quel rapport cela a-t-il avec le psaume?» Cela en a beaucoup! Car l'épigraphe de ce psaume est «Pour la fin, pour Idithun, psaume de David[a].» Nous apprenons que cet Idithun est l'un de ceux à qui furent confiés la tâche et le soin des hymnes de Dieu[b]. Trouvant donc ce nom écrit en tête du psaume, il nous a fallu montrer qui fut cet Idithun, et comment, après une première Loi, un second règlement fut fait, ayant pour objet les offices des prêtres.

Pour la fin

Chez les Grecs, tous ceux qui composaient des chants ou des compositions musicales, les offraient à ceux qui leur plaisaient, pour qu'ils les chantent au cours d'une lutte : et il se trouvait que l'un était couronné dans la lutte, mais qu'un autre écrivait un chant pour le vainqueur. Donc, dans les psaumes de la divine Écriture, tous ceux qui sont intitulés, selon la Septante : «Sur la fin», ont pour titre chez d'autres traducteurs : «De victoire», ou : «Pour la victoire» ou : «Au vainqueur», pour ce fait assurément qu'on y présente comme une louange de victoire[1]. David donc, rempli du divin Esprit, a composé ce psaume et l'a donné à Idithun à qui l'on avait confié la charge de chanter des hymnes à Dieu, vu sa compétence en cet art. Et c'est donc pourquoi on a écrit en tête : «Sur la fin, pour Idithun, psaume de David[c].»

Veiller sur sa langue

3. Mais voyons maintenant ce qu'exprime la voix du juste. Et nous regardant nous-mêmes comme dans un miroir, considérons si nous pouvons lui être sem-

---

Daniel (*CCL* LXXVA, p 773). AMBROISE utilise ce passage pour introduire son commentaire du *Ps.* 38 (*PL* 14, 1039 AB).

possumus tales esse aut si multum nobis deest aut certe
iam proximi sumus, licet nondum plene assecuti sumus.
5 Quoniam igitur multorum peccatorum initium humanus
est sermo et os nostrum multis malis ministrat et valde
difficile est inveniri hominem, qui una saltem hora os
suum et linguam suam observet a peccato, ait : **Dixi :**
1393 **custodiam vias meas ut non peccem in lingua mea**[a].
10 Mihi ipsi dixi et intra me locutus sum et haec addidi :
si volo servare vias meas ut non peccem, hoc modo
servare possum si custodiam linguam meam. *Ex verbis*
enim – inquit – *tuis iustificaberis et ex verbis tuis condem-*
naberis[b]. Et iterum : *Amen dico vobis, de omni otioso*
15 *verbo reddetis rationem in die iudicii*[c]. Non solum, inquit,
de eo quod male locuti fueritis sed quod otiose locuti
fueritis, quia malus sermo non est otiosus, operatur enim
opus malum. Otiosus autem sermo est qui neque boni
neque mali aliquid agit. Si ergo in die iudicii rationem
20 reddemus, non solum pro malis verbis, sed etiam pro
otiosis, quis gloriabitur castum se habere cor? Aut quis
confidit dicens : *Mundus sum a peccato*[d]?

Verumtamen ait iustus : **Dixi : custodiam vias meas**
ut non peccem in lingua mea. Posui ori meo cus-
25 **todiam**[e]. Alibi quidem scriptum est : *Omni custodia serva*
cor tuum[f], hic autem : **Posui ori meo custodiam**[g]. Et
iterum alibi scriptum est : *Vide, circumduc sepem spi-*
narum circa possessionem tuam[h]. Et iterum : *Pecuniam*

---

3. a. Ps. 38, 2.   b. Matth. 12, 37.   c. Cf. Matth. 12, 36.   d. Job
33, 9.   e. Ps. 38, 2.   f. Prov. 4, 23.   g. Ps. 38, 2.   h. Sir.
28, 28.

---

1. «Que l'âme discerne si elle est complètement démunie de bonne
intention et de propos droit et se trouve loin de la voie des vertus,
ou si elle est déjà sur le chemin lui-même et s'efforce déjà d'y marcher...

blables, ou s'il s'en faut de beaucoup, ou si du moins nous en sommes déjà proches bien que nous n'y soyons pas arrivés pleinement[1]. Donc, puisque la parole de l'homme est à l'origine de bien des péchés et que notre bouche sert à de nombreux méfaits et qu'il est très difficile de trouver un homme qui, ne fût-ce qu'une heure, préserve sa bouche et sa langue du péché, le prophète déclare : «J'ai dit : Je garderai mes voies pour ne pas pécher par ma langue[a].» Je me suis dit à moi-même, j'ai parlé en mon for intérieur et j'ai ajouté ceci : si je veux veiller sur mes voies pour ne pas pécher, je puis le faire si je garde ma langue. Car : «Par tes paroles, est-il dit, tu seras justifié, et par tes paroles, tu seras condamné[b].» Et ailleurs : «En vérité, je vous le dis, de toute parole oiseuse vous rendrez compte au jour du jugement[c].» Non seulement, dit-il, de ce que vous aurez dit de mal, mais aussi de ce que vous aurez dit d'oiseux, car une parole mauvaise n'est pas oiseuse : elle fait un mauvais travail. Mais une parole oiseuse est celle qui ne fait ni bien ni mal. Si donc, au jour du jugement, nous rendons compte non seulement des paroles mauvaises, mais aussi des paroles oiseuses, qui se glorifiera d'avoir un cœur chaste? Ou qui est sans crainte, disant : «Je suis pur du péché[d]»?

**Garder
ses voies**

Mais le juste dit : «Je garderai mes voies pour ne pas pécher par ma langue. J'ai mis une garde à ma bouche[e].» Ailleurs, il est écrit : «Par toute garde, surveille ton cœur[f]», mais ici : «J'ai mis une garde à ma bouche[g].» Et ailleurs encore il est écrit : «Vois, entoure d'une haie d'épines ton domaine[h].» Et encore : «Serre ton argent et

mais ne s'est pas encore approchée, ou est certes près, mais n'est pourtant pas encore arrivée à la perfection», *ComCant.* II 5, 9 (*SC* 375, p. 358).

tuam et aurum tuum alliga et ori tuo facito ostium et
30 *seram et verbis tuis iugum et stateram*[i].

Ego arbitror quod observatio horum mandatorum obser-
vantem eum et mansuetum faciat et beatum, non solum
rerum exitus, verum etiam ipsa observantia. Dum enim
semper observat os suum et linguam custodit[j], ne prius
35 sermonem proferat quam discutiat et pertractet apud
semetipsum si oporteat dici, si sermo talis est qui pro-
ferri debeat, si persona talis est quae aut debeat, aut
possit audire, si tempus opportunum est proferendi sermonis : dum singula ista perpendit, excluditur omnis ira-
40 cundia et tumor et inconsulti furoris impetus mitigatur
atque omnem penitus deliberationem talis abscidit : et ita
demum velut ex tranquillitate quadam et quiete animi per
mansuetudinem sermo procedens, proferentibus gratiam
praestat et audientibus medicinam.

4. Verum quoniam in illo maxime tempore peccamus,
quando peccator consistit adversum nos, instigans et pro-
vocans ut aliquid tale emittamus ex ore, in quo rei
teneamur in futuro iudicio, hoc describens sanctus pro-
5 pheta dicit : **Dum consistit peccator adversum me,
obmutui et humiliatus sum et silui a bonis**[a]. Si quando
quidem peccator astitit adversum me et loquebatur de
me male et obtrectabat atque irritabat me ut similia ei
redderem et paria de meo ore proferrem, ego in illo
10 tempore silentium meditabar, ut nihil penitus responderem.
Propterea ergo dicit : **Dum consistit peccator adversum
me, obmutui et humiliatus sum et silui a bonis**[b].

i. Sir. 28, 29.   j. Cf. Prov. 21, 23.
4. a. Ps. 38, 2-3.   b. Ps. 38, 2-3.

ton or, et mets à ta bouche porte et verrou, et à tes
paroles peson et balance[i] »

Pour moi, je pense qu'observer ces préceptes rend celui
qui les observe, à la fois doux et heureux; non seulement le résultat acquis, mais aussi l'observance elle-
même. Car tant que l'homme veille toujours sur sa bouche
et garde sa langue[j] pour ne pas avancer une parole avant
d'avoir réfléchi et examiné en lui-même s'il est opportun
de la dire, si la parole est telle qu'elle doive être énoncée,
si la personne est telle qu'elle doive ou puisse l'entendre,
si le moment est opportun pour la dire, tant qu'il pèse
avec soin chacun de ces points, sont exclus tout emportement et toute enflure, et l'élan d'une fureur incontrôlée
est calmé : un tel homme coupe radicalement court à
toute délibération. Alors seulement une parole qui
procède, par la douceur, d'une sorte de tranquillité et de
sérénité de l'âme, apporte grâce à ceux qui la prononcent
et remède à ceux qui l'entendent.

Savoir se taire   **4.** Puisqu'il est vrai que nous
péchons surtout en ce temps où le
pécheur se dresse contre nous, nous agressant et nous
provoquant pour que s'échappe de notre bouche quelque
propos qui nous rende coupable au jugement futur, notant
cela, le saint prophète dit : «Tandis que le pécheur se
dresse contre moi, je me suis tu, je me suis humilié et
je me suis abstenu de dire une parole bonne[a].» Lorsque
le pécheur s'est tenu devant moi et qu'il disait du mal
de moi, qu'il me dénigrait et m'irritait pour que je lui
rende la pareille et que sortent de ma bouche des propos
semblables aux siens, moi, en cette circonstance, je
m'exerçais au silence pour ne lui répondre absolument
rien. Voilà pourquoi il dit : «Tandis que le pécheur se
dresse contre moi, je me suis tu, je me suis humilié et
je me suis abstenu de dire une parole bonne[b].»

Nos vero aliquando si nolumus humiliari, alia cogitamus
et dicimus apud nosmetipsos : quid hoc est? Iste me
15 contemptui habuit et ausus est talia in os ingerere et ita
adversum me movere sermonem, nonne et ego huic
similia, aut etiam graviora inferam, ut et ipse audiat peiora
quam dixit? Sed iustus non ita agit, quin potius humiliat
se, etiamsi servus sit ille qui obtrectat et convicia ingerit,
20 aut si humilis et peccator sit et indignus.

Ille dicit : **Dum consistit peccator adversum me,
obmutui et humiliatus sum et silui a bonis**[c]. Non dixit :
et silui tantummodo, sed **a bonis silui** : in quo ostendit
quod cum sint in me bona et edoctus atque institutus
25 sim bonis et dogmatibus atque disciplinis et possim etiam
ceteros docere quae bona sunt, tamen in eo tempore quo
peccator assistit adversum me et conviciis me lacessit ac
iurgiis, ego etiam bona verba mea cohibeo et reprimo,
ne vel illi ignem suae perditionis inflammem, dum non
30 potest pariter parere malis et conspicere bona vel sermonum meorum faciam detrimentum.

1394   Quid ergo? Hoc videbitur perfectum esse quod dicit :
**Dum consistit peccator adversum me, obmutui et
humiliatus sum et silui a bonis,** aut profectus quidem
35 est, nondum tamen perfectio? Tria namque in hoc loco
de Scripturis puto posse assignari, in quo dicit stare pec-

c. Ps. 38, 2-3.

Mais nous, parfois, si nous refusons d'être humiliés, nous avons d'autres pensées et disons en nous-mêmes : «Qu'est-ce que c'est? Cet individu m'a méprisé et il a osé avoir à la bouche de telles paroles, et ainsi avancer un propos contre moi! Ne lui servirais-je pas, moi aussi, la pareille, ou même des mots plus graves, pour que lui aussi, entende pire que ce qu'il a dit?» Mais le juste n'agit pas ainsi; bien plutôt, il s'humilie, même si c'est un esclave qui le dénigre et lui adresse des injures, ou si c'est quelqu'un de basse condition, un pécheur, un homme de rien.

Même une parole bonne Celui-là dit : «Tandis que le pécheur se dresse contre moi, je me suis tu, je me suis humilié et je me suis abstenu de dire une parole bonne[c].» Il n'a pas dit simplement : Et je me suis abstenu de parler, mais : «Je me suis abstenu de dire une parole bonne.» Par là, il montre que, bien qu'il y ait en moi de bonnes choses et que je sois instruit et éduqué dans de bonnes doctrines et de bons principes, et que je puisse aussi enseigner aux autres ce qui est bien, toutefois, en ce temps où le pécheur se dresse contre moi et me harcèle de ses outrages et de ses reproches, moi, je retiens et réprime même de bonnes paroles, soit pour ne pas allumer chez lui un feu pour sa perte – puisqu'on ne peut à la fois céder au mal et regarder les biens –, soit pour ne pas gaspiller mes mots.

Trois degrés Quoi donc? Cela semblera-t-il parfait : «Tandis que le pécheur se dresse contre moi, je me suis tu, je me suis humilié et je me suis abstenu de dire une parole bonne», ou bien est-ce, certes, un progrès, mais pas encore la perfection? De fait, trois degrés peuvent, je pense, être présentés à

catorem adversum se et loqui in auribus suis ea quibus
irritari et exacerbari possit ad retribuendum. Et si quidem
etiam ego parvus sum, similia et oculum pro oculo requiro,
40 dentem pro dente[d] et maledicta pro maledictis[e] reporto.
Si vero iam aliquantum profeci, nondum tamen perfectus
sum et taceo et fero convicia patienter, nec quidquam
omnino respondeo. Si vero sim perfectus, non taceo, sed
cum maledicor, benedico, sicut et Paulus dicebat : *Male-*
45 *dicimur et benedicimus, persecutionem patimur et susti-*
nemus, blasphemati deprecamur[f]. Et quoniam qui haec
agunt, id est, qui pro maledictionibus benedictiones
reddunt, qui pro blasphemiis deprecantur, videntur hominibus velut pecudes et purgamenta, tamquam qui sensum
50 iniuriae non habeant, propterea ergo addidit dicens :
Tamquam purgamenta huius mundi facti sumus omnium
peripsema[g].

Sed nos nolumus cum apostolis purgamenta huius
mundi fieri, sed volumus non contemni ab hominibus,
55 immo potius et timeri et satis agimus reddere his qui
laedunt et praevenire vindictam quam sibi reservavit
Dominus dicens : *Mihi vindictam, ego retribuam, dicit*
Dominus[h]. Verum si non possumus in tantum proficere
et ad istud culmen veritatis ascendere, ut dicamus cum
60 Paulo : *Maledicimur et benedicimus, persecutionem*
patimur et sustinemus, blasphemati deprecamur[i], vel hoc
quod adhuc per prophetam docemur, dicamus : **Dum**
consistit peccator adversum me, obmutui et humi-
liatus sum et silui a bonis[j].

---

d. Cf. Ex. 21, 24.   e. Cf. I Pierre 3, 9.   f. I Cor. 4, 12-13.
g. I Cor. 4, 13.   h. Rom. 12, 19.   i. I Cor. 4, 12-13.   j. Ps. 38,
2-3.

propos de ce passage des Écritures où le prophète dit que le pécheur s'est tenu devant lui et a fait retentir à ses oreilles des paroles propres à l'irriter et à le pousser à lui rendre la pareille. Si je suis encore petit, je réclame des choses semblables : «œil pour œil, dent pour dent[d]» et je rends «malédictions pour malédictions[e]». Mais si j'ai déjà progressé un tout petit peu, sans pourtant être encore parfait, je me tais, je supporte les injures avec patience et ne réponds absolument rien. Par contre, si je suis parfait je ne me tais pas, mais quand on me maudit je bénis, comme Paul aussi disait : «On nous maudit et nous bénissons ; nous souffrons persécution et le supportons, outragés, nous prions[f].» Et parce que ceux qui agissent ainsi, c'est-à-dire ceux qui pour les malédictions rendent des bénédictions et qui prient pour ceux qui les outragent, paraissent aux hommes comme des bêtes ou des ordures puisqu'ils n'ont pas conscience qu'on les insulte, il ajouta donc : «Nous sommes devenus comme les ordures du monde, le rebut de tous[g].»

Mais nous, nous ne voulons pas devenir avec les apôtres les ordures de ce monde ; nous voulons ne pas être méprisés par les hommes, bien plutôt en être craints ; et nous en faisons assez pour rendre leur dû à ceux qui nous blessent et devancer la vengeance que s'est réservée le Seigneur disant : «A moi la vengeance, c'est moi qui rétribuerai, dit le Seigneur[h]!» Alors si nous ne pouvons progresser à ce point et monter à ce sommet de vérité pour dire avec Paul : «On nous maudit et nous bénissons, nous souffrons persécution et nous le supportons, outragés, nous prions[i]», disons du moins ce que nous enseigne encore le prophète : «Tandis que le pécheur se dresse contre moi, je me suis tu, je me suis humilié et je me suis abstenu de dire une parole bonne[j].»

5. Et quid addidit his? **Et dolor** – inquit – **meus reno-vatus est**[a]. Hi qui in agonis certamine mutuis inter se verberibus agunt, in his semper praeparare conantur, ut illata sibi ab adversariis verbera fortiter ferant nec sensum
5 doloris accipiant et est eis summa virtus : lacertorum ictus vel calcium absque dolore suscipere. In quibus ille est perfectior, qui ad ictum vulneris, nullum recipit stimulum doloris. Secundus vero est is qui dolet quidem sed nequaquam doloribus cedit. Tale aliquid intellege etiam
10 in nobis, cum maledicimur et assistit adversum nos anta-gonista, si quidem bene instituti sumus et animo longa meditatione roborati, in nullo penitus ex illatis maledictis vel conviciis contristamur, sed sumus pro nimia mentis constantia ac patientia velut sensu doloris carentes et per
15 multam mansuetudinem, ut audeam ita nominare, velut imitatores efficimur quodammodo Dei[b] : Deus enim male-dicitur ab haereticis, blasphematur ab his qui providentiam eius negant, culpatur ab his qui thesauros sapientiae[c] eius ignorant : et dic mihi, numquid potes hoc cogitare, quod
20 pro his omnibus iniuriis doleat quidem Deus, sed patiatur sicut nos? An tamquam divina natura per impassibilitatem, neque sensus doloris ullatenus recipit neque ullis aut iniuriis aut conviciis excitatur?

1395

---

5. a. Ps. 38, 3.   b. Cf. Éphés. 5, 1.   c. Cf. Col. 2, 3.

---

1. Origène parle assez souvent de l'impassibilité (*apatheia*) de Dieu, un des dogmes les plus importants de la philosophie grecque. Cependant il lui arrive de déclarer que «le Père lui-même n'est pas impassible», car comme le Verbe avant l'Incarnation, il éprouve «la passion de l'amour», et ceci est la raison de l'action divine pendant les deux Testaments (le plus beau passage est : *HomÉz.* VI, 6, *SC* 352, p. 228-230). Quoiqu'on en puisse penser, ces deux affirmations ne sont pas incom-patibles, car suivant un adage de la théologie, tout ce qui est affirmé de Dieu doit être en même temps nié. Dieu est impassible parce qu'il n'éprouve pas de passions humaines; Dieu est passible, mais non comme

Savoir endurer   **5.** Et qu'ajoute-t-il à cela ? « Et ma douleur, dit-il, a été ravivée[a]. » Ceux qui dans une lutte se donnent des coups les uns aux autres, s'efforcent sans cesse de s'y préparer pour supporter vaillamment les coups portés par leurs adversaires et n'en pas ressentir de douleur ; et c'est pour eux une très grande force de recevoir sans douleur le choc des poings ou des pieds. Parmi eux, le plus parfait est celui qui, au choc du coup porté, ne ressent aucune morsure de la douleur. Au second rang vient celui qui souffre, certes, mais ne cède en rien devant les douleurs. Comprends qu'il nous arrive quelque chose de tel, à nous aussi, lorsqu'on nous maudit et qu'en face de nous se dresse un adversaire ; si nous sommes bien formés et fortifiés en notre âme par une longue méditation, nous ne sommes absolument pas contristés par les paroles méchantes et les insultes qu'on nous adresse, mais en raison de la grande constance de notre cœur et de sa patience, nous sommes comme privés de sensation de douleur, et par une grande douceur, si j'ose l'appeler ainsi, nous devenons, en quelque sorte, les imitateurs de Dieu[b]. Dieu, en effet, est maudit par les hérétiques, blasphémé par ceux qui nient sa Providence, critiqué par ceux qui ignorent les trésors de sa Sagesse[c]. Et dis-moi, peux-tu penser que pour tous ces outrages, Dieu éprouve tout de même de la douleur, mais qu'il la supporte comme nous ? Ou en tant que nature divine, par son impassibilité n'est-il sujet, en quelque manière, à aucun sentiment de douleur, n'est-il ému par aucune insulte, par aucun outrage[1] ?

les hommes. Les passions attribuées à Dieu par les anthropomorphismes scripturaires ont une réelle signification, mais une signification spirituelle, comme il en est des membres corporels qui lui sont de même attribués.

Talis ergo erit, immo imitabitur talem omnis perfectus
25 et iustus, qualis erat ille qui dicebat : *Maledicimur et bene-*
dicimus, persecutionem patimur et sustinemus, blasphemati
deprecamur[d]. Qui autem nondum est perfectus, proficit
tamen, cum maledicitur obmutescit et humiliatur et silet
a bonis. Sed iste qui huiusmodi est dolet et dicit : **Et**
30 **dolor meus renovatus est**[e].

Describe mihi vulnus quod curatur et curam eius pro-
ficientem et iam proximam cicatrici : tum deinde in ipso
vulnere quod iam coeperat obducere cicatricem, intuere
aliud vulnus infligi et per hoc vulnus recens, illud pris-
35 tinum renovari. Tale etiam evenit huic qui proficit, sed
nondum perfectus est nec iam ad summam perductus est
sanitatem. Si ergo dum adhuc in tenero est cutis, accedant
ei maledictorum et conviciorum vulnera, renovatur dolor
et parantur angustiae et tunc merito dicit : **Dum consistit**
40 **peccator adversum me, obmutui et humiliatus sum**
et silui a bonis et dolor meus renovatus est[f].

Vide ergo quomodo is qui adhuc in certamine positus
est, qui se refrenare cupit ab iracundia vel furore et dum
ipse haec apud se meditatur, irritatio ei supervenit pec-
45 catoris, quae eum conturbet quidem et fatiget, non tamen
vincat, sed quamvis provocetur et inflammetur ad respon-
dendum, remordens tamen dolorem suum cohibeat et
reprimat, hic dicit : **Dolor meus renovatus est**[g]. Pro eo
quod scilicet iam proficiebam et iam me ad sanitatem
50 pervenisse credebam, antequam exacerbarer et antequam
conviciis lacesserer ; sed modo rescinditur vulnus meum

---

d. I Cor. 4, 12-13.   e. Ps. 38, 3.   f. Ps. 38, 2-3.   g. Ps. 38, 3.

Tel sera donc tout homme parfait et juste, ou plutôt il imitera un homme tel que celui qui disait : «On nous maudit, et nous bénissons, nous souffrons persécution et nous le supportons, outragés, nous prions[d].» Or celui qui n'est pas encore parfait mais progresse, quand on le maudit, il se tait, s'humilie et s'abstient de dire une parole bonne. Mais un tel homme souffre et dit : «Et ma douleur a été ravivée[e].»

Une blessure ravivée   Représente-toi avec moi une plaie que l'on soigne ; sa guérison progresse, elle est maintenant près d'être cicatrisée. Puis, sur cette même blessure qui déjà commençait à former une cicatrice, imagine qu'on porte un autre coup : par cette blessure récente, la précédente est ravivée. Une telle chose arrive aussi à celui qui progresse, mais n'est pas encore parfait, et n'est pas encore arrivé à la guérison complète. Si donc, alors que sa peau est encore tendre, lui surviennent les blessures des mauvaises paroles et des injures, sa douleur est ravivée, les difficultés sont là, et il dit alors à bon droit : «Tandis que le pécheur se dresse contre moi, je me suis tu, je me suis humilié et me suis abstenu de dire une parole bonne, et ma douleur a été ravivée[f].»

Vois donc celui qui est encore en butte à un conflit, qui désire se garder de l'emportement ou de la colère ; tandis que lui-même y réfléchit en son intérieur, lui survient une vexation d'un pécheur qui, certes, le trouble et le fatigue sans pourtant triompher de lui ; mais bien que provoqué et brûlant de lui répondre, retenant pourtant sa douleur, il la contient et la maîtrise ; cet homme dit : «Et ma douleur a été ravivée[g].» Il veut dire : déjà je progressais et déjà je me croyais parvenu à la guérison, avant d'avoir été irrité et harcelé d'injures ; mais à présent, ma blessure s'est rouverte et par les pointes d'une parole

et maledictum mucronibus renovatur, dum iniuriae dolor
patientiam rumpit.

6. In consequentibus vero adhuc amplius passionem
describit eius qui proficit, cum dicit : **Concaluit cor
meum intra me**[a]. Cum enim audit quis maleloquentis et
detrahentis vocem, non potest sine dolore, sicut ille qui
5 perfectus est, qui iam diuturna constantia beatitudinem
meruit : sed iste dolet et dolens corde concalescente fervet
intra se ac perturbatur sed non eo usque ut et sermonem
proferat corde turbato, verum concalescet quidem in interioribus suis rei indignitate permotus, sed caloris sui
10 flammas per silentium decoquet.

7. Videamus etiam alium sermonem iusti, quem et
summo studio debemus aemulari. **Et in meditatione mea
exardescet ignis**[a]. Et ego meditor eloquia Domini et frequenter in ipsis me exerceo, sed nescio si talis sum, ut
5 in meditatione mea ex unoquoque sermone Dei ignis procedat et accendat cor meum et inflammet animam ad ea
quae meditor observanda.

Et ego nunc loquor sermones Dei, sed optarem ut
primo in meo corde, secundo quoque in auditorum men-
10 tibus exardescerent : sicut erant illi sermones quos loquebatur Iesus, de quibus dicebant illi qui audierant : *Nonne
cor nostrum erat ardens in nobis cum in via aperiret nobis
Scripturas*[b]? Utinam et nunc adaperientibus nobis Scrip-

1396 *(margin)*

---

6. a. Ps. 38, 4.
7. a. Ps. 38, 4.   b. Lc. 24, 32.

méchante elle est ravivée, tandis que la douleur de l'outrage me fait perdre patience.

6. Dans les versets suivants, le pro-
Au dedans phète décrit encore davantage la
de moi souffrance de celui qui progresse,
quand il dit : «Mon cœur s'est échauffé au-dedans de
moi[a].» En effet, lorsque quelqu'un entend la voix de celui
qui le maudit et le dénigre, il ne peut être sans douleur
comme le parfait qui a maintenant mérité le bonheur par
une force d'âme de tous les instants. Mais cet homme
souffre, et dans sa souffrance, son cœur s'échauffant, il
brûle au-dedans de lui et il est fort troublé, mais non
pas au point que s'échappe même une parole de son
cœur troublé ; il est certes vrai qu'il s'échauffe au-dedans
de lui-même, ému de l'inconvenance de la chose, mais
il réduit par le silence les flammes de sa fièvre.

7. Voyons encore une autre parole
Un feu du juste que nous devons imiter
également avec le plus grand soin : «Et dans ma méditation, un feu s'allume[a].» Moi aussi je médite les paroles
du Seigneur et souvent je les étudie ; mais je ne sais pas
si je suis tel que, dans ma méditation un feu jaillisse de
chaque parole de Dieu, embrase mon cœur et enflamme
mon âme pour me faire accomplir ce que je médite.

Et moi aujourd'hui je vous adresse
Qu'il s'allume! les paroles de Dieu, mais je sou-
haiterais que, d'abord en mon cœur, puis aussi dans les
âmes de ceux qui m'écoutent, elles s'allument : comme
l'étaient ces paroles que prononçait Jésus, dont ceux qui
les avaient entendues disaient : «Notre cœur n'était-il pas
brûlant en nous, quand sur la route il nous découvrait
les Écritures[b]?» Ah! si seulement aujourd'hui encore,

turas divinas concalesceret cor nostrum intra nos et in
15 meditatione nostra accenderetur ignis et concitaremur in
opus eorum quae audimus et legimus.

Tales denique erant et Ieremiae sermones, secundum
quod scriptum est, cum dicit ad eum Deus : *Ecce dedi
sermones meos retrorsum in os tuum ignem*[c]. Quare
20 ignem? Quia sermones quos loquebatur accendebant auditores et nihil tepidum in eis nihil frigidum permanebat;
sed sicut ignis consumit ac interimit omnem materiam
nec immundum aliquid in se recipit aut pollutum; ita et
hi quorum cor divini verbi ignis accenderit, non patientur
25 ultra materialibus et mundanis sordibus pollui, nihil in se
tepidum recipient et quod evomi dignum sit[d], nec
patientur multiplicata in se iniquitate refrigescere caritatem[e] : sed erunt semper lampades eorum accensae et
lucernae ardentes et ipsi parati tamquam servi exspec-
30 tantes dominum suum de nuptiis redeuntem[f].

Aut non iste erat ignis ille de quo et Salvator noster
dicebat : *Ignem veni mittere in terram et quid volo nisi
ut ardeat*[g]? Iste procul dubio ignis est qui frigus peccati
1397 fugat et calorem spiritus revocat. Hoc nimirum est etiam
35 quod in Actibus apostolorum refertur[h], cum dicit quia
visae sunt eis divisae linguae sicut ignis et consedisse
super apostolos, pro eo scilicet quod evangelii verbum
praedicaturi [et] ignei vigoris deberent gratia roborari, ut
auditorum animae flammam per sermonis traducem
40 sumerent.

---

c. Jér. 5, 14.   d. Cf. Apoc 3, 16.   e. Cf. Matth. 24, 12.   f. Cf.
Lc 12, 35-36.   g. Lc. 12, 49.   h. Cf. Act. 2, 3.

---

1. Origène relève souvent le terme de l'Exode qui présente Dieu
comme un «feu consumant» (cf. *supra*, 36 III, 1, note 1, p. 130-131).
Ici, ce sont les paroles de l'Écriture qui purifient et réchauffent en com-
muniquant l'Esprit.

pour nous qui ouvrons la porte des Écritures divines, notre cœur prenait feu au-dedans de nous, et si seulement dans notre méditation un feu s'embrasait, et nous poussait à mettre en acte ce que nous enseignons et lisons!

Telles étaient aussi, en somme, les paroles de Jérémie selon ce qui est écrit quand Dieu lui dit : «Voici qu'en retour, j'ai fait de mes paroles un feu dans ta bouche[c].» Pourquoi un feu? Parce que les paroles qu'il prononçait embrasaient ceux qui les écoutaient, et rien de tiède, rien de froid ne restait en eux; mais comme le feu consume et détruit toute matière et n'accepte en lui rien de souillé ni de pollué, de même aussi ceux dont le cœur a été embrasé par le feu de la Parole divine, ne supporteront plus d'être pollués par les ordures de la matière et du monde, n'accepteront en eux rien de tiède et qui mérite d'être vomi[d], ne souffriront pas que, l'iniquité ayant proliféré en eux, la charité se refroidisse[e]; mais leurs torches seront toujours allumées et leurs lampes brillantes, et eux-mêmes seront prêts comme des serviteurs qui attendent leur maître revenant des noces[f].

Qu'est ce feu? Et n'était-ce pas ce feu, celui dont notre Sauveur aussi disait : «Je suis venu jeter un feu sur la terre, et que veux-je, sinon qu'il brûle[g]?» Ce feu est, sans aucun doute, celui qui met en fuite le froid du péché et ranime la chaleur de l'Esprit[1]. C'est assurément aussi celui dont il est question dans les Actes des Apôtres, quand on dit qu'ils virent des langues qui se divisèrent, semblables à du feu, et qui se posèrent sur les Apôtres[h], évidemment parce que, pour prêcher la parole de l'Évangile, ils devaient être fortifiés par la grâce d'une force embrasée pour que les âmes de ceux qui les entendraient prennent feu par l'intermédiaire de leur parole.

Sed unde mihi hoc ut linguae ignis veniat in cor meum
et de lingua ignea ego quoque proferam sermonem, ut
ex me velox sermonibus meis accendatur ignis in cordibus auditorum et arguat eum qui peccavit et efficiatur
45 ei sermo meus supplicium, ut adustus et inflammatus sermonibus veniat *in paenitentiam, quae salutem stabilem
operatur ex tristitia quae secundum Deum est*[i], quam ex
verbi Dei increpatione suscepit? Atque utinam possim ita
accendere omnem animam auditorum, ut quicumque sibi
50 conscius est, non ferens nostri sermonis incendium, sed
omnibus intra se visceribus inflammatus, velocius consu-
meret latentes intrinsecus vitiorum sordes : ut posteaquam
interemisset omne quidquid carnis et materiae crassioris
proprium est et amicum, tunc iam ignis iste fieret in eo
55 lux et lucerna ardens[j] : quae non *sub modio, sed super
candelabrum* poni deberet, *ut illuminaret omnes qui in
domo sunt*[k].

Si ergo accendit te sermo auditus et intellexisti quid
dixit apostolus : *Et quis est qui me laetificet, nisi qui contri-
60 statur ex me*[l]? – quoniam verba ipsius erant ignis et lae-
tabatur apostolus sicubi videbat aliquem audito sermone
suo contristatum et compunctum ex his quae audierat,
quodam conscientiae suae igne succensum ex recordatione delicti, propterea dicebat : *Et quis est qui me laeti-
65 ficet, nisi qui contristatur ex me*[l]? – ita ergo et nos satis-
agamus ut in meditationibus nostris accendatur ignis[m],
qui nos primo exurat et recordatione et conscientia peccatorum, postea vero expurgatos iam vitiis illuminet et
illustret.

---

i. II Cor. 7, 10.   j. Cf. Jn 5, 35.   k. Matth. 5, 15.   l. II Cor.
2, 2.   m. Cf. Ps. 38, 4.

Son action   Mais d'où me viendra-t-il que le feu d'une langue vienne en mon cœur et que d'une langue de feu, moi aussi, j'énonce une parole, pour qu'à partir de moi, par mes paroles, un feu soit vite allumé dans les cœurs de ceux qui m'écoutent, et qu'il reprenne celui qui a péché, et que ma parole lui devienne un supplice pour que, brûlé et enflammé par mes paroles, il en arrive à «un repentir qui produit un salut assuré, grâce à une tristesse selon Dieu[i]», fruit de la réprimande de la Parole de Dieu? Ah! si seulement je pouvais embraser toute entière l'âme de ceux qui m'écoutent, au point que quiconque se sent coupable, ne supportant pas l'incendie de notre parole, mais ayant pris feu intérieurement par toutes ses entrailles, consume au plus tôt les souillures des vices cachées au-dedans de lui! Qu'après avoir détruit tout ce qui appartient et s'associe à la chair et la matière plus épaisse, ce feu devienne alors en lui une lumière et une lampe ardente[j], à placer non «sous le boisseau, mais sur un candélabre pour illuminer tous ceux qui sont dans la maison[k]».

Si donc la Parole entendue t'a embrasé, et si tu as compris aussi ce qu'a dit l'Apôtre : «Et quel est celui qui me réjouit, sinon celui que j'attriste[l]?», car ses paroles étaient de feu, et l'Apôtre se réjouissait s'il voyait quelqu'un attristé à l'écoute de sa parole et touché de repentir par ce qu'il avait entendu, brûlé en quelque sorte par le feu de sa conscience au souvenir de sa faute – c'est pourquoi il disait : «Et quel est celui qui me réjouit, sinon celui que j'attriste[l]?» –, faisons donc nous aussi des efforts pour que dans nos méditations soit embrasé un feu[m] qui d'abord nous brûle par le souvenir et par la conscience de nos péchés, et qui ensuite, une fois purifiés de nos vices, nous illumine et nous fasse resplendir.

8. Locutus sum – inquit – **in lingua mea**[a]. Quid locutus sit in lingua sua consideremus : videtur enim mihi per haec mysticum aliquid indicare. Ait ergo : **Notum fac mihi, Domine, finem meum et numerum dierum** 5 **meorum qui est ut sciam quid desit mihi**[b]. Si, inquit, notum feceris finem meum mihi et quantus sit numerus dierum meorum notum feceris mihi, potero per haec etiam illud agnoscere quid desit mihi.

Aut forte per haec etiam illud videbitur indicari, quia 10 sicut omnis artis est aliquis finis, verbi gratia structionis finis, domum facere, naupagii, navem construere quae possit fluctus maris superare et ferre impetus ventorum et uniuscuiusque artis est aliquis talis finis, propter quem ars ipsa videtur reperta : ita fortassis est etiam vitae nostrae vel totius 15 mundi finis quidam, propter quem geruntur omnia quae geruntur in vita nostra vel propter quem mundus ipse vel institutus est vel constat. Cuius finis etiam apostolus meminit dicens : *Deinde finis cum tradiderit regnum Deo et Patri*[c]. Ad quem finem utique festinandum est, ut sit operae pretium 20 hoc ipsum quod a Deo creati sumus.

1398

Et rursus, sicut corporis nostri compago parva quaedam et exigua ab initio nativitatis, confestim tamen urget et tendit ad finem quendam proceritatis suae per aetatis augmenta et iterum, sicut anima nostra secundum hoc quod 25 in corpore hoc degit, festinat primo loquelam recipere balbutientem, secundo deinde clariorem, tum demum ad disputationem perfectam atque integram pervenire : hoc modo etiam omnis vita nostra imbuitur quidem nunc velut balbutiens inter homines in terris, consummatur vero et 30 ad summum pervenit in caelestibus apud Deum.

---

8. a. Ps. 38, 4.   b. Ps. 38, 5.   c. I Cor. 15, 24.

---

1. La fin dont il s'agit est le but, bien que la citation de *I Cor.* qui suit lui donne le sens d'achèvement. Origène joue sur les deux sens.

Un mystère   **8.** «J'ai parlé par ma langue[a]», dit le prophète. Considérons ce qu'il a dit par sa langue, car il me semble indiquer par là quelque chose de mystique. Il dit donc : «Fais-moi connaître, Seigneur, ma fin, et quel est le nombre de mes jours pour que je sache ce qui me manque[b].» Si tu me faisais connaître ma fin, dit-il, et si tu me faisais connaître quel est le nombre de mes jours, je pourrai par là-même savoir ce qui me manque.

Ou peut-être, par ces mots, il semble encore indiquer ceci : tout métier a une fin ; par exemple la fin d'une entreprise de construction, c'est de faire une maison ; la fin d'un chantier naval, de construire un bateau capable de triompher des flots de la mer et de supporter l'assaut des vents ; et la fin de chaque métier est quelque chose de semblable pour laquelle le métier lui-même semble inventé ; ainsi peut-être, est-il aussi une certaine fin de notre vie et du monde entier pour laquelle se fait tout ce qui se fait en notre vie, ou pour laquelle le monde lui-même a été créé ou subsiste[1]. De cette fin, l'Apôtre aussi se souvient quand il dit : «Ensuite viendra la fin, quand il remettra la royauté à Dieu le Père[c].» Vers cette fin-là, il faut assurément se hâter, puisque c'est le prix même de l'œuvre, ce pour quoi nous sommes créés par Dieu.

De plus, comme notre organisme corporel petit et réduit au début de sa naissance, aussitôt pourtant pousse et tend au terme de sa grandeur en croissant en âge, et encore comme notre âme, en fonction de sa vie dans ce corps, se hâte de recevoir un langage d'abord balbutiant, puis dans la suite plus clair, pour arriver enfin à une manière de s'exprimer parfaite et correcte, de cette façon aussi toute notre vie commence à présent, certes, comme balbutiante parmi les hommes sur la terre, mais elle est achevée et parvient à son sommet dans les cieux près de Dieu.

Cupit ergo propheta ista de causa agnoscere finem suum propter quem factus est, ut intuens finem et dies suos perspiciens et considerans perfectionem suam, videat quantum sibi deest ad illum finem quo tendit. Verbi gratia,
35 ut si ponamus aliquem artificio traditum et hunc dicere ad magistrum suum : volo scire quae sit artis huius perfectio et nosse qui sit faber perfectus vel structor. Et cum hoc didicerit, requirat quantum sibi deest ab ista perfectione vel quantum profecerit in artis disciplina, ut cum
40 utrumque cognoverit, sciat quid habeat et quid perfectioni desit agnoscat; ita etiam et nunc propheta orat a Deo discere ut innotescat sibi finis suus et numerus dierum suorum qui sit.

In quo non est putandum quod de corporali tempore
45 et annis huius vitae loquatur, sed omnem numerum dierum scire vult, qui fuerit in prima vita, qui fuerit in secundo incolatu, qui in tertio. *Multum enim* – inquit – *incola fuit anima mea*[d]. Velut si dicerent illi qui exierunt ex Aegypto : **Notum fac mihi, Domine, finem meum**[e],
50 quae est terra bona[f] et terra sancta[g] **et numerum dierum meorum** in quibus ambulo, **ut sciam quid desit mihi,** quantum restat usquequo perveniam ad terram sanctam

---

d. Ps. 119, 6.   e. Ps. 38, 5   f. Cf. Deut. 1, 25 ; 8, 7.   g. Cf. Ex. 3, 5.

---

1. Nous avons signalé en 36 V, 1, note 3 (p. 229), le texte de *PArch.* II 11, 5-7 (*SC* 252, p. 404-412) sur l'«école des âmes» après la mort. Cette «école des âmes» a lieu d'abord sous la conduite d'anges professeurs et tuteurs dans des salles de cours situées successivement sur chacune des sept sphères planétaires (les sphères auxquelles sont accrochés les astres errants ou «planètes», selon l'astronomie antique : Soleil, Lune, Mars, Mercure, Jupiter, Vénus, Saturne), et ensuite sur la huitième sphère, celle des étoiles fixes dites «aplanes» ou non errantes, enfin sur la neuvième sphère inventée par Hipparque pour expliquer la précession des équinoxes, et représentant pour Origène le séjour des

Connaître sa fin Le prophète désire donc pour ce motif, connaître la fin pour laquelle il a été fait, pour qu'en regardant la fin, en examinant ses jours et en considérant sa perfection, il voie ce qui lui manque par rapport à cette fin où il tend. Par exemple, prenons quelqu'un qui se livre à un métier; celui-ci dit à son maître : Je veux savoir quelle est la perfection de ce métier et connaître l'ouvrier ou le constructeur parfait. Et quand il l'aura appris, qu'il cherche combien il lui manque pour arriver à cette perfection, ou combien il a progressé dans la pratique de ce métier, pour qu'après avoir pris conscience de l'un et de l'autre, il sache ce qu'il a et reconnaisse ce qui lui manque pour arriver à la perfection. De même, ici aussi, le prophète prie pour apprendre de Dieu à connaître sa fin et quel est le nombre de ses jours.

En cela, il n'y a pas à penser qu'il parle d'un temps matériel et des années de cette vie, mais il veut savoir tout le nombre des jours, celui qu'on a eu dans une première vie, celui qu'on aura dans un second séjour, et dans un troisième[1]. «Mon âme, dit en effet le psaume, a eu de nombreux séjours[d].» C'est comme s'ils avaient dit, ceux qui sortirent d'Égypte : «Fais-moi connaître, Seigneur, ma fin[e]» qui est une terre bonne[f] et une terre sainte[g], «et le nombre de mes jours» où je marche, «pour que je sache ce qui me manque», combien il m'en reste jusqu'à ce que je parvienne à la terre sainte qui m'est

bienheureux. Voir *SC* 253, p. 155-156, le commentaire de *PArch*. II, 3. Ces séjours dans les diverses sphères sont les nombreuses «demeures» (*mansiones*) qui sont dans la maison du Père (*Jn* 14, 2). Puisqu'Origène déclare que le psalmiste ne parle pas d'un temps corporel et des années de cette vie, il n'y a pas, malgré les accusations injustifiées de Jérôme, à voir dans l'expression *prima vita*, une allusion à la métempsychose qu'Origène rejette clairement dans plusieurs de ses grandes œuvres conservées en grec.

repromissionis[h] : ita et hic vult nosse numerum dierum in quibus iter agit.

55 Habemus enim dies quosdam quidem in hoc mundo, quosdam autem et extra hunc mundum. Alium enim facit diem solis iste cursus nostri huius caeli spatiis terminatus, alium habet diem ille qui ad secundi caeli pervenire meretur ascensum. Multo enim clariorem diem ducit ille 60 qui usque ad tertium caelum[i] vel rapi vel pervenire potuerit, ubi non solum ineffabile lumen inveniet, verum etiam *verba quae homini loqui non liceat*[j], audiet.

Novi et alios dies, quorum numerum fortassis propheta merito requirit. Nam sicut in hoc caelo sol exortus et 65 universum mundum illustrans diem facit : ita et in corde iusti, quod pro constantia et firmitate fidei firmamentum merito appellatur, si exoriatur sol iustitiae[k] Iesus Christus Dominus noster et illuminet eum lumine scientiae et veritatis[l], diem facit in corde eius : et quanto frequentius exo-1399 70 ritur et illuminat, tanto maiorem sibi talium dierum numerum computabit. Digne ergo conscius sibi propheta de huiuscemodi illuminatione dicit : **Notum fac mihi, Domine, finem meum et numerum dierum meorum quis est, ut sciam quid desit mihi**[m].

9. Et addit : **Ecce veteres posuisti dies meos**[a]. In Graeco scribitur παλαιστάς, quod significat mensuram

---

h. Cf. Hébr. 11, 9.   i. Cf. II Cor. 12, 2.   j. II Cor. 12, 4.   k. Cf. Mal. 3, 20.   l. Cf. Rom. 2, 20.   m. Ps. 38, 5.
9. a. Ps. 38, 6.

---

1. « *Solis ... nostri* », par distinction de celui dont le soleil est le symbole, le Christ, Soleil de Justice.

2. Dans le latin, jeu de mots entre *firmitate* et *firmamentum* que nous essayons de rendre.

promise[h]. Ainsi celui-là aussi veut connaître le nombre des jours durant lesquels il chemine.

Différentes sortes de jours

Nous avons en effet certains jours en ce monde, mais d'autres aussi hors de ce monde. Autre, en effet, est le jour que fait cette course de notre soleil[1], délimitée par les espaces de ce ciel, autre est le jour que possède celui qui mérite de parvenir à monter au deuxième ciel. C'est un jour bien plus brillant qu'il forme, celui qui aura pu être ravi ou parvenir jusqu'au troisième ciel[i], où non seulement il découvrira une lumière ineffable, mais où il entendra aussi «des mots qu'il n'est pas possible à l'homme de prononcer[j]».

Je connais aussi d'autres jours dont, peut-être, le prophète recherche à bon droit le nombre. Car comme en ce ciel le soleil une fois levé et illuminant le monde entier fait naître le jour, de même aussi dans le cœur du juste qui, en raison de sa force d'âme et de la fermeté de sa foi, est appelé à bon droit : «firmament»[2], si le Soleil de Justice[k], Jésus-Christ, notre Seigneur, se lève et l'illumine de la lumière de la science et de la vérité[l], il fait naître le jour dans son cœur; et plus souvent il se lève et l'illumine, plus il lui comptera un grand nombre de jours de cette sorte[3]. C'est donc justement que le prophète, conscient d'avoir joui d'une telle illumination, déclare : «Fais-moi connaître, Seigneur, ma fin et quel est le nombre de mes jours, pour que je sache ce qui me manque[m].»

Quatre doigts

9. Et il ajoute : «Vois, tu as fait que mes jours soient avancés[a].» En grec il est écrit : παλαιστάς, ce qui signifie une mesure de

---

3. Cf. *HomJug.* I, 1-3 (*SC* 389, p. 50-64) et *HomLév.*, t. I (*SC* 286), p. 370, note complémentaire 17 : «symbolisme du jour».

quattuor digitorum. Volens ergo docere nos qui iam in
hac vita breves et perpaucos ducimus dies, dixit hunc
5 versiculum de quo supra diximus. Ex quo intellegitur quia
possit et alius dicere, quia dies meos posuisti unum
digitum, velut conquerens de temporis brevitate et alius
duos digitos vel tres. Quaero autem si potest aliquis
hominum dicere quia : dies mei decem digiti sunt aut
10 viginti aut etiam amplius.

Et quia loca difficilia incurrimus, velim requirere sicubi
in Scripturis tale aliquid invenimus, ex quo possit aperiri
planius id quod videtur obscurum. In Isaia scriptum
recordor : *Quis metitus est* – inquit – *manu aquam, et*
15 *caelum palma et omnem terram pugillo*[b]? Ex quibus consideret quisquis ille est prudentior auditorum per singula
loca differentias mensurarum, quomodo eorum quidem
qui caelum merentur appellari, pars vitae quae caelestis
est, palma Dei metiri dicitur, quaecumque illa est Dei
20 palma : et eorum quorum vita adhuc terrena est, pugillo
Dei vita metitur. Sed pugilli divini differentiam nunc
requirere et nostrum sermonem et auditum vestrum fortassis excedat.

Verumtamen sicut ibi *manu aquam metitus est et palma*
25 *caelum et omnem terram pugillo et appendit montes in*
statera, et colles in iugo[c]; ita etiam hic secundum eamdem

---

b. Is. 40, 12.   c. Is. 40, 12.

1. Le texte de la Septante porte παλαιάς, c'est-à-dire «vieilles»,
puisque «jours», en grec, est féminin. Ce mot a plusieurs variantes :
παλαιστάς, de παλαιστής qui signifierait «lutteur», ou encore de πλαστή
ou παλαιστή qui veut dire : «creux de la main», «paume», «longueur
de quatre doigts». C'est ce dernier sens que choisit Origène, selon les
explications de Rufin.

quatre doigts[1]. Voulant donc nous instruire, nous qui actuellement passons en cette vie des jours courts et très peu nombreux, le prophète a dit ce verset mentionné plus haut. De là, on comprend qu'un autre encore puisse dire : « Tu as fait que mes jours soient d'un doigt », comme s'il se plaignait de la brièveté du temps, et qu'un autre parle de deux doigts ou de trois. Mais je me demande si un homme peut dire : « Mes jours sont de dix doigts », ou vingt, ou même davantage.

Recours à l'Écriture Et puisque nous tombons sur des passages difficiles, je voudrais rechercher si quelque part dans les Écritures, nous trouvons quelque chose de semblable, par quoi pourrait être découvert de façon plus claire ce qui semble obscur. Je me souviens qu'en Isaïe il est écrit : « Qui a mesuré l'eau de la main, le ciel de la paume et toute la terre du poing[b] ? » A ce sujet, que le plus avisé parmi ceux qui m'écoutent, réfléchisse aux différences des mesures exprimées dans chaque passage : comment pour ceux qui méritent d'être appelés « ciel », la part de leur vie qui est céleste est dite mesurée par la paume de Dieu – quoi qu'il en soit de cette « paume de Dieu[2] » –, et comment la vie de ceux pour qui elle est encore terrestre est mesurée par le poing de Dieu. Mais rechercher maintenant ce qu'a de particulier le poing divin dépasse peut-être, et notre parole, et votre capacité d'écoute.

Mais pourtant, comme ici il a mesuré l'eau de la main, le ciel de la paume, et toute la terre du poing, et comme « il pèse les montagnes à la balance et les collines au peson[c] », ainsi encore ici, cette mesure est-elle à com-

---

2. « Quoi qu'il en soit de la paume de Dieu ». Cette expression indique qu'il y a là un anthropomorphisme dont Origène néglige de chercher le sens.

consequentiam mensura ista intellegenda est, quoniam
nihil Deo sine mensura est, nihil sine pondere, sed omnia
ei in numero constant et mensura[d]. Ita quoque prophetae
30 vita et numerata et dimetata Deo est, dum providentiae
eius rationibus regitur.

10. Addit etiam in sequentibus et dicit : **Substantia
mea tamquam nihilum ante te est**[a]. Nisi addidisset **ante
te**, valde contristabar, pro eo quod humanam substantiam
nihil esse dixisset. Nunc vero quia dixit **ante te**, velut si
5 diceret ad comparationem quidem vel angelorum vel reli-
quarum creaturarum, non est abiecta nec minima substantia mea. Denique et si bene egerimus et mandata
Domini servaverimus, ad consortium invitamur angelicum :
Erunt – inquit – *sicut angeli Dei in caelo*[b]. Ad compa-
10 rationem Dei vero etiam si Petrus sim, adversus quem
portae inferi non praevalebunt[c], substantia mea ante eum
nihil est[d]. Et satis proprio vocabulo naturae usus est. Nihil
enim est omne, quamvis magnum sit, quidquid ex nihilo
est, solus enim est ille qui est[e], et qui semper est. Nostra
15 autem substantia tamquam nihil est ante eum : quippe
quia ab eo ex nihilo procreata est[f].

1400   **11.** In sequentibus vero velut explanans hoc ipsum
quod dixit quia : **Substantia mea tamquam nihilum ante
te est**[a], addit et dicit : **Verumtamen universa vanitas
omnis homo vivens**[a]. Quomodo accipis vivens? Siquidem
5 veram vitam vanitatem putamus, ut quid laboramus? Sed

---

d. Cf. Sag 11, 20.
10. a. Ps. 38, 6.   b. Matth. 22, 30.   c. Matth. 16, 18.   d. Cf. Ps.
38, 6.   e. Cf. Ex. 3, 14.   f. Cf. II Macc. 7, 28.
11. a. Ps. 38, 6.

1. Cf. *PArch.* II, 9, 1 (*SC* 252, p. 352).
2. L'affirmation que nous avons été créés à partir de rien est bien
origénienne : elle se lit, en effet, non seulement dans la traduction rufinienne du *Traité des Principes* I, 3, 3 (*SC* 252, p. 146-148) et II, 1, 5

prendre selon la même logique, puisque rien pour Dieu n'est sans mesure, rien n'est sans poids, mais tout pour lui se compose de nombre et de mesure[d1]. C'est pourquoi aussi la vie du prophète est calculée et mesurée par Dieu, puisqu'elle est régie selon les comptes de sa Providence.

Devant Toi   **10.** Le prophète ajoute aussitôt après : « Mon être est comme rien devant Toi[a]. » S'il n'avait pas ajouté : « Devant toi », j'aurais été fort contristé, puisqu'il aurait dit que l'être humain n'est rien. Mais puisqu'il a dit : « Devant toi », c'est comme s'il disait que par rapport aux anges ou aux autres créatures, mon être n'est pas méprisable ni insignifiant. De fait, si nous avons bien agi et avons gardé les commandements du Seigneur, nous sommes invités à partager le sort des anges : « Ils seront, dit-il, comme les anges de Dieu dans le ciel[b]. » Mais par rapport à Dieu, même si je suis Pierre, contre qui « les portes de l'enfer ne prévaudront pas[c] », mon être n'est rien devant lui[d]. Et il suffit de s'être servi du terme caractérisant la nature. Car toute chose, si grande soit-elle, qui vient de rien n'est rien ; seul est, en effet, Celui qui est[e], et qui est toujours. Or notre être est comme rien devant lui : de fait, par lui, il a été créé de rien[f2].

Le mot « Vivant »   **11.** Or en ce qui suit, comme pour expliquer cela même qu'il a dit : « Mon être est comme rien devant Toi[a] », le prophète ajoute : « Vraiment, c'est une totale vanité, tout homme vivant[a]. » Comment comprends-tu : « vivant » ? Si nous pensons que la vie véritable est vanité,

---

(*ibid.*, p. 244), mais dans un écrit conservé en grec : *ComJn* I, XVII, 103 (*SC* 120, p. 114) et avec les deux mêmes citations : *2 Macc.* 7, 28, et HERMAS, *Le Pasteur,* Précepte I, 1 (*SC* 53 bis, p. 144).

vide ne forte hoc quod dicit **omnis vivens**, de hac praesenti vita accipiendum sit, sicut scriptum est et testimoniis
comprobabimus. Omnia enim quae in hac vita sunt apud
homines, vana sunt, etiamsi Moyses in hac vita sit, et
10 ipse enim ex parte cognoscit et ex parte prophetat[b] et
per speculum et in aenigmate videt[c] et umbram scit[d] ac
figuras docetur[e] et veritatem nondum videt, et ideo est
quidem vivens, sed vanitas est vita eius.

Et vis videre quia vanitas est? *Cum venerit quod per-*
15 *fectum est, destruentur ista quae ex parte sunt*[f]. Omne
autem quod destruitur, vanitas est. Et si quidquid ex parte
est destruitur, si et prophetae ex parte cognoscunt, recte
etiam ipsorum vita vanitas appellatur; destruuntur autem
inferiora, cum venerint ea quae meliora sunt et perfecta
20 et per haec vana esse arguuntur, per quod tamquam ex
parte et imperfecta destruuntur. **Universa** – ergo –
vanitas, omnis homo vivens[g].

Quia autem de hac vita accipiatur ista sententia, audi
Ecclesiasten protestantem et dicentem : *Laudavi omnes*
25 *qui mortui sunt super omnes qui vivunt, quicumque ipsi*
vivunt usque modo et bonus super istos duos qui nondum
natus est[h]. Laudat ergo mortuos plusquam vivos, quia illi
hoc saltim lucri habent quod de vinculis huius saeculi
liberati sunt nec ultra carne ac pellibus induti sunt, nec
30 ossibus ac nervis inserti sunt[i], nec ultra subiacent neces-
sitati corporis. Si ergo intellexisti quale sit vivere in carne
etiamsi Moyses sit quis, vel quisque ille est, molesta ei
est ista vita. Non enim a corruptione resolvitur[j], quae
mortali corpore terrenoque circumdatur.

---

b. Cf. I Cor. 13, 9.   c. Cf. I Cor. 13, 12.   d. Cf. Col. 2, 17.   e.
Cf. I Cor. 10, 6.   f. I Cor. 13, 10.   g. Ps. 38, 6.   h. Eccl. 4, 2-3.
i. Cf. Job 10, 11.   j. Cf. Rom. 8, 21.

pourquoi nous fatiguer? Mais vois si, peut-être, ces mots : «tout vivant» ne sont pas à comprendre de cette vie présente, comme c'est écrit, et comme nous le prouverons par des témoignages. En effet, tout ce qui arrive aux hommes en cette vie, ce sont choses vaines, et même s'il s'agit de Moïse en cette vie, car lui-même aussi connaît en partie et prophétise en partie[b] et il voit par un miroir et en énigme[c]; il connaît l'ombre[d] et enseigne des figures[e] sans voir encore la vérité, et c'est pourquoi, certes, il est vivant, mais sa vie est vanité.

La vie est vanité Et veux-tu voir qu'elle est vanité? «Quand viendra ce qui est parfait, ce qui est partiel sera détruit[f].» Or tout ce qu'on détruit est vanité. Et si tout ce qui est partiel est détruit, si les prophètes aussi connaissent en partie, à juste titre aussi on appelle leur vie «vanité»; mais les réalités inférieures sont détruites à la venue de celles qui sont meilleures et parfaites; et on dénonce qu'elles sont vaines, par ce fait qu'elles sont détruites en tant que partielles et imparfaites. «C'est donc une totale vanité, tout homme vivant[g].»

Mais que cette sentence soit à entendre de cette vie, écoute l'Ecclésiaste qui l'affirme hautement et dit : «J'ai loué tous les morts plus que tous les vivants : quels qu'ils soient, ils ne vivent eux-mêmes qu'un moment; et l'emporte sur ces deux-là celui qui n'est pas encore né[h].» Il loue donc les morts plus que les vivants, car ceux-là ont au moins cet avantage d'être libérés des liens de ce corps, de ne plus être revêtus de chair et de peau, ni tissés d'os et de nerfs[i], et de ne plus être soumis aux nécessités du corps. Si donc tu as compris ce que c'est que vivre dans la chair, même si c'est Moïse ou qui que ce soit, cette vie lui est à charge. En effet, elle n'est pas délivrée de la corruption[j], elle qui est enclose dans un corps mortel et terrestre.

35   Vide ergo quia **universa vanitas** est **omnis homo vivens**[k], contemnamus vanam istam vitam et festinemus ad sanctam vitam et beatam ac veram et in illam animo et mente tendamus omni vanitate discussa. Nec dicamus dulcem istam lucem, qua nunc utimur. Hoc enim illi
40   dicunt, qui dulcedinem verae lucis ignorant, sed ne auspicia quidem veri luminis ulla senserunt nec sciunt angelicam vitam sperandam esse animae, cum ex vanitate vitae huius evaserit.

    Unde et nos qui haec credimus, iam mente et fide
45   transferamur ad caelum et in terris ambulantes conversationem habeamus in caelis[l], ut ibi sit thesaurus noster, ubi est et cor nostrum[m] et ut regnum caeleste consequi mereamur, per Iesum Christum Dominum nostrum, *cui est gloria et potestas in saecula saeculorum. Amen*[n].

k. Ps. 38, 6.   l. Cf. Phil. 3, 20.   m. Cf. Matth. 6, 21.   n. I Pierre 4, 11 ; Apoc. 5, 13.

Vers la vraie vie Vois donc : puisque «c'est totale vanité, tout homme vivant[k]», méprisons cette vie vaine et hâtons-nous vers la vie sainte, heureuse et véritable, et tendons vers elle par l'âme et la pensée, après avoir écarté toute vanité. N'appelons pas douce cette lumière dont nous jouissons à présent. Car l'appellent ainsi ceux qui ne connaissent pas la douceur de la vraie Lumière, qui n'ont pas même perçu quelques présages de la vraie Clarté et ne savent pas que leur âme doit espérer la vie des anges quand elle s'échappera de la vanité de cette vie.

Donc, nous aussi qui croyons cela, transportons-nous déjà au ciel par la pensée et la foi, et tout en marchant sur la terre, ayons notre séjour dans les cieux[l] pour que notre trésor soit là où est aussi notre cœur[m] et pour mériter d'obtenir le royaume céleste, par Jésus-Christ, notre Seigneur, «à qui est gloire et puissance, dans les siècles des siècles. Amen[n].»

DEUXIÈME HOMÉLIE
SUR LE PSAUME 38

PSAUME 38, versets 7 à 14 (fin).

7. Bien que l'homme marche dans l'image,
   il entasse des trésors et ne sait pour qui il les rassemble.

8. Et maintenant, quelle est mon attente?
   N'est-ce pas le Seigneur? Et mon être vient de Toi.

9. A toutes mes iniquités, arrache-moi!
   Tu m'as donné en opprobre à l'insensé.

10. Je me suis tu et n'ai pas ouvert la bouche,
    car c'est Toi qui l'as fait.

11. Détourne de moi tes coups;
    sous la force de ta main, j'ai défailli.

12. Par des réprimandes pour son iniquité, tu as instruit l'homme;
    et tu as dissous son âme comme une toile d'araignée.
    Vraiment tout homme est vanité!

13. Ecoute ma prière, Dieu, et ma supplication:
    prête l'oreille à mes larmes et ne garde pas le silence loin de moi!
    car je suis auprès de Toi un étranger de passage, comme tous mes pères.

14. Lâche-moi, pour que je reprenne haleine
    avant que je m'en aille, et je ne serai plus.

ORIGENIS HOMILIA SECUNDA
IN PSALMUM XXXVIII

1401 **1. Quamquam in imagine ambulet homo**[a]. Imago
necessario alicuius est imago. Nam et Scriptura sancta
cum imaginem nominat, interdum quidem definit et dicit
cuius sit imago, interdum autem absque ulla definitione
5 ponit imaginem. Denique de Salvatore cum dicit *qui est*
imago, non siluit cuius imago esset, sed addidit dicens :
Qui est imago Dei invisibilis primogenitus omnis crea-
turae[b]. Et rursum cum docet nos de diversis imaginibus
et quia singuli quique aliquam imaginem portent, dicit :
10 *Sicut portavimus imaginem terreni, ita portemus et ima-*
ginem caelestis[c]. Cum adiectione vel terreni vel caelestis
imaginem nominavit. Alibi autem absque ulla definitione
dicit, sicut et hoc loco ait : **Quamquam in imagine**
ambulet homo[d]. Sed in imagine cuius? Dei, an imagine
15 terreni, an imagine caelestis? Quomodo sciam in hoc quid
est quod docere nos vult Scriptura divina, quae absque
ulla adiectione ait : **Quamquam in imagine** – nescio
cuius – **ambulet homo**?

Et si quidem de iustis solis diceret, sine dubio dixisset :
20 quamquam in imagine caelestis ambulet homo. Aut si de
peccatoribus tantum diceret, dixisset certe : in imagine
terreni ambulet homo. Verum quoniam generaliter de uni-

---

1. a. Ps. 38, 7. b. Col. 1, 15. c. I Cor. 15, 49. d. Ps. 38, 7.

1. Cf. H. CROUZEL, *Théologie de l'image de Dieu chez Origène*, Paris
1956, p. 75 s.

DEUXIÈME HOMÉLIE
SUR LE PSAUME 38

**Image
dans l'Écriture**

1. «Bien que l'homme marche dans l'image[a].» Une image est forcément l'image de quelqu'un. Or l'Écriture Sainte aussi, quand elle parle d'image, parfois précise et dit de qui est l'image, mais parfois elle met : «image» sans aucune précision. Ainsi quand elle dit du Sauveur : «Qui est l'image», elle n'a pas passé sous silence de qui il est l'image, mais elle a ajouté : «Qui est l'image du Dieu invisible, Premier-né de toute créature[b1].» Et d'autre part, quand elle nous instruit sur les diverses images et nous apprend que chacun porte quelque image, elle dit : «Comme nous avons porté l'image du terrestre, nous porterons aussi l'image du céleste[c].» Elle a fait mention de l'image avec l'ajout, soit «du terrestre», soit «du céleste». Mais ailleurs, elle en parle sans aucune précision, comme elle dit en ce passage : «Bien que l'homme marche dans l'image[d].» Mais dans l'image de qui? De Dieu, ou dans l'image du terrestre, ou dans l'image du céleste? Comment saurais-je ici ce que veut nous apprendre l'Écriture divine qui dit sans aucun ajout : «Bien que l'homme marche dans l'image», je ne sais de qui?

Certes, si elle avait parlé des justes seuls, sans aucun doute elle aurait dit : «Bien que l'homme marche dans l'image du céleste.» Ou si elle avait parlé seulement des pécheurs, elle aurait dit assurément : «l'homme marche dans l'image du terrestre.» Mais elle s'exprime de

versis mortalibus pronuntiatur, quorum alii imaginem caelestis portant, quicumque secundum legem Dei vivunt,
25 alii terreni imaginem portant, qui carnaliter vivunt : propterea necessario reticuit specialem imaginis designationem
et generalem sententiam de omnibus hominibus protulit,
quia omnis homo in imagine ambulat.

Tuum est iam discutere et exquirere ex uniuscuiusque
30 fide et operibus, ex conversatione et actibus, ex cogitationibus et verbis et considerare utrum in imagine caelestis ambulet, an in imagine terreni. Si misericors es sicut
pater tuus caelestis misericors est[e], sine dubio in te [patris]
caelestis imago est. Si non solum amicis tuis benefacis,
35 sed etiam inimicis reddis bona pro malis, sicut *pater caelestis solem suum oriri iubet super bonos et malos et pluit
super iustos et iniustos*[f], imago in te caelestis est. Et si
in omnibus perfectus es, sicut pater tuus caelestis perfectus est[g], imago in te caelestis est. Et rursum si non
40 es imitator Christi nec apostoli Pauli, qui dicit : *Imitatores
mei estote, sicut ego Christi*[h], sed imitator es operum
diaboli qui homicida fuit ab initio[i] : et si terrena sapias
et terrena loquaris[j] et thesaurus tuus et cor tuum[k] in
terra sit, terreni imaginem portas.

45 Verum quia in his locis inventi sumus, in quibus de
imagine sermo commotus est, necessarium videtur etiam
psalmi illius versiculum in medium producere, in quo de
peccatoribus scriptum est : *Domine, in civitate tua imaginem ipsorum ad nihilum rediges*[l]. Constat ergo quia pec-
50 catorum imaginem in civitate sua Deus ad nihilum redigit :

---

e. Cf. Lc 6, 36.   f. Matth. 5, 45.   g. Cf. Matth. 5, 48.   h. I Cor.
11, 1.   i. Cf. Jn 8, 44.   j. Cf. Phil. 3, 19.   k. Cf. Matth. 6, 21.
l. Ps. 72, 20.

---

1. Cette opposition : « image du terrestre-image du céleste » vient de
Paul : *I Cor.* 15, 48-49. Mais alors que Paul la comprenait d'Adam et
du Christ, Origène l'applique habituellement au diable et à Dieu.

manière générale à propos de l'ensemble des mortels dont les uns portent l'image du céleste, tous ceux qui vivent selon la loi de Dieu, les autres l'image du terrestre, ceux qui vivent de façon charnelle. Aussi a-t-elle passé nécessairement sous silence une désignation particulière de l'image et a-t-elle présenté une formule générale s'appliquant à tous les hommes : tout homme marche dans une image.

Image du céleste ou image du terrestre

A toi maintenant d'examiner et de rechercher d'après la foi et les œuvres de chacun, d'après sa conduite et ses actes, d'après ses pensées et ses paroles, et de considérer s'il marche dans l'image du céleste ou dans l'image du terrestre[1]. Si tu es miséricordieux comme ton Père céleste est miséricordieux[e], sans aucun doute l'image du céleste est en toi. Si tu fais du bien non seulement à tes amis, mais si, même à tes ennemis, tu rends le bien pour le mal, comme le Père céleste «fait lever son soleil sur les bons et les méchants et tomber sa pluie sur les justes et les injustes[f]», l'image du céleste est en toi. Et si en tous points tu es parfait comme ton Père céleste est parfait[g], l'image du céleste est en toi. Et à l'inverse, si tu n'es pas l'imitateur du Christ ni de l'apôtre Paul qui dit : «Soyez mes imitateurs comme je le suis du Christ[h]», mais si tu imites les œuvres du diable qui fut homicide dès le commencement[i], et si tu goûtes les choses de la terre et parles des choses de la terre[j], et si ton trésor et ton cœur[k] sont dans la terre, tu portes l'image du terrestre.

Mais puisque nous nous trouvons en ce passage où le texte porte sur l'image, il semble nécessaire d'avancer encore le verset de ce psaume où il est écrit des pécheurs : «Seigneur, dans ta cité, tu réduiras à rien leur image[l].» Il est donc bien certain que Dieu réduit à rien l'image des

1402

iustorum autem imaginem sine dubio tuetur et servat. Haec est ergo imago terreni, id est peccatorum, quam ad nihilum redigit Deus in civitate sua; id est, si quis exierit de hoc mundo et tulerit secum imaginem terreni, propter huiuscemodi imaginem in civitate illa Dei ad nihilum redigetur, nec consequetur partem inter cives caelestis illius civitatis, qui caelestis imaginis[m] non reportat insignia.

2. Sed et aliud sacramentum mihi videtur continere iste versiculus, quod huius quidem mundi vita et conversatio imaginaria quaedam sit et imago, futura autem non sit imaginaria sed vera; et hoc est quod dicitur, quia imaginem habet unusquisque virtutis, non tamen proprie et sincere vivit in ipsa virtute. Tale autem quod dicimus : sapientia et scientia pars est magna virtutum; sed in praesenti vita si quis putat se cognovisse, nondum cognovit sicut oportet scire, qui enim cognoscit, in aenigmate cognoscit. Ergo in imagine scientiae ambulamus et non in ipsa scientia, per quam facie ad faciem cognoscitur[a].

Ita nihilominus et in ipsa sapientiae imagine et nondum in ipsa sapientia ambulamus, quia nondum *revelata facie gloriam Domini speculamur*[b].

Eadem audeo de iustitia Dei dicere, quod in imagine iustitiae ambulamus et nondum in illa iustitia quae est facie ad faciem[c] incedimus. Neque enim capere poterat humana natura pellibus et carne vestita, ossibus et nervis inserta[d], nudam ipsam iustitiae sinceramque veritatem ferre et tolerare secundum naturae suae potentiam ac virtutem, si quidem ipse Christus est natura virtutum : ipse enim

---

m. Cf. I Cor. 15, 49.
2. a. Cf. I Cor. 13, 12.   b. II Cor. 3, 18.   c. Cf. I Cor. 13, 12.
d. Cf. Job 10, 11.

---

1. Les *epinoiai* du Christ. Cf. 36, I, 4, note 1 (p. 80).

pécheurs dans sa cité ; mais l'image des justes, sans aucun doute, il la protège et la conserve. C'est donc l'image du terrestre, c'est-à-dire des pécheurs, que Dieu « réduit à rien dans sa cité ». C'est dire que lorsque quelqu'un sortira de ce monde et qu'il emportera avec lui l'image du terrestre, en raison d'une telle image il sera réduit à rien dans cette cité de Dieu et n'aura pas rang parmi les habitants de cette cité céleste, lui qui ne porte pas les signes de l'image céleste[m].

Marcher dans l'image
2. De plus, ce verset me semble contenir un autre mystère : la vie de ce monde, et ce qu'on y fait, est quelque chose d'imaginaire, une image, tandis que la vie future n'est pas imaginaire, mais vraie. Et c'est ce qu'on dit : chacun a une image de la vertu, mais ne vit pourtant pas, à proprement parler et franchement dans la Vertu elle-même. Je m'explique : la sagesse et la science sont une part importante des vertus ; mais dans la vie présente, si quelqu'un pense qu'il a connu, il n'a pas encore connu comme il convient de savoir, car celui qui connaît, connaît « en énigme ». Nous marchons donc dans l'image de la science, et non dans la science elle-même par laquelle on connaît face à face[a].

De même également, nous marchons dans l'image de la Sagesse et pas encore dans la Sagesse elle-même, car nous ne contemplons pas encore « à visage découvert la gloire du Seigneur[b] ».

J'ose dire la même chose de la justice de Dieu : nous marchons dans l'image de la justice, et nous n'avançons pas encore dans cette Justice que l'on voit face à face[c]. Car elle ne pouvait la saisir, la nature humaine vêtue de peau et de chair, tissée d'os et de nerfs[d], elle ne pouvait porter la vérité elle-même, nue et pure, de la Justice, ni la supporter dans la puissance et la force de sa nature, puisqu'assurément le Christ lui-même est la nature des vertus[1] : lui-

iustitia, quae humano generi non in plenitudinem splen-
doris advenit, quia Iesus Christus seipsum exinanivit forma
Dei, ut formam servi acciperet[e].

25   Et si quidem de solis Iudaeis sermo Scripturae loqueretur, dixisset forsitan : quamquam in umbra ambulet
homo; sed quia, ut arbitror, de melioribus sermo fit quam
erant illi qui secundum umbram legis[f] vivebant, propterea
scriptum est : **Quamquam in imagine ambulet homo**[g].

30   Quod clarius ad intellectum veniet ex sermonibus
apostoli Pauli, qui tres quasdam species proprietatis
designat in lege, umbram dicens et imaginem et veritatem, ait namque : *Umbram enim habens lex bonorum
futurorum, non ipsam imaginem rerum, per singulos annos*
35 *iisdem ipsis hostiis quas offerunt indesinenter, numquam*
potest accedentes facere perfectos[h]. Ergo *lex umbram habet*
futurorum bonorum, non ipsam imaginem rerum,
ostendens sine dubio aliam esse imaginem rerum quam
illam quae legis umbra designatur. Et si quis potest des-
40 cribere observantiam illam Iudaici cultus, consideret
templum illud non habuisse imaginem rerum sed umbram :
videat quoque altare umbram esse, videat et hircos et
vitulos qui adducuntur ad victimam umbram esse illa
omnia, secundum illud quod scriptum est : *Umbra enim*
45 *est vita nostra super terram*[i].

---

e. Cf. Phil. 2, 7.   f. Cf. Hébr. 10, 1.   g. Ps. 38, 7.   h. Hébr.
10, 1.   i. I Chr. 29, 15 ; Job 8, 9.

---

1. Tantôt image et ombre sont équivalents pour Origène, tantôt ils
sont différents selon *Hébr.* 10, 1, cité plus bas. Les réalités sont les
mystères divins vus dans le face à face de l'Évangile éternel; l'image
se rapporte à l'Évangile temporel comportant la possession des «vraies»
réalités qu'on ne voit cependant qu'«à travers un miroir, en énigme»
(cette notion contient en germe tout le sacramentalisme chrétien, réalité
humaine douée de grâce surnaturelle); enfin l'ombre se rapporte à
l'Ancien Testament en tant qu'il est désir, espoir, pressentiment des

même en effet, est la Justice qui ne vient pas au genre humain dans la plénitude de sa splendeur, puisque Jésus-Christ s'est dépouillé lui-même de la forme divine pour revêtir la forme d'esclave[e].

Ombre, image, réalité   Et si vraiment la parole de l'Écriture n'avait parlé que des seuls Juifs, elle aurait dit peut-être : «Bien que l'homme marche dans l'ombre.» Mais parce que, je pense, l'expression vise des gens meilleurs que ne l'étaient ceux qui vivaient selon l'ombre de la Loi[f], il est écrit : «Bien que l'homme marche dans l'image[g].»

Ceci deviendra plus évident pour l'intelligence à partir des paroles de l'Apôtre Paul qui note dans la Loi trois sortes de caractères, parlant d'ombre, d'image et de vérité. Il dit en effet : «Car la Loi possède l'ombre des biens à venir, non pas l'image même des réalités : chaque année, par ces mêmes sacrifices que l'on offre sans cesse, elle ne peut jamais rendre parfaits ceux qui s'approchent[h1].» «La Loi possède donc l'ombre des biens à venir et non pas l'image même des réalités», montrant, sans aucun doute, que l'image des réalités est autre que ce qu'on appelle «ombre de la Loi». Et si quelqu'un peut décrire cette observance du culte juif, qu'il remarque que ce temple n'a pas eu l'image des réalités, mais l'ombre ; qu'il voie aussi que l'autel est une ombre, qu'il voie les boucs et les veaux amenés pour le sacrifice : tout cela, c'est une ombre selon ce qui est écrit : «Car c'est une ombre, notre vie sur la terre[i2].»

«vraies» réalités. Tout cela est une adaptation de la vision platonicienne du monde : les êtres d'ici-bas sont les copies imparfaites et multiples des idées célestes. Cf. *ComCant.* II, 8, 17-21 (*SC* 375, p. 416-418); III, 5, 13-16 (*SC* 376, p. 530-532).

2. En *PArch.* II, 6, 6 (*SC* 252, p. 324), le verset de *Job* 8, 9 qui s'applique ici à l'Ancien Testament est cité à propos de notre vie actuelle à l'ombre du Christ.

1403   Si quis vero transire potuerit ab hac umbra, veniat ad imaginem rerum[j] et videat adventum Christi in carne factum, videat eum pontificem, offerentem quidem et nunc patri hostias[k], et postmodum oblaturum : et intellegat haec
50 omnia imagines esse spiritalium rerum et corporalibus officiis caelestia designari. Imago ergo dicitur hoc quod recipitur ad praesens et intueri potest humana natura. Si potes mente et animo penetrare caelos et sequi *Iesum qui penetravit caelos*[l] et assistit nunc vultui Dei pro nobis,
55 ibi invenies illa bona quorum umbram habuit lex[m] et imaginem Christus ostendit in carne, quae praeparata sunt beatis, *quae nec oculus vidit nec auris audivit nec in cor hominis ascendit*[n]. Quae cum videris intelleges quia qui in ipsis ambulat et in illorum desiderio et cupiditate per-
60 durat, iste non in imagine, sed in ipsa iam ambulat veritate.

Verumtamen **in imagine ambulat homo**[o]. Repetamus ergo sermonem illum quem dixit apostolus, in quo gene-rales duas imagines designavit, unam quidem terrenam,
65 aliam vero caelestem[p] et comparemus ad hoc : **Quamquam in imagine ambulet homo**[q]; et hoc quod generaliter dictum est, in multas species dividamus, ut cum dividitur sermo per singula atque discutitur, clarescat quod intrinsecus latet.

70   Hoc est autem quod dicimus : omnis potestas inimica et unaquaeque virtus divina quae auxilium praestat his

---

j. Cf. Hébr. 10, 1.   k. Cf. I Pierre 2, 5 ; Hébr. 10, 12.   l. Hébr. 4, 14.   m. Cf. Hébr. 10, 1.   n. I Cor. 2, 9.   o. Ps. 38, 7.   p. Cf. I Cor. 15, 49.   q. Ps. 38, 7.

---

1. Le texte : *Hébr.* 10, 1 introduit chez Origène une triple graduation : l'ombre (σκιά) correspondant à l'Ancien Testament, l'image (εἰκών) qui est déjà une participation à la réalité suprême : Nouveau Testament ou

Mais si quelqu'un a pu aller au-delà de cette ombre, qu'il vienne à l'image des choses[j], et qu'il voie l'avènement du Christ accompli dans la chair, qu'il le voie, lui, le Pontife, présentant maintenant encore des victimes au Père[k], et devant en offrir par la suite; et qu'il comprenne que tout cela, ce sont des images des réalités spirituelles, et que par des fonctions matérielles on représente des fonctions célestes. On appelle donc « image » ce qui concerne le présent et que peut apercevoir la nature humaine. Si tu peux, par la pensée et par l'âme, pénétrer dans les cieux et suivre « Jésus qui a pénétré dans les cieux[l] » et se présente maintenant pour nous près du visage de Dieu, tu découvriras là ces biens dont la Loi eut l'ombre[m] et dont le Christ a présenté l'image dans la chair, qui sont préparés pour les bienheureux, « ce que l'œil n'a pas vu ni l'oreille entendu, et qui n'est pas monté au cœur de l'homme[n][1] ». Quand tu les verras, tu comprendras que celui qui marche en eux et persiste à les désirer et à les convoiter, celui-là ne marche plus dans l'image, mais déjà dans la Vérité elle-même.

Images variées   Mais pourtant, « l'homme marche dans l'image[o] ». Reprenons donc cette parole de l'Apôtre où il a distingué deux images générales, l'une terrestre, et l'autre céleste[p], et comparons-la à ceci : « Bien que l'homme marche dans l'image[q]. » Et ce que l'on dit de manière générale, divisons-le en nombreux aspects, pour qu'une fois la parole divisée en éléments isolés et bien examinée, ce qui est caché à l'intérieur devienne clair.

Or voici : toute puissance ennemie et chaque force divine qui porte secours à ceux qui désirent obtenir le

---

Évangile temporel, et enfin les réalités (ἀλήθειαι), réalités divines correspondant à l'idée platonicienne : l'Évangile éternel.

qui salutem consequi cupiunt : singulae harum imagines
quasdam exprimunt in anima eorum qui se ad receptaculum earum diversis studiis exhibent. Verbi gratia, sicut
75 superius diximus, omnes quidem homines, aut caelestis
aut terreni imaginem portamus sed et in his ipsis multa
diversitas. Utputa omnis peccator portat imaginem terreni,
sed non omnis similiter : non aeque imaginem terreni
portat homicida et mendax, aut adulter et conviciosus,
80 aut puerorum corruptor et fur, quamvis omnes isti terreni
imaginem portent, sed multa est inter ipsos differentia
pro diversitate peccati.

Secundum has ergo diversitates imaginis terreni, contem-
plare etiam diversitatem imaginis caelestis et intuere
85 Paulum portantem imaginem caelestis et Timotheum. Et
quid? Putamus quia ut similiter in Paulo, ita et in Timotheo
erat imago caelestis? Nihil amplius, nihil praeclarius
habebat imago Pauli praeter imaginem Timothei? Ego
arbitror quia secundum hoc quod praecedebat vitae merito,
90 verbi potentia, magnanimitate propositi Paulus Timotheum,
ita et in illo maior ac splendidior refulgebat imago caelestis, qualem in illo faciebat imaginem Christus, cum in
eo loqueretur[r] : et aliam et longe, ut ego arbitror, infe-
riorem in illo faciebat imaginem qui dicebat : *Et dixit*
95 *angelus qui loquebatur in me*[s] et sic per singula etiam
apud teipsum requirens, diversitatem invenies imaginis
sive terrenae in peccatoribus sive caelestis in sanctis.

Omne ergo quod agitur a nobis per singulas horas vel
momenta, imaginem aliquam deformat : et ideo per
1404 100 singula scrutari debemus actus nostros et nosmetipsos
probare in illo opere vel in illo sermone, utrum caelestis

r. Cf. II Cor. 13, 3.   s. Zach. 1, 14.

salut, impriment chacune certaines images dans l'âme de
ceux qui, par diverses inclinations, s'offrent à les recevoir.
Par exemple, comme nous l'avons dit plus haut, nous
tous, hommes, nous portons soit l'image du céleste, soit
celle du terrestre; de plus, en celles-là mêmes la diversité
est grande. Par exemple, tout pécheur porte l'image du
terrestre, mais tous ne la portent pas de la même façon :
ce n'est pas la même image du terrestre que portent l'homicide et le menteur, l'adultère ou l'insolent, le corrupteur
d'enfants et le voleur, bien que tous ceux-ci portent
l'image de cet homme terrestre, grande est pourtant la
différence entre eux, en raison de la diversité du péché.

Donc, selon ces variétés de l'image du terrestre,
contemple aussi la variété de l'image du céleste et regarde
Paul portant l'image du céleste, et Timothée. Eh quoi?
Pensons-nous que l'image du céleste était la même en
Paul qu'en Timothée? L'image de Paul n'avait-elle rien de
plus, rien de plus éclatant que l'image de Timothée? Moi,
je pense que dans la mesure où Paul dépassait Timothée
par le mérite de sa vie, par la puissance de sa parole,
par la grandeur de son dessein, de même aussi res-
plendissait en lui, plus grande et plus splendide, l'image
céleste, image telle que la faisait en lui le Christ, puisqu'il parlait en lui[r]. Et il faisait une autre image, et à
mon avis bien inférieure, en celui qui disait : « Et l'Ange
qui parlait en moi a dit[s] »; et ainsi, en les cherchant
encore une à une par toi-même, tu trouveras la variété
de l'image, soit du terrestre chez les pécheurs, soit du
céleste chez les saints.

**Prenons garde
à nous**   Donc, tout ce que nous faisons, à
toute heure et à tout moment,
façonne quelque image. C'est
pourquoi nous devons scruter nos actions une à une, et
nous examiner nous-mêmes : par cet acte ou cette parole,

an terrena imago[t] in anima nostra depingitur. Sed et
illud admonere vos inutile non videbitur, quod multi in
hoc mundo propter imagines malorum regum, immo
105 potius tyrannorum perierunt, pro hoc tantummodo quod
tyrannicae apud eos imagines deprehensae sunt et hoc
solum eis suffecit ad crimen. Perscrutetur ergo nunc se
unusquisque vestrum et cordis sui arcana recenseat ac
diligenter inquirat quas ibi imagines gerat. Si inventus
110 fueris habere ibi formas diaboli et imaginem Satanae,
quod tibi erit vitae refugium, quis miserebitur tui, cum
de intimo conclavi cordis tui tyrannica imago profertur?

Sin autem vis ut per species tibi huiusmodi imagines
designem, audi. Ira, imago tyrannica est, [aut] avaritia,
115 dolus, superbia, tumor, gloriae saeculares, invidiae, ebrie-
tates, comessationes et his similia[u]. Quas si non citius
abieceris de domo tua, si non detraxeris et abraseris a
sensibus tuis omnem fucum pessimae huius picturae et
omne figmentum venenati coloris absterseris, ipsae te ima-
120 gines perire facient. Haec de eo quod scriptum est : **In
imagine ambulat homo**[v].

3. Sequitur : **Thesaurizat et ignorat cui congreget
ea**[a]. Oportebat enim requiri quae sunt quae thesaurizantur
et ignorantur cui congregentur et quae sunt quae congregantur et non ignorantur cui permanent.

5   Sequitur : **Et nunc quae est exspectatio mea ? Nonne
Dominus**[b]? Sicut sapientia nostra Christus est et iustitia

---

t. Cf. I Cor. 15, 49.   u. Cf. Gal. 5, 21.   v. Ps. 38, 7.
3. a. Ps. 38, 7.   b. Ps. 38, 8.

---

1. Cf. *HomGen.* XIII, 4 (*SC* 7 bis, p. 328).
2. Opposition des biens matériels qui, après nous, passeront à un
autre, et des biens spirituels qui demeurent pour Dieu.

est-il peint en notre âme une image céleste ou une image terrestre[t]? De plus, il ne semblera pas inutile de vous avertir que beaucoup en ce monde ont péri en raison d'images de mauvais rois ou plutôt de tyrans, simplement du fait que ces images de tyran ont été trouvées chez eux, et cela seul a suffi à les accuser. Donc, qu'à présent chacun de vous s'examine avec soin, qu'il scrute les recoins de son cœur et qu'il recherche avec attention quelles images il y porte. Si l'on découvre que tu as là les traits du diable et l'image de Satan, quel refuge auras-tu pour ta vie? Qui aura pitié de toi, quand du plus profond de la chambre de ton cœur, on mettra au jour l'image du tyran?

Mais si tu veux que je te décrive par leur aspect de telles images, écoute. La colère est une image du tyran, l'avarice, la ruse, l'orgueil, la vanité, les gloires du monde, les envies, les beuveries, les débauches et autres choses semblables[u]. Si tu ne les as pas rejetées au plus vite de ta demeure, si tu n'as pas ôté et gratté de tes pensées toute la teinte de cette peinture détestable, et si tu n'as pas effacé toute trace de cette couleur empoisonnée, ces images elles-mêmes te feront périr[1]. Voilà pour ces mots : «L'homme marche dans l'image[v].»

Il entasse des trésors

3. Vient ensuite : «Il entasse des trésors et ne sait pour qui il les rassemble[a].» Il convenait, en effet, de rechercher ce que sont ces trésors qu'on a rassemblés et dont on ne sait pour qui ils sont rassemblés, et ce qu'ils sont, ceux qu'on a rassemblés et dont on n'ignore pas pour qui ils demeurent[2].

Mon attente

Vient ensuite : «Et maintenant, quelle est mon attente? N'est-ce pas le Seigneur[b]?» Comme notre Sagesse est le Christ, et

Christus est, secundum quod scriptum est : *Qui factus est
sapientia nobis a Deo et iustitia et sanctificatio et
redemptio*[c], ita et exspectatio, id est patientia nostra,
10 Christus est. Propterea *non glorietur sapiens in sapientia
sua nec fortis in fortitudine sua*[d], quia omnia habemus
in Christo. Et nunc ergo quae est exspectatio, id est
patientia mea? Dominus.

Et substantia mea a te est[e]. Si habeo substantiam
15 divitiarum spiritalium, a Deo est. *Insufflavit* enim *Deus
in faciem hominis spiritum vitae et factus est homo in
animam vivam*[f].

4. Ab omnibus iniquitatibus meis eripe me[a]. Necessario addidit **ab omnibus**, quo scilicet nulla nos teneat
et constringat iniquitas. Sed quomodo Deus ab iniquitatibus eripiat, consideremus. Si paenitentes pro malis gestis
5 convertamur ad Deum, suscipiens a nobis Deus conversionem nostram, absolutionem iniquitatum donat
secundum mensuram conversionis. Cui enim plus remit-
titur, plus diligit : et propterea dicitur quia *mulieri illi
multa remissa sunt, quia dilexit multum*[b]. Pro mensura
10 ergo paenitentiae, remissionis quantitas moderatur : ne
nosmetipsos seducamus, putantes nullis haec regulis, nullis
dispensari iudiciis.

Puto enim quod qui omnes iustitias impleverit[c], ille
omnes abluat iniquitates, qui vero paucas, vel partem
15 aliquam iustitiae operatus est, partem aliquam iniquitatum
resolvat : qui vero perfectam pro omnibus malis et
1405 integram paenitentiam gesserit, ita ut purum cor iam

c. I Cor, 1, 30.   d. Jér. 9, 22 (23 hébr.).   e. Ps. 38, 8.   f. Gen.
2, 7.
4. a. Ps. 38, 9.   b. Lc. 7, 47.   c. Cf. Matth. 3, 15.

1. Le terme *substantia* a des acceptions très diverses : être, existence,
substance, et aussi subsistance, moyens de vivre, fortune, biens. Ici, il
n'est pas possible de le rendre par le même mot.

notre justice est le Christ, selon ce qui est écrit : «Qui a été fait pour nous par Dieu, Sagesse, Justice, Sanctification et Rédemption[c]», ainsi aussi notre Attente, c'est-à-dire notre Patience, c'est le Christ. C'est pourquoi : «Que le sage ne se vante pas de sa sagesse ni le brave de sa bravoure[d]», car nous avons tout dans le Christ. Et maintenant donc, quelle est mon Attente, c'est-à-dire ma Patience? Le Seigneur!

«Et mon être vient de toi[e].» Si je possède la substance[1] des richesses spirituelles, cela vient de Dieu : «Dieu insuffla, en effet, sur le visage de l'homme un esprit de vie, et l'homme devint une âme vivante[f].»

Repentir et pardon
4. «A toutes mes iniquités, arrache-moi[a]!» Il est nécessaire qu'il ait ajouté : «à toutes», pour que nulle iniquité ne nous tienne et ne nous enchaîne. Mais considérons comment Dieu arrache aux iniquités. Si, nous repentant des méfaits commis, nous nous tournons vers Dieu, Dieu accueille notre conversion et nous acquitte des iniquités selon la mesure de notre conversion. Car celui à qui l'on a remis davantage, aime davantage. Voilà pourquoi il est dit : «A cette femme, il a été beaucoup remis parce qu'elle a beaucoup aimé[b].» Donc, selon la mesure de notre repentir est mesurée l'étendue du pardon, pour que nous ne nous égarions pas nous-mêmes en pensant qu'il n'est donné selon aucune règle, aucun jugement.

Remise totale ou partielle
Je crois en effet que celui qui aura accompli toute justice[c], celui-là efface toutes ses iniquités; mais celui qui a fait peu de justice ou l'a fait partiellement, met fin partiellement à ses iniquités. Au contraire, celui qui a fait une pénitence parfaite et totale pour tous ses

offerat Deo, iste simul omnem labem diluit peccatorum :
si vero ex parte paenituit, et ex parte iam meruit abso-
20 lutionem. Haec ergo sciens propheta et quia quosdam
quidem eripit Deus ab omnibus iniquitatibus suis, quosdam
ab aliquibus iniquitatibus liberat, puto quod propterea
confidens egisse se ea quibus dignum esset ab omnibus
iniquitatibus eripi, dicit audacter ad Dominum : **Ab**
25 **omnibus iniquitatibus meis eripe me**[d].

5. Opprobrium insipienti dedisti me[a]. Donec
habemus peccata, necesse est nos exprobrari ab insipiente
et accusatore nostro diabolo : et si inveniantur peccata
nostra non esse deleta, sed scripta in nobis stylo diaboli,
5 per haec ipsa quae gessimus exprobrabit nos inimicus.
Sicut enim bona quaeque *scripta* dicuntur *non atramento,
sed spiritu Dei vivi*[b], ita mala quaeque conscribuntur atramento et calamo diaboli. Propter quod Dominus et Salvator noster delevit chirographum peccatorum nostrorum,
10 quod erat adversum nos diabolo astipulante conscriptum[c],
sicut et ante praedixerat per prophetam dicentem : *Ecce
deleo sicut nubem iniquitates tuas et sicut nebulam peccata
tua*[d] et ultra non ero memor[e].

Ut ergo non exprobremur ab insipiente, convertamur
15 nos ab omnibus iniquitatibus nostris, ne deprehendens in

d. Ps. 38, 9.
5. a. Ps. 38, 9.   b. II Cor. 3, 3.   c. Cf. Col. 2, 14.   d. Is. 44,
22.   e. Cf. Jér. 31, 34.

1. « Stylet », tige de fer ou d'os dont une des extrémités pointues
servait à écrire sur la cire des tablettes ; l'autre bout, aplati, servait à
effacer. On trouve souvent chez Origène l'idée, annonçant la durée
bergsonienne, que tous nos actes, bons ou mauvais, sont inscrits dans
notre cœur, et qu'au jugement dernier tous les verront.

méfaits au point d'offrir maintenant un cœur pur à Dieu, cet homme a lavé en même temps toute trace de péchés. Mais s'il s'est repenti en partie, c'est aussi en partie qu'il a maintenant mérité le pardon. Le prophète, sachant donc cela, et sachant que Dieu arrache certains à toutes leurs iniquités, en libère d'autres de quelques-unes, sûr, je pense, d'avoir fait ce pourquoi il méritait d'être arraché à toutes ses iniquités, dit avec audace au Seigneur : «A toutes mes iniquités, arrache-moi[d]!»

L'insensé 5. «Tu m'as donné en opprobre à l'insensé[a].» Tant que nous avons des péchés, il est forcé que nous soyons couverts d'opprobres par l'Insensé et notre accusateur, le diable. Et s'il se trouve que nos péchés n'ont pas été effacés, mais écrits en nous par le stylet[1] du diable, pour ces fautes elles-mêmes que nous avons commises, l'ennemi nous couvrira d'opprobres. De même en effet que toutes les bonnes actions sont dites «écrites non avec de l'encre, mais par l'Esprit du Dieu Vivant[b]», ainsi toutes les mauvaises actions sont écrites avec l'encre et le calame[2] du diable. C'est pourquoi notre Seigneur et Sauveur a effacé l'acte écrit de nos péchés, dressé contre nous, signé par le diable[c], comme il l'avait prédit auparavant par le prophète : «Voici que j'efface comme un nuage tes iniquités et comme une nuée tes péchés[d]», et je ne m'en souviendrai jamais plus[e].

Convertissons-nous! Donc, pour ne pas être couverts d'opprobres par l'Insensé, convertissons-nous de toutes nos iniquités, de peur que, surprenant en nous des taches de péchés, c'est-à-dire les

2. «Calame » : le roseau dont se servaient les anciens pour écrire sur parchemin.

nobis maculas peccatorum, id est suae voluntatis insignia,
exprobret et dicat : ecce hic Christianus dicebatur et signo
Christi signabatur in fronte, meas autem voluntates et mea
chirographa gerebat in corde. Ecce iste qui mihi et ope-
20 ribus meis renuntiavit in baptismo, meis rursum operibus
se inseruit meisque legibus paruit. Liberati ergo ab
omnibus iniquitatibus, studeamus ne in die iudicii huiuscemodi opprobriis insipientis diaboli succumbamus.

**6. Obmutui et non aperui os meum, quia tu es
qui fecisti**[a]. Iam et hoc superius exposuimus, cum trac-
taremus illum versiculum qui ait : *Dum consistit peccator
adversum me, obmutui et humiliatus sum et silui a bonis*[b].
5 Bonum est enim eo tempore cum adversum nos vel dero-
gationum vel conviciorum vel probrorum tela iaciuntur,
nos huius versiculi meminisse, qui ait : **Obmutui et non
aperui os meum, quia tu es qui fecisti**[c].

Hoc sane requirendum videtur, quid est quod dixit :
10 **Tu es qui fecisti**, nec tamen adiunxit quid fecerit. Sed
ordo ipse nos docet, quoniam quidem velut agonem
1406   quendam inter nos et consistentem adversum nos peccatorem describit, quia hoc ipsum indicet fecisse Deum,
id est, quod exercitii nostri causa et profectus Deus fecerit
15 ista certamina.

---

6. a. Ps. 38, 10.   b. Ps. 38, 2-3.   c. Ps. 38, 10.

---

1. «Marqué au front du signe du Christ»; une des cérémonies du
baptême qui l'a fait désigner du nom de σφραγίς, sceau, empreinte,
signe.

2. Cf. *supra*, 38, I, 4.

3. Nous avons vu plus haut (36 V, 4, note 2, p. 234-235) que ces
homélies ont dû être prononcées en temps de paix, peut-être sous Philippe l'Arabe, le premier empereur chrétien (Cf. H. CROUZEL, «Le christianisme de l'empereur Philippe l'Arabe», *Gregorianum* 56 (1975), p. 545-
550). Cette allusion aux diffamations peut se rapporter à l'époque où,
sous le même empereur, furent célébrées les fêtes du millénaire de la

marques de sa volonté, il ne nous couvre d'opprobres et dise : «Le voici, celui que l'on disait chrétien et qui était marqué au front du signe du Christ[1]! Mais il portait au cœur mes volontés et mes écrits. Le voici, celui qui a renoncé à moi et à mes œuvres au baptême, et de nouveau s'est engagé dans mes œuvres et a obéi à mes lois!» Donc, libérés de toutes les iniquités, appliquons-nous à ne pas tomber au jour du jugement sous le coup de tels opprobres de l'Insensé, le diable.

Se taire 6. «Je me suis tu et n'ai pas ouvert la bouche, car c'est toi qui l'as fait[a].» Nous avons déjà expliqué ceci plus haut, quand nous avons exposé ce verset : «Tandis que le pécheur se dresse contre moi, je me suis tu, je me suis humilié et je me suis abstenu de dire une parole bonne[b2].» Car il est bon, en ce temps où l'on décoche contre nous les traits des diffamations, des injures ou des opprobres[3], de nous souvenir de ce petit verset : «Je me suis tu et n'ai pas ouvert la bouche, car c'est toi qui l'as fait[c].»

Tu l'as fait Il semble sage de rechercher pourquoi le prophète a dit : «C'est toi qui l'as fait», sans pourtant ajouter ce qu'il a fait. Mais l'enchaînement même de sa pensée nous l'apprend, puisqu'il décrit comme un combat entre nous et le pécheur qui se dresse contre nous : il montre cela même que Dieu a fait, c'est-à-dire que Dieu a fait ces combats pour nous exercer et nous faire progresser.

---

fondation de Rome (247-248) qui provoquèrent un renouveau de patriotisme et d'attachement à la religion traditionnelle, et entraînèrent le soulèvement contre l'empereur chrétien de quatre compétiteurs dont l'un le vainquit et le tua. Ce fut l'empereur Dèce qui souleva la première persécution vraiment universelle.

Ideo ergo memor ero, quia tu fecisti agones istos et
tu nobis haec exercitia patientiae praeparasti. Cum enim
ad iracundiam provocarer, cum conviciis lacesserer, ne
patientiae lineas excederem et verbum aliquod quod tibi
20 non placeat proferrem de labiis meis, **obmutui et non**
aperui os meum[d]. Si vero amplius aliquid secundum
Pauli statuta valuero profligare, non solum obmutescam
et non aperiam os meum, sed et cum maledicor, bene-
dicam et blasphematus deprecabor[e].

7. Amove a me plagas tuas, a fortitudine manus
tuae ego defeci[a]. Quod Latini interpretes plagas dixerunt,
in Graecis codicibus flagella scriptum est, ut sit : **Amove**
a me flagella tua. Quod videtur utique dicere positus
5 quasi in correptione flagellorum, cum sicut homo pro
peccatis corripitur, vel flagellatur ut emendetur.

Sicut et illud a quamplurimis intellegitur quod scriptum
est : *Fili, noli taediare a disciplina Dei neque deficias*
cum ab eo increparis. Quem enim diligit Deus, corripit,
10 *flagellat autem omnem filium quem recipit*[b]. Si quando
ergo quis huiuscemodi correptionibus increpatur, competenter dicere videtur : **Amove a me flagella tua. A for-**
titudine manus tuae ego defeci[c]. Sed illud competenter videtur aptari quod scriptum est : **In**
15 **increpationibus propter iniquitatem corripuisti** – vel
erudisti – **hominem**[d].

Sed novi ego et alia flagella quibus vehementius cruciamur, illa scilicet quae per prophetam describit sapientia

---

d. Ps. 38, 10.   e. Cf. I Cor. 4, 12.
7. a. Ps. 38, 11.   b. Prov. 3, 11-12 ; Hébr. 12, 5-6.   c. Ps. 38,
11.   d. Ps. 38, 12.

Aussi je me souviendrai que tu as fait ces combats et que tu nous as préparé ces exercices de patience. Car lorsque j'étais provoqué à la colère, harcelé par des insultes, pour ne pas franchir les bornes de la patience et ne pas laisser sortir de mes lèvres quelque parole qui ne te plairait pas, «je me suis tu et n'ai pas ouvert la bouche[d].» Mais quand je serai capable de porter un coup plus fort, selon ce qu'a prescrit Paul, non seulement je me tairai et n'ouvrirai pas la bouche, mais quand on me maudira, je bénirai, et calomnié, je prierai[e].

Tes fouets 7. «Détourne de moi tes coups; sous la force de ta main j'ai défailli[a].» Ce que les traducteurs latins ont appelé «coup», dans les textes grecs est écrit «fouets», de sorte que l'on a : «Détourne de moi tes fouets.» C'est ce que semble dire assurément le prophète, comme sous le coup d'une correction donnée par des fouets, quand, en tant qu'homme, il est corrigé pour ses péchés, ou fouetté pour qu'il s'amende.

Beaucoup comprennent de la même façon aussi ces mots : «Mon fils, ne te rebute pas devant l'éducation de Dieu et ne perds pas courage quand il te reprend. Car celui que Dieu chérit, il le réprimande, mais il fouette tout fils qu'il agrée[b].» Si donc quelqu'un est repris par des corrections de telle nature, il semble dire avec raison : «Détourne de moi tes fouets; sous la force de ta main j'ai défailli[c].» Or cela semble en plein accord avec ce qui est écrit : «Par des réprimandes en raison de son iniquité, tu as corrigé – ou instruit – l'homme[d].»

D'autres fouets Mais je connais encore d'autres fouets par lesquels nous sommes tourmentés plus violemment, à savoir ceux que la Sagesse

(prophetam etenim eum dico) : *Quis dabit in cogitatu*
20 *meo flagella et in corde meo correptionem sapientiae, ut*
ignorationibus meis quae feci non parcant et peccata mea
non praetereant[e]? Vides quomodo orat flagellari cor suum
pro peccatis suis et verberari cogitationes suas? Si quando
ergo vides temetipsum post peccatum affligi et cruciari
25 in corde et a propriis cogitationibus accusari, si quando
notari te vides a conscientia tua et eius verberibus flagellari, spem tibi emendationis ac salutis praesume.
Vicinior namque tibi conversionis est via, quam illis qui
nec peccasse se quidem sentiunt nec in delictis suis
30 contristantur nec flagella conscientiae patiuntur. Tu ergo
si videris te flagellari et cruciari in cogitationibus tuis et
spem salutis de proximo attendens, dicito de his qui peccaverunt quidem similiter, tamen similiter non paenitent
pro delictis quia : *In laboribus hominum non sunt et cum*
35 *hominibus non flagellabuntur, propterea tenuit eos*
superbia[f]. Tu ergo si cruciaris et affligeris in corde tuo,
dic ad Dominum : *Multa quidem flagella peccatorum, sed*
sperantes in Domino misericordia circumdabit[g].
    Ostendimus igitur dupliciter hominibus flagella prae-
40 parari : sive sensibiliter extrinsecus, cum vel languoribus
vel damnis vel diversis afflictionum generibus flagellamur,
sive etiam cum ex recordatione delicti perurgentis

e. Sir. 23, 2.   f. Ps. 72, 5-6.   g. Ps. 31, 10.

1. L'ensemble de l'œuvre d'Origène montre que, bien que la canonicité du livre du *Siracide* fut reconnue fort tard, il le range, lui, parmi
les écrits inspirés : ce livre fait partie des Écritures (*HomÉz.* 5, 4 et 9,
2, *SC* 352, p. 202 et 304); et ailleurs : «Jésus, fils de Sirach qui nous
a laissé le livre de la Sagesse», *CCels.* VI, 7 (*SC* 147, p. 194), ou : «L'un
de nos sages a dit quelque part», *CCels.* IV, 75 (*SC* 136, p. 372).
    Ces mots : «Je le dis prophète» sont à expliquer. En dépendance de
Philon pour qui le Verbe est le prophète, pour Origène, «Prophète»
est une des *epinoiai* du Christ. Le Christ est prophète en tant qu'il
révèle un enseignement et amène ainsi les hommes au salut, *HomJér.*

décrit par le prophète (car je le dis prophète[1]) : « Qui donnera à ma pensée les fouets et à mon cœur la correction de la sagesse, pour qu'ils n'épargnent pas les erreurs que j'ai faites et ne laissent pas de côté mes péchés[e] ? » Vois-tu comme il prie pour que son cœur soit flagellé pour ses péchés et ses pensées battues de verges ? Quand tu te vois toi-même affligé après un péché et tourmenté en ton cœur et accusé par tes propres pensées, quand tu te vois flétri par ta conscience et fouetté de ses verges, pressens l'espoir de ta guérison et de ton salut. Car tu es plus avancé sur la voie de la conversion que ceux qui ne sentent même pas qu'ils ont péché, ne sont pas contristés par leurs fautes et ne subissent pas les fouets de leur conscience. Toi donc, si tu t'es vu flagellé et tourmenté en tes pensées et attendant comme proche l'espoir du salut, dis de ceux qui, certes, ont ainsi péché, mais ne se repentent pas ainsi de leurs fautes : « Aux peines humaines, ils n'ont point part et ne sont pas flagellés avec les hommes, c'est pourquoi l'orgueil les a saisis[f]. » Toi donc, si tu es tourmenté et affligé en ton cœur, dis au Seigneur : « Nombreux sont les fouets des pécheurs, mais ceux qui espèrent dans le Seigneur, la miséricorde les environnera[g]. »

Nous montrons donc que les fouets sont préparés pour les hommes de deux manières : soit de façon sensible, à l'extérieur, quand nous sommes flagellés, ou par des maladies, ou des défauts, ou divers genres de souffrances, soit encore quand par le souvenir de nos fautes, notre

I, 12 (*SC* 232, p. 222). Il en est de même de celui qui participe au Christ : « Celui qui agit sous le souffle de Jésus... comme les prophètes qui n'exprimaient pas leurs propres idées mais la volonté de Dieu, est lui aussi au service de Dieu », *PEuch.* XXVIII (*GCS* II, p. 380). Cf. M. HARL, *Origène et la fonction révélatrice du Verbe incarné*, Paris 1958, p. 77, note 22, et p. 78, note 26 ; H. CROUZEL, *Origène et la connaissance mystique*, p. 489-490.

conscientiae stimulis terebramur in corde. Ad utrumque ergo conveniet dici : **Amove a me plagas tuas**[h].

45   Sed fortasse aliquis dicit : esto quia pro his cruciatibus qui extrinsecus inferuntur commoda huiuscemodi videatur oratio, quae cessasse supplicat cruciatus, numquid et cordis stimulum ac mentis rectum videbitur inhibere?

Mensura in omnibus quaeritur, multo magis in flagellis 50   mensura percommoda est, si enim fuerint ultra mensuram, nocebunt te etiam ipsa quae bona sunt. Et quid de flagellis dicam? *Mel* – inquit – *invenies, [Salomon] manduca quantum sufficit, ne forte satiatus evomas*[i]. Quod si in melle mensura utilis est, quanto rectius requiretur et ser-55   vabitur in flagellis? Propter quod et apostolus verens nimia flagella cordis eius qui deliquerat et nimium tristabatur, dicebat : *Ne forte maiore tristitia absorbeatur qui huiusmodi est*[j].

8. In increpationibus pro iniquitate erudisti **hominem, et tabescere fecisti sicut araneam animam eius**[a]. Anima quae peccat crassior efficitur. Talis namque est natura peccati, propter quod et scriptum est : *Incras-5   satum est cor populi huius*[b]. Sicut autem peccatum incrassescere facit, ita econtrario virtus subtilem animam reddit et ut extorqueam quodammodo vocabuli novitatem, omne

---

h. Ps. 38, 11.   i. Prov. 25, 16.   j. II Cor. 2, 7.
8. a. Ps. 38, 12.   b. Matth. 13, 15.

---

1. Cette idée se retrouve chez Cassien : « Le jeûne et la prière ont pour but d'amincir tellement l'âme qu'elle perde le goût des choses terrestres et ne veuille plus contempler que les célestes. » Et plus loin : « Si, nous laissant gagner par la négligence, nous quittions ces saints exercices, on verrait par une pente fatale, l'âme épaissie par la malpropreté des vices, pencher bientôt du côté de la chair pour enfin s'y

cœur est taraudé par les remords d'une conscience qui
nous harcèle. Dans l'un et l'autre cas, il conviendra donc
de dire : «Détourne de moi tes coups[h].»

Garder la mesure   Mais peut-être quelqu'un dit-il :
«D'accord, pour ces tourments qui
sont infligés de l'extérieur, une telle prière qui supplie
de faire cesser le tourment semble avantageuse; semblera-t-il bon aussi d'empêcher le remords du cœur et
de l'âme?»

Une mesure est requise en toutes choses; encore plus
dans les fouets une mesure vient-elle fort à point, car
s'ils dépassent la mesure, ils te feront du mal, ceux-là
mêmes qui sont bons. Et pourquoi parler de fouets?
«Trouves-tu du miel, dit (Salomon), mange-en ce qui te
suffit, de peur de le vomir si tu t'en gaves[i].» Si pour le
miel, une mesure est utile, à plus forte raison est-elle à
chercher et à garder dans les fouets! Voilà pourquoi
l'Apôtre aussi, craignant de trop grands fouets pour le
cœur de celui qui avait péché et en était fort attristé,
disait : «De peur qu'un tel homme ne soit dévoré par
une trop grande tristesse[j].»

L'âme s'épaissit   **8.** «Par des réprimandes pour son
iniquité, tu as instruit l'homme et
tu as dissous son âme comme une toile d'araignée[a].»
L'âme qui pèche devient plus épaisse. Car telle est la
nature du péché, c'est pourquoi il est écrit : «Le cœur
de ce peuple s'est épaissi[b].» Mais comme le péché rend
épais, ainsi au contraire, la vertu rend l'âme fine[1] et, pour
chasser en quelque sorte ce que le mot a d'étrange, fait
disparaître et enlève tout ce qu'il y a en elle de cor-

ruer», CASSIEN, *Conférence* I, 17 (*SC* 42, p. 98-99). Voir aussi *Conférence* III, 7 (*SC* 42, p. 147).

quod in ea corporeum est, abstergit et perimit et purius
eam incorpoream reddit. Quia autem crassescat, et ut ita
10 dicam carnea efficiatur anima peccatoris, indicatur ex eo
quod scriptum est : *Non permanebit spiritus meus in hominibus istis, quia caro sunt*[c]. Carnem sine dubio animas
nominat crassiores et peccatrices.

Si ergo incrassescat anima, ut efficiatur caro, quid
15 remedii Deus praeparet, docet : **In increpationibus –**
inquit – **pro iniquitate erudisti hominem, et tabescere
fecisti sicut araneam animam eius**[d]. Est ergo opus Dei
1408   ut tabescere faciat et consumat omne quidquid crassioris
est materiae quo circumdatur anima, ut extenuet et elimet
20 prudentiam carnis[e], et ita demum animam ad subtilem
rerum caelestium et invisibilium revocet intellectum.

Talia quaedam invenimus sub sacramento non minimo
apud Ezechielem prophetam designari, cum in lebetem,
vel cacabum, carnes immitti dicuntur et decoqui, et dicitur
25 quia coctae sunt et detabuerunt, vel decoctae sunt carnes
et excoctum est ius[f]. Scripta sunt haec iisdem ipsis sermonibus, pro eo quod lebetes vel cacabi nos suscipient
flammis succensi, in quos iniciemur nos qui animas nostras
incarnavimus, vel incrassavimus, si non prius dum in hoc
30 mundo sumus, prevenerimus per paenitentiam ut tabescant
carnes nostrae, et crassitudo animae ad subtilitatem dedu-
catur araneae. Si hinc adhuc carnes fuerimus egressi, mit-
temur in illos cacabos qui succenduntur lignis, vel feno,

---

c. Gen. 6, 3.   d. Ps. 38, 12.   e. Cf. Rom. 8, 7.   f. Cf. Éz. 24,
3-5.

porel et la rend plus purement incorporelle. Or, que l'âme du pécheur s'épaississe et qu'elle devienne pour ainsi dire de chair, c'est indiqué par ce qui est écrit : « Mon Esprit ne demeurera pas dans ces hommes, car ils sont chair[c]. » Sans aucun doute, il nomme « chair » les âmes plus épaisses et pécheresses.

Dieu y porte remède   Si donc l'âme s'épaissit au point de devenir chair, le prophète nous apprend quel remède Dieu lui prépare : « Par des réprimandes pour son iniquité, tu as instruit l'homme et tu as dissous son âme comme une toile d'araignée[d]. » C'est donc le travail de Dieu de liquéfier et de détruire tout ce qu'il y a de matière épaisse qui entoure l'âme, pour amincir et limer la sagesse de la chair[e], et finalement ramener ainsi l'âme à une fine intelligence des réalités célestes et invisibles.

La viande dans la marmite   Nous trouvons des choses semblables signifiées chez le prophète Ézéchiel sous un symbole qui n'est pas sans importance, quand on parle de viandes mises dans un chaudron ou une marmite, et cuites ; et l'on dit qu'elles cuisirent et se dissolvèrent, ou bien que les chairs furent réduites par la cuisson et que le jus s'évapora[f]. Ceci fut écrit avec ces même mots-là, parce que des chaudrons ou des marmites embrasés par les flammes nous recevront ; nous y serons jetés, nous qui avons revêtu de chair nos âmes et les avons épaissies, si auparavant, tant que nous sommes en ce monde, nous n'avons pas pris les devants par la pénitence pour dissoudre nos chairs et réduire l'épaisseur de notre âme à la finesse de la toile d'araignée. Si nous avons encore été chair en quittant ce monde, nous serons mis dans ces marmites qui sont enflammées par « du bois, du foin ou de la

vel stipula, id est operibus nostris quae superposuerimus
35 fundamento Christi[g].

Tale est et illud, ut opinor, quod Ieremias dicit : *Vidi*
– inquit – *lebetem vel cacabum ardentem, et facies eius
a facie aquilonis*[h]. Vel iterum cum virgam vidit nuceam[i].
Requiramus ergo de ista sententia, quod propterea simul
40 virgam ostendit, et cacabum igne succensum, ut si quidem
disciplinas accipias per virgam et emendaris, cacabo suc-
censo non indigeas; si vero permanes indisciplinatus et
virga non emendaris, id est verbo correptus vel confu-
tatus non paenites et tali virga correptus qualem dicit
45 Paulus : *Quid vultis, in virga veniam ad vos, aut in caritate
spiritus et mansuetudinis*[j] *?*, si ergo tali virga non emendaris, in cacabum mitteris, et cacabus succendetur. Propterea ergo vidit Ieremias simul utrumque, et virgam et
cacabum succensum, ut intuentes utrumque, alterum
50 videamus ex altero. Haec propter hoc quod scriptum est :
Tabescere fecisti sicut araneam animam eius[k].

9. Si ergo sermonem ad naturam animalis istius retor-
quemus, ex illa parte qua opus subtilissimum et quod
vix oculus comprehendere potest expleat, apta videbitur
expositio ista quam superius explanavimus. Si vero quis
5 ad illud referat quod Isaias in libro suo scribit quia :
Telam araneae texuerunt[a], aliter accipiendum est : quia
omnia quae texit et agit peccator, tam nihil scias esse

---

g. Cf. I Cor. 3, 11-12.   h. Jér. 1, 13.   i. Cf. Jér. 1, 11.   j. I Cor.
4, 21.   k. Ps. 38, 12.
9. a. Is. 59, 5.

---

1. AMBROISE reproduit les citations de Jérémie et Ézéchiel en *EnPs.*
38, 34 (*PL* 14, 1055 AB).

paille», c'est-à-dire par les œuvres que nous aurons super-
posées sur le fondement du Christ[g].

**Bâton
ou marmite ?**

Tel est bien aussi, je pense, ce que
dit Jérémie : «J'ai vu un chaudron
ou une marmite ardente, et son
ouverture est tournée vers le nord[h].» Ou encore quand
il vit une branche d'amandier[i 1]. Réfléchissons donc sur
cette phrase : elle montre à la fois un bâton et une
marmite embrasée par du feu pour que, si tu acceptes
les corrections infligées par le bâton et t'amendes, tu
n'aies pas besoin de la marmite embrasée. Mais si tu
demeures indocile et n'es pas amendé par le bâton (c'est-
à-dire si, corrigé et réfuté par la parole, tu ne te repens
pas ; et corrigé par un bâton tel que celui dont parle
Paul : «Que voulez-vous? Que je vienne à vous avec un
bâton, ou bien avec amour et dans un esprit de
douceur[j]?»), si donc tu n'es pas amendé par un tel bâton,
tu seras jeté dans la marmite, et la marmite sera mise
au feu. Voilà pourquoi Jérémie vit à la fois ces deux
objets : un bâton et une marmite embrasée, pour que,
les considérant tous deux, nous voyions l'un en fonction
de l'autre. Voilà pour ce qui est écrit : «Tu as dissous
son âme comme une toile d'araignée[k].»

**L'araignée
et sa toile**

9. Si nous rapportons ce texte à la
nature de cet animal, du fait qu'il
exécute une œuvre extrêmement
fine et que l'œil peut à peine saisir, cette explication
présentée plus haut semblera convenable. Mais si quelqu'un la rapporte à ce qu'Isaïe écrit dans son livre : «Ils
ont tissé des toiles d'araignée[a]», c'est à comprendre
autrement : tout ce que tisse et fait le pécheur, sache
que ce n'est rien, tout comme ces fils que tisse l'araignée,

1409   quam sunt illa quae texit aranea, licet varia videantur et
composita, licet exquisita quadam arte digesta.

10   Quanta texuerunt illi divites qui ante nos fuerunt, qui
divitias variis artibus et callidis adinventionibus congre-
gabant, qui magistratus, qui honores, qui consulatus
diversa vel ambitione vel crudelitate quaerebant, isti omnes
telas araneae texuerunt. Tam enim vana, tam frivola quam
15   est araneae textrina, fuerunt omnia quae gerebant, et
propterea tabefactae sunt sicut araneae animae eorum.
Verumtamen vanitas omnis homo[b]. Iam hoc in superioribus explanavimus.

10. Exaudi orationem meam, Deus, et depreca-
tionem meam, auribus percipe lacrimas meas[a].
Oportet iterum et cum lacrimis offerre orationem Deo[b]
et ex intimis viscerum penetralibus in precem Domini
5   commoveri, ut mens credens de iudicio futuro, recordationem delictorum suorum non absque lacrimis et lamen-
tatione recenseat, cum quis resolutus in lacrimis dicit ad
Dominum : *Effundo in conspectu tuo orationem meam*[c].

Auribus – ergo – **percipe lacrimas meas et ne sileas**
10   – inquit – **a me**[d], id est, orante me ne sileas. Sed quid?
Adhuc loquente me dic : Ecce adsum[e].

b. Ps. 38, 12.
10. a. Ps. 38, 13.   b. Cf. Hébr. 5, 7.   c. Ps. 141, 3.   d. Ps. 38,
13.   e. Cf. Is. 58, 9.

1. GRÉGOIRE DE NYSSE reprend l'idée développée plus haut en 38 II,
8 : «Le péché rend épais, alors qu'au contraire la vertu rend l'âme
fine», mais il en tire la conclusion opposée : la «toile d'araignée» est
un symbole de perfection et non de rien : «Celui qui veut se consacrer
au service de Dieu ne doit pas accabler son âme du vêtement d'une
vie épaisse et charnelle, mais rendre toutes ses actions légères comme

bien qu'ils semblent variés et ordonnés, bien qu'ils semblent agencés selon un art raffiné[1].

Des toiles d'araignée

Tout ce qu'ont tissé ces riches qui vécurent avant nous, eux qui amassaient des richesses par différents artifices et d'habiles inventions, eux qui recherchaient par différentes manières, ambition ou cruauté, qui une fonction publique, qui des honneurs, qui le consulat, tous ceux-là ont tissé des toiles d'araignée. Car aussi vain, aussi léger qu'une toile d'araignée fut tout ce qu'ils faisaient, et c'est pourquoi leurs âmes se dissolvèrent comme une toile d'araignée. «Vraiment tout homme est vanité[b]!» Cela, nous l'avons déjà expliqué plus haut.

Écoute ma prière

10. «Écoute ma prière, Dieu, et ma supplication; prête l'oreille à mes larmes[a].» Il faut de nouveau, et avec larmes, offrir une prière à Dieu[b] et, du plus profond du cœur, faire monter une prière au Seigneur, pour que l'intelligence, croyant au jugement futur, parcoure le souvenir de ses fautes non sans larmes et gémissements, avec celui qui, fondant en larmes, dit au Seigneur : «Je déverse en ta présence ma prière[c].»

«Prête donc l'oreille à mes larmes et ne garde pas le silence loin de moi[d]!», dit-il, c'est-à-dire : quand je prie, ne garde pas le silence. Mais quoi? Alors que je parle encore, dis : Me voici[e]!

---

une toile d'araignée par la pureté de sa vie et, tissant à neuf cette nature corporelle, se rapprocher de ce qui est sans poids, léger, aérien.» La «tunique aérienne» remplace la «tunique de peau»! *Vie de Moïse* II, 191 (*SC* 1 bis, p. 234-236).

11. Quia incola ego sum apud te et peregrinus sicut omnes patres mei[a]. Quia peregrinus sum, necessario etiam et incola sum, non enim sum sicut tu. Tu enim aeternus es solus, et nos quantum invenitur habemus initium. Ego autem si dignus efficiar esse apud te, incola tamen sum et peregrinus apud te : quia et omnes patres mei incolae fuerunt et peregrini apud te : et Abraham peregrinus est apud te[b], quia non erat semper, sed tunc esse coepit quando tu voluisti et Isaac et Iacob et omnes iusti.

12. Remitte mihi ut refrigerem priusquam abeam et amplius non ero[a], quoniam incola sum : donec apud te sum, tamdiu sum ; si autem a te exiero, perdidi etiam hoc ipsum quod sum et ero tamquam qui non sum. Denique propterea de peccatoribus dicit : *Et erunt tamquam qui non sunt*[b]. Et alibi : Qui vocavit ea quae non sunt[c]. **Remitte mihi ut refrigerem priusquam abeam, et amplius non ero**[d]. Sciendum tamen est quod in nobis est, sive ut simus sive ut non simus. Donec enim adhaeremus Deo et inhaeremus ei qui vere est, etiam nos sumus. Sin autem abscesserimus ab eo et non adhaeserimus Deo nostro, vitio in contrarium decidimus. Non ergo per hoc substantialis animae designatur interitus,

---

11. a. Ps. 38, 13. b. Cf. Gen. 23, 4.
12. a. Ps. 38, 14. b. Abd. 16. c. Cf. Rom. 4, 17. d. Ps. 38, 14.

---

1. Le texte grec du *Ps.* 38, 13 porte : ὅτι πάροικος ἐγώ εἰμι ἐν τῇ γῇ καὶ παρεπίδημος. Πάροικος est l'étranger domicilié dans une ville, sans droits politiques. Le terme a été souvent employé dans l'Église primitive pour exprimer la situation du chrétien dans le monde, étranger à ce monde, mais cependant habitant du monde. On peut voir à ce sujet les adresses de lettres comme celle sur le martyre de Polycarpe, ou

Un étranger

11. «Car je suis auprès de toi un étranger de passage, comme tous mes pères[a][1].» Puisque je suis un passant, je suis aussi forcément un étranger, car je ne suis pas comme toi. Toi en effet tu es seul éternel, mais nous, autant qu'on le voit, nous avons un commencement. Or moi, si je deviens digne d'être auprès de toi, je suis pourtant un passant et un étranger auprès de toi : car tous mes pères aussi furent des passants et des étrangers auprès de toi. Abraham aussi est un étranger auprès de toi[b], car il n'existait pas toujours et il commença d'exister quand tu l'as voulu, comme Isaac, et Jacob, et tous les justes.

**Être
ou ne pas être**

12. «Lâche-moi, pour que je reprenne haleine avant que je m'en aille, et je ne serai plus[a]», puisque je suis un étranger : tant que je suis près de toi, j'existe ; mais si je vais loin de toi, j'ai perdu le fait même d'être, et je serai comme celui qui n'est pas. Ainsi l'on dit des pécheurs : «Et ils seront comme ceux qui ne sont pas[b]» ; et ailleurs : Qui appela ceux qui ne sont pas[c]. «Lâche-moi, pour que je reprenne haleine avant que je m'en aille, et je ne serai plus[d].» Sachons toutefois qu'il tient à nous, ou d'être ou de ne pas être. Car, tant que nous adhérons à Dieu et nous attachons à celui qui est vraiment, nous aussi nous sommes. Mais si nous nous éloignons de lui et n'adhérons plus à notre Dieu, par le vice nous tombons dans l'état opposé. Ce n'est donc pas la mort de l'âme comme substance qui est signifiée par là, mais

celle écrite par les Églises de Lyon et de Vienne. Une Église qui vit comme une étrangère domiciliée, παροικία, s'adresse à une autre Église portant les mêmes qualificatifs. C'est ce mot signifiant «séjour en pays étranger», qui, de ce fait, a donné en français : «paroisse» et qui s'applique dans les premiers siècles à toute communauté chrétienne, qu'elle soit dirigée par un évêque, un prêtre ou un diacre.

sed non esse dicitur cum in eo non permanet qui vere
15 et semper est, ex quo ipse est.

Propterea ergo et sermo nos propheticus adhortatur
dicens : Post Dominum Deum nostrum ibimus, et ipsi
adhaerebimus[e]. Sed et nos ipsi dicamus : *Adhaesit anima
mea post te*[f], in Christo Iesu Domino nostro, cui est honor
20 et gloria in saecula saeculorum. Amen.

---

e. Cf. Jos. 24, 24.   f. Ps. 62, 9.   g. Cf. Rom. 16, 27.

on dit que l'homme n'est pas lorsqu'il ne demeure pas en Celui qui est vraiment et toujours, celui de qui lui-même a son être[1].

S'attacher au Seigneur   Voilà donc pourquoi la parole du prophète aussi nous exhorte par ces mots : Nous suivrons le Seigneur notre Dieu et nous adhérerons à lui[e]. Disons alors nous aussi : «Mon âme a adhéré à Toi[f]», dans le Christ Jésus, notre Seigneur, à qui sont honneur et gloire dans les siècles des siècles, Amen[g].

1. Cf. 36 V, 5, note 1 (p. 242-243).

HOMÉLIES
SUR LES PSAUMES
36 À 38

FRAGMENTS GRECS

Sur le Psaume 36

Fr. 1 *PG* XVII, 117C-120A3; Cf. 36 I, 1, 102-136; 2, 5-10.

Διαφέρει τὸ ζηλοῦν καὶ παραζηλοῦν. Παραζηλοῦν μὲν γάρ λέγεται τὸ ἐρεθίζειν, καὶ κινεῖν εἰς ζηλοτυπίαν, ὁποῖον τό· Αὐτοὶ παρεζήλωσάν με ἐπ' οὐ Θεῷ· τουτέστιν ἐκίνησαν ἐν ἐμοὶ ζῆλον, καὶ οἷον εἰς ὀργήν με ἠρέθισαν εἰδωλολα- τροῦντες. Ζηλοῦν δέ ἐστιν τὸ βούλεσθαι καὶ ἑαυτῷ ὑπάρχειν, ὃ παρεῖναι τῷ πέλας νενόμικεν ἀγαθόν. Τοῦτο οὖν λέγει· μήτε ἕτερον ἐρέθιζε πονηρευόμενον πρὸς τὸ ἀναστῆναι αὐτὸν κατά σου. Ἤγουν, Μὴ ποιήσῃς τοιαῦτα, ὡς τὸν πονηρὸν ζῆλον λαβεῖν κατά σου, ἐπεὶ ἐπιβουλεύει σοι. Οἷον· Εἰ μετὰ γνώμης τοῦ Δαβὶδ τὸν ὕμνον ἔλεγον αἱ νεάνιδες, τὸ Ἐπάταξεν ὁ Δαβὶδ ἐν μυριάσιν αὐτοῦ· αὐτὸς ἦν ὁ παραζηλῶν ἐν πονηρευομένοις, τῷ Σαούλ. Μήτε πάλιν μιμοῦ ἢ μακάριζε τοὺς τοιούτους, εὐθηνοῦντας ὁρῶν. Πρὸς ὀλίγον γὰρ ἀνθοῦντες, ξηραίνονται. Πᾶσα γὰρ σὰρξ χόρτος.

Fr. 2 *PG* XVII, 120B; Cf. 36 I, 3, 10-17; 40-45.

Τουτέστιν, Ἀγάπησον τὸ εὐδοκιμεῖν· δίψησον τῶν ἱερῶν χαρισμάτων τὴν κτῆσιν· ἀγάπησον τὰ τοῖς ἁγίοις τετηρημένα καὶ παρὰ Θεῷ τεθησαυρισμένα. Καὶ ποίει χρηστότητα· ὡς εἰ ἔλεγε τῷ ἀγρῷ· Ποίει τόνδε τὸν καρπόν. Οὕτως σοι τῷ ἀκροατῇ τῶν θείων μαθημάτων· Δὸς ἀγρῷ, φησὶν ὁ Λόγος· ποίει χρηστότητα, ἥτις μία ἐστὶ τῶν καρπῶν τοῦ Πνεύματος. Τὸ τῆς χρηστότητος ὄνομα ἐνταῦθα

Sur le Psaume 36

1. Envier et rendre jaloux, c'est différent. En effet, on appelle rendre jaloux le fait de provoquer et de susciter une attitude d'envie, comme : «Eux-mêmes m'ont rendu jaloux envers ce qui n'est pas Dieu», c'est à dire : ils ont excité en moi l'envie et ils m'ont comme provoqué à la colère en rendant un culte aux idoles. Envier c'est vouloir posséder soi-même aussi les biens que l'on sait être au prochain. Il dit donc ceci : Ne provoque pas un méchant pour le dresser contre toi. C'est-à-dire : ne fais pas cela pour que le méchant prenne envie contre toi, quand il t'est hostile.

Par exemple, si les jeunes filles disaient avec l'accord de David l'hymne : «David a frappé ses myriades», c'est lui qui exciterait la jalousie parmi les méchants, chez Saül. N'imite donc pas à ton tour ou n'estime pas heureux de tels hommes, les voyant prospères. Car fleurissant pour peu de temps, ils se dessèchent. Toute chair, en effet, est de la paille.

2. C'est-à-dire aime être estimé, aie soif d'acquérir de saints charismes. Aime ce qui est observé par les saints et thésaurisé près de Dieu. Et «produis la bonté»; comme si l'on disait à un champ : «Produis ce fruit», ainsi à toi qui écoutes les commandements de Dieu : Donne au champ, dit le Logos; produis la bonté qui est un des fruits de l'Esprit. Le nom de bonté signifie ici tout genre

κατασημαίνει πάντα τρόπον ἀρετῆς. Καὶ κατοίκει παρὰ
τὴν γῆν· προσδιατρίβων τῇ τῆς ψυχῆς ἐπιμελείᾳ καὶ
γεωργίᾳ· Ὅτι ὃ ἐὰν σπείρῃ ἄνθρωπος, ἐκεῖνο καὶ θερίσει.

Fr. 3 *PG* XVII, 120D-121A2; Cf. 36 I, 4, 2-21.

Ἔθος τῇ Γραφῇ δύο ἀνθρώπους εἰσάγειν· καὶ σχεδὸν
πάντα τὰ τοῦ χείρονος ἔχει καὶ ὁ κρείττων. Ἔστι γάρ
τις τροφὴ καὶ τοῦ ἔσω ἀνθρώπου, περὶ ἧς λέγεται· Οὐκ
ἐπ' ἄρτῳ μόνῳ ζήσεται ἄνθρωπος, ἀλλ' ἐν παντὶ ῥήματι
ἐκπορευομένῳ διὰ στόματος Θεοῦ. Ἔστι τι καὶ ποτόν·
Πίνομεν γὰρ ἐκ πνευματικῆς ἀκολουθούσης πέτρας. Καὶ
ἔνδυμα· ὅθεν ὁ μὲν ἁμαρτωλὸς ἐνεδύσατο κατάραν ὡς
ἱμάτιον, ὁ δὲ δίκαιος τὸν Κύριον Ἰησοῦν, καὶ σπλάγχνα
οἰκτιρμῶν, καὶ πανοπλίαν Θεοῦ.

Fr. 4 *PG* XVII, 121A2-15; Cf. 36 I, 4, 33-41; 60-65.

Οὕτως ὁ μὲν τῶν αὐτοῦ μόνον ἀκούων λόγων προ-
τρεπτικῶν τρέφεται· ὁ δὲ ἐπιδιδοὺς ἑαυτὸν ἑρμηνείᾳ νόμου,
διηγήσει προφητῶν, λύσει παραβολῶν εὐαγγελικῶν,
σαφηνείᾳ λόγων ἀποστολικῶν, κατατρυφᾷ τοῦ Κυρίου· καὶ
ἐσθίει οὐ πρὸς ἀνάγκην, οὐδὲ πρὸς μόνην τροφήν. Διδάσκει
οὖν ἡμᾶς κατατρυφῆσαι τοῦ Κυρίου. Καὶ γὰρ ὁ Θεὸς ἀπ'
ἀρχῆς βουλόμενος ἡμᾶς τρυφᾶν πνευματικῶς, ἐφύτευσε τὸν
παράδεισον τῆς τρυφῆς, καὶ τὸν χειμάρρουν τῆς τρυφῆς
ἐχαρίσατο. Οὐδεὶς δὲ δύναται καὶ σαρκὶ καὶ πνεύματι
τρυφᾶν, ἀλλ' εἰ μὲν σαρκὶ ἐτρύφησεν, ὡς ὁ πλούσιος, στε-
ρηθήσεται τῆς μετὰ Ἀβραὰμ τρυφῆς· εἰ δὲ ἄρτον κακώσεως
ἔφαγεν, ὡς ὁ πένης, ἐκεῖ τρυφᾷ καὶ ἀναπαύεται.

de vertu. «Et habite auprès de la terre», passant ton temps à prendre soin de l'âme et à la cultiver. Car «ce que sème l'homme, il le récoltera aussi».

3. C'est l'habitude, pour l'Écriture, de présenter deux hommes; et presque tout ce qu'a le plus mauvais, le meilleur l'a aussi. Car il y a également une certaine nourriture de l'homme intérieur dont il est dit : «L'homme ne vivra pas seulement de pain, mais de toute parole qui sort de la bouche de Dieu.» Il y a aussi une boisson : «Car nous buvons à un Rocher spirituel qui nous accompagne.» Et il y a un vêtement : quand le pécheur a revêtu la malédiction comme un manteau, et quand le juste a revêtu le Seigneur Jésus, avec des sentiments de compassion, et la panoplie de Dieu.

4. Ainsi celui qui entend seulement ses paroles d'exhortation est nourri; celui qui s'adonne à l'explication de la Loi, à l'exposition des prophètes, à l'interprétation des paraboles évangéliques, à l'explication des paroles des apôtres, prend ses délices dans le Seigneur; et il mange non par nécessité, ni pour la nourriture seule. Il nous apprend donc à prendre nos délices dans le Seigneur.

Car Dieu, voulant depuis le début que nous soyons dans les délices spirituelles, planta un Paradis de délices et nous gratifia d'un torrent de délices. Personne ne peut être dans les délices par la chair et par l'esprit; mais si l'on est dans les délices par la chair, comme le riche, on sera privé des délices reçus avec Abraham; si l'on mange le pain d'affliction, comme le pauvre, là-bas on est dans les délices et l'on se repose.

Fr. 5 *PG* XVII, 121BC; Cf. 36 I, 4, 69-102; 5, 1-8.

Ὁ Κύριος δικαιοσύνη ἐστίν, ἀλήθεια, σοφία, ἁγιασμός·
ἐὰν τρυφήσῃς οὖν καὶ ἐν τοῖς τῆς σοφίας θεωρήμασιν, ἐν
ταῖς πράξεσι τῆς δικαιοσύνης, πεπλήρωται τό· Κατατρύφησον τοῦ Κυρίου. Τρυφὴ τοιγαροῦν, τὸ ἔνοικον ἔχειν
τὸν πάντα ζωογονοῦντα Θεὸν Λόγον, τὸν ἄρτον τῆς ζωῆς·
καὶ αὐτὸν ἔχοντες ἐν ἑαυτοῖς, ληψόμεθα πάντα τὰ αἰτ-
ήματα, οὐχ ἁπλῶς, ἀλλὰ τὰ τῆς καρδίας. Νοήσεις δὲ τὸ
λεγόμενον, ἐὰν προσωποποιήσῃς ἕκαστον τῶν μελῶν, καὶ
ἴδῃς πῶς κατὰ φύσιν αἰτεῖ. Ὁ γοῦν ὀφθαλμός, εἰ εἶχε
φωνήν, ἔλεγεν ἄν σοι· Αἰτῶ φῶς, αἰτῶ χρώματα βλέπειν
κατάλληλα ἐμοί. Ἡ ἀκοή· Αἰτῶ φωνὴν ἐμμελῆ, ἡδεῖαν.
Ἡ γεῦσις· Αἰτῶ γλυκέα, φεύγω τὰ πικρά. Ἡ ἁφή· Αἰτῶ
ἅπτεσθαι λείων, τρυφερῶν, προσηνῶν· οὐ πυρός, οὐ
τραχέων, οὐδὲ κεντούντων. Ὡς οὖν ἑκάστου τῶν
αἰσθητηρίων ἐστὶν αἴτησις κατάλληλος καὶ φυγή· καὶ
ὀφθαλμὸς μὲν αἰτεῖ τὸ φῶς, ἡ ὄσφρησις δὲ τὸ εὐῶδες, ἡ
ἀκοὴ τὸ ἐμμελές, καὶ τὰ λοιπὰ ὁμοίως· οὕτως ἡ καρδία
τὰ νοήματα, ἅπερ ληψόμεθα παρὰ Κυρίου, ἐὰν μηδὲν
ἀλλότριον τῆς αὐτοῦ τρυφῆς ἔχωμεν ἐν ταῖς καρδίαις. Τότε
δυνησόμεθα ἀποκαλύπτειν αὐτῷ τὴν ὁδὸν ἡμῶν. Ἐποπ-
τεύει γὰρ ὁ τῶν ὅλων Θεὸς τὴν τῶν σεβομένων αὐτὸν
εὐαγῆ πολιτείαν· ἀποστρέφεται δὲ τὴν τῶν οὐκ ὀρθῶς ζῆν
ἑλομένων.

Fr. 6 *PG* XVII, 121D; Cf. 36 I, 5, 19–6, 26.

Ἔσο, φησίν, φανερῶς τὴν ἀρέσκουσαν αὐτῷ βαδίζων
ὁδόν, τουτέστι, γυμνὴν καὶ ἀναμφίαστον τῷ Θεῷ τὴν
σεαυτοῦ δεικνὺς πολιτείαν· καὶ ἔλπισον ἐπ' αὐτόν, αὐτὸς
δὲ ποιήσει. Ἐν τῷ μέλλοντι αἰῶνι ἐμφανῶς καταστήσει,

5. Le Seigneur est Justice, Vérité, Sagesse, Sanctification. Si donc tu es dans les délices en contemplant la sagesse, en pratiquant la justice, la parole : «Prends tes délices dans le Seigneur» s'est réalisée. Ainsi donc les délices, c'est d'avoir, habitant en soi, le Dieu-Verbe qui fait vivre toutes choses, le Pain de Vie. Et l'ayant en nous-mêmes, nous recevons l'objet de toutes les demandes, non pas des demandes en général, mais de celles du cœur.

Tu comprendras ce qui est dit si tu personnifies chacun des membres. Et vois comment il demande selon sa nature. L'œil donc, s'il avait la voix, te dirait : Je demande la lumière, je demande à voir les couleurs qui me plaisent. L'oreille : Je demande une voix harmonieuse, agréable. Le goût : Je demande des douceurs, je fuis ce qui est amer. Le toucher : Je demande à toucher des choses lisses, tendres, douces, non pas du feu ou des choses rudes ou piquantes.

Donc chacun des sens a la demande et le refus qui lui correspondent : l'œil demande la lumière, l'odorat la bonne odeur, l'oreille ce qui est harmonieux et le reste de même. Ainsi le cœur demande des pensées telles que nous les recevons du Seigneur, si nous n'avons rien d'étranger à ses délices dans nos cœurs.

Alors nous pourrons lui dévoiler notre chemin. Car le Dieu de tous surveille la sainte conduite de ceux qui l'honorent; il se détourne de ceux qui ne choisissent pas une vie droite.

6. Marche franchement sur le chemin qui lui plaît, dit-il, c'est-à-dire découvre à Dieu ta manière de vivre, nue et dévoilée; et «espère en lui, lui-même agira». Dans le temps à venir, il montrera visiblement et découvrira pour

καὶ οἷον περίοπτον ἀποφανεῖ, λαθεῖν οὐχ ἐῶν τῆς σῆς
εὐζωΐας τὸ κάλλος. Ἔσται γὰρ ἅπασιν ἐναργὴς ἡ δικαιοσύνη
σου, δίκην φωτὸς ἀναλάμπουσα μεσημβρινοῦ. Μεσημβρία
γε μὴν ὀνομάζεται τῆς ἡμέρας αὐτὸ τὸ μεσαίτατον. Καὶ
σε κρινεῖ ἄξιον εἶναι φωτὸς ἐκεῖ. Ἐπειδὴ οὖν πᾶς ὁ φαῦλα
πράσσων, οἷον ὁ πορνεύων, μισεῖ τὸ φῶς, καὶ τὸ ὅσον
ἐφ᾽ ἑαυτῷ, κρύπτει ἃ ποιεῖ, ἵνα μὴ ἐλεγχθῇ· θέλει γὰρ
μὴ γνωσθῆναι τὴν πορνείαν αὐτοῦ· διὸ καὶ ἐπικρύπτει τὴν
ὁδὸν αὐτοῦ, ἣν ὥδευσεν· ὁ δὲ ποιῶν τὴν ἀλήθειαν, οἷον
ὁ σωφρονῶν, θέλει αὐτὴν φανερῶσαι, οὐκ ἀνθρώποις, ἵνα
μὴ ἀπέχῃ τὸν μισθὸν ἀπὸ τῶν ἀνθρώπων, ἀλλὰ τῷ Θεῷ·
διὰ τοῦτο εἴρηται· Ἀποκάλυψον πρὸς Κύριον τὴν ὁδόν σου,
τουτέστι, δεῖξον αὐτῷ τὸν σὸν ἐπίμωμον βίον, καὶ αὐτὸς
θεραπεύσει σε ἀπὸ τῶν τραυμάτων, καὶ ποιήσει τὸν ῥυπαρὸν
καθαρόν. Κἂν γένῃ καλὸς καὶ ἀγαθός, ἐγκαυχήσεταί σοι·
καὶ ἐπεὶ μὴ ὢν κενόδοξος ἔκρυπτες τὴν δικαιοσύνην σου,
αὐτὸς φανερὸν ποιήσει, καὶ οὕτως ἐπιφανῇ, ὥσπερ ἥλιον
ἐν μεσημβρίᾳ.

Fr. 7 PG XVII 124B; Cf. 36 II, 1, 90-104.

Ὑποταγὴν οὖν ἐνταῦθα λέγει τὴν τῶν κακῶν ἀναχώρησιν.
Οὐδεὶς γὰρ ἁμαρτάνων ὑποτέτακται τῷ Κυρίῳ. Ἔστω,
φησίν, ὅτι ἤδη ὑπετάχθην· τί ποιῶ περὶ τῶν προτέρων;
Ἱκέτευσον αὐτόν, λέγων· Μὴ μνησθῇς ἡμῶν ἀνομιῶν
ἀρχαίων. Ὥστε οὐ δεῖ πρότερον περὶ ἁμαρτίας ἱκετεύειν,
ἢ ὑποταγέντα τῷ Κυρίῳ, τουτέστιν ἐκστάντα τῆς ἁμαρτίας.
Ἔτι γὰρ ὄντα ἐν ἁμαρτίαις ἄφεσιν ἁμαρτιῶν αἰτεῖν, πάνυ
ἄλογόν ἐστι.

Fr. 8 PG XVII, 124C-125A2; Cf. 36 II, 2, 14-31.

Μὴ μιμήσῃ, φησίν, εὐδαιμονίαν ἐκ παρανομίας συγκρο-
τουμένην· μηδὲ εἰς κακίαν ἐρεθίζου, κἂν ὁρᾷς τὸ κακὸν
εὐοδούμενον, δέον λογίσασθαι, ὅτι ὁ αἰὼν οὗτος τούτων

ainsi dire de tous côtés sans qu'elle soit cachée, la beauté de ta vie vertueuse.

Car ta justice sera visible à tous, resplendissante, à la manière de la lumière de midi. On appelle midi le parfait milieu du jour. Et là même, il te jugera digne d'être lumière. Car tout homme qui fait le mal, comme le prostitué, hait la lumière, et, autant qu'il le peut, cache ce qu'il fait pour ne pas être blâmé. Car il veut que sa prostitution ne soit pas connue ; c'est pourquoi il cache son chemin, celui qu'il suit. Mais celui qui fait la vérité, comme le sage, veut qu'elle soit découverte, non pas aux hommes, pour ne pas recevoir une récompense des hommes, mais à Dieu. C'est pourquoi on dit : «Dévoile au Seigneur ton chemin», c'est-à-dire montre-lui ta vie blâmable, et lui te guérira de tes blessures, et il rendra pur celui qui est souillé. Si tu deviens beau et bon, il se glorifiera de toi. Et puisque, sans être épris de vaine gloire, tu cachais ta justice, lui-même la rendra claire et ainsi la révélera, comme le soleil à midi.

7. Il appelle donc ici soumission, le retrait du mal. Car aucun pécheur n'est soumis au Seigneur. «Admettons, dit-il, que je sois déjà soumis.» Que faire du passé? Supplie-le disant : «Ne te souviens pas de mes fautes anciennes.»

De la sorte il ne faut pas supplier pour les péchés avant d'être soumis au Seigneur, c'est-à-dire être sorti du péché. Car alors qu'on est encore dans le péché, demander le pardon des péchés est fort déraisonnable.

8. N'imite pas, dit-il, le bonheur forgé en violant la loi. Ne sois pas provoqué au mal, et même si tu vois le méchant prospérer, il faut penser que ce siècle-ci est

ἐστὶ τῶν μὴ ἐχόντων ἄλλην ἐλπίδα. Εὐτυχείτωσαν ἐν αὐτῷ καὶ ἐχέτωσαν τὰ νομιζόμενα ἀγαθά. Ἡμεῖς δὲ εἰς ἄλλον αἰῶνα βλέπομεν ζωῆς· καὶ ἡ ἐλπὶς ἡμῶν, ἐξῆς τούτῳ τῷ αἰῶνί ἐστιν. Οὐχ οἷόν τέ ἐστι τὰ ἀγαθὰ ἐν τούτῳ τῷ αἰῶνι ἔχειν καὶ ἐν ἐκείνῳ· εἰ γὰρ ἐν τούτῳ ἔχει (τις), ἐκεῖ κολαζόμενος ἀκούσεται· Ἀπέλαβες τὰ ἀγαθά σου ἐν τῇ ζοῇ σου. Ἀναγκαίως μέντοι προστέθειται τό· Ἐν ἀνθρώπῳ ποιοῦντι παρανομίαν. Τῶν τοιούτων γάρ, φησί, τὴν μίμησιν παραιτεῖσθαι χρή· καὶ χρήσιμον σφόδρα τοῦ ἀποφοιτᾶν τῷ παραζηλοῦν αὐτούς. Εὐοδοῦνται γάρ, ἤτοι τὴν ἐν πράγμασι τοῖς ἰδίοις εὐοδίαν ἔχειν ὑπολαμβάνονται, οὐ ψήφοις ταῖς ἄνωθεν τὸ χρῆμα κερδαίνοντες, ἀλλ' ἐκ τοῦ πλεονεκτεῖν καὶ ἁρπάζειν τὰ ἑτέρων ἔσθ' ὅτε. Τὴν οὖν εὐόδωσιν, τὴν ἐπὶ τὸ χεῖρον προκοπὴν λέγει. Ἐπειδὴ δὲ πολλοὶ ἐν δικαιοσύνη ζῶντες, ὅταν ἴδωσιν ἑαυτοὺς ἐν πόνοις, τὸν δὲ ἁμαρτωλὸν ἐν πᾶσι πρὸς καιρὸν εὐοδούμενον, ὀργισθέντες· τῆς δικαιοσύνης ἀφίστανται, τοῦτο δὲ ἀνοίας τῆς ἐσχάτης· διὰ τοῦτο μακροθυμεῖν διδάσκων ὁ λόγος, καὶ τῆς δικαιοσύνης τοῦ Θεοῦ τὸν καρπὸν προσδέχεσθαί φησι.

Fr. 9 PG XVII, 125A5-B1; Cf. 36 II, 3, 1-14; 28-33.

Ἐπωφελὲς τὸ παράδειγμα, καὶ τοῖς ὑποτεταγμένοις Θεῷ πρεπωδέστατον. Χρὴ γάρ, φησί, πράους εἶναι, καὶ εὖ μάλα καθεστηκότας, καὶ εὐταξίαν ἔχοντας εἰς νοῦν, ἀγαπῶντάς τε διαπαντὸς τὴν ἀπὸ τῆς μακροθυμίας εὐοδίαν, καὶ τῶν ἐξ ὀργῆς κυμάτων ἀποφοιτᾶν. Τῶν γὰρ παθῶν τινα μὲν οὐ πίπτει εἰς πολλούς, ἀλλὰ καὶ οἱ τυχόντες ἀπέβαλον αὐτὰ προκόπτοντες. Τὸ γὰρ μιαρὸν τοῦτο πάθος, ἡ ὀργή, ἐκκαίει καὶ τοὺς δοκοῦντας εἶναι φρονίμους, καὶ ταράσσει· οὐ τινὰ μέν, τινὰ δ' οὔ· ἀλλὰ κινδυνεύω λέγειν πάντας ἀνθρώπους παρὲξ τοῦ τελείου, ἐάν που εὑρεθῇ τις τέλειος.

celui de ceux qui n'ont pas d'autre espérance. Qu'ils y réussissent et qu'ils aient ce qu'ils pensent être des biens! Mais nous, nous regardons vers un autre siècle où est la vie, et notre espérance est après ce siècle-ci.

Il n'est pas possible d'avoir les biens en ce siècle-ci et dans l'autre. Car si (quelqu'un) possède en ce siècle, là-bas, châtié, il entendra : «Tu as reçu tes biens durant ta vie.» Certes, il est nécessaire d'ajouter : Pour l'homme qui fait le mal. Car, dit-il, il faut se garder d'imiter de telles gens, et il est fort utile de s'abstenir de les jalouser. Car ils réussissent ou on pense qu'ils réussissent dans leurs propres affaires, ne gagnant pas ce qu'ils ont avec l'assentiment d'en-haut, mais en cherchant à avoir plus et en ravissant parfois les biens des autres.

Il appelle donc réussite, le progrès vers le mal. Puisque beaucoup de ceux qui vivent dans la justice s'irritent quand ils se voient eux-mêmes peiner tandis que le pécheur réussit en tout à son avantage, et s'éloignent de la justice, ce qui est de la dernière folie, pour cela la Parole, apprenant à prendre patience, dit qu'on recevra le fruit de la justice de Dieu.

9. Que t'aide l'exemple qui convient très bien aussi à ceux qui sont soumis à Dieu. Car il faut, dit-il, qu'ils soient doux, et que, bien posés, avec des pensées modérées, aimant sans cesse la juste voie de la patience, ils s'éloignent des flots de la colère.

Car certaines passions ne sont pas le lot de beaucoup, mais ceux qui les ont les perdent en progressant. Car cette passion néfaste, la colère, brûle même ceux qui semblent être sages et les trouble. Non pas : l'un et pas l'autre, mais je prends le risque de dire : tous les hommes, sauf le parfait, si l'on trouve quelque part quelqu'un de parfait.

Fr. 10 *PG* XVII, 125C1-9; Cf. 36 II, 4, 39-47.

Ὥσπερ δέ ἐστιν ὁ Σωτὴρ σοφία, Λόγος, εἰρήνη καὶ δικαιοσύνη, οὕτως καὶ ὑπομονή. Γέγραπται γάρ· Καὶ νῦν τίς ἡ ὑπομονή μου; οὐχὶ Κύριος; Ἀφ' οὗ ἀρύεσθαί ἐστι καὶ λαμβάνειν πάντα, ἃ λέγεται εἶναι κατὰ τὰς Γραφὰς ὁ Χριστός. Ὡς γὰρ μετοχῇ αὐτοῦ δίκαιοι γινόμεθα καὶ σοφοί, καὶ εἰρηνεύομεν· οὕτως καὶ μετοχῇ αὐτοῦ ὑπομένομεν. Ἡσύχαζε οὖν ὑπομένων καὶ ἐκδεχόμενος τὸν Θεόν, μὴ ταραττόμενος τοῖς παροῦσι.

Fr. 11 *PG* XVII, 125CD; Cf. 36 II, 6, 1-10.

Οἱ ἀπὸ Οὐαλεντίνου καί τινων ἑτέρων, οἰόμενοι τὸν Σωτῆρα λέγειν τὰ μὴ εἰρημένα ἐν τοῖς παλαιοῖς Γράμμασιν, ἐντεῦθεν ἐλεγχέσθωσαν, ἀκούοντες, ὅτι Μακάριοι πραεῖς, ὅτι αὐτοὶ κληρονομήσουσι τὴν γῆν. Εἴρητο μὲν καὶ πρότερον διὰ Δαβὶδ ὑπὸ τοῦ αὐτοῦ Πνεύματος.

Fr. 12 *PG* XVII, 128AB; Cf. 36 II, 7, 2-14.

Ἐντεῦθεν μανθάνομεν, ὅτι, ὥσπερ πέφυκεν ἐναντίον εἶναι σκότος καὶ φῶς, οὕτω ὁ ἁμαρτωλὸς τῷ δικαίῳ. Ἐὰν οὖν ἴδῃς τότε μισούμενον τὸν δίκαιον, μὴ ὄκνει λέγειν περὶ τοῦ μισοῦντος αὐτόν, ὡς ἔστιν ἁμαρτωλός. Οἱ γὰρ φρονοῦντες τὰ κοσμικά, καὶ τῇ τοῦ παρόντος βίου τύρβῃ τὸν ἑαυτῶν ἐνδήσαντες νοῦν, ἀεί πως ἐπιμεμήνασι τοῖς τὸν εὐαγῆ καὶ ἀπόλεκτον διαβιοῦσι βίον, καὶ ἐχθρὸν ἡγοῦνται τῆς δικαιοσύνης τὸν ἐραστήν.

10. Comme le Sauveur est Sagesse, Parole, Paix et Justice, il est aussi Patience. Car il est écrit : « Et maintenant, quelle est ma patience? N'est-ce pas le Seigneur? » De lui il est possible de puiser et de prendre tout ce que, selon les Écritures, le Christ est dit être.

Car en participant à lui, nous devenons justes et sages, et nous sommes pacifiés; de même aussi, en participant à lui nous prenons patience. Reste donc dans la paix, prenant patience et attendant Dieu, sans être troublé par ce qui arrive.

11. Que les adeptes de Valentin, et de quelques autres, pensant que le Sauveur a dit ce qui n'est pas écrit dans les anciennes Écritures, soient convaincus ici de leur erreur en entendant : « Heureux les doux, car ils recevront la terre en héritage. » Mais cela avait été dit aussi auparavant par David sous l'action du même Esprit.

12. Nous apprenons ici que, comme les ténèbres et la lumière s'opposent par nature, ainsi le pécheur s'oppose au juste. Si donc tu vois un jour le juste haï, n'hésite pas à dire de celui qui le hait que c'est un pécheur. Car ceux qui songent aux choses du monde et qui ont attaché leur pensée au tumulte de la vie présente, sont toujours de quelque manière transportés de fureur contre ceux qui passent une vie sainte et choisie, et ils tiennent pour ennemi celui qui aime la justice.

Fr. 13 *PG* XVII, 128B-C14; Cf. 36 II, 8, 4-43.

Ὥσπερ ἐστὶ πανοπλία Θεοῦ τις, οὕτως ἐστί τις πανοπλία τοῦ διαβόλου, ἣν ὁ αὐτοῦ στρατιώτης ἐνδέδυται· τὸν θώρακα τῆς ἀδικίας, τὴν περικεφαλαίαν τῆς ἀπωλείας, τὸν θυρεὸν τῆς ἀπιστίας, τὴν μάχαιραν τοῦ πονηροῦ πνεύματος, ἣν σπᾶται ἁμαρτωλός, οὗ οἱ πόδες ἐπ' ἀδικίαν τρέχουσιν. Ἔστι τις ἑτοιμασία τοῦ Εὐαγγελίου, ἔστι καὶ ὑπόδημα ἑτοιμότατον εἰς τὴν ἁμαρτίαν. Ἐνταῦθα οὖν ῥομφαίαν ἐσπάσαντο· ὅτι πρόχειρον ἔχουσι τὴν ἁμαρτίαν, καὶ ἕτοιμοί εἰσιν ἐπὶ τὸ ποιεῖν αὐτήν· οἱ κρύπτοντες ἐν τῷ κουλεῷ τῆς ἁμαρτίας τὴν ῥομφαίαν τοῦ πονηροῦ πνεύματος. Βέλος τῶν δικαίων, Χριστός ἐστιν Ἰησοῦς. Ἔθηκας ὡς βέλος ἐκλεκτόν. Ὁ λόγος τῶν ἁμαρτωλῶν βέλος ἐστίν· ἁμαρτίας ἰὸν ἔχει· τιτρώσκει τὸν μὴ καθωπλισμένον τῷ τῆς πίστεως θυρεῷ. Οἴδασιν, ὅτι οὐ δύνανται καταβαλεῖν πλούσιον πλουτοῦντα ἐν σοφίᾳ, ἐν ἔργοις ἀγαθοῖς. Διὰ τοῦτο τὴν ἀρχὴν οὐδὲ ἐπιβάλλουσιν αὐτῷ. Ἀλλ' ἡ πᾶσα ἐπιβουλή ἐστι κατὰ τοῦ πτωχοῦ·

Fr. 14 *PG* XVII, 128C15-D8; Cf. 36 III, 1, 27-55.

Καλὸν μὲν οὖν μὴ ἔχειν ῥομφαίαν ἁμαρτίας· δεύτερον δὲ, ἔχοντα, μὴ σπᾶσθαι αὐτήν, ἀλλὰ ποιεῖν αὐτὴν ἡσυχάζειν. Ἀργοῦσα γάρ, οὐ μόνον ἰοῦται, οὐδὲ ἀμβλύνεται, ἀλλὰ τέλεον ἐξαφανίζεται. Καὶ οὐ χρείαν ἔχομεν πυρός, ὅπου ἑκάστου τὸ ἔργον δοκιμάζεται· ὁ Πέτρου μὲν οὐχ ἅπτεται, ἀλλ' ἀκούει, Κἂν διέλθῃ διὰ πυρός, φλὸξ οὐ κατακαύσει σε· ἁμαρτωλῶν δὲ ἅπτεται ἡ λίμνη τοῦ πυρός, ὡς ἡ Ἐρυθρὰ Αἰγυπτίων, οὐ μὴν καὶ Ἑβραίων.

13. Comme il y a une armure de Dieu, ainsi il y a une armure du diable dont est revêtu son soldat : la cuirasse de l'injustice, le casque de la perdition, le bouclier de l'incroyance, le glaive de l'esprit mauvais que dégaine le pécheur dont les pieds courent vers l'injustice.

Il y a un apprêt pour l'Evangile, il y a aussi une chaussure toute prête pour le péché. Et donc, ils ont alors tiré le glaive, parce qu'ils ont le péché à portée de leur main et sont prêts à le faire, eux qui cachent dans le fourreau du péché le glaive de l'esprit mauvais.

La flèche des justes, c'est le Christ Jésus : «Tu m'as placé comme une flèche de choix.» La parole des pécheurs est une flèche; elle a le venin du péché. Elle blesse celui qui n'est pas bien armé du bouclier de la foi.

Ils savent que l'on ne peut renverser le riche, qui s'est enrichi en sagesse, en bonnes œuvres. C'est pourquoi ils ne se jettent pas d'abord sur lui. Mais toute leur machination est contre le pauvre.

14. Il est donc bien de ne pas avoir le glaive de la faute; en second lieu, si on l'a, de ne pas le dégainer, mais de le laisser en repos. Car oisif, non seulement il se rouille ou s'émousse, mais il est complètement détruit.

Et nous n'avons pas besoin de feu où l'œuvre de chacun est éprouvée. Pierre n'en est pas touché, mais il entend : «Même si tu passes par le feu, la flamme ne te brûlera pas.» Mais l'étang de feu atteint les pécheurs, comme la Mer Rouge atteint les Egyptiens, mais non les Hébreux.

Fr. 15 *PG* XVII, 128D9-129A1; Cf. 36 III, 3, 4-19.

Ὥσπερ μέντοι ὁ Σωτὴρ βέλος ἐκλεκτόν, καὶ ἀνάλογα τῷ Σωτῆρι βέλη τοῦ Θεοῦ οἱ ἅγιοι τιτρώσκοντες βέλει ἐκλεκτῷ, ἵνα ὁ τετρωμένος λέγω· Τετρωμένη ἀγάπης ἐγώ· οὕτως ὁ Ἀντίχριστος βέλος τοῦ πονηροῦ. Καὶ πάντες οἱ ἁμαρτωλοὶ βέλη τοῦ διαβόλου, οἷς κατὰ τῶν δικαίων χρᾶται.

Fr. 16 *PG* XVII, 129A1-4; Cf. 36 III, 3, 25-27.

Ἴδε γυναῖκα, καὶ ἐπεβούλευσάν σοι. Εἰ μὴ βέλος ἐστὶ πεπυρωμένον, πῦρ ἔχουσα ἐν στόματι, ἵνα λαλήσῃ καὶ καύσῃ σε, ἐν χειρί, ἐν ὅλῳ τῷ σώματι, ἐν ὅλῃ τῇ ψυχῇ;

Fr. 17 *PG* XVII, 129A4-9; Cf. 36 III, 3, 64-68.

Καὶ ὥσπερ ὁ Θεὸς τίθησι τόξον ἐν τῇ νεφέλῃ, ἵνα παύσῃ χειμῶνα, καὶ μὴ γίνηται κατακλυσμός· οὕτω, κατὰ τὸ ἀντικείμενον, ὁ πονηρὸς χρᾶται τόξῳ, ἵνα παύσῃ γαλήνην ἀπὸ ψυχῆς, καὶ εἰρήνην σβέσῃ, καὶ πόλεμον ἐγείρῃ, καὶ χειμῶνα ποιήσῃ.

Fr. 18 *PG* XVII, 129A9-B2; Cf. 36 III, 4, 1-3; 11-28.

Μήποτε δὲ οἱ πτωχοὶ καὶ πένητες ἀδελφοί εἰσι τῶν εὐθέων τῇ καρδίᾳ, οἱ πτωχοὶ τῷ πνεύματι, οὓς ζητοῦσι καταβαλεῖν οἱ δαίμονες. Ἐὰν ἴδῃς σκανδαλιζόμενον, καὶ ὑπὸ τῆς ἁμαρτίας κεκρατημένον, βλέπε, ὅτι οὗτος ἔσφακται, καὶ τὸ αἷμα αὐτοῦ ῥεῖ, ὃ ἐκζητεῖ Θεός. Ἀπώλετο γὰρ ἡ ζωτικὴ δύναμις αὐτοῦ· ἐκζητεῖ δὲ αὐτὸ ἀπὸ ἀδελφοῦ καὶ ἀπὸ θηρίου· ἀπὸ πιστοῦ σκανδαλίζοντος, καὶ ἀπὸ ἀλλοτρίου τῆς πίστεως, καὶ ἀπὸ τῆς χειρὸς τοῦ σκοποῦ.

15. Comme le Sauveur est une flèche choisie, et que les saints qui blessent d'une flèche choisie sont des flèches de Dieu analogues au Sauveur, de sorte que, blessé, je dise : «Je suis blessée d'amour!», de même l'Antichrist est une flèche du Mauvais. Et tous les pécheurs sont des flèches du diable, dont il se sert contre les justes.

16. Vois la femme, elle t'a tendu aussi des embûches. N'est-elle pas une flèche enflammée, ayant du feu dans la bouche pour te parler et te brûler, dans les mains, dans tout le corps et dans toute l'âme?

17. Et comme Dieu met l'arc dans les nuages pour apaiser les tempêtes et éviter le déluge, ainsi, à l'inverse, le Mauvais se sert d'un arc pour que cesse le calme de l'âme, pour mettre fin à la paix, éveiller la guerre, faire des tempêtes.

18. Peut-être que les pauvres et les indigents sont les frères des hommes au cœur droit, les pauvres en esprit que les démons cherchent à faire tomber. Si tu vois un homme scandalisé et dominé par le péché, considère que celui-ci est égorgé et que coule son sang dont Dieu demande compte. Car sa force vitale est morte et il en demande compte à son frère et à la bête sauvage; au croyant qui scandalise, à l'étranger à la foi, et à la main de celui qui en est chargé.

Fr. 19 PG XVII, 129D-132A; Cf. 36 III, 6, 2-60.

Ἔχει μὲν οὖν ἡ λέξις αὐτόθεν ὠφέλιμόν τι τοῖς ἀκεραιοτέροις· ἔχει δέ τι καὶ κεκρυμμένως εἰρημένον τοῖς βαθύτερον ἀκούειν τῆς Γραφῆς ἐπισταμένοις. Τὸ οὖν ἁπλούστερον τοιοῦτόν ἐστι· Βιοποριστοῦσι δίκαιοι καὶ ἄδικοι. Ἀλλ' οἱ μὲν τοσοῦτον ζητοῦσι τὸ τῆς χρείας, ὅσον τὸ τῆς δικαιοσύνης· καὶ ἢ οὐ πορίζουσιν, ἢ ἄνευ ἀδικίας, χρωννύντες τὸ ποριζόμενον τῇ δικαιοσύνῃ. Οἱ δὲ ὅλως νενεύκασιν ἐπὶ τὸν πορισμόν, ὅπως πολλὰ κτήσωσιν, οὐ ζητοῦντες εἰ καλῶς κτήσονται. Δύο οὖν προκειμένων, τοῦ τε ὀλίγου λήμματος μετὰ δικαιοσύνης, καὶ τοῦ πολλοῦ μετὰ ἀδικίας· Κρεῖσσον ὀλίγον τῷ δικαίῳ ὑπὲρ πλοῦτον ἁμαρτωλῶν πολύν. Ἴδωμεν δὲ καὶ τὸ ἀνακεχωρηκός. Κρεῖσσόν ἐστι πιστὸν ἰδιώτην εἶναι, οὐδὲ ἀνοῖξαι τὸ στόμα δυνάμενον, ἢ πλουτεῖν τῷ λόγῳ προφορικῷ καὶ τοῖς μαθήμασιν ἐν κακίᾳ ἢ ἀπιστίᾳ.

Fr. 20 PG XVII, 132AB3; Cf. 36 III, 7, 18-24; 8, 1-8.

Ἐὰν ἴδῃς τὸν τόνον καὶ τὴν δύναμιν συντετριμμένην τοῦ ἀσεβοῦς, ὥστε μὴ δύνασθαι αὐτὸν ἐκτεῖναι τὴν χεῖρα ἐπὶ πρᾶξιν ἀγαθὴν (συντετριμμένη γάρ ἐστιν), ὄψει, ὅτι πεπλήρωται τό· Βραχίονες ἁμαρτωλῶν συντριβήσονται. Ὁ δὲ συντρίβων, ὁ διάβολός ἐστι. Πᾶς μέντοι ἄνθρωπος ἀσθενής, καὶ τὸ ὅσον ἐφ' ἑαυτῷ καταπίπτει, καὶ δέεται τοῦ ὑποστηρίζοντος τοὺς καταπίπτοντας, καὶ ἀνορθοῦντος τοὺς κατερραγμένους.

19. Le mot a donc quelque utilité par lui-même pour les plus simples; mais il a aussi un sens caché pour ceux qui savent entendre l'Écriture de façon plus profonde.

Voici donc le sens plus simple : justes et injustes se procurent de quoi vivre. Mais les uns cherchent ce qui leur faut juste autant que la justice; et ou bien ils ne se le procurent pas, ou bien ils le font sans injustice, colorant de justice ce qu'ils se procurent.

Les autres ont penché complètement du côté de ce qu'ils se procurent, de sorte qu'ils acquièrent beaucoup sans chercher s'ils l'acquerront honnêtement.

Deux choses sont donc présentées : peu de gain avec justice ou beaucoup avec injustice : «Mieux vaut peu de choses avec justice que les nombreuses richesses des pécheurs.»

Voyons aussi le sens retiré : Il est mieux d'être un simple croyant sans pouvoir même ouvrir la bouche, qu'être riche par l'expression et par les sciences, dans le mal et l'incroyance.

20. Si tu vois la vigueur et la force de l'impie brisées, de sorte qu'il ne puisse pas étendre la main vers une œuvre bonne (car elle est brisée), vois qu'est accomplie la parole : «Les bras des pécheurs seront brisés.» Celui qui les brise, c'est le diable. Or tout homme est faible, tellement que de lui-même il tombe et il a besoin de celui qui affermit les tombés et redresse les terrassés.

Fr. 21 *AS* III, p. 10-11; Cf. 36 III, 10, 50-105.

Ἐν τῷ αὐτῷ καιρῷ ἁμαρτωλοῖς λιμὸς ἦν, Ἠλίαν δὲ ἄγγελος καὶ κόραξ καὶ χήρα ἔθρεψαν. Οὕτως τοῖς ἀκούουσι τῶν λεγομένων καὶ ποιοῦσι τὰ προστασσόμενα, οὐκ ἔσται ἀφορία, οὐδὲ λιμὸς τοῦ ἀκοῦσαι λόγον Κυρίου, ἀλλ' ἐντελεῖται νεφέλαις τοῦ βρέξαι ἐπ' αὐτοῖς, καὶ ἐν τῷ ἐνεστῶτι πονηρῷ αἰῶνι οὐ καταισχυνθήσονται· καὶ ὅταν ἔλθῃ νύξ, ὅτε οὐδεὶς δύναται ἐργάζεσθαι, ἐξ ὧν συνέλεξαν ἔργων, τρυφήσονται, διπλοῦν ἐν τῇ ἕκτῃ τὸ μάννα συνάγοντες, καὶ ἐπὶ τοῦ παρόντος ἀρκοῦν καὶ εἰς τὸν μέλλοντα αἰῶνα, ὅτε οἱ ζητοῦντες τὰς δόξας τὰς κοσμικάς, οἱ ἑαυτοὺς ὑψοῦντες, ἐκλείψουσι καὶ ταπεινωθήσονται· διὸ ἐπάγει ὅτι οἱ ἁμαρτωλοὶ ἀπολοῦνται.

Fr. 22 *PG* XVII, 132BC; Cf. 36 III, 11, 13-56.

Ὑψηλότερον δέ· Ὅταν διδάσκῃ Παῦλος, ἤ τις ἕτερος τῶν ἱερῶν μυσταγωγῶν, οἱ ἀκροαταὶ δανείζονται τὸ δόκιμον ἀργύριον τῷ στόματι Παύλου. Καὶ ὁ μὲν δίκαιος ἀποδίδωσι τοὺς τόκους, καὶ λέγει· Μνᾶν μοι ἔδωκας, ἰδοὺ δέκα μνᾶς ἐποίησα. Πέντε τάλαντα ἔδωκας, ἰδοὺ ἔχω δέκα. Ὁ δὲ ἁμαρτωλὸς ἀναλίσκει πάντα. Οὐκ ἔξεστι δανείζειν τὰ ἑαυτοῦ, ἤτοι διδάσκειν ὡς οἱ αἱρετικοί· ἀλλὰ τὸ τοῦ Θεοῦ ἀργύριον τὸ δόκιμον, ὡς ὁ λέγων· Ἠ δοκιμὴν ζητεῖτε τοῦ ἐν ἐμοὶ λαλοῦντος Χριστοῦ; Ἀποδοτέον δὲ μετὰ τόκου ἐκ πολιτείας καὶ πράξεως τὸ κεφάλαιον. Εἰ δὲ μή, κρεῖττόν ἐστι τὴν ἀρχὴν μὴ δανείσασθαι, μάλιστα τὰ τοῦ ταμείου τοῦ Κυριακοῦ, ἢ ἀπολέσαι τὰ τοῦ βασιλέως χρήματα.

21. En ce temps, c'était la famine pour les pécheurs, mais un ange, un corbeau et une veuve ont nourri Elie. De même pour ceux qui écoutent ce qu'on dit et font ce qu'on ordonne : il n'y aura pas pour eux de stérilité, ni de faim d'entendre la parole de Dieu, mais on a commandé aux nuages de pleuvoir sur eux, et au temps mauvais qui menace, ils ne seront pas confondus. Et quand vient la nuit où personne ne peut travailler, en raison des œuvres qu'ils ont accomplies, ils seront dans les délices, ramassant le double de manne le sixième jour, assez pour le temps présent et pour le temps à venir, alors que ceux qui cherchent les gloires de ce monde, ceux qui s'exaltent eux-mêmes, s'évanouiront et seront abaissés. Aussi ajoute-t-il : « Et les pécheurs périront. »

22. Mais il y a un sens plus élevé : Quand Paul enseigne, ou quelque autre des saints docteurs, ceux qui l'écoutent empruntent à intérêt un argent éprouvé, par la bouche de Paul.

Or le juste rend les intérêts et dit : « Tu m'as donné une mine, voici que j'en ai fait dix mines. » « Tu m'as donné cinq talents, voici que j'en ai dix. » Mais le pécheur dépense tout. Il ne lui est pas permis de prêter ses biens à intérêt, et certes pas d'enseigner comme les hérétiques ; mais on prête l'argent éprouvé de Dieu, comme celui qui a dit : « Cherchez-vous une preuve que celui qui parle en moi, c'est le Christ ? » Il faut rendre le capital avec l'intérêt par la conduite et les œuvres. Sinon, il est préférable de commencer par ne pas emprunter, surtout les biens du trésor du Seigneur, que de laisser perdre les richesses du Roi.

Fr. 23 *PG* XVII, 133B11-C3; Cf. 36 IV, 2, 78-160.

Οἱ ἐν τοῖς ἀγῶσι παλαίοντες πεπτώκασι τὸ πρῶτον, νενικήκασι τὰ τρία. Ἐπὶ τούτοις εἴποις ἂν κατὰ τὸ σωματικόν, ὅτι· Πέπτωκεν, οὐ κατερράγη δέ, νενίκηκε γὰρ μετὰ τὸ πεσεῖν. Ἐὰν ἴδῃς ἄνθρωπον νενικημένον, καὶ μετὰ τὸ νενικῆσθαι οὐ παραδόντα ἑαυτὸν τῇ ἀσελγείᾳ εἰς ἐργασίαν ἀκαθαρσίας πάσης, ἀναστάντα δέ, ὑπομνησθέντα τῆς Γραφῆς· Μὴ ὁ πεσὼν οὐκ ἀνίσταται; ἢ ὁ ἀπο- στρέφων οὐκ ἐπιστρέφει; λέγε, ὅτι, πεσὼν ὁ τοιοῦτος, οὐ κατερράχθη, Ἐὰν δὲ μετὰ τὸ πεσεῖν ἀπαυδήσῃ, κατερράχθη. Καλὸν μὲν οὖν ἀθλητὴς εἶναι ἄπτωτος, καὶ ἵνα οὕτως ὀνομάσω ἀπὸ τῶν παραδειγμάτων, ἀμεσολάβητος, ἀσυνέ- ζωστος. Εἰ δὲ πέπτωκεν, ἀναστήτω. Πενθοῦνται γὰρ οἱ πεσόντες, καὶ μετὰ τὸ ἁμαρτῆσαι ἀπαλγήσαντες, καὶ παραδόντες ἑαυτοὺς πάσῃ ἁμαρτίᾳ. Ἐν ἀγενείων, ἐν ἀνδράσι στεφανώθητι. Πέπτωκας ἐν παισί; τὸν ἀγένειον ἀγώνισαι, καὶ νίκησον ἐν αὐτῷ. Ἐν κοιλίᾳ ἐπτέρνισε τὸν Ἡσαῦ ὁ Ἰακώβ· ἐκ παιδὸς ὁ Δανιὴλ προεφήτευσε, καὶ τοὺς πρεσ- βυτέρους ἤλεγξεν. Οὐ δύνασαι τοιοῦτος γενέσθαι; Γενοῦ ἑξῆς ἀθλητής, ὡς ὁ δίκαιος, ὅς, κἂν πέσῃ παλαίων ἢ τρέχων, οὐ καταρρήγνυται, ὅτι Κύριος ἀντιστηρίζει χεῖρα αὐτοῦ. Ἀμφίβολος ἡ λέξις· πότερον γὰρ τὴν ἑαυτοῦ, ἢ τὴν τοῦ παλαίοντος καὶ ἤδη μέλλοντος καταρρήγνυσθαι, ἵνα μὴ ὅλως ἔλθῃ ἐπὶ πρόσωπον, καὶ γένηται χαμαὶ ὅλος κείμενος.

Fr. 24 *PG* XVII, 136A-C; Cf. 36 IV, 3, 18-33; 56-76; 118-127; 166-169.

Ἑτέρως δὲ ἴσμεν ἡλικίαν κατὰ τὸν ἔσω ἄνθρωπον, παιδίου, νεανίσκου, γέροντος. Πρὸ γοῦν τοῦ Ἀβραάμ

23. Ceux qui luttent dans les combats tombent d'abord, mais les trois ont vaincu. De cela tu diras selon le sens corporel : «Il est tombé, il n'a pas été terrassé», car il est vainqueur après la chute. Si tu vois un homme vaincu et après avoir été vaincu, ne se livrant pas à des mœurs dissolues en faisant toutes sortes d'infamies, mais se relevant, s'étant souvenu de l'Écriture : «Celui qui tombe ne se relèvera-t-il pas? Ou celui qui s'est détourné, ne se retournera-t-il pas?», dis-toi que cet homme, une fois tombé, n'a pas été terrassé. Si après être tombé, il s'est laissé abattre, il a été terrassé.

Il est donc beau d'être un athlète imbattable, et pour le qualifier ainsi en donnant des exemples, un athlète qui n'est pas pris par le milieu du corps, qui n'est pas ceinturé. S'il est tombé, qu'il se relève. Car on pleure ceux qui sont tombés, mais qui, cessant de s'affliger après avoir péché, se livrent aussi à toute faute.

Parmi les imberbes, parmi les hommes, sois couronné. Tombes-tu parmi les enfants? Combats l'imberbe et vaincs-le. Jacob supplanta Esaü dans le sein maternel. Dès l'enfance Daniel prophétisa et confondit les vieillards. Ne peux-tu devenir tel? Suis l'exemple de l'athlète, sois comme ce juste qui, s'il tombe en combattant ou en courant, n'est pas terrassé, parce que le Seigneur soutient sa main.

Le terme est ambigu, car de quelle main s'agit-il : sa propre main ou la main de celui qui lutte et qui dès lors est sur le point d'être terrassé, pour lui éviter d'être complètement sur le visage et couché à terre de tout son long?

24. Nous connaissons d'une autre manière l'âge selon l'homme intérieur, d'enfant, de jeune homme, de vieillard.

οἱ πολυχρονιώτεροι αὐτοῦ οὐκ εἴρηνται πρεσβύτεροι·
ἀλλ' αὐτὸς πρῶτος δι' ἀρετὴν πρεσβύτερος ἐχρημάτισε, καὶ
διὰ τὸ τὸν ἔσω αὐτοῦ ἄνθρωπον κατηργηκέναι τὰ τοῦ
νηπίου. Καὶ Ἱερεμίου ἄκουε· Μὴ λέγε, ὅτι νεώτερος ἐγώ
εἰμι. Τοιοῦτόν τί μοι νόει καὶ περὶ τοῦ Δαβίδ· Νήπιος,
φησίν, ἐγενόμην κατὰ τόν ἔσω μου ἄνθρωπον. Μεταβαλὼν
δὲ ἐκ νεαροῦ ἤθους καὶ ἀβεβαίου, καθ' ὃν νεωτερίζων
νεώτερος ἤμην, εἰς γῆρας ἦλθον, βίον ἀκηλίδωτον ἔχων
καὶ πολιὰν φρόνησιν. Καὶ οὕτω προκόψας, οὐκ εἶδον δίκαιον
ἐγκαταλελειμμένον. Ἐὰν σωματικῶς ἀκούῃς, ψεῦδός ἐστι.
Δύο δέ εἰσιν ἐγκαταλείψεις· ἡ μὲν σωματική, ἥτις οὐδὲν
ἡμᾶς βλάπτει· ἡ δὲ τῆς ψυχῆς, ἥτις ὀλέθριός ἐστιν. Ὅσον
μὲν οὖν πλουτοῦμεν ἐν ἔργοις δικαίοις, τοσοῦτον μᾶλλον
βοηθούμεθα πρὸς τὸ μὴ ἐγκαταλείπεσθαι μέχρι τέλους.
Διὸ οὐκ εἶπεν, ἐγκαταλειφθέντα, ἀλλ' ἐγκαταλελειμμένον.
Ἐπεί, πρὸς καιρὸν καὶ ἐγκαταλιμπάνονται δίκαιοι, ὡς ὁ
Ἰώβ, ἵνα ἀναφανῇ δίκαιος.

Sur le psaume 37

Fr. 25 *AS* III, pp. 13-14, 4; Cf. 37 I, 1, 106-112.

Παιδεύει ἡμᾶς ὁ Κύριος, εἰς ἀνάμνησιν ἄγων τῆς ἀρετῆς·
ὁ δὲ ἅγιος οὐ τὸν ἔλεγχον ἢ τὴν παιδείαν παραιτεῖται,
ἀλλὰ τὴν μετ' ὀργῆς καὶ θυμοῦ. Τοῦτο καὶ τοῦ ς' ψαλμοῦ
προοίμιον ἐποίησε, τὸ παρακαλεῖν ἰατρικῶς, μὴ δικαστικῶς.

Avant Abraham certes, ceux qui ont vécu plus de temps que lui n'ont pas été appelés vieillards. Mais lui d'abord, le premier, a été qualifié de vieillard par la vertu, et parce que, selon son homme intérieur, il a déposé ce qui était de l'enfant.

Écoute aussi ce que dit Jérémie : « Ne dis pas : je suis trop jeune. » Comprends-moi aussi la même chose de David : « Enfant, dit-il, je le fus selon mon homme intérieur. » Passant d'un âge tendre et inconstant, selon lequel, nouvellement né, j'étais plus jeune, j'allai vers la vieillesse, ayant une vie sans tache et une intelligence vieillissante. Et progressant ainsi, je ne vois pas de juste délaissé.

Si tu l'entends de façon corporelle, c'est faux. Mais il y a deux délaissements : l'un corporel qui ne nous nuit en rien, l'autre de l'âme, qui est funeste.

Donc, plus nous sommes riches en œuvres bonnes, mieux nous sommes secourus, pour ne pas être délaissés jusqu'à la fin. C'est pourquoi il ne dit pas : a été délaissé, mais : « est délaissé ». Car c'est au moment opportun que les justes aussi sont délaissés, comme Job, pour qu'il apparaisse juste.

Sur le psaume 37

25. Le Seigneur nous instruit, nous amenant à nous souvenir de la vertu. Or le saint ne repousse pas le blâme ou l'instruction, mais celle qui se fait avec colère et emportement. Le début du psaume 6 a fait de même, demandant d'être corrigé comme par un médecin, non comme par un juge.

Fr. 26 AS III, pp. 14-15, 6; Cf. 37 I, 2, 8-19.

Οἱ λόγοι τοῦ Κυρίου βέλη εἰσίν· αὐτὸς γοῦν ὁ σωτήρ φησιν· Ἔθηκέ με ὡς βέλος ἐκλεκτόν, καὶ τῇ φαρέτρᾳ αὐτοῦ ἔκρυψέ με. Ὁ λέγων οὖν τὸν λόγον τοῦ Κυρίου, βέλος ἀφίησι. Καὶ ἐπὰν λέγῃ ἐπιστρεπτικά, τῷ βέλει τούτῳ τιτρώσκει τὸν συνετὸν ἀκροατήν. Ὁ οὖν δυνάμενος ἐκ τοῦ τετρῶσθαι νενοηκέναι καὶ ἠλπικέναι, θαρρεῖ, ὅτι οὐκ ἔπεσε τὰ βέλη τοῦ Θεοῦ τὰ λογικά, οὐδ' ἔξω γέγονεν αὐτοῦ· ἀλλὰ καθίκετο αὐτοῦ, ὡς λέγεσθαι· Ἑώρακας ὡς κατενύγη ὁ δεῖνα!

Fr. 27 AS III, p. 15, 6-15; Cf. 37 I, 2, 41-54.

Λέγοι δ' ἂν τῷ τύπτοντι διδασκάλῳ ἢ παιδαγωγῷ ὁ τυπτόμενος, ὅτε οὐ παρέργως τύπτεται· Ἐπεστήριξας ἐπ' ἐμὲ τὴν χεῖρά σου. Οὕτω δ' ἂν λέγοι καὶ τῷ Κυρίῳ πέμψαντι βέλη, δι' ὧν τινων πέμπει τὰ λογικά, ὅτι ἐπεστήριξας ἐπ' ἐμὲ τὴν χεῖρά σου. Τῆς γὰρ χειρὸς Κυρίου ἐπικειμένης τῷ ἀφιέντι τὰ λογικὰ βέλη, τιτρώσκει τε καὶ ἐμπήγνυται βέλη εἰς τὴν ψυχὴν τοῦ ἀκούοντος.

Fr. 28 AS III, pp. 15-16, 12; Cf. 37 I, 2, 57-76.

Διὰ τοῦτο μὴ αὐτῆς τῆς ὀργῆς σου ἐάσῃς με πεῖραν λαβεῖν, ἐπειδήπερ μόνον φανταζόμενος αὐτήν, καὶ νυνὶ ὁρῶν τὸ πρόσωπον, ἐκ τῶν σῶν θείων λόγων καὶ γραφῶν, πάσχω τὸ σῶμα, καὶ ταράσσομαι τὴν σάρκα καὶ τὰ ὀστᾶ, καὶ παρακαλῶ μὴ ἀπ' αὐτῆς τῆς ὀργῆς παθεῖν. Ὅρα γάρ, εἰ μὴ ταῦτα σαφῶς λέγεται, ἐδύνατο εἰπεῖν ἀπὸ τῆς ὀργῆς σου, καὶ μὴ ἀπὸ προσώπου τῆς ὀργῆς. Ἀλλ' οὐκ ἔλεγεν· Ἀπὸ τῆς ὀργῆς σου παιδεύσῃς με, ἐπεὶ ὅπερ ἂν ἐποίησεν αὐτὴ ἡ ὀργή σου ἐλθοῦσα ἐπ' ἐμὲ παιδεύουσα, τοῦτο ἐλπίζω ποιεῖν μόνην τὴν φαντασίαν τοῦ προσώπου τῆς ὀργῆς.

26. Les paroles du Seigneur sont des flèches. Lui-même du moins, le Sauveur dit : « Il m'a placé comme une flèche choisie et m'a caché dans son carquois. » Donc celui qui dit une parole du Seigneur lance une flèche. Et quand il dit une parole propre à convertir, il blesse de cette flèche le disciple avisé. Celui-là donc qui peut comprendre et espérer parce qu'il a été blessé, a confiance que les flèches raisonnables de Dieu ne tombent pas en vain, et qu'elles ne s'égarent pas hors de lui, mais qu'elles l'atteignent, comme il a été dit : « As-tu vu comme un tel a été percé ? »

27. Qu'il dise donc au maître ou au pédagogue qui le frappe, celui qui est frappé, quand on ne le frappe pas superficiellement : « Tu as affermi sur moi ta main. » De même, qu'il dise aussi au Seigneur qui envoie des flèches en utilisant des intermédiaires par qui il envoie des flèches raisonnables : « Tu as affermi sur moi ta main. » Car tandis que la main du Seigneur est placée sur celui qui lance les flèches raisonnables, il blesse et les flèches se fichent dans l'âme de celui qui écoute.

28. C'est pourquoi ne me laisse pas faire l'expérience de ta colère, puisque, l'imaginant seulement, et en voyant à présent ton visage à partir de tes paroles et écrits divins, je souffre dans mon corps, et ma chair et mes os sont terrifiés, et je demande à ne pas souffrir de ta colère elle-même.

Vois, en effet, s'il n'a pas dit cela clairement ; il pouvait dire : de ta colère, et non : de la face de la colère. Mais il n'a pas dit : Corrige-moi par ta colère, puisque ce qu'aurait fait ta colère elle-même en venant sur moi me corriger, j'espère que le fera la seule imagination de la face de ta colère.

Fr. 29 *AS* III, p. 16, 17–p. 17, 8; Cf. 37 I, 2, 77-91.

Τό· οὐκ ἔστιν ἴασις τῇ σαρκί μου, τοιαῦτά φησιν ὁ ἀπόστολος ἐπὶ τοῦ ἡμαρτηκότος ἐν Κορίνθῳ παραδοῦναι τὸν τοιοῦτον τῷ Σατανᾷ εἰς ὄλεθρον τῆς σαρκός, ἵνα τὸ πνεῦμα σωθῇ ἐν τῇ ἡμέρᾳ τοῦ Κυρίου, ὡς οὐ δυναμένου τοῦ πνεύματος σωθῆναι, ἐὰν μὴ παραδοθῇ ἡ σὰρξ εἰς ὄλεθρον. Τίς οὖν ὁ ὄλεθρος τῆς σαρκὸς ἀκούει ἢ τὸ ὀλεθρευόμενον ἀποθνήσκειν; ζῇ δὲ ἡ σὰρξ τοῦ ἁμαρτωλοῦ, ἀπέθανεν ἡ σὰρξ τοῦ δικαίου· διὸ ὁ δίκαιος λέγει· Πάντοτε τὴν νέκρωσιν τοῦ Ἰησοῦ ἐν τῷ σώματι περιφέροντες.

Fr. 30 *AS* III, p. 17, 8-27; Cf. 37 I, 2, 96-121.

Τὸ οὖν παραδίδοσθαι εἰς ὄλεθρον τὴν σάρκα, τοιοῦτόν ἐστιν· ἀποθνήσκει τὸ φρόνημα τῆς σαρκός, τῷ μήκετι ζῆν τὴν σάρκα. Ἐκ γὰρ τοῦ ἀποθανεῖν τὸ φρόνημα τῆς σαρκὸς τὸ πνεῦμα σώζεται. Εἰ νενόηται τὸ ἀποστολικόν, ἐλθὲ ἐπὶ τὸ προκείμενον· εἰ ἔρχεται ὁ ὄλεθρος, ἵνα τὸ πνεῦμα σωθῇ, ἡ σὰρξ ἀσθενεῖ· καὶ ὅσον ἀσθενεῖ καὶ ὀδεύει ἡ ἀσθένεια ἐπὶ τὸν θάνατον τῆς σαρκὸς οὐκ ἴασις ἐν τῇ σαρκί. Εἰ μέντοιγε νοσεῖ μὲν ἡ σάρξ, καὶ ἐπανέρχεται ἐπὶ τὴν ὑγίειαν ἢ τὴν κακίαν, γίνεται τὸ ὅτι ἔστιν ἴασις ἐν τῇ σαρκί μου, ὅπερ οὐκ ἔστιν ἀγαθόν. Οὗτος οὖν εἴπερ παραιτεῖται τὸν τῷ θυμῷ τοῦ Θεοῦ ἐσόμενον ἔλεγχον, καὶ τὴν τῇ ὀργῇ αὐτοῦ ἐρχομένην παίδευσιν, καὶ παραιτεῖται εὐλόγως, λέγων τὸ ὅτι τὰ βέλη σου ἐνεπάγησάν μοι. Οὐκ ἔστιν ἴασις ἐν τῇ σαρκί μου ἀπὸ προσώπου τῆς ὀργῆς σου, δηλονότι αἴτιον ἦν αὐτῷ τοῦ μὴ παθεῖν ἀπὸ ὀργῆς καὶ θυμοῦ Θεοῦ, καὶ τοῦ μὴ εἶναι ἴασιν ἐν τῇ σαρκὶ αὐτοῦ.

29. « Il n'y a rien de sain dans ma chair. » L'Apôtre dit de même, à propos du pécheur de Corinthe, de livrer un tel individu à Satan pour la perte de sa chair, pour que l'esprit soit sauvé au jour du Seigneur, car l'esprit ne peut être sauvé si la chair n'est pas livrée à sa perte. Comment donc entendre la perte de la chair, sinon qu'étant perdue, elle meurt? Elle vit, la chair du pécheur, elle est morte la chair du juste. C'est pourquoi le juste dit : « Portant toujours la mise à mort de Jésus dans nos corps. »

30. Donc, « que la chair soit livrée à sa perte » revient à dire : la pensée de la chair meurt pour que ne vive plus la chair. Car du fait que la pensée de la chair meurt, l'esprit est sauvé. Si la parole de l'Apôtre a été comprise, va à ce qui est exposé : si la perte (de la chair) survient, pour que l'esprit soit sauvé, la chair est faible; et tant qu'elle est faible et que la faiblesse conduit à la mort de la chair, il n'y a pas de guérison dans la chair. Mais au contraire, si la chair est malade et progresse vers la santé ou la méchanceté, il arrive alors que : « Il y a guérison dans ma chair », ce qui n'est pas bon.

Donc, puisqu'il demande par ses prières que soit écarté le blâme qui vient de la fureur de Dieu, et la correction à venir de sa colère, le prophète supplie aussi avec raison, disant : « Tes flèches se sont fichées en moi. Il n'y a pas de guérison de ma chair devant la face de ta colère. » Évidemment, c'était pour lui le motif pour lequel il ne souffrait rien de la colère et de la fureur de Dieu et qu'il n'y avait pas de guérison dans sa chair.

Fr. 31 AS III, p. 17, 31-45; Cf. 37 I, 3, 2-22.

Λεγέτω ὁ ἡμαρτηκώς, καὶ μετὰ ταῦτα βλέπων αὐτοῦ τὴν ἁμαρτίαν διαπαντός, ὡς καὶ ὁ Δαυὶδ λέγει ἐν τῷ ν' ψαλμῷ· Καὶ ἡ ἁμαρτία μου ἐναντίον μοῦ ἐστι διαπαντός. Τοῦτο δὲ γίγνεται ἐπάν τις ἁμαρτήσας δάκνηται ἐπὶ τῇ ἁμαρτίᾳ· ὁ τοιοῦτος φαίη ἂν καὶ τό· Οὐκ ἔστιν εἰρήνη τοῖς ὀστέοις μου. Σαλεύεται γὰρ καὶ τετάρακταί μοι τὰ ὀστᾶ ἀπὸ προσώπου μου. Ἔστιν δὲ πρόσωπον ἁμαρτιῶν ἡ ἐπιφάνεια τῶν ἁμαρτιῶν· οἷον ἐὰν ἐκνοηθῶ οἷα κακὰ πεποίηκα, καὶ ἐν οἷς γέγονα παραπτώμασιν, καὶ βαροῦμαι θλιβόμενος ἀπὸ τοῦ ταῦτα ἐννοεῖν· Οὐκ ἔστιν εἰρήνη τοῖς ὀστέοις μου ἀπὸ προσώπου τῆς ἁμαρτίας μου.

Fr. 32 AS III, p. 18; Cf. 37 I, 4, 3-21.

Οἱ γὰρ μὴ βαρυνόμενοι ἐπὶ ταῖς ἰδίαις ἁμαρτίαις, μηδ' ἀλγοῦντες, οὐ λέγουσιν τὰ προκείμενα. Πάλιν οἱ μὴ αἰσθανόμενοι τῆς ἁμαρτίας ὅτι ἀναβέβηκεν ὑπεράνω τῆς κεφαλῆς αὐτῶν, ἀλλ' ἀναισθητοῦντες ἐπικειμένης αὐτῆς, οὐ λέγουσιν, ὅτι αἱ ἀνομίαι μου ὑπερῆραν τὴν κεφαλήν μου, ὡσεὶ φορτίον βαρὺ ἐβαρύνθησαν ἐπ' ἐμέ. εἰ δέ τις νομίζει πάντα τὸν ἁμαρτωλὸν δύνασθαι λέγειν, κατανοησάτω τίνες ἡδόμενοι ἐπὶ τοῖς ἰδίοις ἁμαρτήμασιν· οὐ γὰρ ἐβαρύνθη τὰ ἁμαρτήματα αὐτῶν ἐπ' αὐτούς, ἅτε ἡδέως βαστάζοντας· ἀλλ' ἀνθρώπου ἀλγοῦντός ἐστι καὶ λυπουμένου ἐπὶ τοῖς ἰδίοις ἁμαρτήμασι λέγειν· Ὡσεὶ φορτίον βαρὺ ἐβαρύνθησαν ἐπ' ἐμέ. Οὕτω δὲ διηγήσῃ τὸ ἀνάλογον τοῖς ἀποδεδομένοις, καὶ τό· Προσώζεσαν καὶ ἐσάπησαν οἱ μώλωπές μου ἀπὸ προσώπου τῆς ἀφροσύνης μου.

31. Que celui qui a péché et après cela regarde toujours son péché, dise, comme le dit aussi David dans le psaume cinquante : « Et mon péché est toujours devant moi. » Ceci arrive lorsque quelqu'un qui a péché est mordu de remords à propos de son péché. Un tel homme dirait aussi : « Il n'y a pas de paix pour mes os. » Car mes os sont ébranlés et tremblent devant ma face.

Or la face des péchés, c'est la manifestation des péchés ; ainsi, si je me souviens de tel mal que j'ai fait et des fautes dans lesquelles je suis tombé, je suis accablé, angoissé de songer à cela : « Il n'y a pas de paix pour mes os devant la face de mon péché. »

32. Car ceux qui ne sont pas accablés sous leurs propres péchés et n'en souffrent pas, ne disent pas ce qui précède. D'autre part, ceux qui ne sentent pas que le péché est monté au-dessus de leur tête, mais sont insensibles à son poids, ne disent pas : « Mes iniquités ont dépassé ma tête, comme un lourd fardeau elles ont pesé sur moi. » Si quelqu'un pense que tout pécheur peut dire cela, qu'il comprenne que certains se réjouissent de leurs propres péchés. En effet, leurs péchés ne leur pèsent pas, puisqu'ils les portent avec plaisir. Mais c'est à l'homme qui souffre et pleure ses propres péchés de dire : « Comme un lourd fardeau, elles ont pesé sur moi. » C'est de cette façon que tu expliqueras le rapport entre ce qui précède et : « Mes plaies ont empesté et ont pourri devant la face de ma folie. »

Fr. 33 *AS* III, p. 19, 18-27; Cf. 37 I, 4, 22-37.

Χοίρους δ' ἐκεῖ ὀνομάζει τοὺς ταῖς δυσωδίαις τῶν
ἁμαρτημάτων χαίροντας. Ἐὰν δέ που ἀπόθηται ὁ
ἁμαρτωλός, ἵν' οὕτως οὐ νομίζων τὴν χοίρων αἴσθησιν,
ἀναλαμβάνῃ ἐκ τοῦ λόγου τοῦ Θεοῦ αἴσθησιν, ὡς
αἰσθάνεσθαι τῆς δυσωδίας τῶν ἰδίων ἁμαρτημάτων, θέλει
οὖν παραστῆναι τὸν μετανοοῦντα λέγοντα· ἃ πεποίηκε
δι' ἀφροσύνην, ταῦτά μοι ἐσάπη· οὐκέτι γὰρ αὐτὰ ἀνακαινίζω,
πάντα μοι ὄζει.

Fr. 34 *AS* III, pp. 19-20, 23; Cf. 37 I, 5, 7-34.

Τάχα τοιοῦτόν τι ἰδὼν ὁ ἀπόστολος μετὰ τὸ ἡμαρτηκέναι λέγει· Ταλαίπωρος ἐγὼ ἄνθρωπος τίς με ῥύσεται
ἐκ τοῦ σώματος τοῦ θανάτου τούτου; Ἥμαρτε γάρ, ὅτε
ἐδίωκε τὴν ἐκκλησίαν τοῦ Θεοῦ. Ἐταλαιπώρησα οὖν, καὶ
οὐχὶ ἔτι ταλαιπωρῶ, ὡς μηκέτι ὢν ἐν ταῖς ἁμαρτίαις· εἰ
δ' ἔτι εἰμὶ ἐν ταῖς ἁμαρτίαις, ἔτι ταλαιπωρῶ. Ἐὰν δὲ ἴδῃς
τὸν ἡμαρτηκότα μὴ δυνάμενον ἀναβλέψαι εἰς οὐρανόν, μηδὲ
ἔχοντα παρρησίαν εὔξασθαι τῷ Θεῷ, ἀλλὰ συγκύπτοντα
τὸ πρόσωπον ἐπὶ τὴν γῆν, οὐ μόνον τοῦ σώματος, ἀλλὰ
καὶ τὸ τῆς ψυχῆς, καὶ ὡς κρίκον τὸν τράχηλον αὐτοῦ
ποιοῦντα, ὄψει τινὰ τρόπον λέγει, κατακαμφθῆναι ἕως
τέλους. Εἰ δὲ θέλεις παράδειγμα τοῦ κατακεκαμμένου διὰ
τὰς ἰδίας ἁμαρτίας, καὶ τὴν ἐξομολόγησιν τὴν περὶ τὴν
ἁμαρτίαν, ἴδε μοι τὸν τελώνην, τὸν ἐν τῷ Εὐαγγελίῳ, ὡς
ἀπὸ μακρὰν σταθείς, οὐκ ἔθελεν τοὺς ὀφθαλμοὺς ἐπᾶραι
εἰς οὐρανόν, καὶ τύπτων ἑαυτοῦ τὸ στῆθος, ἔλεγεν· Ἱλάσθητί
μοι τῷ ἁμαρτωλῷ. Ἐκείνῳ γὰρ πρέπει εἰπεῖν· Κατεκάμφθην
ἕως τέλους, ὅλην τὴν ἡμέραν σκυθρωπάζων ἐπορευόμην.

33. Il appelle ici «porcs» ceux qui se réjouissent de la puanteur des péchés. Mais s'il arrive que le pécheur les écarte, afin qu'ainsi, n'ayant plus la sensibilité des porcs, il prenne celle qui vient du Verbe de Dieu, de sorte qu'il sente la puanteur de ses péchés, il veut que se présente le pénitent en disant : ce que j'ai fait par folie, c'est pour moi une pourriture. Je ne le renouvelle plus, tout cela empeste pour moi.

34. Peut-être que l'Apôtre considérant quelque chose de semblable, après avoir péché, dit : «Malheureux homme que je suis, qui me délivrera de ce corps de mort?» Car il a péché quand il persécutait l'Eglise de Dieu.

«J'ai donc été malheureux», mais maintenant, je ne suis plus malheureux, puisque je ne suis plus dans les péchés. Mais si je suis encore dans les péchés, je suis encore malheureux.

Mais si tu vois le pécheur ne pouvant plus regarder vers le ciel, n'ayant plus d'assurance pour prier Dieu, mais baissant son visage vers la terre, non seulement le visage du corps, mais celui de l'âme et faisant de son cou comme un cercle, tu vois de quelle manière il dit qu'il est «courbé à l'extrême».

Et si tu veux un exemple d'un homme courbé à cause de ses propres péchés et de la confession qu'il fait de son péché, regarde-moi le publicain, dans l'Evangile, comme il se tenait à distance; il ne voulait pas lever les yeux vers le ciel, et se frappant la poitrine, il disait : «Aie pitié de moi, pécheur». A celui-là, en effet, il convient de dire : «J'ai été courbé à l'extrême, tout le jour je marchais attristé.»

Fr. 35 *AS* III, p. 21, 4-12; Cf. 37 I, 5, 31-42.

Ἐξ οὗ ἥμαρτον, φησί, σκυθρωπὸς ἀεὶ ἤμην. Τοιοῦτόν ἐστι καὶ τὸ ἐν τῷ Εὐαγγελίῳ· Μακάριοι οἱ κλαίοντες. Εἰ νενόηκας τὸν ἐπὶ ταῖς ἁμαρτίαις πενθοῦντα καὶ κλαίοντα, εἶδες τοῦτον μακαριστόν. Εἰ δὲ τοὐναντίον θεάσῃ τοῦτον γελῶντα καὶ ἱλαρευόμενον, καὶ μὴ κατανυσσόμενον ἐπὶ τοῖς ἰδίοις ἁμαρτήμασιν, ἴδε εἰ μὴ τούτῳ ἁρμόζει· Οὐαὶ οἱ γελῶντες νῦν.

Fr. 36 *AS* III, p. 22, 2-8; Cf. 37 I, 6, 13-18.

Τούτῳ παραπλήσιόν ἐστι τὸ ἐν τῷ Ἰὼβ λεγόμενον περὶ τοῦ δράκοντος· Ἰδοὺ δή, ἡ ἰσχὺς ἐν ὀσφύϊ, ἡ δὲ δύναμις αὐτοῦ ἐπ᾽ ὀμφαλοῦ γαστρός. Ἡ γὰρ ἰσχὺς τοῦ διαβόλου ἐξαιρέτως περὶ τὴν ὀσφὺν τοῦ ἀνθρώπου ἐστίν, ὅπου τὸ πορνεύειν ἐστὶν καὶ ἀσελγαίνειν.

Fr. 37 *AS* III, p. 22, 8-11; Cf. 37 I, 6, 23-27.

Καὶ οὐκέτι ἐστὶν ἴασις ἐν τῇ σαρκί μου. Προκοπὴ ἐπὶ τὸν θάνατον τῆς σαρκὸς καὶ ἐπὶ τὸν ὄλεθρον αὐτῆς, τὸ ἤδη δεύτερον λέγεσθαι.

Fr. 38 *AS* III, p. 22, 15-24; Cf. 37 I, 6, 28-40.

Αἱ ἑορταὶ τοῦ Θεοῦ ἄρτον κακώσεως λέγουσι δεῖν ἐσθίειν· καίπερ ἑορταὶ λεγόμεναι, αὐταὶ ταπεινοῦσιν τὰς ψυχὰς ἡμῶν. Τῇ γοῦν δεκάτῃ τῶν ἱλασμῶν, ταπεινώσετε, φησί, τὰς ψυχὰς ὑμῶν. Ἐπεὶ οὖν ὁ μετανοῶν ἐφ᾽ οἷς ἥμαρτεν, ἑαυτὸν κακοῖ καὶ ταπεινοῖ, ὡς ἐκεῖνος ὁ τελώνης, ὁ θαρρῶν ἐπὶ τῷ ἑαυτὸν κεκακωκέναι καὶ τεταπεινωκέναι, μετανοῶν φησιν· Ἐκακώθην καὶ ἐταπεινώθην ἕως σφόδρα κτλ.

35. «Du fait que j'ai péché, dit-il, j'étais attristé.» Une telle parole est aussi dans l'Evangile : «Heureux ceux qui pleurent.» Si tu as réfléchi sur celui qui gémit sur ses péchés et pleure, tu le sais très heureux. Si, au contraire, tu le vois riant et gai, et sans remords de ses propres péchés, vois si ne lui convient pas la parole : «Malheur à vous qui riez maintenant.»

36. A ceci ressemble à peu près ce qu'on dit du dragon dans Job : «Voilà que sa puissance est dans ses reins et sa force dans le nombril de son ventre.» Car la force du diable est spécialement à l'entour des reins de l'homme où se situent la fornication et la débauche.

37. «Et il n'y a plus de guérison dans ma chair.» C'est le progrès vers la mort de la chair et sa perte ; on dit ceci ici pour la deuxième fois.

38. Les fêtes de Dieu disent qu'il faut manger le pain de l'affliction. Bien qu'on parle de fêtes, celles-ci humilient nos âmes. «Au dixième jour des Expiations humiliez vos âmes», est-il dit. Lors donc que celui qui se repent de ses péchés s'afflige lui-même et s'humilie, comme ce publicain qui prend confiance parce qu'il s'est affligé et humilié, il dit en se repentant : «J'ai été affligé et humilié à l'extrême», etc.

Fr. 39 *AS* III, p. 22-23, 3; Cf. 37 I, 6, 73-78.

Ἤμην, φησί, ποτὲ ἰσχυρός καὶ πολιτευόμενος καλῶς, ὕστερον δὲ πέπτωκα, ταραχθείσης μου τῆς διανοίας, καὶ καταλιπούσης με τῆς ἰσχύος· καὶ τὸ φῶς δὲ τῶν ὀφθαλμῶν μου, ὅπερ εἶχον, μετὰ τὸ γνῶναί με τὴν ἀλήθειαν, οὐκ ἔστιν μετ᾽ ἐμοῦ. Πάλιν εἰς τὸ σκότος ἐνήμεθα, εἰς παραπτώματα πεπτωκότες.

Fr. 40 *AS* III, p. 23; Cf. 37 II, 1, 27-42.

Καταφρονήσας γὰρ τῆς παρ᾽ ἀνθρώποις αἰσχύνης, καὶ καταγνωσθεὶς ὑπὸ τῶν ἀκουόντων τῆς ἐξομολογήσεως, τρόπον τινὰ ἤκουον αὐτῶν λεγόντων· Πόρρω ἀπ᾽ ἐμοῦ, μὴ ἐγγίσῃς μοι, ὅτι καθαρός εἰμι. Βδελυσσόμενοι γὰρ ὃν χθὲς ἐθαύμαζον, ἐμάκρυνον ἑαυτούς, ταῦτα μονονουκὶ λέγοντες. Ἀλλὰ τούτου μὴ φροντιζέτω ὁ θέλων μετὰ τὸ ἁμαρτῆσαι σωθῆναι, τοῦ καταγινώσκοντος ἀγνωμόνως, τοῦ μὴ λογιζομένου τὰ ἑαυτοῦ, μηδὲ ἀνεγνωκότος· Μὴ ὀνείδιζε ἄνθρωπον ἐπιστρέφοντα ἀπὸ ἁμαρτίας· μνήσθητι ὅτι πάντες ἐσμὲν ἐν ἐπιτιμίοις.

Fr. 41 *AS* III, p. 24; Cf. 37 II, 1, 63-75.

Πολλάκις γὰρ καὶ ἐπιβαίνουσι τοῖς τοιούτοις, καὶ ζητοῦσι κακὰ τῷ δικαίῳ, οὐχ οὕτω χαίροντες ἐν τῷ ἀκούειν τὰ κρείττω περὶ αὐτοῦ, ὡς ὅταν ἀκούσωσιν τὰ χείρονα περὶ αὐτοῦ. Καὶ λαλοῦσιν ματαιότητας, καταγελῶντες ἐκείνου, τοῦ ἑαυτὸν κατηγορήσαντος· οὐ γὰρ ἐξητασμένα λαλεῖ ὁ ζητῶν τινι κακά, ἀλλ᾽ ὁ ζητῶν παντὶ ἀγαθά.

Fr. 42 *AS* III, p. 24; Cf. 37 II, 3, 17-35.

Λοιδορούμενος ἢ καὶ ἐπὶ τῇ ἐξομολογήσει κακολογούμενος, διαβαλλόμενος μυρία ὅσα ἀκούων, προσεποιησάμην τὸν μὴ ἀκούοντα, καὶ ἔχων τι ἀποκρίνασθαι πρὸς αὐτοὺς

39. J'étais fort jadis, dit-il, et me conduisais bien, mais après, je suis tombé, mon esprit s'étant troublé et ma force défaillant. Et la lumière de mes yeux que j'avais après avoir connu la vérité, n'est plus avec moi. De nouveau nous étions établis dans les ténèbres, tombés dans les fautes.

40. Ayant méprisé la honte qui vient des hommes, et condamné par ceux qui écoutaient la confession, je les entendais dire à peu près : «Va-t-en loin de moi, ne m'approche pas, car je suis pur.» Car prenant en dégoût celui qu'ils admiraient hier, ils s'éloignaient de lui, en lui disant à peu près cela.

Mais que celui qui veut être sauvé après avoir péché, ne se soucie pas de l'homme qui le condamne à tort, qui ne compte pas ses propres péchés et qui n'a pas lu ceci : «Ne fais pas de reproche à l'homme qui se détourne du péché. Souviens-toi que tous, nous sommes sous le coup des châtiments.»

41. Car souvent ils attaquent aussi de tels hommes et cherchent du mal au juste, ne se réjouissant pas tant d'entendre du bien de lui, que lorsqu'ils en entendront dire du mal. «Et ils tiennent de vains propos», se moquant de celui qui s'accuse lui-même. Car ce n'est pas celui qui cherche du mal à quelqu'un qui dit des paroles sensées, mais celui qui cherche du bien à tout le monde.

42. M'entendant insulté et injurié à propos de ma confession, calomnié mille fois, j'ai feint de ne pas entendre et ayant de quoi leur répondre et les confondre,

καὶ ἐλέγξαι, οὐκ ἐλέγχω, ἐπεὶ ὁρῶ ὅτι ἔλεγχος δεῖται ἀπαθείας· ἀπὸ γὰρ θυμοῦ καὶ ὀργῆς ἐλέγχω, καὶ λυπῆσαι βουλόμενος, οὐ θεραπεῦσαι· διὸ ἐγενόμην τούτοις ὡσεὶ κωφός.

Fr. 43 *AS* III, p. 25, 9-24; Cf. 37 II, 3, 37-47.

Διὰ τί δὲ γενόμην τοιοῦτος; Ὅτι ἐπὶ σὲ ἤλπισα, Κύριε, σὺ εἰσακούσῃ, Κύριε, ὁ Θεός μου. Τῶν τοσούτων, φησί, κακῶν μίαν ἔχω σωτηρίας ἐλπίδα, τὴν ἐκ σοῦ γενομένην ἐπικουρίαν. Ἢ τοῦτό φησι· εἰ γὰρ μὴ ἤλπισα ἐπὶ σέ, ἐμαυτόν ἂν ἠμυνάμην. Νυνὶ δὲ γινώσκω τὸ· Μὴ ἑαυτοὺς ἐκδικοῦντες, ἀγαπητοί· ἀλλὰ δότε τόπον τῇ ὀργῇ. Καὶ τό· Ἐμοὶ ἐκδίκησις, ἐγὼ ἀνταποδώσω, λέγει Κύριος. Ἐγενόμην ὡσεὶ ἄνθρωπος ἀβοήθητος, καὶ οὐκ ἔχων ἐν στόματι αὐτοῦ ἐλέγχους. Σὺ εἰσακούσῃ Κύριε, ὁ Θεός μου, εἰ καὶ ἐγὼ ὡσεὶ κωφός, οὐκ ἤκουον τῶν κατ' ἐμοῦ δυσφημιῶν, σὺ ἄκουσον τῶν λεγομένων.

Fr. 44 *AS* III, p. 25, 30; p. 26, 6-20; Cf. 37 II, 4, 12-28.

Οὐκ ἔχουσι γὰρ τί εἴπωσιν. Μόνον δὲ οὐ λέγω· Ἐὰν πέσω, ἀλλ' ἐὰν σαλευθῶσιν οἱ πόδες μου, μεγαλορρημονοῦσιν, καὶ λέγουσιν, ὅτι ὁρᾷς τὸν δεῖνα; καὶ αὐτὸς τόδε πεποίηκεν, καὶ λέγων τάδε, τὰ ἐναντία τάδε ἐποίει. — Λέγει οὖν οὕτως· καὶ ἐν τῷ σαλευθῆναι πόδας μου, ἐπ' ἐμὲ ἐμεγαλορρημόνησαν· ἄλλως δὲ μετὰ τοῦτο κρείττων ὤν, ὅσον ἐπὶ τῇ προσωποποιΐᾳ τῇ πρὸς ἐκεῖνον συγκρινομένῃ, φησίν· Ἐμοῦ δὲ παρὰ μικρὸν ἐσαλεύθησαν οἱ πόδες. Οὐκοῦν οὗτοι μὲν ἐσαλεύθησαν οἱ πόδες, οὗτοι δὲ μικρὸν ἐσαλεύθησαν· μακάριον δὲ ἡμᾶς γενέσθαι μὴ σαλευομένους τοὺς πόδας, ἀλλ' ἑστηκότας ἐπὶ τὴν πέτραν τὸν Χριστόν.

je ne les reprends pas puisque je vois qu'il faut confondre sans passion. Sinon je confonds dans la fureur et la colère, et veux peiner et non soigner. Aussi je suis devenu pour eux comme un sourd.

43. Pourquoi suis-je devenu tel? «Parce qu'en Toi j'ai espéré, Seigneur. Tu m'entendras, Seigneur, mon Dieu.» Parmi tant de maux, dit-il, j'ai un unique espoir de salut, le secours venu de Toi. Ou il dit ceci: Si je n'avais espéré en Toi, je me serais défendu moi-même. Mais maintenant je sais ceci: «Ne vous vengez pas vous-mêmes, bien-aimés, mais laissez place à la colère.» Et ceci: «A moi la vengeance, c'est moi qui rétribuerai, dit le Seigneur!» Je suis devenu comme un homme sans ressource qui n'a pas de répartie à la bouche. «Mais Toi, tu m'exauceras, Seigneur, mon Dieu», même si moi, comme un sourd, je n'ai pas écouté les injures, Toi, entends ce qu'ils disent.

44. Car ils n'ont rien à dire. Je ne dis même pas: Si je tombe, mais: si mes pieds ont trébuché, ils font de grandes phrases et disent: Vois-tu un tel? Lui aussi a fait ceci, et disant ceci, il faisait le contraire!

Il parle donc ainsi: «Quand mes pieds ont bronché, ils ont fait sur moi de grandes phrases.» Et puis après, devenu meilleur – pour autant que la prosopopée se rapporte à celui-ci –, il dit: «Mes pieds ont bronché un peu.» Donc, ces pieds-ci ont bronché, mais ceux-là ont bronché un peu. Heureux serons-nous quand nos pieds n'auront jamais bronché, mais se seront tenus fermes sur la Pierre, le Christ.

Fr. 45 *AS* III, pp. 26, 31-27, 5; Cf. 37 II, 7, 3-9.

Πολλάκις γὰρ ἡμεῖς, οἱ ἔτι ἁμαρτωλοί, ἐὰν ἴδωμεν ἐχθρὸν ἡμῶν ζῶντα καὶ εὐθηνοῦντα, σκυθρωπάζομεν, καὶ κινδυνεύομεν κατ' αὐτῆς προνοίας λέγειν. Ἀλλ' ὁ θέλων σώζεσθαι, οὐ τοιοῦτος· φησὶ γάρ· οἱ δὲ ἐχθροί μου ζῶσι καὶ κεκραταίωνται ὑπὲρ ἐμέ, καὶ οὐδὲν ἧττον μεριμνῶ περὶ τῆς ἁμαρτίας μου.

Fr. 46 *AS* III, p. 27, 6-10; Cf. 37 II, 8, 2-3; 18-19.

Ἀδύνατόν ἐστιν ἐν βίῳ ὄντα μὴ μισηθῆναι. Ἰησοῦς Χριστὸς μεμίσηται. Γένοιτο δέ με μισούμενον συνειδέναι ὅτι οὐ δικαίως, ἀλλ' ἀδίκως.

Fr. 47 cf. *AS* III, p. 27, 16-19 modif. Devreeesse, p. 17 [cf. *supra*, p. 42, n. 2]; Cf. 37 II, 9, 1-7.

Ἐγὼ μὲν εὐηργέτουν, ἐκεῖνοι δὲ ἐπιλαθόμενοι τῶν ὧν εἰς αὐτοὺς ἐποίουν, κακά μοι ἀνταπεδίδοσαν. Οἷον ἤνοιγον τὸ στόμα κατ' ἐμοῦ καὶ ἐγδιέβαλλόν με μὴ ἔχοντες λέγειν κατ' ἐμοῦ κακόν, ἐπεὶ ἐγὼ ἐδίωκον τὴν ἀγαθωσύνην. Εἰ γὰρ καὶ ἥμαρτόν τι, ἀλλ' ἀεὶ ἐδίωκον τὴν ἀγαθωσύνην.

Fr. 48 *AS* III, pp. 27-28, 2; Cf. 37 II, 9, 12-14.

Ἐν ἄλλῳ δὲ ψαλμῷ φησι· Καὶ τὸ πνεῦμα τὸ ἅγιόν σου μὴ ἀντανέλῃς ἀπ' ἐμοῦ. Ἐνταῦθα δὲ πρὸς αὐτὸν Θεόν· Μὴ ἀποστῇς ἀπ' ἐμοῦ.

45. Souvent, en effet, nous qui sommes encore pécheurs, si nous voyons notre ennemi vivant et florissant, nous sommes chagrinés et courons le danger de parler contre la Providence elle-même. Mais celui qui veut être sauvé n'est pas ainsi; car il dit : «Mes ennemis vivent et sont plus forts que moi, et je me souviens néanmoins de mon péché.»

46. Il est impossible en cette vie de ne pas être haï. Jésus-Christ a été haï. Qu'il m'arrive, si je suis haï, d'avoir conscience que ce n'est pas justement, mais injustement.

47. Moi, je donnais des bienfaits, mais ceux-là, oublieux de ce que je faisais pour eux, me rendaient des maux en retour. Par exemple, ils ouvraient la bouche contre moi et me calomniaient sans avoir à dire du mal de moi, puisque je poursuivais la bonté. Encore si j'avais commis aussi quelque péché! Mais toujours, je poursuivais la bonté.

48. Dans un autre psaume, il dit : «Et ton Esprit-Saint, ne me l'enlève pas.» Mais ici, il dit à Dieu lui-même : «Ne t'éloigne pas de moi!»

Sur le psaume 38

Fr. 49 *AS* III, p. 28; Cf. 38 I, 2, 14-16.

Εἰς τὸ τέλος δὲ κατὰ τοὺς Ο' ἐπιγράφεται· κατὰ δὲ τὰς ἄλλας ἑρμηνείας, ἐπινίκιος, καὶ εἰς τὸ νῖκος, καὶ τῷ νικοποιῷ.

Fr. 50 *AS* III, p. 29, 8-14; Cf. 38 I, 6, 1-8.

Ὁ τέλειος, ὡς ἤδη εὐεξίαν καὶ μακαριότητα ἀναλαβών, οὐ κινεῖται παντελῶς ὑπὸ τῶν λοιδορούντων αὐτόν· ὁ δὲ προκόπτων, ἀλγεῖ μὲν καὶ τὴν καρδίαν ἔχει θερμαινομένην ἐν ἑαυτῷ, βράσσουσαν καὶ ταρασσομένην, ἀλλ' οὐ μέχρι τοῦ ἐλθεῖν ἀπὸ τῆς καρδίας λόγον ἐπὶ στόμα.

Fr. 51 *AS* III, p. 29, 15-27; Cf. 38 I, 7, 3-40.

Καὶ μελετῶν, φησί, τὰ θεῖα λόγια, ἐκαιόμην· ὡς οἱ περὶ Κλεόπαν λέγοντες· Οὐχὶ ἡ καρδία ἡμῶν καιομένη ἦν ἐν ἡμῖν, ὡς ἐλάλει ἡμῖν ἐν τῇ ὁδῷ, καὶ ὡς διήνοιγεν ἡμῖν τὰς γραφάς; Τοιοῦτοι ἦσαν καὶ οἱ λόγοι Ἱερεμίου, διὸ γέγραπται εἰρηκέναι τὸν Θεὸν πρὸς αὐτόν· Ἰδοὺ, δέδωκα τοὺς λόγους μου εἰς τὸ στόμα σου πῦρ. Τοιαῦται ἦσαν αἱ καθεζόμεναι γλῶτται ἐπὶ τοὺς ἀποστόλους, τοὺς μέλλοντας τὸν λόγον τοῦ εὐαγγελίου κηρύσσειν. Ὤφθησαν γὰρ αὐτοῖς ὡς πῦρ, ἵν' ὁ λόγος αὐτῶν ᾖ καυστικός, καὶ ἀνάπτῃ τὰς ψυχὰς τῶν ἀκροωμένων.

Fr. 52 *AS* III, p 30, 4-6; Cf. 38 I, 9, 1-5.

Παλαισταὶ αἱ ἐν τῷ βίῳ ἡμέραι, ἀντὶ τοῦ βραχεῖαι καὶ ἐλάχισταί εἰσιν, οὐ πήχεσι μετρούμεναι.

Sur le psaume 38

49. «Pour la fin», selon les Septante. Selon les autres interprétations : «Triomphal», ou «Pour une victoire», ou «Au vainqueur».

50. Le parfait, puisqu'il a déjà reçu vigueur et félicité, n'est pas du tout remué par ceux qui l'injurient. Mais le progressant souffre, et son cœur est enflammé en lui, agité et troublé, mais non pas au point que monte de son cœur une parole vers sa bouche.

51. Et «méditant les paroles divines, dit-il, je brûlais», comme ceux qui étaient avec Cléophas disant : «Notre cœur n'était-il pas brûlant en nous, quand il nous parlait sur la route et nous expliquait les Écritures?» Telles étaient aussi les paroles de Jérémie. C'est pourquoi il est écrit que Dieu lui a dit : «Voici, j'ai fait de mes paroles un feu dans ta bouche.» Telles étaient les langues qui se posaient sur les apôtres qui devaient prêcher la parole de l'Evangile. Car «elles apparurent sur eux comme du feu», pour que leur parole soit brûlante et enflamme les âmes de ceux qui l'écoutent.

52. Les jours de la vie sont «d'une largeur de main», pour : brefs et tout petits, non mesurables en coudées[1].

---

1. Lire πήχεσι pour πτήχεσι?

Fr. 53 AS III, p. 30, 6-12; Cf. 38 I, 11, 1-13.

Καὶ ἡ ὑπόστασίς μου ὡσεὶ οὐδὲν ἐνώπιόν σου, εἶτα ἑξῆς, ὡς ἂν διηγούμενος τὸ εἰρημένον, ἐπιλέγει· Πλὴν τὰ σύμπαντα ματαιότης, πᾶς ἄνθρωπος ζῶν. Πάντα τὰ ἐν ἀνθρώποις μάταιά ἐστιν πρὸς τὸν μέλλοντα αἰῶνα, καὶ πρὸς τὰ ἡμῖν ὑποκείμενα, τοῖς ἀξίως βεβιωκόσι.

Fr. 54 AS III, p. 31, 9-21; Cf. 38 II, 7, 17-30.

Ἔστι δὲ καὶ ἕτερον εἶδος μαστίγων, περὶ ὧν φησι· Τίς δώσει ἐπὶ τοῦ διανοήματός μου μάστιγας, καὶ ἐπὶ τῶν χειλέων μου σφραγῖδας πανούργων, ἵνα ἐπὶ τοῖς ἀγνοήμασί μου μὴ φείσωνται, καὶ αἱ ἁμαρτίαι μου μὴ ἀπολέσωσί με; Εὔχεται γὰρ ἐπὶ ταῖς ἁμαρτίαις αὐτοῦ μαστιγωθῆναι τὴν καρδίαν. Ἐάν ποτε ἴδῃς μετὰ τὸ ἡμαρτηκέναι, σεαυτὸν κολαζόμενον ἔνδον ὑπὸ τῶν διαλογισμῶν σου, τῆς συνειδήσεώς σου καταγινωσκούσης σου καὶ κολαζούσης, μακάριζε σεαυτὸν συγκρίσει ἄλλων ἡμαρτηκότων, καὶ μὴ λυπουμένων ἐφ᾽ οἷς ἥμαρτον.

Fr. 55 AS III, p. 32, 2-12; Cf. 38 II, 7, 39-58.

Ἀπόστησον ἀπ᾽ ἐμοῦ, φησί, τὰς μάστιγάς σου, τάς τε ἔξωθεν ἐπικειμένας διὰ τῶν πειρασμῶν, καὶ τὰς ἔσωθεν. Μέτρον γὰρ ἐχέτωσαν καὶ αἱ μάστιγες τῆς διανοίας· ἐὰν γὰρ περισσότεραι, ἀπολούμεθα. Τὸ γὰρ ὑπὲρ μέτρον λυπεῖσθαι, διαφθορά. Διόπερ ὁ ἀπόστολος εὐλαβούμενος τὴν πολλὴν μάστιγα τῆς διανοίας τοῦ ἁμαρτάνοντος, φησί· Μή πως τῇ περισσοτέρᾳ λύπῃ καταποθῇ ὁ τοιοῦτος ὑπὸ τοῦ Σατανᾶ.

Fr. 56 AS III, p. 32, 14 - 33, 10; Cf. 38 II, 8, 3-35.

Ἡ ἁμαρτάνουσα δὲ ψυχὴ παχύνεται· τοιαύτη γὰρ ἡ φύσις τῆς ἁμαρτίας· διὸ γέγραπται· Ἐπαχύνθη ἡ καρδία

53. «Et mon être est comme rien devant Toi.» Puis à la suite, comme expliquant ce qu'il a dit, il ajoute : «Vraiment, tout est vanité, ainsi que tout homme vivant.» Tout chez les hommes est vanité par rapport au siècle à venir et à tout ce qui nous est réservé, pour ceux qui ont vécu convenablement.

54. Il est aussi un autre genre de fouets dont on dit : «Qui donnera à ma pensée des fouets et mettra sur mes lèvres les sceaux des hommes adroits, pour qu'ils ne m'épargnent pas en raison de mes ignorances et que mes péchés ne me perdent pas?» Il prie, en effet, pour que son cœur soit fouetté pour ses péchés. Si parfois, après avoir péché, tu te vois châtié intérieurement par tes pensées, parce que ta conscience te condamne et te châtie, estime-toi heureux, par comparaison avec les autres qui ont péché et ne se sont pas affligés de leurs péchés.

55. «Eloigne de moi tes fouets», dit-il, ceux qui me menacent à l'extérieur par les tentations, et ceux de l'intérieur. Que les fouets des pensées aient aussi une mesure ; car s'il y en a trop, nous succombons. En effet, être affligé outre mesure est une ruine. C'est pourquoi l'Apôtre, prenant garde au grand fouet de la pensée de celui qui avait péché, dit : «De peur que par une trop grande tristesse, un tel individu soit englouti par Satan.»

56. L'âme qui péche s'épaissit. Car telle est la nature du péché. C'est pourquoi il est écrit : «Le cœur de ce peuple

τοῦ λαοῦ τούτου. Ἡ ἀρετὴ δὲ λεπτύνει τὴν ψυχὴν καὶ
ἐκτήκει αὐτὴν καὶ ἵνα βιασάμενος ὀνομάσω, πᾶν τὸ
σωματικὸν αὐτῆς ἐξαφανίζει, καὶ καθαρῶς αὐτὴν παρίστησιν
ἀσώματον. Ὅτι δὲ παχύνεται καὶ σαρκοῦται ἡ ψυχὴ τοῦ
ἁμαρτωλοῦ, δῆλον ἐκ τοῦ· Οὐ μὴ καταμείνῃ τὸ πνεῦμά
μου ἐν τοῖς ἀνθρώποις τούτοις εἰς τὸν αἰῶνα, διὰ τὸ εἶναι
αὐτοὺς σάρκας. Ἔργον οὖν ἐστι τῷ Θεῷ ἐκτῆξαι ψυχὴν
καὶ τὸ παχὺ ἀποβαλεῖν τὸ περιγινόμενον αὐτῇ. Τοιαῦτά
τινα εὑρήσεις μυστικῶς εἰρημένα ἐν τῷ Ἰεζεχιήλ, ἡνίκα
εἰς τὸν λέβητα βάλλονται τὰ κρέα καὶ ἑψῶνται, καὶ λέγεται·
Ἐξεψήθη, ἐξετάκη τὰ κρέα, ἐξεψήτη ὁ ζωμός. Ταῦτα εἰς
παράστασιν, ὅτι λέβητες ἡμᾶς διαδέξονται καιόμενοι, καὶ
βαλλόμεθα ἡμεῖς οἱ σαρκώσαντες ἡμῶν τὰς ψυχάς, ἵνα
ἐκτακῶμεν.

Fr. 57 AS III, p. 33, 10-18; Cf. 38 II, 9, 4-18.

Ἡ μήποτε λανθάνῃ με καὶ τὸ παράδειγμα ἐκ τῆς
ἀράχνης ληφθέν, ἐν τῷ Ἡσαΐᾳ εἴρηται, ὅτι ἱστὸν ἀράχνης
ὑφαίνουσιν. Πόσα εὔσχιστά ἔστιν καὶ λεπτοϋφῆ, ὅσα ὕφαναν
οἱ πρὸ ἡμῶν οἱ πλοῦτον συναγαγόντες, οἱ ἀξιώματα
λαβόντες· ἀλλ' ἐξετάκησαν, ὡς ἀράχναι, αἱ ψυχαὶ αὐτῶν·
πλὴν μάτην πᾶς ἄνθρωπος, ὡς προείρηται, ταράσσεται
περὶ τούτου.

Fr. 58 AS III, p. 34, 2-7; Cf. 38 II, 12, 5-11.

Ὡς γὰρ οὐχ ὑπαρχόντων τῶν ἁμαρτωλῶν, λέγεται·
Ἔσονται ὡς οὐκ ὄντες. Καὶ τὰ μὴ ὄντα ἐκάλεσεν ὁ Θεός.
Διὰ τοῦτο ὀπίσω τοῦ Κυρίου τοῦ Θεοῦ ἡμῶν πορευσώμεθα,
καὶ αὐτῷ κολληθῶμεν, ἵνα γενώμεθα ὑπάρχοντες.

s'est épaissi.» La vertu, au contraire, amaigrit l'âme et la fait fondre, et, pour parler avec exagération, elle réduit à rien tout ce qu'il y a en elle de corporel et la rend purement incorporelle. Que l'âme du pécheur soit épaissie et devienne charnelle, c'est clair par ceci : «Mon Esprit ne demeurera pas en ces hommes pour toujours, car ils sont chair!» Dieu travaille donc toujours à faire fondre l'âme et à ôter ce qui lui reste d'épais.

Tu trouveras de telles idées dites de façon mystique chez Ezéchiel, quand des morceaux de viande sont jetés dans une marmite et sont cuits, et l'on dit : «La viande se dessécha, fondit, le jus se dessécha.» Ceci pour montrer que des marmites embrasées nous recevront et nous y serons jetés, nous qui avons rendu nos âmes charnelles, pour y fondre.

57. Ou, pour ne pas oublier l'exemple de la toile d'araignée, il est dit dans Isaïe : «Ils tissent une toile d'araignée.» Comme c'est facile à déchirer et finement tissé, tout ce qu'ont tissé ceux qui, avant nous, ont amassé de la richesse, ceux qui ont accaparé des honneurs! Mais leurs âmes ont fondu comme des toiles d'araignée.

C'est d'ailleurs bien en vain, comme on l'a dit, que tout homme est agité à ce sujet.

58. En effet, comme si les pécheurs n'existaient pas, on dit : «Ils seront comme n'étant pas», et : «Dieu a appelé ce qui n'est pas.» Donc, allons à la suite du Seigneur notre Dieu, et adhérons à lui pour devenir des gens qui existent!

INDEX

I. INDEX SCRIPTURAIRE

Les chiffres renvoient au psaume commenté, à l'homélie (chiffres romains) et au chapitre, et la lettre à l'appel de note. Lorsque celle-ci est en italique, elle concerne une allusion.

II. Index des noms propres ou assimilés

Les chiffres renvoient au psaume commenté, à l'homélie, au chapitre et à la ligne du texte latin; les références en italique renvoient à une citation biblique, ou à une allusion précise.

ABRAHAM senior et plenus dierum 36 IV, 3, 23.26.32; –, Isaac, Iacob 38, II, 11, 7; Deus – et Deus Isaac et Deus Iacob *36 IV, 1, 53*; -hae gremium 36 I, 4, 62; filii, opera *36 IV, 3, 159*; semen *36 IV, 3, 158*; sinus *36 I, 4, 55.*

ACHAB *37 1, 2, 19*; iniquus 36 I, 2, 61; iniquus et impius, – inimicus vinae nostrae 36 I, 2, 78-79, Cf. Iezabel.

ACTA APOSTOLORUM 38 I, 7, 35.

AEGYPTUS 38 I, 8, 49; -ti flumina 36 I, 2, 53; -tius 36 I, 2, 54.56; –tii *36 I, 2, 57*; -tiorum gens 36 I, 1, 91;-/ Mare Rubrum 36 III, 1, 54-56.

ANGELUS Voir index analytique : Ange.

ANTICHRISTUS sagitta Diaboli 36 III, 3, 13.

APOSTOLUS -li 38 1, 7, 37; medici animarum in Ecclesia 37 I, 1, 26.

APOSTOLUS (PAULUS) 36 I, 1, 47.102; II, 23.55; 6, 18; III, 1, *14*; 9, 8; 10, 41; IV, 2, 107.110; 3, 36; V, 1, 14; 2, 19; 5, 40; 37 I, 1, 78.81.114; 2, 78.102; 5, 7; 6, 5; 38 I, 7, 59.61; 8, 17; II, 2, 31-63; 7, 55; -li praeceptum 36 I, 2, 51; verba 36, V, 6, 20; -licus sermo 37 I, 2, 105; -/ Galatae 36 I, 2, 85; Voir Corinthus, Paulus.

APRONIANUS Prol. 5.

BASILIDES Voir Valentinus.

BETHLEEM 36 IV, 2, 148.

CHRISTIANUS 36 IV, 2, 125; Voir Iudaeus.

CHRISTUS *36, III, 11, 44*; corpus totius creaturae 36 II, 1, 56; natura virtutum 38 II, 2, 21; panis 36 IV, 3, 172; Petra 36 IV, 2, 61; Pontifex *38 II, 2, 48*; sagitta electa Dei *36 III, 3, 12*; Verbum Dei et Sapientia Dei 36 IV, 1, 46; Via 36 IV, 2, 61; Virtus Dei et Dei Sapientia *36 V, 1, 14*; formatur in nobis 36 IV, 3, 150; habitus est odio 37 II, 8, 10.

Christum : – cupire 36 IV, 1, 113; imitari 36 V, 5, 60; loqui semper 36 V, 1, 15; per - um Dominum nostrum 36 III, 12, 37; V, 7, 78; - et Salvatorem nostrum 36 II, 8, 53;

III. Index Analytique

L'index n'est pas exhaustif. Les chiffres se rapportent au psaume commenté, à l'homélie, au chapitre et à la ligne du texte latin. Le signe -/ signifie : « lemme associé à ». Une référence en italique indique une citation ou une allusion biblique

Foi : petite, mais pleine de vie 36 III, 6, 55-56; bouclier de la
    – *36 II, 8, 6.18.39*; *III, 3, 22;* -/ confiance 36 V, 4, 19; -/
    crainte de Dieu 36 III, 6, 45-74; -/ droiture 37 I, 2, 29; -/
    œuvres 38 II, 1, 30; voir pensée.
Folie : le péché 36 I, 1, 150.
Fornication : -/ adultère 37 I, 6, 17-18; -/ chasteté 36 II, 1, 81;
    -/ impureté IV, 2, 109.
Fouet : de la conscience 38 II, 7, 17-27.30.42-43.
Framée : voir glaive.
Froid : du péché 38 I, 7, 33; -/ tiède 38 I, 7, 21.
Fruit : -s de l'Esprit 36 I, 3, 11; *III, 10, 41*.
Fureur : 36 II, 3, 31; 37 I, 1, *103*-106; 38 I, 3, 40; 5, 43; voir
    emportement.

Géhenne : 36 I, 4, 57; V, 7, 3; 37 II, 6, 38.
Glaive : du diable 36 III, 5, 2; du péché 36 III, 1, 27-40; des
    pécheurs 36 II, 8, 21; III, 1, 12-17; -/ arc, trait, framée 36 III,
    5, 1-17; voir armes, pécheur.
Gloire : charnelle, voir chair; de ce monde 36 V, 7, 28; du Sei-
    gneur *38 II, 2, 14*; en nous 36 I, 6, 7; du règne de Dieu
    36 III, 3, 40-41 – Doxologies : fin de chaque homélie.
Grâce : nous est indispensable 36 IV, 2, 159.
Grec : Prol. 6; 36 II, 6, 13; V, 7, 7; 38 I, 2, 10; 9, 2; -/ latin
    36 I, 1, 43; 4, 26.47; 38 II, 7, 3.
Guérison : 38 I, 5, 31-53; -/santé de l'âme 37 II, 1, 14; voir
    salut.

Haine : envers Dieu et ses paroles 37 II, 8, *1*-27; envers le
    juste 36 II, 7, 5; -/ amour 36 III, 9, 28-30; -/ affection 37 I,
    1, 83-85.
Heureux : -/doux 38 I, 3, 33; -/ malheureux 37 II, 9, 16-17.
Hérétiques : 36 III, 11, 38; IV, 1, 101; V, 5, 79; 37 II, 8, 8-
    9.12; 38 I, 5, 17; leur parole et leur doctrine est un argent
    porteur de peste 36 IV, 4, 24-27.
Héritage : -/ sort *37 II, 3, 56*.
Homonyme : 36 I, 4, 3.18.
Homme : fragile 36 III, 8, 2; 37 II, 1, 10; fort 37 II, 2, 14;
    doit être corrigé 38 II, 7, 5-6; inique 36 II, 2, 3-11; non mé-
    prisable, mais rien devant Dieu car créé de rien 38 I, 10, 1-7;

le Seigneur 36 II, 4, 40; 38 II, 3, 9-10; perdre – 38 I, 5, 52-53; -/ constance 38 I, 5, 14.

Pauvre : 36 III, 4, *2-5*.39; voir riche.

Pécheur : 36 III, 7, *1*-25; soldat du diable 36 II, 8, 1-9.18; a les bras ligotés 36 III, 7, 23; le diable parle en lui 36 III, 3, 18-19; agresse et provoque 38 I, 4, 2-*21*; dresse des embûches contre le pauvre 36 II, 8, 42-43; tire le glaive 36 II, 8, 21; III, 1, *12*-26; châtié ou non châtié 37 II, 5, 10-17; des châtiments pour le – 36 III, 1, 40; 10, 76-77; V, 2, 9; 5, 3; 7, 36; 37 I, 1, 167-168; II, 1, 2-3; porte l'image du terrestre 38 II, 3, 77; ce qu'il fait n'est rien : des toiles d'araignée 38 II, 9, 6-16; il passe 36 V, 5, 60-64; ne sera plus *36 II, 5, 11-14; 7, 20; III, 1, 34*; V, 5, 38-53; il n'existe pas 38 II, 12, 3-*6*; est réduit à rien 38 II, 1, *48*-53; le bon pécheur 37 II, 5, 15; se fait son propre accusateur 37 II, 6, 10-11; -/ juste 36 II, 7, 14; 8, 29-37; III, 10, 61-62; 11, 21.54.*73*; IV, 5, *4*-11; V, 4, *1*-4; 37 II, 3, 19-25; 38 II, 1, 19-21.49-51; -/ orgueil 36 III, 7, 13-14; -/ pervers 36 II, 7, 7; voir démons, diable, glaive, main, repentir.

Péché : 36 III, 1, 5; grande diversité de – 38 II, 2, 76-82; une barrière 36 II, 5, *27-28*; un fardeau ou une volupté 37 I, 4, 13-14; – des femmes 37 I, 6, 19-20; froid du – 38 I, 7, 33; pointe du – 36 IV, 1, 32-33; puanteur du fumier des – 37 I, 4, 27-28; récifs des – 37 I, 6, 56; volonté du diable 38 II, 5, 16-18; demeurer dans le – ou s'en échapper 36 IV, 2, 20-21; le faire périr 36 III, 1, 36; ne pas le cacher 36 I, 5, 6-28; 37 II, 1, 21.33-34; 6, 4-10; rend épais alors que la vertu rend fin 38 II, 8, 5-6; -/ égorgé 36 III, 4, 12; voir face, folie.

Pédagogue : 37 I, 2, 47; -intendant, précepteur, curateur 37 I, 1, 118.127.158.*160*-161.173.180; -/ loi *37 I, 1, 160*; -/ maître 37 I, 1, 118-119.

Pénitence : 36 III, 3, 37; 37 I, 2, 15.31.42; 5, 33; dessèche nos chairs 38 II, 8, 30-31; parfaite et totale 38 II, 4, 16-17; -/ conversion Prol. 3-4; -/ correction 37 II, 1, 4; -/ satisfaction IV, 2, 106; voir ange, cœur, componction, repentir.

Pénitent : 37 I, 5, 30; voir pénitence.

Pensée : libérer sa – 36 IV, 1, 19; en gratter la teinte des vices 38 II, 2, 117-119; accusé par ses -s 38 II, 7, 25 ; : -/ tourmenté – 37 I, 1, 100; -/ foi 38 I, 11, 44; voir âme.

Père : – de famille 37 I, 1, 130-141.154.165-168; voir Index des Noms propres : Pater.

Perfection : 36 V, 7, 18-19; ne vient pas de la loi *38 II, 2, 35-36*; mais de la soumission 36 II, 1, 30-31; degrés de – 38 I, 4, 35-64; -/ fin 38 I, 8, 32-33; -/ partiel et imparfait *38 I, 11, 14-15*; voir progrès.

Persécution : 36 II, 7, 5; V, 4, 6-17.29; 37 I, 1, 62; *38 I, 4, 45.60; 5, 26*; pour le nom de Dieu 36 IV, 3, 81.*113-116*.

Pervers : 36 I, 1, 117; -/ méchant 36 II, 4, 3-18; voir esprit.

Perversité : 36 I, 2, 46; II, 8, 25; IV, 1, 33; définition de la – 36 II, 4, 11-13; levain de – *36 III, 1, 62*.

Pierre : voir rocher.

Philosophie : 36 IV, 1, 98; -/autres études 36 III, 6, 37-38.

Pleurs : 36 IV, 2, 17; 37 I, 5, 34; -/ rire *37 I, 5, 41-42*; voir larmes.

Pluie : de la parole 36 III, 10, 28-29.

Poison : 37 II, 1, 67-68.

Porcs : 37 I, 4, 22-30.

Précepteur : voir pédagogue.

Presbytre : 36 II, 6, 5.

Prêtre : 38 I, 2, 9; -/ lévite 38 I, 1, 11-12.28-36.

Prière : *36 II, 1, 103;* III, 8, 10; V, 1, 41; 37 I, 1, 33; II, 1, 44; 38 II, 7, 46-47; avec larmes du plus profond du cœur 38 II, 10, 3-4; – du Seigneur 36 II, 4, 10; V, 7, 57-58; appel à la prière 36 IV, 2, 58; 4, 28; 37 I, 6, 81; II, 9, 19; – d'Origène 36 V, 7, 13-14; – demandée par Origène 36 IV, 3, 142; 4, 15-18; -/savoir 36 II, 1, 86; silence 38 II, 10, 10-11; supplier 37 I, 1, 33-34; voir miséricorde.

Progrès : Prol. 13; 36 III, 4, 8; IV, 3, 44-*46*; V, 7, 17-18; 37 I, 6, 23; 38 I, 1, 1-4; 3, 3-4; 4, 34; croissance du corps et de l'âme 38 I, 8, 21-26; en endurance physique 38 I, 5, 6-9; dans un métier 38 I, 8, 39; dans la Parole de Dieu 36 I, 2, 28.77; par le combat spirituel 38 II, 6, 14-15; en patience 38 I, 4, 41.58; 5, 27-53; en sagesse 36 V, 1, 38-39.63; en vertu IV, 1, 26-48.65.76-86; 2, 31-33.35; -/ homme, peuple, loi 38 I, 1, 1-4; -/ guérison 38 I, 5, 31-37; -/ purification Prol. 4; -/ souffrance 38 I, 6, 1-2; voir degrés, route.

Prostituée : *37 I, 6, 7*.

Publicain : *37 I, 5, 24; 6, 33*.

Pudeur : 36 II, 8, 23.

Pureté : de vie 36 I, 5, 14; -/ propre 36 I, 5, 26; 37 II, 6, 42; voir cœur.

Purification de l'âme : des vices 36 I, 3, 35; 38 I, 7, 68; par les châtiments 37 II, 5, 22.26; par le feu 36 II, 3, 15-21; III, 1, 46-52.60-67; 38 II, 8, 27-29.

Rachat : *37 II, 9, 25*.

Récompense : grande 36 IV, 8, 17; V, 2, 10-11; ne pas l'attendre des hommes 36 I, 5, 17; voir espérance.

Règle : de conduite Prol. 2-3; de vérité 36 IV, 1, 105.

Reins : ou lombes 37 I, 6, 9.

Remède : 37 I, 1, 5-7.12; 38 II, 8, 14-15; aux tentations 37 I, 6, 26-27; une parole contrôlée 38 I, 3, 44; voir médecine.

Remords : 37 I, 5, 38; – de la conscience 37 I, 3, 11; du cœur et de l'âme 38 II, 7, 47-48; voir cœur, componction, fouet, repentir.

Repentir : 37 I, 1, 38-41; 3, 20; 4, 1; 38 II, 7, 33; du pécheur affligé 37 I, 5, 4.40; II, 1, 1-2; 38 I, 7, *46*.62-69; – du fond du cœur 37 I, 6, 35; mesure le pardon 38 II, 4, 4-10.16-20; -/ correction 36 IV, 2, 9-10; 38 II, 7, 30-36; 8, 42-44; -/ humilité 37 I, 6, 32-33; -/ prière 37 I, 1, 30; -/ réparation 36 IV, 2, 83-86; voir pénitence, tristesse.

Réprimande : 37 I, 1, 56-*185*; 2, *1*-12.21-22; voir salut.

Ressemblance : du Christ 36 IV, 3, 44.

Restes : *(reliquiae) 36 V, 6, 15-29*.

Résurrection : des justes 36 V, 1, 72; 6, 22; 7, 75; pour la vie ou pour la honte 36 III, 10, 6-7; jour de la – 37 II, 1, 18-19; voir Index des Noms propres : Dieu.

Richesses : terrestres 36 II, 2, 9; – des pécheurs 36 III, 6, 25-43.52-55; amassées par ambition 38 II, 9, 10-13; de manière injuste 36 IV, 4, 19-20; s'emparer de – 36 I, 1, 145; les mépriser 36 I, 3, 39; l'incertain des – *36 V, 7, 69;* -spirituelles 38 II, 3, 15; s'en repaître 36 I, 3, 43-44; riche en biens spirituels 36 II, 8, 46-47; en Parole de Dieu 36 III, 6, 81-100; riche et pauvre 36 I, 1, 139; *4, 52*; II, 8, 40-47; *III, 6, 1-2*; -/ bonheur 36 V, 5, 15; -/ iniquité 36 III, 6, 26; -/ misère 37 I, 6, 41-43; voir luxure.

TABLE DES MATIÈRES

SOURCES CHRÉTIENNES

Fondateurs : † *H. de Lubac, s.j.*
† *J. Daniélou, s.j.*
† *C. Mondésert, s.j.*
Directeur : *D. Bertrand, s.j.*
Directeur de la collection : *J.-N. Guinot*

Dans la liste qui suit, dite «liste alphabétique», tous les ouvrages sont rangés par nom d'auteur ancien, les numéros précisant pour chacun l'ordre de parution depuis le début de la collection. Pour une information plus complète, on peut se procurer deux autres listes au secrétariat de «Sources Chrétiennes» – 29, rue du Plat, 69002 Lyon (France) – Tél. : 78 37 27 08 :

1. la «liste numérique», qui présente les volumes et leurs auteurs actuels d'après les dates de publication; elle indique les réimpressions et les ouvrages momentanément épuisés ou dont la réédition est préparée.

2. la «liste thématique», qui présente les volumes d'après les centres d'intérêt et les genres littéraires : exégèse, dogme, histoire, correspondance, apologétique, etc.

LISTE ALPHABÉTIQUE (1-411)

Les Spectacles : *332*
La Toilette des femmes : *173*
Traité du baptême : *35*

THÉODORET DE CYR
Commentaire sur Isaïe : *276, 295* et *315*
Correspondance, I-LII : *40*
— 1-95 : *98*
— 96-147 : *111*
Histoire des moines de Syrie : *234* et *257*

Thérapeutique des maladies helléniques : *57* (2 vol.)

THÉODOTE
Extraits *(Clément d'Alex.)* : *23*

THÉOPHILE D'ANTIOCHE
Trois Livres à Autolycus : *20*

VIE D'OLYMPIAS : *13 bis*

VIE DE SAINTE MÉLANIE : *90*

VIE DES PÈRES DU JURA : *142*

SOUS PRESSE

APPONIUS, **Commentaire sur le Cantique.** Tome I. L. Neyrand, B. de Vregille.

BERNARD DE CLAIRVAUX, **Sermons sur le Cantique.** Tome I. R. Fassetta, P. Verdeyen.

GRÉGOIRE DE NYSSE, **Homélies sur l'Ecclésiaste.** F. Vinel.

MARC LE MOINE, **Traités,** Tome I, G.-M. de Durand.

OPTAT DE MILÈVE, **Traité contre les donatistes.** Tomes I et II. M. Labrousse.

Passion de Perpétue. J. Amat.

PROCHAINES PUBLICATIONS

Les Apophtegmes des Pères. Tome II. J.-C. Guy (†).

EUDOCIE, **Centons homériques.** A.-L. Rey.

ISIDORE DE PÉLUSE, **Lettres.** Tome I. P. Évieux.

Livre d'heures ancien du Sinaï. M. Ajjoub.

TERTULLIEN, **Le Voile des vierges.** P. Mattei, E. Schulz-Flügel.

Également aux Éditions du Cerf :

LES ŒUVRES DE PHILON D'ALEXANDRIE
publiées sous la direction de
R. ARNALDEZ, C. MONDÉSERT, J. POUILLOUX.
Texte original et traduction française.

1. **Introduction générale, De opificio mundi.** R. Arnaldez.
2. **Legum allegoriae.** C. Mondésert.
3. **De cherubim.** J. Gorez.
4. **De sacrificiis Abelis et Caini.** A. Méasson.
5. **Quod deterius potiori insidiari soleat.** I. Feuer.
6. **De posteritate Caini.** R. Arnaldez.
7-8. **De gigantibus. Quod Deus sit immutabilis.** A. Mosès.
9. **De agricultura.** J. Pouilloux.
10. **De plantatione.** J. Pouilloux.
11-12. **De ebrietate. De sobrietate.** J. Gorez.
13. **De confusione linguarum.** J.-G. Kahn.
14. **De migratione Abrahami.** J. Cazeaux.
15. **Quis rerum divinarum heres sit.** M. Harl.
16. **De congressu eruditionis gratia.** M. Alexandre.
17. **De fuga et inventione.** E. Starobinski-Safran.
18. **De mutatione nominum.** R. Arnaldez.
19. **De somniis.** P. Savinel.
20. **De Abrahamo.** J. Gorez.
21. **De Iosepho.** J. Laporte.
22. **De vita Mosis.** R. Arnaldez, C. Mondésert, J. Pouilloux, P. Savinel.
23. **De Decalogo.** V. Nikiprowetzky.
24. **De specialibus legibus.** Livres I-II. S. Daniel.
25. **De specialibus legibus.** Livres III-IV. A. Mosès.
26. **De virtutibus.** R. Arnaldez, A.-M. Vérilhac, M.-R. Servel, P. Delobre.
27. **De praemiis et poenis. De exsecrationibus.** A. Beckaert.
28. **Quod omnis probus liber sit.** M. Petit.
29. **De vita contemplativa.** F. Daumas et P. Miquel.
30. **De aeternitate mundi.** R. Arnaldez et J. Pouilloux.
31. **In Flaccum.** A. Pelletier.
32. **Legatio ad Caium.** A. Pelletier.
33. **Quaestiones in Genesim et in Exodum. Fragmenta graeca.** F. Petit.
34 A. **Quaestiones in Genesim**, I-II (e vers. armen.). C. Mercier.
34 B. **Quaestiones in Genesim**, III-IV (e vers. armen.) Ch. Mercier et F. Petit.
34 C. **Quaestiones in Exodum**, I-II (e vers. armen.) A. Terian.
35. **De Providentia**, I-II. M. Hadas-Lebel.
36. **Alexander (De animalibus)** (e vers. armen.) A. Terian et J. Laporte.

Photocomposition laser
Abbaye de melleray
C.C.S.O.M.
44520 Moisdon-la-Rivière

———

Achevé d'imprimer en novembre 1995
N° d'éditeur : 10178
Dépôt légal : novembre 1995

Imprimé en France par Jean-Lamour
54320 Maxéville